# Texte zur Umwelt
des Neuen Testaments

herausgegeben von
Charles Kingsley Barrett

2., erweiterte deutsche Ausgabe
herausgegeben von
Claus-Jürgen Thornton

J. C. B. Mohr (Paul Siebeck) Tübingen

*Die Deutsche Bibliothek – CIP-Einheitsaufnahme*

*Texte zur Umwelt des Neuen Testaments* / hrsg. von Charles
Kingsley Barrett. – Erw. dt. Ausg. / hrsg. von Claus-Jürgen
Thornton, 2. Aufl. – Tübingen :
Mohr, 1991
  (UTB für Wissenschaft : Uni-Taschenbücher ; 1591)
  ISBN 3-16-145619-X
NE: Barrett, Charles K. [Hrsg.]; UTB für Wissenschaft / Uni-
Taschenbücher

1. Auflage 1959

© 1991 J. C. B. Mohr (Paul Siebeck) Tübingen. Alle Rechte vorbehalten.
Satz: Gulde-Druck, Tübingen
Druck: Presse-Druck, Augsburg
Einbandgestaltung: Alfred Krugmann, Stuttgart

# Inhaltsverzeichnis

## Kapitel I. Das Römische Imperium

### A. Augustus und die Konsolidierung des Reiches

### B. Tiberius

### C. Caligula

### D. Claudius

### E. Nero

### F. Vespasian

### G. Domitian

## Kapitel II. Die Papyri

### A. Bereitung und Verwendung des Papyrus

# Kapitel III. Die Inschriften

# Kap. IV. Die Philosophen

## Kapitel V. Gnosis und Gnostizismus

# Kapitel VI. Die Mysterienreligionen

## A. Der Mythus

## B. Einweihung

## C. Kultus

# Kapitel VII. Die Geschichte der Juden

## A. Die Zeit der Makkabäer

## B. Die Hohenpriester

## C. Herodes der Große

## Kapitel VIII. Die rabbinische Literatur und das rabbinische Judentum

## Kapitel IX. Qumran

## Kapitel X. Philo

## Kapitel XI. Josephus

## Kapitel XII. Septuaginta und Targum

## Kapitel XIII. Die Apokalyptik

## Register

# Vorwort von C. K. Barrett

## Aus dem Vorwort zur 1. englischen Auflage (1956)

Der Theologiestudent hört in den Vorlesungen ständig von Papyri und Inschriften, von Philosophen und Kaisern, von Rabbinen und Apokalyptikern, von Schriftstellern wie Philo und Josephus und von Feldherrn wie Judas Makkabäus und Titus – aber er kennt das alles wohl kaum aus erster Hand. Selbst wenn er vor der Theologie klassische Philologie studiert hat, dürften seine Kenntnisse nicht allzuweit über die Grenzen des römischen Reiches und die Schriften der bedeutenderen griechischen und lateinischen Philosophen und Historiker hinausreichen. Er hat wahrscheinlich nicht die Hermetica und ganz bestimmt nicht den Talmud gelesen. Viele Studenten würden niemals, und auch die besten unter ihnen vor dem ersten Examen nur wenig in solchen Schriften lesen: So würden sie es, dachte ich, vielleicht begrüßen, einmal eine Auswahl aus der antiken Literatur zu Rate ziehen zu können, deren einzelne Stücke durchweg für das Neue Testament wichtig, aber nicht alle ohne weiteres zugänglich sind ...

Die ersten Jahrhunderte vor und nach Beginn unserer Zeitrechnung sind es wahrlich wert, um ihrer selbst willen studiert zu werden; erst wenn das geschehen ist, können sie als Hintergrund der Entstehung und Ausbreitung des christlichen Glaubens voll zur Geltung kommen. Ich entwarf deshalb einen Plan, um von jener Zeit so viel wie möglich zu erfassen. Daß zahlreiche Lücken geblieben sind und zwangsläufig bleiben mußten, weiß ich nur zu gut; doch hoffe ich, daß das Buch im ganzen eine zutreffende, klare und lesbare Darstellung der Alten Welt enthält. Zum mindesten habe ich mich nach Kräften bemüht, mich in jeden von mir zitierten Autor hineinzuversetzen.

Auswahl, Anordnung und Erläuterung der Textstücke haben ein gut Teil meiner Zeit in den letzten Jahren in Anspruch genommen. Nachdem das Werk nun endlich vollendet ist, darf ich hoffen, daß es nicht nur den Theologiestudenten nützt, für die es in erster Linie bestimmt ist, sondern auch anderen Lesern, insbesondere solchen, die in der kirchlichen Unterweisung oder im Religionsunterricht an der Schule das Neue Testament behandeln.

## Zur 2. englischen Auflage (1986)

In den 30 Jahren seit dem erstmaligen Erscheinen dieses Buches scheint es einige der Zwecke erfüllt zu haben, die ich bei der Zusammenstellung der Texte vor Augen und in der Einleitung erwähnt hatte. Das erfüllt mich mit Freude. Ein solches Buch ist heute notwendiger denn je. In der vergangenen Generation konnte man noch davon ausgehen, daß viele Studierende der Theologie zu einem gewissen Grade mit der klassischen Literatur vertraut sein würden; eine solche Annahme wäre heute völlig verfehlt. Noch immer spricht das Neue Testament zu uns aus seiner fernen Welt. Je deutlicher uns vor Augen steht, wie fremd es in der Welt des 1. Jahrhunderts war, wie es sie dennoch unmittelbar und machtvoll ansprach und ihr Bedeutendes zu sagen hatte, desto größer ist die Wahrscheinlichkeit, daß wir in unserer eigenen Welt an seiner Fremdheit vorbei seine Wahrheit erblicken.

Geraume Zeit machte diese Sammlung einen überholten Eindruck. Einige wenige Qumrantexte klappten in einer Art Anhang nach; die Nag-Hammadi-Texte waren noch nicht zugänglich. In der neuen Ausgabe sind diese beiden Quellen, wie ich hoffe, angemessen vertreten. Ich habe die Gelegenheit genutzt, eine Reihe weiterer Texte hinzuzunehmen und einiges wenige wegzulassen. Im Fortgang meiner Lektüre der griechischen Literatur ist mir beispielsweise deutlich geworden, daß die großen Tragiker ebenso tiefgründige Lehrmeister in Sachen Leben, Ethik, Schicksal und Religion sind wie die Philosophen. Ihre Texte ergreifen die Leser mehr. Ich habe eine kleine Auswahl aus ihrem Werk aufgenommen. Darüberhinaus sollte nicht unerörtert bleiben, wie Juden, die keine Christen waren, ihre Bibel interpretierten.

Dieses Textbuch zur Umwelt des Neuen Testaments steht bei weitem nicht mehr alleine da. Erfreut habe ich weitere solche Sammlungen erscheinen sehen; es war keine dabei, aus der ich nicht gelernt hätte. Dennoch hoffe ich, daß dieses Buch weiterhin einem weiten Leserkreis von Nutzen sein wird.

## Zur 2. deutschen Ausgabe (1991)

Gern ergreife ich die Gelegenheit, Herrn Dr. Claus-Jürgen Thornton für die Übersetzung und die ausgezeichnete Bearbeitung meines Buches zu danken, das nun deutschsprachigen Lesern und Leserinnen zugänglich wird. Er hat geeignete Übersetzungen der von mir zitierten Quellen ausgewählt oder, wo es nötig war, selbst angefertigt. Darüber hinaus hat er wertvolles Material hinzugefügt, so daß die deutsche Ausgabe als ein Gemeinschaftswerk zu gelten hat.

Älteren Forschergenerationen deutscher Sprache verdanke ich viel; mit der deutschen Ausgabe dieses Buches verbinde ich die Hoffnung, mich wenigstens ansatzweise für das Empfangene revanchieren zu können. Dank schulde ich auch dem Verleger, Herrn Georg Siebeck, der mir diesen Gegendienst ermöglicht hat.

# Vorwort von C.-J. Thornton

Im Jahre 1959 erschien C. K. Barretts Textbuch *Die Umwelt des Neuen Testaments* in der deutschen Übersetzung von C. Colpe. Rasch wurde es zu einem beliebten Arbeitsmittel; es ist seit langem vergriffen. Als C. K. Barrett vor fünf Jahren eine bearbeitete und stark vermehrte Neuausgabe herausbrachte, entstand bald der Plan, ihr wiederum eine deutsche Ausgabe folgen zu lassen. Über weite Strecken konnte dabei auf den Wortlaut der ersten deutschen Ausgabe zurückgegriffen werden, die durchgesehen und nur hier und da leicht verändert wurde; in einigen Fällen mußten inzwischen veraltete Übersetzungen herausgenommen und durch neue ersetzt werden, an anderer Stelle machte eine veränderte Forschungslage eine Neufassung erforderlich. Sodann war das Buch an die englische Neubearbeitung anzugleichen: Das Qumrankapitel wurde völlig neu gestaltet; ferner kamen Abschnitte über die griechischen Dichter *(107-110),* die Nag-Hammadi-Funde und die mandäische Literatur *(119-123),* Josephus als Schriftausleger *(271-273)* , die Targumim *(279-281)* und die jüdische Mystik *(298-303)* hinzu, von einer Vielzahl weiterer Texte nicht zu reden.

Als die Arbeit an diesem Punkt angelangt war, lag das Erscheinen der englischen Ausgabe bereits vier Jahre zurück, ein Zeitraum, in dem eine ganze Reihe bedeutender, teilweise sogar sensationeller Neufunde publiziert und andere, nicht weniger wichtige Texte durch kritische Ausgaben und Übersetzungen allererst zugänglich gemacht wurden; ich erwähne hier nur die Aphrodisias-Inschrift (s. *64),* das *Monumentum Ephesenum* (s. 65), eine Vorveröffentlichung aus einem Brief des Lehrers der Gerechtigkeit (s. *233)* und die systematische Erschließung der Hekhalot-Literatur durch P. Schäfer und sein Team (s. *302).* Die deutsche Neuausgabe von C. K. Barretts Quellensammlung schien eine günstige Gelegenheit zu bieten, diese und weitere Texte schon bald nach ihrem Bekanntwerden einer breiteren Leserschaft vorzustellen. In Übereinkunft mit Professor C. K. Barrett habe ich diese Gelegenheit genutzt und neben einer Anzahl von Neuveröffentlichungen der letzten Jahre *(51, 62, 64-66, 233, 240, 242, 255, 302)* auch einige weitere Texte hinzugenommen, die teilweise noch nicht ins deutsche übersetzt waren und die ich nicht missen wollte. Gelegentlich habe ich auch die Anmerkungen erweitert und bei besonders wichtigen Texten bibliographische Hinweise hinzugefügt.

Mein Dank gilt in erster Linie Professor C. K. Barrett, der zu diesem freizügigen Umgang mit seinem Buch die Zustimmung gab, und Professor C. Colpe, der die Verwendung seiner Übersetzung der ersten deutschen Ausgabe gestattete. Außerdem danke ich Frau Anna Maria Schwemer und Herrn Jens Holzhausen, die zwei Übersetzungen (*240, 118*) beigesteuert haben, und all denen, die mich bei der Auswahl der neu aufgenommenen Texte beraten haben und mir bei schwierigen Übertragungen hilfreich zur Seite standen.

# Abkürzungen und Siglen

| | |
|---|---|
| Anm[m]. | Anmerkung, [Anmerkungen] |
| b | Babylonischer Talmud |
| BdK | Bibliothek der Kirchenväter |
| BGU | Berliner griechische Urkunden (Aegyptische Urkunden aus den koeniglichen Museen zu Berlin, Berlin 1895 ff) |
| CIG | Corpus Inscriptionum Graecarum |
| CIJ | Corpus Inscriptionum Judaicarum |
| CIL | Corpus Inscriptionum Latinarum |
| CIMRM | Corpus inscriptionum et monumentorum religionis Mithricae |
| col., Kol. | Kolumne |
| EdF | Erträge der Forschung |
| FJB | Frankfurter Judaistische Beiträge |
| H & E | A. S. Hunt/C. C. Edgar, Select Papyri, 2 Bde., Loeb Classical Library, London/Cambridge, Massachusetts 1932/1934 |
| Hs[s]. | Handschrift, [Handschriften] |
| IEJ | Israel Exploration Journal |
| JC | Judaica et Christiana |
| JJS | Journal of Jewish Studies |
| JRS | Journal of Roman Studies |
| JSHRZ | Jüdische Schriften aus hellenistisch-römischer Zeit |
| m | Mischna |
| NHC | Nag Hammadi Codex |
| NHS | Nag Hammadi Studies |
| NTS | New Testament Studies |
| OGIS | Orientis Graeci Inscriptiones Selectae |
| P | Papyrus |
| PAmh | The Amherst Papyri |
| PCairo Zen | Catalogue général des antiquités égyptiennes du Musée du Caire, Zenon Papyri |
| PGM | Papyri Graecae Magicae |
| PHamb | Griechische Papyrusurkunden aus der Hamburger Staats- und Universitätsbibliothek |
| PLond | Greek Papyri in the British Museum |
| PMur | Papyri aus dem Wadi Murabba'at, in: Discoveries in the Judaean Desert. II. Les grottes de Murabba'ât, hg. v. P. Benoît u. a., Oxford 1961 |
| POx | The Oxyrhynchus Papyri |
| PRyl | Catalogue of the Greek Papyri in the John Rylands Library |
| PTebt | The Tebtunis Papyri |
| R. | Rabbi |
| RdQ | Revue de Qumran |
| REG | Revue des Études Grecques |
| REJ | Revue des Études Juives |
| SEG | Supplementum Epigraphicum Graecum |
| SQAW | Schriften und Quellen der Alten Welt |
| ST | Sammlung Tusculum |
| s. v. | sub voce |

| | |
|---|---|
| Syll[3] | Sylloge Inscriptionum Graecarum, hg. v. W. Dittenberger, 3. Auflage |
| TU | Texte und Untersuchungen |
| TzF | Texte zur Forschung |
| UPZ | Urkunden der Ptolemäerzeit (ältere Funde), Bd. I. Papyri aus Unterägypten, hg. v. U. Wilcken, Berlin/Leipzig 1927 |
| Var., v.l. | Variante, varia lectio |
| WBG | Wissenschaftliche Buchgesellschaft, Darmstadt |
| WdF | Wege der Forschung |
| WUNT | Wissenschaftliche Untersuchungen zum Neuen Testament |
| y | Jerusalemer Talmud |
| Z [Z]. | Zeile, [Zeilen] |
| ZPE | Zeitschrift für Papyrologie und Epigraphik |

| | |
|---|---|
| ( ) | In runden Klammern stehen erläuternde Hinzufügungen des Übersetzers. |
| ⟨ ⟩ | Spitzklammern bezeichnen Änderungen gegenüber der mutmaßlich fehlerhaft überlieferten Lesart. |
| [ ] | Eckige Klammern enthalten Ergänzungen eines lückenhaft überlieferten Textes. |

# Die Quellen

Natürlich können an dieser Stelle nicht sämtliche Quellen aufgelistet werden, auf denen unsere Kenntnis der antiken Welt beruht. Hier soll zunächst ein wenig Hintergrundinformation gegeben werden, die für die Lektüre dieses Buches nützlich sein mag. Wer dann an dem einen oder anderen Abschnitt Interesse gefunden hat, kann auf den folgenden Seiten auch einige Hinweise finden, wie eine weitergehende Beschäftigung mit dem Thema sinnvoll aufgebaut werden kann. In erster Linie ist dabei an Leser gedacht, die deutsche Übersetzungen (Abkürzungen der deutschsprachigen Übersetzungsreihen im folgenden in Kursive) bevorzugen und, wenn möglich, den Originaltext parallel dazu einsehen möchten. In der Regel gibt es zu den hier genannten Ausgaben durchaus empfehlenswerte Alternativen. Ich habe vor allem Erscheinungen neueren Datums ausgesucht, in denen auch aktuelle Hinweise auf die maßgebenden Texteditionen und neuere Sekundärliteratur gefunden werden können. Zweisprachig sind angelegt die Reihen *Sammlung Tusculum* (ST) im Artemis-Verlag Zürich/München und *Schriften und Quellen der Alten Welt* (SQAW) im Akademie-Verlag Berlin, deren Bände jeweils auch als Lizenzausgaben bei der Wissenschaftlichen Buchgesellschaft (WBG) in Darmstadt erscheinen. In Philipp Reclams *Universalbibliothek* sind sowohl zweisprachige Taschenbuchausgaben (UB) als auch reine Übersetzungen *(UB)* erhältlich (wo nicht ausdrücklich „Leipzig" hinzugefügt wird, ist der Stuttgarter Verlag gemeint). Deutsche Übersetzungen mit guten Einleitungen und Anmerkungen erscheinen in den Reihen *Bibliothek der Griechischen Literatur (BGL)* bei A. Hiersemann in Stuttgart, *Bibliothek der Alten Welt (BAW)* bei Artemis und *Bibliothek der Antike (BdA)* im Aufbau-Verlag Berlin/Weimar. Einzelnes ist in deutscher Übersetzung bei Suhrkamp als Insel Taschenbuch *(it)* erschienen.

## Zu Kapitel I: Das römische Imperium

Die Geschichte des römisches Imperiums ist uns seit langem aus den bekannten literarischen Quellen vertraut; diese sind in jüngerer Zeit durch Dokumente wie Inschriften, Papyri und Münzen ergänzt worden.

Die literarischen Zeugnisse sind verschiedener Art und von unterschiedlichem Wert. Die *Res Gestae* des Augustus, obschon keine sehr anregende Lektüre, sollten nicht übergangen werden; immerhin gehören sie zu den wenigen Quellen aus erster Hand, die wir besitzen (ST; UB). Die Geschichte des gesamten Zeitabschnittes erzählte Tacitus in seinen *Historien*, von denen nur die ersten ca. viereinhalb Bücher über die Jahre 69 und 70 erhalten sind (ST; UB), und in den späteren *Annalen* über die Jahre 14–68, von denen die beiden Blöcke über die Jahre 14–37 und 47–66 übriggeblieben sind (ST; UB). Die Darstellung ist nicht frei von politischer Tendenz; trotzdem ist sie ein Stück klassischer Geschichtsschreibung. Im ganzen steht Tacitus treu zu den Tatsachen, wenn er sie auch eigenwillig interpretiert. Sueton erzählt teilweise über denselben Zeitabschnitt, jedoch in anderer Form und nicht so eindringlich; seine 12 *Cäsarenleben* beginnen mit Cäsar und enden mit Domitian (lat.-frz. in 3 Bänden bei der Société d'Édition «Les Belles Lettres», Paris; dt. bei Kröner und *BdA*). Zu den Kaisern Galba und Otho können die Lebensbeschreibungen Plutarchs verglichen werden *(BAW)*. Historiker wie Velleius Paterculus (UB), Appian *(BGL)* oder Dio Cassius *(BAW)* sind für unseren Zweck von geringerer Bedeutung.

Nach der Lektüre von Augustus und Tacitus sollte man sich mit den mehr indirekten historischen Zeugnissen dieser Zeit, den Werken der Dichter und Unterhaltungsschriftsteller, befassen. Hier ist zunächst Vergil zu nennen; seine *Äneis* (ST; *UB, BdA*) bietet den religiösen und philosophischen Hintergrund zu den Taten des Augustus und zur Größe Roms, *Eklogen* und *Georgica* (ST unter dem Titel *Landleben*) erzählen von der Liebe des Italikers zu seiner ländlichen Heimat. Andere Dichter dieser Zeit vermitteln uns größtenteils eine andere Atmosphäre. Horaz (ST; *BdA*), mehr noch Ovid (*Liebesgedichte, Liebeskunst* und *Metamorphosen* in ST; *BdA*), aber auch Satiriker wie Martial und Juvenal *(UB)* spiegeln in ihren Werken das hochzivilisierte Leben in der Stadt. Unter den Romanen wären in erster Linie zu nennen Petrons Schelmengeschichte *Satyricon* (ST; *UB*), die Liebesgeschichten zwischen *Chaireas und Kallirrhoe* von Chariton (*UB* [Leipzig]; *BGL*), zwischen *Leukippe und Kleitophon* von Achilleus Tatius *(BGL)* oder *Die äthiopischen Abenteuer von Theagenes und Charikleia* von Heliodor (UB), und der deftige Abenteuerroman *Metamorphosen* von Apuleius, der auch unter dem Titel *Der Goldene Esel* bekannt ist (ST, SQAW; *it*).

## Zu Kapitel II: Die Papyri

Wer mehr über das tägliche Leben im römischen Reich wissen möchte, erfährt es am besten über die Papyri. Ausgewählte *Griechische Papyri* sind mit deutscher Übersetzung von J. Hengstl herausgegeben worden (ST); dort (S. 391–413) findet man ein Verzeichnis der bis 1978 bekannten Papyrus-Editionen. Unverzichtbar ist auch die zweibändige, griechisch-englische Ausgabe von nichtliterarischen *Select Papyri* in der Loeb Classical Library (hg. v. A. S. Hunt/C. C. Edgar). Die jüdischen Papyri sind in den 3 Bänden des *Corpus Papyrorum Judaicarum* (hg. v. V. Tcherikover/A. Fuks/M. Stern, Cambridge, Massachusetts 1957-1964) mit englischer Übersetzung zusammengestellt. Bei der WBG ist eine *Kleine Einführung in die griechische Papyruskunde* von H.-A. Rupprecht angekündigt.

Sobald diese Quellen durchgearbeitet sind, kann man sich die vollständigen Papyrusveröffentlichungen vornehmen, vor allem die *Oxyrhynchus Papyri*, die seit 1898 in London erscheinen. Von den neueren Papyrussammlungen, die zumindest teilweise deutsche Übersetzungen geben, seien nur *Die Papyri der Bayerischen Staatsbibliothek München* (Griechische Papyri Bd. III/Teil 1, hg. v. U. Hagedorn u. a., Stuttgart 1986) und *Griechische Texte der Heidelberger Papyrus-Sammlung (P. Heid. IV)*, hg. v. B. Kramer/D. Hagedorn, Heidelberg 1986, erwähnt.

Neuere Untersuchungen und Papyri erscheinen in der von L. Koenen und R. Merkelbach herausgegebenen Reihe *Papyrologische Texte und Abhandlungen* (Dr. Rudolf Habelt Verlag, Bonn 1968 ff), in der in Leipzig bei Teubner erscheinenden Zeitschrift *Archiv für Papyrusforschung* und in der *Zeitschrift für Papyrologie und Epigraphik*.

## Zu Kapitel III: Die Inschriften

Einen ersten Einstieg in die Epigraphik vermittelt die deutschsprachige Auswahl von H. Freis (*Historische Inschriften zur römischen Kaiserzeit,* WBG 1984), wo auch hilfreiche Literaturhinweise zu finden sind; nützlich sind ferner die zweisprachigen Ausgaben von G. Pfohl (*Griechische Inschriften als Zeugnisse des privaten und öffentlichen Lebens,* ST) und die neueste (1988) Sammlung *Römische Inschriften* (UB) von L. Schumacher mit einer Einführung in die lateinische Epigraphik und Literaturhinweisen.

Unter den häufig zitierten älteren Sammlungen, die auch in diesem Buch verwendet wurden, sind W. Dittenbergers *Sylloge Inscriptionum Graecarum* (4 Bde., Leipzig [3]1915–1924) und *Orientis Graeci Inscriptiones Selectae* (2 Bde., Leipzig 1903–1905) zu nennen, die allerdings keine Übersetzung bieten; ein hilfreiches Arbeitsmittel dazu ist W. Gawantka, *Aktualisierende Konkordanzen zu Dittenbergers Orientis Graeci Inscriptiones Selectae (OGIS) und zur dritten Auflage der von ihm begründeten Sylloge Inscriptionum Graecarum (Syll.[3])*, Hildesheim/New York 1977. Das *Corpus Inscriptionum Judaicarum* (CIJ), hg. v. J. B. Frey (Bd. I: Vatikanstadt 1936, Nachdr. Ktav Publishing House, New York 1975; Bd. II: Vatikanstadt 1952), bietet jeweils eine französische Übersetzung; das *Corpus jüdischer Zeugnisse aus der Cyrenaika* wurde von G. Lüderitz zusammengestellt und teilweise übersetzt (BTAVO Reihe B Nr. 53, Dr. Ludwig Reichert, Wiesbaden 1983). Von unschätzbarem Wert sind für Neutestamentler die Reihe *Inschriften griechischer Städte aus Kleinasien* (Dr. Rudolf Habelt Verlag, Bonn), in der bislang 36 Bände (teilweise mit dt. Übers.) erschienen sind, und die Sammlung aramäischer Inschriften und Papyri von K. Beyer (*Die aramäischen Texte vom Toten Meer samt den Inschriften aus Palästina, dem Testament Levis aus der Kairoer Genisa, der Fastenrolle und den alten talmudischen Zitaten*, Vandenhoeck & Ruprecht, Göttingen 1984). Neuveröffentlichungen von (oder über) Inschriften werden jeweils (allerdings mit ca. 3jähriger Verzögerung) im *Supplementum Epigraphicum Graecum* (seit 1978 bei J. C. Gieben, Amsterdam) und in *L'Année Épigraphique* (Presses Universitaires de France, Paris) vorgestellt, die beide durch Indices gut erschlossen sind, in der Regel aber keine Übersetzungen enthalten. Unter den Zeitschriften, in denen über ganz neue Funde berichtet wird, seien nur die *Zeitschrift für Papyrologie und Epigraphik* und *Epigraphica Anatolica* genannt.

## Zu Kapitel IV: Die Philosophen

Die Vorsokratiker sind für das Studium des frühen Christentums nicht allzu wichtig. Die Reste sind gesammelt und, soweit es sich um Originalfragmente handelt, übersetzt bei H. Diels/W. Kranz, *Die Fragmente der Vorsokratiker*, 3 Bde., Berlin [9]1959 (zu den neuen Heraklit-Fragmenten aus Oxyrhynchos [POx 3710] vgl. S. N. Mouravier in ZPE 71, 1988, S. 32–34).

Die Geschichte des Sokrates gehört wohl immer noch zur Allgemeinbildung. Im wesentlichen steht sie in Platons *Apologie, Kriton* und *Phaidon*. Platon selbst beginnt man vielleicht am besten mit dem *Staat*, der eine Einleitung in sein philosophisches und politisches Denken gibt. Bei der WBG ist eine zweisprachige Gesamtausgabe in 8 Bänden erschienen, bei Rowohlt eine Taschenbuchedition in deutscher Übersetzung (6 Bde.). In der *Nikomachischen Ethik* des Aristoteles wird eine Reihe von ethischen und religiösen Termini ausführlich diskutiert, die – natürlich nicht immer in derselben Bedeutung – im NT wieder auftauchen (*UB;* F. Meiner Verlag).

Von Epikurs Werk ist uns nicht viel erhalten (UB; *BAW*). Große Teile der Epikur-Überlieferung stammen aus dem 10. Buch des Diogenes Laertius (dt. O. Apelt, *Diogenes Laertius' Leben und Meinungen berühmter Philosophen,* Leipzig 1921, Nachdr. Berlin 1955). *De rerum natura* ist ein imponierendes Lehrgedicht des Epikureers Lukrez (UB).

Die Fragmente der älteren Stoiker sind vorbildlich zusammengestellt von H. v. Arnim (*Stoicorum Veterum Fragmenta*, 4 Bde., Leipzig 1903 ff, Nachdr. Stuttgart 1964). Die zahlreichen Dialoge und die *Moralischen Briefe* Senecas, des Erziehers Neros, sind unbedingt lesenswert (5bändige Studienausgabe lat.-dt. bei WBG; einzelnes in UB). Eine Auswahl aus Epiktet, Teles und Musonius liegt in deutscher Übersetzung unter dem Titel *Wege zum Glück* vor (hg. v. R. Nickel, bei Artemis und Winkler, München bzw. WBG), Marc Aurels *Selbstbetrachtungen* unter verschiedenen Titeln bei Kröner, *UB, it*.

Schwierig gestaltet sich das Studium der Neupythagoreer, deren Texte zum größten Teil durch den Exzerptor Johannes Stobaios bekannt sind. Stobaios ist zuletzt im 16. Jh. ins Deutsche übersetzt worden. Die Fragmente aus den Werken *Über die Königsherrschaft* der PsDiotogenes, PsSthenidas und PsEkphantos wurden von L. Delatte ins französische übertragen (*Les Traités de la Royauté d'Ecphante, Diotogène et Sthénidas*, Lüttich/Paris 1942).

Keines der Progymnasmata genannten rhetorischen Handbücher ist meines Wissens bislang ins deutsche übersetzt worden. Die *Progymnasmata* des Hermogenes wurden von C. S. Baldwin ins Englische übertragen (*Medieval Rhetoric and Poetic*, The Macmillan Company, New York 1928, Nachdr. Peter Smith, Gloucester, Mass. 1959, S. 23–38). Quintilians *Ausbildung des Redners* (zweisprachig in WBG) und Ciceros wichtigste rhetorische Schriften (*De Oratore*, UB; *Brutus* und *Orator*, ST) liegen in ausgezeichneten Ausgaben vor.

Ausgesprochen kurzweilig und lohnend ist die Lektüre von Lukians vielfältigem Schrifttum (3 Bände *BdA*; Auswahl ST). Besonders *Das Lebensende des Peregrinus Proteus* und *Alexander oder der Lügenprophet* gehören für Neutestamentler zum „Muß". Für Plutarchs *Moralia* muß man sich in der Regel an die Gesamtausgabe in der Loeb Classical Library halten. Auch die *Briefe* des jüngeren Plinius sollten nicht ausgelassen werden (ST).

## Zu Kapitel V: Gnosis und Gnostizismus

Eine gute Einführung in das schwierige Gebiet der Gnosis gibt R. McL. Wilson in *Gnosis und Neues Testament* (Kohlhammer, Stuttgart u. a. 1971); der von K. Rudolph herausgegebene Band *Gnosis und Gnostizismus* (WdF 262, Darmstadt 1975) enthält eine Sammlung forschungsgeschichtlich wichtiger Beiträge sowie eine ausgewählte Bibliographie. In *Neues Testament und Gnosis* (EdF 208, Darmstadt 1984) versucht W. Schmithals, den Ertrag der Gnosisforschung für die Beschäftigung mit dem Neuen Testament zusammenzufassen. Am besten aber liest man die Texte selbst: W. Förster hat eine dreibändige Ausgabe *Die Gnosis (BAW)* herausgegeben; der 1. Band enthält Zeugnisse der Kirchenväter ([2]1979), der zweite koptische und mandäische Quellen (1971) und der dritte manichäische Quellen (1980). *Der Kölner Mani-Kodex. Über das Werden seines Leibes* wurde von L. Koenen und C. Römer herausgegeben und übersetzt (Opladen 1988). Zum Manichäismus können die Aufsätze von A. Böhlig (*Gnosis und Synkretismus*, 2. Teil, WUNT 48, Tübingen 1989, S. 457 ff) verglichen werden, zum Mandäismus der Band *Der Mandäismus* (hg. v. G. Widengren, WdF 167, Darmstadt 1982). Eine ganze Reihe gnostischer Texte finden sich in Übersetzung auch in den beiden Bänden *Neutestamentliche Apokryphen*, hg. v. W. Schneemelcher (Bd. I: Tübingen [6]1990, Bd. II: [5]1989). Der Forschungsbericht von K. Rudolph über *Die Gnosis: Texte und Übersetzungen* (in: Theologische Rundschau 55, 1990, S. 113–152) gibt einen guten Überblick.

## Zu Kapitel VI: Die Mysterienreligionen

Aus den unten angeführten Gründen (s. S. 151) ist das Studium der Mysterienreligionen sehr schwierig; es gibt nur wenige einfache und zuverlässige Texte, deren Lektüre zu empfehlen wäre. Dazu gehören das elfte Buch der *Metamorphosen* des Apuleius (ST; SQAW; *it*) und Plutarchs *Über Isis und Osiris* (dt. von Th. Hopfner, 2 Bde., Prag 1940–1941 [Nachdr. WBG]), die als Einführung in die Isismysterien dienen können. Inschriftliches ist von L. Vidman gesammelt (*Sylloge Inscriptionum religionis Isiacae et Sarapiacae*, Berlin 1969); eine neue Isis-Aretalogie wurde von Y. Grandjean herausgegeben und kommentiert (*Une nouvelle Arétalogie d'Isis à Maronée*, Leiden 1975). Für den kleinasiatischen Kult der Kybele und des Atthis ist das 7bändige *Corpus cultus Cybelae Attidisque* (Leiden 1977–1989) von M. J. Vermaseren unverzichtbar. Derselbe Autor hat auch das *Corpus Inscriptionum et Monumentorum Religionis Mithriacae* herausgegeben (2 Bde., Den Haag 1956–1960); neuerdings hat R. Merkelbach in seinem Buch *Mithras* (Königstein/Ts. 1984) den Versuch unternommen, die Entwicklung des Mithraskultes zur Mysterienreligion nachzuzeichnen.

## Zu Kapitel VII: Die Geschichte der Juden

Die Geschichte der Juden im Zeitalter der Makkabäer wird im 1. und 2. Makkabäerbuch erzählt (dt. Übers. mit Einleitungen und Literatur von K. D. Schunck und von C. Habicht in JSHRZ, s. u. zu Kap. XII). Sie wird von Josephus im *Bellum Judaicum* und in den *Antiquitates* (XII–XX) weitergeführt (s. zu Kap. XI). Das sind die unerläßlichen Hauptquellen; hier und da gibt es jüdische und nicht-jüdische Parallelerzählungen, von denen die meisten in den Anmerkungen der oben genannten bzw. unten zu nennenden Übersetzungen und in der griechisch-englischen Josephus-Ausgabe in der Loeb Classical Library aufgeführt werden. Die englische Neuausgabe des alten „Schürer" ist eine ausgezeichnete Gesamtdarstellung zu diesem Thema (E. Schürer, *The History of the Jewish People in the Age of Jesus Christ [175 B. C. – A. D. 135]. A New English Version*, 3 Bde., hg. v. G. Vermes u. a., T. & T. Clark, Edinburgh 1973–1987).

## Zu Kapitel VIII: Die rabbinische Literatur und das rabbinische Judentum

Die Frage, ob und in welcher Form rabbinische Texte in der Auslegung des NT eine Rolle spielen können, ist äußerst sensibel und in den vergangenen zwei bis drei Jahrzehnten heiß diskutiert worden. Da rabbinische „Stellen" von vielen Neutestamentlern immer noch gern pauschal als Negativfolie für die christliche Botschaft angeführt werden, sei hier eine grundsätzliche Mahnung vorangestellt. Große Teile der rabbinischen Literatur sind dem abendländischen Denken in ihrer Erzähl-, Denk- und Argumentationsform überaus fremd; um ihre Logik nachzuvollziehen, bedarf es langer Übung. Einzelne, aus dem Zusammenhang gerissene „Stellen" verschleiern nur diese Schwierigkeit. Außerdem ist die Datierbarkeit einzelner Aussprüche, an der Neutestamentler naturgemäß ein besonderes Interesse haben, methodisch äußerst umstritten; der Name eines Tradenten ist in der Regel kein zuverlässiges Kriterium. Schließlich ist das rabbinische Judentum – anders, als viele Neutestamentler es erscheinen lassen – eine keineswegs einheitliche Größe, das sich dem NT einfach gegenüberstellen ließe; das aber wird nur feststellen, wer sich einen Überblick über das ungemein umfangreiche Textcorpus verschafft hat. Zumindest Anfänger sollten deshalb beim gegenwärtigen Stand der judaistischen Forschung darauf verzichten, rabbinische Quellen unter „neutestamentlichem Blickwinkel" zu lesen und zu verwenden. Der auf seine Art meisterhafte *Kommentar zum Neuen Testament aus Talmud und Midrasch* (hg. v. H. L. Strack/P. Billerbeck, 4 Bde., München [8]1982–1986, mit zwei Indexbänden von J. Jeremias/K. Adolph, [5]1979) gehört wohl eher in die Hände von judaistischen Fachleuten als in die Hände von Studenten und Studentinnen des NT. Was für jede andere Literatur auch gilt, muß hier besonders betont werden: Die Texte sollten zunächst um ihrer selbst willen gelesen werden.

Als Einstieg in die rabbinische Literatur eignet sich in erster Linie G. Stemberger, *Der Talmud. Einführung – Texte – Erläuterungen,* München 1982; daneben kommen die Anthologien *Geschichten aus dem Talmud (it)* und *Der Talmud* (hg. v. R. Mayer, München [5]1980) in Betracht. Eine solche Blütenlese vermittelt freilich kein authentisches Gesamtbild; deshalb sollte man einzelne Schriften am Stück lesen. Dazu eignen sich zunächst die zweisprachigen Ausgaben der sog. Gießener Mischna (Walter de Gruyter Verlag, früher Verlag A. Töpelmann, zunächst Gießen, später

Berlin), die inzwischen fast vollständig vorliegt, etwa in der Reihenfolge: Berakhot, Shabbat, Pesaḥim, Yoma, Sukka, Megilla, Nedarim, Sanhedrin, Avoda Ẕara und Avot. Als nächstes – bzw. parallel dazu – kämen die entsprechenden Tosefta-Traktate in Frage (teilweise erschienen in der von K. H. Rengstorf herausgegebenen Reihe *Rabbinische Texte. Erste Reihe: Die Tosefta,* W. Kohlhammer, Stuttgart; ferner *Der Tosefta-Traktat Soṭa,* hebr.-dt. von H. Bietenhard, JC 9, Bern etc. 1986).

*Der Babylonische Talmud* liegt zwölfbändig in der Übersetzung von L. Goldschmidt bei Athenäum vor (1981). Eine deutsche Gesamt-*Übersetzung des Talmud Yerushalmi* ist bei J. C. B. Mohr (Paul Siebeck) in Tübingen im Erscheinen begriffen; seit 1980 sind bislang 17 Traktate erschienen.

Unverzichtbares Hilfsmittel ist H. L. Strack/G. Stemberger, *Einleitung in Talmud und Midrasch,* München [7]1982.

Als Einführung in die Midraschim ist G. Stemberger, *Midrasch. Vom Umgang der Rabbinen mit der Bibel. Einführung – Texte – Erläuterungen* (München 1989) zu empfehlen. Unter den frühen tannaitischen Midraschim liegen *Sifre Bamidbar* (K. G. Kuhn, *Der tannaitische Midrasch Sifre zu Numeri,* Rabbinische Texte 2,3, Stuttgart 1959) und *Sifre Devarim* (H. Bietenhard, *Der tannaitische Midrasch Sifre Deuteronomium,* JC 8, Bern etc. 1984) in deutscher Übersetzung vor, unter den Homilien-Midraschim der *Midrasch Tanḥuma B* (auch Midrasch Jelammedenu genannt, übers. von H. Bietenhard, 2 Bde., JC 5 + 6, Bern etc. 1980. 1982).

Nach 1971 erschienene Literatur zum rabbinischen Judentum kann durch den *Index of articles on Jewish studies* (Jerusalem 1ff, 1960ff) und die bibliographische Vierteljahrsschrift *Qirjat Sefer* (Jerusalem 1ff, 1924ff) erschlossen werden. Die neugegründete Zeitschrift *Hebräische Beiträge zur Wissenschaft des Judentums, deutsch angezeigt* (Heidelberg 1ff, 1986ff) stellt hebräische Veröffentlichungen in deutscher Sprache vor.


## Zu Kapitel IX: Qumran

Eine gute Einführung in die Texte von Qumran mit deutscher Übersetzung einer ganzen Reihe von Schriften geben K. Schubert/ J. Maier, *Die Qumran-Essener. Texte der Schriftrollen und Lebensbild der Gemeinde* (UTB 224, Ernst Reinhardt, München/Basel 1982). Für die inzwischen schon beinahe klassischen Texte ist weiterhin die zweisprachige Sammlung von E. Lohse ein gutes

Arbeitsinstrument (*Die Texte aus Qumran,* WBG, Darmstadt
⁴1986). *Die Tempelrolle vom Toten Meer* wurde von J. Maier ins
Deutsche übertragen (UTB 829, Ernst Reinhardt, München/Basel
1978). Zu den wichtigsten Neuveröffentlichungen gehören die sog.
Sabbatlieder, die von C. Newsom ediert und ins Englische übertra-
gen wurden (*Songs of the Sabbath Sacrifice: A Critical Edition,*
Scholars Press, Atlanta, Georgia 1985). Die planmäßigen Text-
Publikationen erscheinen in unregelmäßigen Abständen in der
Reihe *Discoveries in the Judaean Desert* bei der Clarendon Press,
Oxford; in der *Revue de Qumran* werden gelegentlich kürzere
Texte bekannt gemacht und Forschungsbeiträge publiziert.

## Zu Kapitel X: Philo

Wer sich nicht in erster Linie für die Philosophie des Philo Alexan-
drinus interessiert, kann ihn am besten aus seinen historischen
Werken kennenlernen, dem Buch gegen Flaccus (*In Flaccum*) und
dem Bericht von der jüdischen Gesandtschaft Alexandrias an Kaiser Caligula (*Legatio ad Gaium*). Diese Werke zeigen Philo als
einen treuen Juden; das ist ein wesentlicher Charakterzug an
ihm, den man allerdings in seinen philosophischen Schriften
leicht wieder vergessen kann. Von diesen einfachen Erzählungen
aus (die übrigens als historische Dokumente großen Wert haben)
kann man weitergehen zu Büchern wie *Über Abraham,* in dem
Philo die biblische Geschichte wiedererzählt und daraus Lehren
eher moralischer als metaphysischer Natur zieht. Schließlich lese
man noch die ausführliche allegorische Auslegung des Pentateuch, die Philo als sein wichtigstes Werk betrachtet zu haben
scheint. In der *Erschaffung der Welt* und den *Gesetzesallegorien*
findet sich viel von dem für Philo charakteristischen spekulativen
Denken; beide Werke behandeln die ersten Verse der Genesis, aus
denen Philo dann seine Kosmologie entwickelt. Philos Werk ist in
einer 7bändigen deutschen Ausgabe bei Walter de Gruyter erschienen (Hg. L. Cohn u. a., Bd. I–VI: Berlin ²1962, Bd. VII: Berlin
1964). Ein armenisches Philo-Fragment *Über Gott* hat F. Siegert
ins Griechische und Deutsche übersetzt und ausführlich kommentiert (Philon von Alexandrien, Über die Gottesbezeichnung „wohltätig verzehrendes Feuer" [*De Deo*]. Rückübersetzung des Fragments aus dem Armenischen, deutsche Übersetzung und Kommentar, WUNT 46, Tübingen 1988).

Eine Schneise durch das Dickicht der Sekundärliteratur hilft die neue Bibliographie von R. Radice und D. T. Runia schlagen (*Philo of Alexandria. An Annotated Bibliography 1937–1980*, E. J. Brill, Leiden etc. 1988).

## Zu Kapitel XI: Josephus

Am besten beginnt man das Studium des Josephus mit seiner Autobiographie (*Vita*), die zugleich eine Verteidigung seiner Darstellung des Jüdischen Krieges gegenüber der Schrift des Justus von Tiberias enthält, und mit dem apologetischen Werk *Gegen Apion* (Übers. H. Clementz, Halle 1900, Nachdr. Joseph Melzer Verlag, Köln 1960). Danach sollte man sich die beiden Hauptwerke des Josephus, den *Jüdischen Krieg* und die *Jüdischen Altertümer*, vornehmen; die ersten 11 Bücher der *Antiquitates*, in denen Josephus im wesentlichen die biblische Geschichte nacherzählt, können dabei zunächst übergangen werden. Beides wurde von H. Clementz um die Jahrhundertwende ins Deutsche übertragen und 1977 bzw. 1979 vom Fourier Verlag in Wiesbaden nachgedruckt; eine von H. Kreißig durchgesehene Fassung der Clementz'-schen Übersetzung des Jüdischen Krieges erschien in *UB* [Leipzig]. Das *Bellum Judaicum* ist außerdem in einer zweisprachigen Studienausgabe bei der WBG erschienen (hg. v. O. Michel/O. Bauernfeind).

Ein willkommenes Arbeitsmittel zu den Schriften des Josephus ist die von K. H. Rengstorf herausgegebene 4bändige Konkordanz (*A Complete Concordance to Flavius Josephus*, Leiden 1973ff). Wer Sekundärliteratur sucht, ist bestens versorgt durch das bibliographische Meisterwerk *Josephus and Modern Scholarship (1937–1980)* von L. H. Feldman (Walter de Gruyter, Berlin/New York 1984). Das Buch gliedert die Literatur nach 29 Teilbereichen, stellt jeden Titel kurz vor und ist durch zahlreiche Register vollständig erschlossen; wer also an einem bestimmten Thema oder an einer bestimmten Passage aus dem Werk des Josephus interessiert ist, kann sich in kürzester Zeit eine kleine Bibliographie zusammenstellen.

## Zu Kapitel XII: Septuaginta und Targum

Die Septuaginta kann unter zwei Gesichtspunkten studiert werden. Zum einen ist es gerade auch für die Beschäftigung mit dem

Neuen Testament lehrreich, die hebräischen und griechischen Texte des Alten Testaments miteinander zu vergleichen; über das Griechische fanden hebräisches Denken und hebräische Ausdrucksweise Eingang ins NT, zugleich erfuhr der hebräische Inhalt des AT eine gewisse Umdeutung. Zum anderen macht die Septuaginta die Leser mit einer Reihe von Büchern bekannt, die in der hebräischen Bibel nicht enthalten sind. Diese sog. Apokryphen (v. a. *Judith, Tobit, 1.-4. Makkabäer, Weisheit Salomos, Jesus Sirach, Psalmen Salomos*), die mitunter der Lutherbibel als Anhang beigegeben werden, sind größtenteils in neuen deutschen Übersetzungen mit ausgezeichneten Einführungen, Anmerkungen und Bibliographien in der (noch unvollständigen) Reihe *Jüdische Schriften aus hellenistisch-römischer Zeit* (früher hg. v. W. G. Kümmel, seit 1987 von H. Lichtenberger, Gütersloher Verlagshaus Gerd Mohn, Gütersloh 1973 ff) erschienen; auch der *Aristeasbrief* liegt dort vor. Was noch fehlt, ist in der von E. Kautzsch herausgegebenen Sammlung *Die Apokryphen und Pseudepigraphen des Alten Testaments* (J. C. B. Mohr [Paul Siebeck], Tübingen 1921, reprogr. Nachdr. 1975) einzusehen.

Das Studium der Targumim gestaltet sich für deutschsprachige Leser ausgesprochen schwierig. Wer des Englischen mächtig ist, kann sich an die von B. D. Chilton bei T. & T. Clark in Edinburgh erscheinende Reihe *The Aramaic Bible* halten (bislang 8 Bde.).

## Zu Kapitel XIII: Die Apokalyptik

Die Apokalypsen der zwischentestamentarischen Zeit liegen zum großen Teil in den *Jüdischen Schriften aus hellenistisch-römischer Zeit* (s. unter Kap. XII) vor; für das dort noch fehlende s. wieder das Werk von E. Kautzsch. Zunächst sollte man das apokalyptische Material des AT (v. a. Daniel) nicht übergehen. Danach empfiehlt sich die Lektüre der Bilderreden des *Äthiopischen Henoch* (1. Henoch 37–71), *4. Esra*, die syrische *Baruchapokalypse* und die *Testamente der 12 Patriarchen* (hier vermutet man allerdings christlichen Einfluß, vielleicht sogar christliche Abfassung). Standardwerk für jeden, der sich mit der Apokalyptik befaßt, ist der von D. Hellholm herausgegebene monumentale Band *Apocalypticism in the Mediterranean World and the Near East* (J. C. B. Mohr [Paul Siebeck], Tübingen ²1989).

Ganz neue Impulse für die neutestamentliche Wissenschaft sind von der Edition und Übersetzung der Hekhalot-Literatur –

Texte frühjüdischer Mystik – zu erwarten, die von P. Schäfer bei J. C. B. Mohr (Paul Siebeck) in Tübingen herausgegeben werden. Bislang sind erschienen: die *Synopse zur Hekhalot-Literatur*, TSAJ 2, 1981; *Geniza-Fragmente zur Hekhalot-Literatur*, TSAJ 6, 1984; *Konkordanz zur Hekhalot-Literatur*, 2 Bde., TSAJ 12.13, 1986; *Übersetzung der Hekhalot-Literatur*, Bd. II (§§ 81–334), TSAJ 17, 1987; Bd. III (§§ 335–597), TSAJ 22, 1989 (Bd. IV ist in Vorbereitung). *Die Geschichte von den zehn Märtyrern* hat G. Reeg ediert und übersetzt (TSAJ 10, 1985).

# I. Das römische Imperium

## A. Augustus und die Konsolidierung des Reiches

Die Wurzeln des Reiches, in dem der christliche Glaube geboren wurde, waren tief und weitverzweigt; sie reichten nicht nur in die Römische Republik zurück, sondern auch in das Mazedonische Reich Alcxanders und in die griechischen Stadtstaaten. Allmählich wurde das Imperium fähig, seine philosophische Rechtfertigung im Kosmopolitismus der späteren Stoa zu suchen (s. *84–92*); doch zunächst bedurfte es keiner Rechtfertigung über seine eigenen Errungenschaften hinaus. Eine Welt, die des Bürgerkrieges mit seiner sozialen und wirtschaftlichen Unordnung und Not müde war, fand sich bereit, den Sieger von Aktium als Retter zu begrüßen – denn was verlangte der einfache Mann schließlich anderes von seinen Göttern als Frieden, Sicherheit und soziale Wohlfahrt, wie Augustus sie ihm garantierte? Natürlich gab es Unzufriedene. Die Senatorenfamilien beklagten die Veränderungen, die sie ihres Einflusses beraubten und die Macht in die Hände *eines* Mannes legten, der über Leben und Eigentum, wenn auch mehr oder weniger verhüllt, letztlich die Entscheidungsgewalt besaß. Doch für die Menge bedeutete der Senat wenig, und die Provinzen wußten, daß sie weit besser regiert wurden als je zu Zeiten der Republik.

Charakter, Motive und Absichten des Augustus, die politische Grundlage der Reichsverfassung, die wechselnden Beziehungen zwischen den Kaisern und dem Senat – das alles sind ungewöhnlich tiefgreifende und komplizierte historische Probleme. Auf die Gefahr unziemlicher Vereinfachung hin werden hier nur einige Auszüge wiedergegeben, die das Werk des Augustus und einiger der auf ihn folgenden Kaiser illustrieren sollen.

**1** *Augustus, Res Gestae 12f. 24–27. 34f.*

Gegen Ende seines Lebens hinterlegte Augustus bei den Vestalinnen vier Dokumente. Eines enthielt seinen letzten Willen über sein persönliches Eigentum. Von den drei anderen gab eines Anweisungen für die Feier seines Begräbnisses, ein weiteres einen Bericht von dem, was er vollbracht hatte (*rerum a se gestarum*; Sueton, *Augustus* 101), und das dritte einen Bericht über den militärischen und finanziellen Stand des Reiches. Die Bronzetafeln, auf denen nach den Anweisungen des Augustus die *Res Gestae* eingraviert wurden, sind nicht erhalten; aber der größere Teil des Dokumentes wurde auf einer zweisprachigen (griechisch-lateinischen) Inschrift im Tempel der

Roma und des Augustus in Ankara (*Monumentum Ancyranum*) wiederent-
deckt. Er wird jetzt durch einen griechischen, in Apollonia (in Pisidien)
gefundenen Text sowie durch einen lateinischen Text aus Antiochia (ebenfalls in Pisidien) ergänzt. Es bestehen kaum Zweifel, daß die *Res Gestae* zum
Teil zu propagandistischen Zwecken niedergeschrieben worden sind; aber
das in ihnen enthaltene Tatsachenmaterial scheint bis auf kleine Gedächt-
nisfehler zuverlässig zu sein.

Auf Grund eines Senatsbeschlusses wurde zur selben Zeit ein Teil der
Prätoren und Volkstribunen mit dem Konsul Quintus Lucretius und
den ersten Männern mir nach Kampanien entgegengeschickt, eine
Ehre, die bis auf die heutige Zeit niemandem außer mir zuerkannt
5 worden ist. Als ich aus Spanien und Gallien nach glücklich vollbrach-
ten Taten in diesen Provinzen unter dem Konsulate des Tiberius Nero
und des Publius Quintilius nach Rom zurückkehrte, da beantragte der
Senat, den Altar des „Augustus-Friedens" beim Marsfeld für meine
Rückkehr zu weihen; auf ihm sollten die Behörden, die Priester und
10 die Vestalischen Jungfrauen nach seinem Befehl ein jährliches Opfer
darbringen.

Das Janus-Quirinus-Tor, das nach dem Willen unserer Vorfahren
geschlossen sein sollte, wenn im ganzen Machtbereich des römischen
Volkes zu Wasser und zu Land durch Siege errungener Friede
15 herrschte, beantragte der Senat, in meinem Prinzipat dreimal zu
schließen, während es vor meiner Geburt seit Gründung der Stadt
überhaupt nur zweimal nach der Überlieferung geschlossen gewesen
war...

In die Tempel aller Gemeinden der Provinz Asien stellte ich als
20 Sieger die Kostbarkeiten wieder zurück, die mein Gegner durch Beraubung der Tempel in seinen persönlichen Besitz gebracht hatte.
Silberne Statuen von mir zu Fuß, zu Pferd und auf Viergespannen
standen in der Stadt ungefähr 80; diese ließ ich selbst entfernen und
aus ihrem Erlös goldene Geschenke im Tempel des Apollo in meinem
25 eigenen und im Namen derer aufstellen, die mir die Ehre der Statuen
erwiesen haben. Dem Meer habe ich die Ruhe vor den Seeräubern
gegeben. In diesem Kriege habe ich an Sklaven, die ihren Herren
entlaufen waren und die Waffen gegen den Staat ergriffen hatten, fast
30000 gefangen und ihren Herren zur Bestrafung übergeben. Den
30 Treueid leistete mir ganz Italien aus freiem Entschluß und forderte
mich zum Führer in dem Kriege, in dem ich bei Aktium siegte. Es
leisteten mir denselben Treueid die Provinzen Gallien, Spanien, Afri-
ka, Sizilien und Sardinien. Unter denen, die unter meinen Feldzeichen damals Kriegsdienste taten, befanden sich mehr als 700 Senato-
35 ren, darunter 83, die entweder vorher oder nachher bis zu dem Tage,
an welchem dies geschrieben wurde, Konsuln geworden sind, und
ungefähr 170 Priester.

Das Gebiet aller Provinzen des römischen Volkes, denen Völkerschaften benachbart waren, die unserer Herrschaft nicht gehorchen
40 wollten, habe ich erweitert. Die Provinzen Gallien und Spanien,

ebenso Germanien, soweit der Ozean sie umgürtet von Cadiz bis an die Mündung des Elbstroms, versetzte ich in den Zustand des Friedens. Die Alpen habe ich von der dem Adriatischen Meere zunächst liegenden Gegend bis zum Tuskischen Meer befriedet, wobei ich kein Volk zu
45 Unrecht bekriegte. Meine Flotte segelte über den Ozean hin von der Rheinmündung zur östlichen Gegend bis zum Gebiete der Kimbern, wohin weder zu Land noch zur See irgendein Römer vor dieser Zeit gekommen war; und die Kimbern wie die Haruden und Semonen und andere germanische Völker des gleichen Landstriches erbaten durch
50 Gesandte meine und des römischen Volkes Freundschaft. Auf meinen Befehl und unter meiner göttlichen Ermächtigung wurden zwei Heere fast gleichzeitig nach Äthiopien und nach dem sogenannten glücklichen Arabien geführt, gewaltige Massen von Feinden beider Völker in der Feldschlacht niedergehauen und mehrere feste Siedlungen ge-
55 nommen. In Äthiopien gelangte man bis zur Stadt Nabata, in deren nächster Nähe Meroe liegt. In Arabien stieß das Heer bis in das Gebiet der Sabäer zur Stadt Mariba vor.

Äypten habe ich dem Reiche des römischen Volkes hinzugefügt. Als ich Großarmenien nach der Ermordung seines Königs Artaxes zur
60 Provinz machen konnte, zog ich es vor, nach dem Vorbild unserer Vorfahren dieses Königreich dem Tigranes, dem Sohne des Königs Artavasdes und Enkel des Königs Tigranes, durch Tiberius Nero zu übergeben, der damals noch mein Stiefsohn war. Obwohl das gleiche Volk später abfiel und den Krieg wieder aufnahm und durch meinen
65 Sohn Gaius gezähmt wurde, übergab ich es dem König Ariobarzanes, dem Sohne des Mederkönigs Artabazus, zur Regierung und nach seinem Tode dessen Sohn Artavasdes. Nach dessen Ermordung schickte ich den Tigranes, der aus dem königlichen Geschlecht der Armenier stammte, in dieses Königreich. Alle Provinzen, die sich
70 jenseits des Adriatischen Meeres nach Osten erstreckten, sowie Kyrene, großenteils schon im Besitze von Königen, und vorher das im Sklavenkriege besetzte Sizilien und Sardinien habe ich wiedergewonnen ...

In meinem 6. und 7. Konsulat, nachdem ich die Bürgerkriege ausge-
75 löscht hatte, habe ich, nach dem einmütigen Wunsche der Gesamtheit in Besitz der Allgewalt gelangt, den Staat aus meiner Amtsgewalt dem Ermessen des Senats und des römischen Volkes überantwortet. Für dieses mein Verdienst wurde ich auf Beschluß des Senats Augustus genannt, mit Lorbeerkränzen wurde die Tür meines Hauses von
80 Staats wegen geschmückt, die Bürgerkrone über meiner Tür angebracht und ein goldener Schild in der Curia Julia aufgestellt, den mir der Senat und das römische Volk verliehen hat um meiner Tapferkeit und Milde, meiner Gerechtigkeit und Frömmigkeit willen, wie durch die Aufschrift dieses Schildes bezeugt ist. Seit dieser Zeit übertraf ich
85 an Machteinfluß alle, an Amtsgewalt aber besaß ich nicht mehr als die übrigen, die mir in jedem Amte Amtsgenossen gewesen sind.

Als ich zum 13. Mal das Konsulat innehatte, nannten mich Senat

und Ritterstand und das gesamte römische Volk „Vater des Vaterlandes" und beschlossen, es solle dies in der Vorhalle meines Hauses, in
90 der Curia Julia und auf dem Augustusforum unter dem Viergespann, das mir nach Senatsbeschluß errichtet wurde, verzeichnet werden. Als ich dies schrieb, stand ich im 76. Lebensjahr.

1 *zur selben Zeit*, nach seiner Rückkehr aus Syrien, Oktober 19 v. Chr.

6 *unter dem Konsulate des Tiberius Nero und des Publius Quintilius*, 13 v. Chr. Tiberius Nero war der spätere Kaiser Tiberius, der Nachfolger des Augustus. Der Altar des „Augustus-Friedens" stand auf der Via Flaminia. Fragmente davon sind erhalten, außerdem existieren Abbildungen auf Reichsmünzen. Seine Errichtung sowie das Schließen des Janustempels (s. unten) heben die Wohltaten des Friedens und der Sicherheit hervor, die Augustus der Welt erwies.

12 *Das Janus-Quirinus-Tor*. S. vorausgehende Anm. Nach Livius (I 19) wurde das Tor unter König Numa und nach dem ersten punischen Krieg (235 v. Chr.) geschlossen. Unter Augustus wurde es geschlossen: 29 v. Chr. (nach der Schlacht von Aktium, in der Oktavian (= Augustus) Mark Anton schlug und den Bürgerkrieg beendete), 25 v. Chr. (nach dem Krieg mit den Kantabrern), und später noch einmal zu einem nicht bestimmbaren Datum.

19 *ich als Sieger*, von Aktium. *Mein Gegner* ist natürlich Mark Anton; im Gegensatz zu ihm hebt Augustus seine Frömmigkeit hervor.

26 *Ruhe vor den Seeräubern gegeben*, ein Hinweis auf Oktavians Sieg über Sextus Pompeius, 36 v. Chr.

38–42 *das Gebiet ... habe ich erweitert, ... die Provinzen ... setzte ich in den Zustand des Friedens.* Das von Augustus in den Provinzen vollbrachte militärische und administrative Werk kann hier unmöglich beschrieben werden; die sehr verbesserten Bedingungen in den Provinzen waren jedenfalls nicht das unbedeutendste Resultat der augustinischen Konsolidierung des Reiches. Die Provinzen wurden in zwei Gruppen geteilt; einige blieben (wie unter der Republik) unter direkter Kontrolle des Senates, andere (insbesondere diejenigen, in denen die Gefahr einer bewaffneten Invasion oder einer Revolte am größten war) waren der Überwachung durch Augustus selbst vorbehalten (senatorische und kaiserliche Provinzen).

58 *Ägypten habe ich dem Reiche des römischen Volkes hinzugefügt*. Ägypten ist nicht als Provinz bezeichnet. Das Land war zu reich und wertvoll, als daß man es einem Verwalter anvertrauen wollte, der reich, mächtig und aufsässig werden konnte; es blieb unter direkter Aufsicht des Kaisers.

74 *In meinem 6. und 7. Konsulat*, 28 und 27 v. Chr.

75 *habe ich ... den Staat (rem publicam) ... überantwortet.* Dieser Satz ist von entscheidender Bedeutung für das Verständnis der Stellung und Macht des Augustus. Das Triumvirat (Oktavian, Mark Anton und Lepidus) hatte durch Gesetz die absolute Macht. Als diese Verbindung brach, gab sich Oktavian (stillschweigend und ohne gesetzliche Verankerung; vgl. jedoch Z. 29 ff) unbeschränkte Macht und löste dadurch ein für allemal die militärischen Probleme der sterbenden Republik; seine Maßnahmen sind z. T. oben angedeutet. Nachdem dies getan war, schaffte er *a)* illegale Verordnungen des Triumvirats ab und gab *b)* Senat und Volk das Vertrauen wieder, das er genossen hatte. Wo da die Grenze zwischen Aufrichtigkeit und diplomatischem Geschick liegt, kann hier nicht diskutiert werden. Es war allen klar,

daß ein neuer Bürgerkrieg unvermeidlich gewesen wäre, wenn Oktavian wieder ein gewöhnlicher Bürger geworden wäre. Deshalb wurden für Oktavian innerhalb der republikanischen Verfassung Mittel und Wege gefunden, um ihm die eigentliche Macht ohne den Titel eines Diktators zu sichern. Der Anschein einer Republik mit Senat war gewahrt, und gleichzeitig hatte man die praktischen Vorzüge des Prinzipats.

78 *wurde ich Augustus genannt.* Dieser Ehrentitel brachte die „inoffizielle", doch erhabene Würde des Oktavian zum Ausdruck. *Rex* und auch *Romulus* (letztere Bezeichnung wäre Oktavian wohl nicht unlieb gewesen) waren Titel, die den Römern gegen ihr Gefühl gingen. Oktavian war *princeps senatus*.

79 *Lorbeerkränze,* das Zeichen des Sieges.

80 *die Bürgerkrone* aus Eichenblättern war eine Auszeichnung für die Lebensrettung von Bürgern.

84 *übertraf ich alle an Machteinfluß (auctoritate).* Auctoritas bedeutet moralische Macht, beinahe „Führung(sgewalt)". Verstärkt durch die Rechte eines Volkstribunen und Prokonsuls gab die *auctoritas* dem Augustus alle *potestas*, also wirkliche Macht, die er benötigte.

88 *„Vater des Vaterlandes"* war ein weiterer Titel, der wie „Augustus" die Autorität des Oktavian ausdrückte und obendrein das hohe Ansehen und die Liebe, die er bei den meisten Römern genoß.

92 *stand ich im 76. Lebensjahr.* Augustus wurde am 23. September 13 n. Chr. 75 Jahre alt. Er starb am 19. August 14 n. Chr.

## 2   Sueton, Augustus 31.

Sobald aber Augustus das Amt des Pontifex Maximus nach dem Tod des Lepidus – er hatte es ihm bei Lebzeiten nicht entziehen wollen – schließlich übernommen hatte, ließ er alles, was an griechischen und lateinischen Orakelbüchern von entweder völlig unbekannten oder
5 unglaubwürdigen Verfassern in Umlauf war, über zweitausend Bände, zusammentragen und verbrennen. Nur die Sibyllinischen Bücher, und auch diese nur in Auswahl, behielt er zurück und bewahrte sie in zwei vergoldeten Kapseln unter dem Fußgestell des Palatinischen Apollo auf.
10 Den von dem göttlich verehrten Julius (Cäsar) neu geordneten, später aber durch Nachlässigkeit wieder in Unordnung und Verwirrung geratenen Kalender brachte er von neuem in die frühere Ordnung. Er verlieh dabei an Stelle des September, in dem er geboren war, dem Monat Sextilis seinen Beinamen, in Erinnerung daran, daß er in
15 diesem Monat zum erstenmal das Konsulat bekleidet und entscheidende Siege errungen hatte. Ferner erhöhte er die Zahl und die Würde, aber auch die Einkünfte der Priester, zumal der Vestalinnen. Als einmal an Stelle einer Verstorbenen eine andere gewählt werden mußte und viele Väter es zu vermeiden suchten, ihre Töchter darum
20 mit losen zu lassen, beteuerte er mit einem Schwure: Wenn eine seiner eigenen Enkeltöchter das erforderliche Alter hätte, würde er sie freiwillig preisgegeben haben. Auch manche alte Bräuche, die mit der Zeit

allmählich abgekommen waren, führte Augustus wieder ein, z. B. das
Augurium für das Wohl des Staates, das Amt des Flamen Dialis, das
25 Luperkalienfest, die Hundertjahrspiele und das Fest der Kompitalien.
Am Luperkalienfest verbot er jungen Männern, die noch keinen Bart
hatten, die Teilnahme am Festlauf. Ebenso verordnete er, daß an den
Hundertjahrspielen jüngere Leute beiderlei Geschlechtes die Darbie-
tungen bei Nacht nur in Begleitung eines älteren Verwandten besu-
30 chen durften. Ferner bestimmte er, daß die Laren an den Straßen-
kreuzungen zweimal jährlich mit Frühlings- und Sommerblumen be-
kränzt würden.

Nächst den Göttern erwies Augustus die höchste Ehre dem Andenken der großen Heerführer, welche die Herrschaft Roms aus kleinsten
35 Anfängen zur größten Macht entfaltet hatten. Darum stellte er die von
solchen Helden errichteten Bauwerke unter Beibehaltung der alten
Inschriften wieder her und weihte ihnen Statuen, die sie als Trium-
phatoren darstellten, in den beiden Säulengängen seines Forums. In
einem Edikt gab er bekannt: „Meine Absicht hierbei ist gewesen: Nach
40 dem Vorbild jener großen Männer soll ich selbst, solange ich lebe, von
den Bürgern beurteilt werden, und ebenso die Herrscher kommender
Geschlechter." Auch die Statue des Pompeius ließ er aus der Kurie, in
welcher Cäsar ermordet worden war, fortbringen und unter einem
marmornen Janusbogen gegenüber der Halle des Pompeiustheaters
45 aufstellen.

1 *das Amt des Pontifex Maximus*, das Lepidus erst durch seinen Tod verlieren
konnte. Augustus ergriff freudig die Gelegenheit, religiöses Oberhaupt des
Staates zu werden; er begann, das römische Religionssystem wiederherzustellen, einmal um zu dem, was alt und bewährt war, zurückzukehren, zum
andern zur Festigung des neu errichteten Prinzipats. Augustus wird hier als
Reformator von Religion und Sitten dargestellt.

28 *die Hundertjahrspiele*. S. unten *3*.


**3** *Horaz, Carmen Saeculare.*

Phöbus und du, Herrin des Waldes, Diana
Helle Himmelszierde, verehrungswürdig
Immer und verehrt, o gewährt uns, was wir
Beten zur Festzeit,
5 Da Sibyllenspruch es gebot, den Göttern,
Die der sieben Hügel sich freuen, solle
Von erles'nen Mädchen und keuschen Knaben
Schallen ein Hymnus!
Güt'ger Gott, der Licht auf dem Strahlenwagen
10 Bringt und auch entführt, der ein andrer immer
Und doch gleich, nichts Größ'res als Rom mög' jemals
Schauen dein Auge!
Die du hilfreich öffnest den Schoß der Frauen,
Ilithyia, oder begehrst Lucina

## 3

15 Du zu heißen oder auch Genitalis,
   Schirme die Mütter!
   Gib uns Nachwuchs, Göttin! Den Spruch der Väter,
   Segne ihn, der hieß, eine Gattin wählen,
   Und uns gab das Ehegesetz, die Wurzel
20 Neuer Geschlechter,
   Daß in elf Jahrzehnten der feste Kreislauf
   Sang und Spiele zahlreichem Volk bei Taglicht
   Dreimal und gleich oft in beglückten Nächten
   Wieder beschere!
25 Und ihr Parzen, die ihr die Wahrheit kündet –
   Was einmal verheißen und unverrückbar
   Bleibe bis zum Ziel! –, dem Vergang'nen eint jetzt
   Glückliche Zukunft!
   Reich an Vieh und Früchten, beschenk' die Erde
30 Ceres mit dem Kranze von Ähren immer,
   Und wohltuend Wasser und Jovis Lufthauch
   Fördre das Wachstum! –
   Lege fort, Apoll, dein Geschoß und höre
   Mild und gnädig, die zur dir flehn, die Knaben!
35 Hör, gehörnte Königin der Gestirne,
   Luna, die Mädchen! –
   Schuft ihr Rom und Iliums Mannen nahten
   Einst dem Strand Etruriens, Haus und Heimat
   Auf Geheiß in glücklicher Seefahrt wechselnd,
40 Winzig die Schar nur,
   Der zuvor der fromme Äneas fahrlos
   Freien Weg durchs brennende Troja bahnte,
   Lebend nach dem Sturz, um ihr mehr zu geben
   Als sie verlassen:
45 O, so gebt der Jugend, die bildsam, Tugend,
   Götter, und den Frieden dem sanften Alter!
   Gebt dem Volk des Romulus Macht und Nachwuchs,
   Ehren in Fülle!
   Venus' und Anchises' erlauchtem Blute,
50 Werd' ihm, was beim Opfer der weißen Stiere
   Er erfleht, der kämpfendem Feind ein Sieger,
   Mild dem erleg'nen!
   Schon ja scheut der Meder den Arm, der mächtig
   Über Meer und Land, und die Beile Albas,
55 Schon holt Skythe, Inder, voll Hochmut jüngst noch,
   Seinen Entscheid sich;
   Schon wagt Treue, Frieden und Ehre wieder,
   Alte Zucht und Tugend, so lang verachtet,
   Sich zurück und zeigt sich mit vollem Horne
60 Selige Fülle.
   Ja, der Seher Phöbus, den stets der Bogen

Das römische Imperium

Leuchtend schmückt, geliebt von den neun Kamenen,
Der des Körpers Glieder erquickt durch Heilkunst,
Wenn sie ermüdet,
65 Trifft sein Blick voll Huld Palatin und Altar,
Wird Roms Macht und Latium sicher fördern
In ein neu Jahrhundert des Glücks und immer
Schönere Zeiten;
Und die auf dem Algidus thront, Diana,
70 Und dem Aventine, der Fünfzehnmänner
Fleh'n bedenkt sie, leiht dem Gebet der Knaben
Freundlich Gehör auch.
Ja! So dünkt's mit Jupiter allen Göttern.
Froh und sicher tragen wir heim die Hoffnung,
75 die im Chor des Phöbus und Dianens Loblied
Lernten zu singen.

   1 *Phöbus*, Kultname Apollos als Sonnengott.

   5 *Sibyllenspruch*. Die sibyllinischen Bücher wurden von Augustus sorgfältig
überarbeitet und erhalten (s. oben *2*) und waren die offizielle prophetische
Literatur des römischen Volkes. Aus ihnen ging die Berechtigung hervor,
Hundertjahrspiele abzuhalten (s. oben *2*), eine Feier, die nur einmal alle 110
Jahre stattfand (oder, wie einige behaupten, alle 100 Jahre). Das Datum
kam Augustus gerade günstig, um seine eigenen Errungenschaften und die
ewige Lebenskraft Roms in einem großen Fest (17 v. Chr.) feiern zu können.
Zu diesem Anlaß bekam der Dichter Horaz den Auftrag, sein *Carmen Saeculare* zu schreiben, das von einem Chor von Jungen und Mädchen gesungen
wurde. Es ist ein Preislied auf das Werk des Augustus und gibt viele seiner
Ziele sowie das allgemeine Gefühl der Bewunderung und Dankbarkeit für
den Kaiser wieder.

  19 *das Ehegesetz*. Kinderlose Ehen und Scheidungen waren zu dieser Zeit nur
allzu verbreitet und gefährdeten die Gesundheit der Gesellschaft. Augustus
brachte im Senat Gesetze ein, die diesem Zustand ein Ende bereiten sollten.

  37 *Iliums Mannen*. Horaz und Vergil erwähnen beide den legendären Zusammenhang zwischen Rom und Troja (Ilium). Vergil gründet darauf seine
*Äneis*. S. unten Z. 49.

  49 *Venus' und Anchises' erlauchtem Blute*, in erster Linie Äneas, der Sohn von
Anchises und Venus; offensichtlich ist aber hier Augustus gemeint.

  70 *Fünfzehnmänner*, die heilige Körperschaft, die mit der Organisation der
Spiele beauftragt ist; Augustus berichtet (*Res Gestae* 22, 2), daß er in ihrem
Namen handelte.

**4**  *Vergil, 4. Ekloge 1–22. 31–63.*

Musen Siziliens, auf! Laßt höhere Weisen ertönen!
Reben- und Myrtengehölz, das bescheidene, fruchtet nicht jedem.
Singen wir Wälder, so sei'n des Konsuls würdig die Wälder.
Schon erfüllte sich ganz die Zeit Cumäischer Sänge.
5 Schon von Neuem beginnt der Jahrhunderte mächtige Ordnung,
Kehrt uns die heilige Magd und kehrt das Reich des Saturnus.

8

Schon vom hohen Olymp erscheint ein neues Geschlecht uns.
Sei der Geburt des Sohns, dem bald dies eiserne Alter
Weicht und das goldene Jahr neu aufgeht über der Erde,
10 Keusche Lucina, geneigt: schon herrscht dein Bruder Apollo.
Also beginnt die Zierde der Zeit und nehmen die großen
Monde den Lauf, da du des Konsuls Würde verwaltest,
Pollio, Führer des Jahrs; jetzt weicht von Frevel und Grauen
Jede gebliebene Spur, erleichtert atmen die Länder.
15 Göttlich Schicksal teilet das Kind und schaut die Heroen
Wandeln im seligen Schwarm; und freundlich grüßen sie selbst ihn,
Wenn er die Lande regiert, durch Kraft seiner Väter befriedet.
Siehe, dir treibt, o Sohn, sogleich, ohne Pflege der Boden
Rankenden Eppich hervor und Fülle gewürzigen Heilkrauts,
20 Seltene Blumen zumal und erlesene, blühende Sträucher.
Heimwärts tragen von selbst die strotzenden Euter die Geißen,
Nimmer fürchtet das Schaf die Wut des mächtigen Leuen.
. . . . . . . .
31 Noch aber bleibt ein Rest des früheren Truges bestehen,
Welcher die Naue gelehrt, das Meer zu versuchen, die Städte,
Steinerne Mauern zu baun, den Pflug, die Scholle zu furchen.
Dann wird ein anderer Tiphys sein, es führet die Argo
35 Andre Helden hinaus; und andere Kriege beginnen,
Und ein zweiter Achill erstürmt die troische Feste.
Wenn aber schließlich dich zum Mann die Jahre gefestigt,
Weichet der Fischer sogar dem Meer, die fichtene Planke
Tauschet die Güter nicht mehr, allum trägt alles die Scholle.
40 Nimmer duldet der Grund den Karst, die Rebe das Messer,
Fröhlich erlöset den Stier vom Joch der kräftige Pflüger;
Ja, und die Wolle verlernt die Kunst erlogener Farben:
Schon am lebendigen Leib erscheint mit prangender Röte
Oder mit leuchtendem Gelb der zottige Widder gekleidet,
45 Purpur kleidet von selbst den Schwarm der weidenden Lämmer.
„Laufet, ihr Spindeln, o lauft und bringt dies schöne Jahrhundert",
Riefen die Parzen zumal, der Schicksalswende gehorsam.
Siehe die Zeiten bereit, o komm, deiner Ehre genießen,
Du, der Unsterblichen Pfand, des gewaltigen Jupiter Schößling!
50 Schau, wie das schwere Gewölb des Weltalls schwankend sich reget,
Land und Ströme des Meeres und sämtliche Tiefen des Himmels!
Schau, wie alle sich freun des kommenden seligen Alters!
Oh, und bliebe mir nur ein Rest des Lebens erhalten,
Und des Gesangs so viel, als genügt, deine Taten zu singen,
55 Würde mit Liedern mich Orpheus nicht, nicht Linus besiegen,
Wenn auch die Mutter dem einen hülf, der Vater dem andern,
Calliopea dem Orpheus, Apoll, der Schöne, dem Linus.
Ja, und bestritte mich Pan, und Arkadien spräche das Urteil,
Gäb auch Arkadien mir vor Pan den Preis des Gesanges.
60 Komm doch, o Knäblein, komm und grüß mit Lächeln die Mutter,

Schon zehn Monde verbarg im Schoß dich harrend die Mutter.
Komm doch, o Knäblein, komm: Wer nicht das Lächeln der Eltern
Kennengelernt, dem winkt nicht Tisch noch Bette der Götter!

8 *der Geburt des Sohnes.* Wer der „Sohn" ist und was diese „messianische
Ekloge" bedeutet, wird endlos diskutiert. Vermutlich feiert Vergil den Frieden von Brundisium (40 v. Chr.): Die Eheschließung des Antonius mit Octavia schien das Ende des Bürgerkrieges zu bedeuten; der Sohn, der aus dieser
Ehe erwartet werden konnte, würde die erhoffte Segenszeit erleben. Wenn
diese Interpretation zutrifft, so war Vergils Prophetie voreilig: Das Kind
wurde ein Mädchen, und Antonius verließ Octavia wegen Kleopatra. Der
Bürgerkrieg brach erneut aus.

32 *die Naue*, den Nachen.

# B. Tiberius

Tiberius folgte seinem Stief- und Adoptivvater Augustus im Jahre
14 n. Chr. auf den Thron. Er war ein fähiger, entschlossener,
gerechter und – soweit es das Schicksal des Reiches im ganzen
betraf – erfolgreicher Imperator; aber er blieb unbeliebt und
brachte es niemals zu der öffentlichen Anerkennung, die Augustus
gewonnen hatte. Es wuchs eine Legende um ihn, die seine Tugenden verbarg und seine Fehler aufbauschte; diese Legende verzerr-
te die Wahrheit, aber schon ihr Bestehen zeigt deutlich, daß nicht
alles in Ordnung war. Doch Tiberius behauptete die Macht 23
Jahre lang und übte sie – besonders in den Provinzen – zweifellos
recht wirksam aus.

## 5 *Sueton, Tiberius 36.*

Der Einführung fremder Religionsgebräuche, namentlich der ägyptischen und jüdischen Kulte, gebot er Einhalt. Er zwang die Leute, die
sich zu solchem Aberglauben bekannt hatten, die zu ihrem Gottesdienst gehörigen Kleider samt allem Kultgerät zu verbrennen. Die
5 jungen Juden ließ er als Soldaten zum Kriegsdienst ausheben und
unter diesem Vorwand über die Provinzen mit ungesundem Klima
verteilen. Die übrigen Angehörigen dieses Volkes und die Anhänger
judaisierender Sekten wies er aus Rom aus. Jeder, der etwa diesem
Befehl nicht nachkam, hatte die Strafe lebenslänglicher Sklaverei zu
10 gewärtigen. Auch die Sterndeuter trieb er aus Rom; doch erlaubte er
denen zu bleiben, die sich mit einem Bittgesuch an ihn gewandt hatten
und die Ausübung ihrer Kunst aufzugeben versprachen.

**6** *Tacitus, Annalen II 85.*

Ferner wurde über das Verbot der ägyptischen und jüdischen Kulte
verhandelt. Es kam zu dem Senatsbeschluß, daß 4000 Freigelassene,
die vom jüdischen Aberglauben angesteckt waren und das taugliche
Alter hatten, nach der Insel Sardinien geschafft werden sollten, um
5 dort den Straßenräubern Einhalt zu tun. Wenn sie das ungesunde
Klima dahinraffe, so sei dies ja ein geringer Schaden; die übrigen
sollten Italien verlassen, wenn sie nicht bis zu einer bestimmten Frist
ihren ruchlosen Gebräuchen entsagten.

**7** *Tacitus, Annalen VI 51.*

Sein Vater war (Tiberius Claudius) Nero; er stammte väterlicher- und
mütterlicherseits aus der Gens Claudia, obwohl seine Mutter durch
Adoption (ihres Vaters) in die livische, später (durch Augustus' Testament) in die julische Familie übergegangen war. Sein Leben war schon
5 von frühester Kindheit an wechselvoll. Er folgte seinem (im Perusini-
schen Kriege) geächteten Vater in die Verbannung. Als er in Augustus'
Haus als Stiefsohn eintrat, hatte er mit vielen Nebenbuhlern zu
kämpfen, solange Marcellus und Agrippa, später die Cäsaren Gaius
und Lucius (Söhne der Augustustochter Julia) lebten. Auch war sein
10 Bruder Drusus beim Volke beliebter. Am gefährdetsten aber war seine
Stellung, als er, mit Julia vermählt, die Unkeuschheit der Gattin
ertragen oder ihr aus dem Wege gehen mußte. Nach seiner Rückkehr
aus Rhodos lebte er zwölf Jahre im kinderlos gewordenen Hause des
Prinzeps und war dann fast 23 Jahre Alleinherrscher des römischen
15 Reiches. Auch sein Charakter war in den einzelnen Zeiträumen ganz
verschieden. Solange er als Privatmann oder Feldherr unter Augustus
lebte, waren sein Wandel und Ruf vortrefflich. (Als Kaiser) suchte er,
solange noch Germanicus und Drusus am Leben waren, (seine Laster)
zu verbergen und Tugendhaftigkeit zu heucheln. Ebenso waren zu
20 Lebzeiten seiner Mutter noch gute und schlechte Eigenschaften in
ihm geteilt. Wenn auch seine Grausamkeit fluchwürdig war, so wußte
er doch seine Lüste zu verstecken, während er Sejan liebte oder fürchtete. Zuletzt ließ er sich aber in Verruchtheit und Lasterhaftigkeit
gehen, seitdem er nach Beseitigung von Scham und Furcht nur noch
25 seiner wahren Natur folgte.

1 Nero, nicht verwechseln mit dem Kaiser Nero.

2 *seine Mutter*, Livia, die Frau des Augustus (der ihr zweiter Mann, nicht der
Vater des Tiberius war).

23 *ließ sich in Verruchtheit und Lasterhaftigkeit gehen.* Tacitus ist der Haupt-
verfechter der Tiberiuslegende. Er vertritt den Standpunkt der Senatoren-
klasse, die von Tiberius unbarmherzig unterdrückt wurde.

## C. Caligula

Kaiser vom Jahre 37–41 n. Chr. Wiederum ist es nicht einfach, durch den Schleier des Hasses, der ihn allmählich umgab, zum wahren Wesen des Caligula vorzudringen. Er scheint an Größenwahn, wenn nicht an einer anderen Form des Wahnsinns gelitten zu haben. Der folgende Vorfall beleuchtet den Charakter des Caligula und seine gedankenlose Politik und auf der anderen Seite den sich selbst aufopfernden Gemeinsinn eines römischen Provinzverwalters der besten Art, dessen erster Gedanke dem Wohl derer galt, die ihm anvertraut waren.

**8** *Josephus, Bellum Judaicum II 184–187. 192–203.*

Mittlerweile war der Cäsar Gaius infolge seines Glückes so übermütig geworden, daß er sich nicht nur selbst für einen Gott hielt und von anderen so genannt zu werden verlangte, sondern auch sein Vaterland der edelsten Männer beraubte. Nicht minder hatten die Juden
5 unter seiner Ruchlosigkeit zu leiden. Eines Tages nämlich sandte er den Petronius an der Spitze eines Heeres nach Jerusalem, um seine Bildsäule im dortigen Tempel aufzustellen. Zugleich erteilte er ihm die Weisung, er solle, wenn die Juden sich etwa nicht fügen wollten, die Widerspenstigen hinrichten lassen und das gesamte übrige Volk in
10 die Sklaverei verkaufen. Gottes Fürsorge indes verhinderte die Ausführung dieser Befehle. – Petronius rückte also von Antiochia aus mit drei Legionen und zahlreichen syrischen Hilfstruppen gegen Judäa heran. Ein Teil der Juden schenkte den Kriegsgerüchten noch keinen Glauben, der andere, der sie für zutreffend hielt, war in Verlegen-
15 heit, wie er sich verteidigen sollte. Bald jedoch ergriff allgemeiner Schrecken das Volk; denn schon stand das Heer vor Ptolemais ...

Die Juden versammelten sich nun mit Weib und Kind in der Ebene bei Ptolemais und baten den Petronius flehentlich um Schutz zu-
20 nächst für ihre heimischen Gebräuche und dann auch für sich selbst. Die große Menge der Flehenden und die Beharrlichkeit, mit der sie ihre Bitten vorbrachten, machte auf Petronius einen solchen Eindruck, daß er Heer und Bildsäule zurückließ und sich nach Tiberias in Galiläa begab, wohin er das Volk und besonders alle angesehenen
25 Juden berief. Alsdann erörterte er weitläufig die Macht der Römer und die Drohungen des Cäsar und suchte ihnen zugleich zu beweisen, wie unvernünftig ihr Begehren sei. Alle unterjochten Völkerschaften, schloß er, hätten doch in jeder Stadt außer den Bildsäulen anderer Götter auch solche des Cäsar aufgestellt, und wenn nun die Juden
30 allein sich dagegen sträubten, so sei dieses Benehmen eigentlich nichts anderes als Empörung, und zwar noch dazu eine mit Beschimpfung des Cäsar verbundene Empörung.

Als die Juden dagegen sich auf ihr Gesetz und die althergebrachten Sitten beriefen, die nicht einmal das Bild Gottes, geschweige denn das
35 eines Menschen im Tempel oder auch nur an irgendeiner ungeweihten Stelle des Landes aufzustellen gestatteten, entgegnete Petronius: „Nun, ich muß doch auch das Gesetz meines Herrn erfüllen, und wenn ich es übertrete, um euch zu schonen, werde ich, und das mit Recht, den Tod erleiden. Der mich gesandt hat, wird mit euch Krieg führen, nicht
40 ich; denn auch ich stehe, wie ihr, unter seiner Botmäßigkeit." Hierauf schrie die ganze Volksmenge, sie seien bereit, für ihr Gesetz zu leiden. Nachdem Petronius den Lärm wieder gestillt und gefragt hatte, ob sie denn gesonnen seien, gegen den Cäsar zu kämpfen, antworteten die Juden, täglich zweimal brächten sie Opfer für den Cäsar und das
45 römische Volk dar. Wolle er aber auch noch die Bildsäule aufstellen, so müsse er zuvor das ganze Volk der Juden opfern; denn samt Weib und Kind seien sie bereit, sich hinschlachten zu lassen. Staunen und Mitleid zugleich ergriff den Petronius, als er die unerschütterliche Frömmigkeit der Juden und ihre Bereitwilligkeit, den Tod zu erleiden, gewahrte,
50 und unverrichteter Sache trennte man sich für diesmal.

An den folgenden Tagen berief er die einflußreichen Männer besonders zu sich und versammelte auch wieder das Volk, wobei er es bald mit Bitten, bald mit Zureden versuchte, zumeist jedoch drohte, indem er die Macht der Römer, den Unwillen des Gaius und seine eigene
55 Zwangslage schilderte. Da aber alles dies nichts fruchtete und Petronius erkannte, daß man Gefahr laufe, das Land uneingesät zu lassen — war das Volk doch nun schon fünfzig Tage lang in der Saatzeit müßig geblieben —, berief er endlich nochmals eine Volksversammlung ein und sprach: „So will ich denn lieber die Gefahr auf mich nehmen:
60 Entweder stimme ich mit Gottes Hilfe den Cäsar um und freue mich mit euch der Rettung, oder ich gebe, wenn er in Zorn gerät, mein Leben für so viele gern dahin!" Sodann verabschiedete er sich unter den Segenswünschen der Menge, holte in Ptolemais sein Heer und kehrte nach Antiochia zurück. Von dort schrieb er sogleich an den Cäsar,
65 schilderte seinen Einmarsch in Judäa, die flehentlichen Bitten des Volkes und wie er, wenn er nicht Land und Leute hätte zugrunde richten wollen, den Juden die Beobachtung ihres Gesetzes habe gestatten und die Erledigung seines Auftrages unterlassen müssen. Des Gaius Antwort auf diesen Brief lautete keineswegs gnädig; vielmehr
70 drohte er dem Petronius mit dem Tode, weil er bei der Ausführung seiner Befehle sich so lässig gezeigt habe. Doch der Zufall fügte es, daß die Überbringer dieses Schreibens drei Monate lang durch Sturm auf dem Meere hingehalten wurden, während andere mit der Nachricht vom Tode des Gaius eine glückliche Fahrt hatten, und so erhielt
75 Petronius den Brief mit der Todesmeldung siebenundzwanzig Tage früher als das gegen ihn selbst gerichtete Schreiben.

1 *der Cäsar Gaius,* d. h. Caligula, so auch Z. 26. 55. 75 u. ö.
6 *Petronius,* Statthalter der Provinz Syrien.

# D. Claudius

So wie Tiberius ist wohl auch Claudius (41–54) oft falsch dargestellt worden. Wahrscheinlich war er oft vernünftiger als seine
Kritiker und sicherlich nicht der Trottel, als den sie ihn hingestellt
haben. Er führte nicht wenige Verfassungs- und Verwaltungsre-
formen durch. Für seine Behandlung der schwierigen Lage in
Alexandria vgl. *52*. An verschiedenen Punkten kommt er mit dem
Urchristentum in Berührung, von denen ein wichtiger unten in *9*
behandelt wird. Ob *10* (über Grabschändung) direkt mit dem NT
zu tun hat, wird bezweifelt. Es ist klar, daß diejenigen, die den
christlichen Glauben an die Auferstehung Jesu nicht teilten, seine
Jünger beschuldigen konnten, das Siegel auf seinem Grab aufge-
brochen und seinen Leichnam gestohlen zu haben (vgl. Mt 27,
62–66; 28, 11–15). Der Name Nazaret ist ebenfalls auffällig. Aber
man darf nicht vergessen, daß Jesus nicht in Nazaret begraben
wurde, daß Nazaret, soviel wir wissen, kein Hauptzentrum für die
Kirche geworden ist, daß die Jünger nicht wegen Grabschändung
verfolgt wurden und schließlich, daß das Datum der Inschrift
nicht sicher ist – sie könnte auch auf die Zeit des Augustus zurück-
gehen.

**9**  *Sueton, Claudius 25.*

Ausländern verbot er, römische Namen, d.h. Geschlechtsnamen zu
führen. Wer sich das römische Bürgerrecht unbefugterweise anmaß-
te, wurde auf dem Esquilinischen Felde mit dem Beil enthauptet. Die
Provinzen Achaja und Mazedonien, welche Tiberius der kaiserlichen
5 Verwaltung unterstellt hatte, gab er dem Senat zurück. Den Lykiern,
die sich gegenseitig durch innere Zwietracht aufrieben, nahm er die
Freiheit, während er sie den Rhodiern, die ihre alten Vergehen bereuten, wiedergab. Den Einwohnern von Ilium, als Stammvätern des
römischen Volkes, erließ er für immer alle Abgaben. Er verlas dabei
10 einen alten griechisch geschriebenen Brief, in welchem Senat und
Volk von Rom dem König Seleukus Freundschaft und Bündnis nur
unter der Bedingung zusicherten, daß er die Einwohner von Ilium,
ihre Blutsverwandten, von jeder Steuerlast befreite. Die Juden vertrieb er aus Rom, weil sie, von Chrestus aufgehetzt, fortwährend
15 Unruhe stifteten. Den germanischen Gesandten erlaubte er, in der
Orchestra zu sitzen. Hierzu veranlaßte ihn die naive Äußerung ihres
Selbstgefühls. Als man ihnen nämlich ihre Plätze in den Abteilungen
des Amphitheaters angewiesen hatte, die für das Volk bestimmt waren, begaben sie sich, sobald sie die Parther und Armenier auf den
20 Senatsplätzen sitzen sahen, ohne weiteres auf eben diese Plätze. Stolz
erklärten sie dabei, ihre Tapferkeit und ihr Rang seien um nichts

geringer. Den Druidenkult bei den Galliern mit seiner unmenschlichen Grausamkeit, den Augustus nur römischen Bürgern verboten hatte, schaffte er vollständig ab. Dagegen versuchte er, den eleusini-
25 schen Mysterienkult sogar von Attika nach Rom zu verpflanzen. Ferner veranlaßte er, daß in Sizilien der vor Alter eingestürzte Tempel der Venus Erycina aus römischen Staatsmitteln wiederaufgebaut wurde. Bündnisse mit fremden Königen schloß er auf dem Forum ab, wobei ein Schwein geopfert und die alte Formel der Fetialen angewen-
30 det wurde.

Indessen, alle diese und andere ähnliche Maßnahmen wie überhaupt seine ganze Regierung waren zum großen Teil weniger sein eigenes Werk als das seiner Frauen und seiner Freigelassenen. Er selbst nahm meistens nur die Stelle ein, die ihren Interessen oder
35 Launen entsprach.

5 *gab er dem Senat zurück.* Zu der Maßnahme, durch die Augustus die Verantwortung für die Regierung und die Verteidigung einiger Provinzen übernahm, während er andere dem Senat überließ, s. o. *1* Z. 38–42 mit Anm.

14 *von Chrestus aufgehetzt.* Der Name ist an und für sich nicht ungewöhnlich (vgl. Lampe, *Die stadtrömischen Christen in den ersten beiden Jahrhunderten*, Tübingen [2]1989, S. 6 Anm. 19). Möglicherweise steht hinter dieser vieldiskutierten Nachricht ein Streit zwischen Juden und Christen über den Messias. Zum sog. Judenedikt des Claudius (vgl. Apg 18, 2) vgl. jetzt R. Riesner, *Die Frühzeit des Paulus*, § 10 (erscheint voraussichtlich 1991). Interessant ist der Zusammenhang, in dem Sueton die Vertreibung der Juden aus Rom verhandelt.

33 *seiner Frauen und seiner Freigelassenen.* Es ist zweifelhaft, ob Claudius wirklich so unselbständig war. Einige der in diesem Abschnitt aufgeführten Verordnungen gehen sicher nicht auf die Freigelassenen zurück.

## 10  *Edikt des Kaisers (Claudius?).*

Erstmals veröffentlicht und kommentiert von F. Cumont in Revue Historique 163, 1930, S. 241–266; Text auch in SEG VIII, 1937, Nr. 13; G. Pfohl, *Griechische Inschriften als Zeugnisse des privaten und öffentlichen Lebens*, Nr. 39; mit lateinischen juristischen Termini von H. B. Rosén in G. Neumann/ J. Untermann (Hg.), *Die Sprachen im Römischen Reich der Kaiserzeit*, Bonn 1980, S. 227. Bibliographie bei R. Riesner, Art. *Nazareth-Inschrift*, Das Große Bibellexikon II, Wuppertal/Gießen 1988, 1037. Herkunft (Nazaret) und Urheber der Inschrift (Claudius) sind nicht gesichert.

Edikt des Kaisers. Ich habe beschlossen, daß Gräber und Grabhügel, wer auch immer diese zur Verehrung der Vorfahren, Kinder oder Angehörigen errichtet hat, auf ewig unangetastet bleiben. Wenn aber einer jemanden meldet, der (ein Grab) zerstört oder auf andere Weise
5 die Bestatteten exhumiert oder betrügerisch an einen anderen Platz überführt hat zum Schaden der Bestatteten oder (Grab-) Verschlüsse oder Steine versetzt hat, so befehle ich, daß gegen einen solchen (Täter) ein Verfahren eröffnet werden soll, ganz so wie im Falle der Götter, (so auch) in bezug auf die kultische Verehrung der

10 Menschen. Viel mehr wird man nämlich die Bestatteten ehren müssen; überhaupt soll es niemandem erlaubt sein, (sie) umzubetten. Wenn aber (einer) nicht (dementsprechend handelt), der soll nach meinem Willen wegen Grabschändung als Kapitalverbrecher abgeurteilt werden.

13 *als Kapitalverbrecher.* Das war ungewöhnlich hart. Man hat es als Maßnahme gegen das aufkommende Christentum interpretiert (vgl. Mt 28, 13 zu dem Glauben, daß die Jünger Jesu seinen Leichnam aus dem Grab gestohlen haben) oder als eine Ergänzung durch den Eigentümer der Grabstätte oder vielleicht durch eine römische Kommunalbehörde, die mit den einschlägigen Gesetzen nicht recht vertraut war.

# E. Nero

Nach fünf Jahren geordneter Herrschaft (dem sog. *Quinquennium Neronis*) begann Nero (54–68) ein unverantwortliches Regiment zu führen. Sein Tod führte zu einer Periode des Bürgerkrieges, in dem Otho, Galba, Vitellius und Vespasian (s. unten) nacheinander die Macht ergriffen. Die rechtliche Basis für Neros Verfolgung der Christen ist ungeklärt. Das NT (Apk 17, 12–17) wie auch andere Quellen bezeugen den Glauben, daß Nero nach seinem Tode zurückkehren werde, um sich an seinen Feinden zu rächen.

**11** *Tacitus, Annalen XV 44.*

Aber nicht durch humane Hilfsmaßnahmen, nicht durch die Schenkungen des Princeps oder die Sühneopfer für die Götter ließ sich die Schande bannen, daß man glaubte, der Brand sei befohlen worden. Also schob Nero, um diesem Gerede ein Ende zu machen, die Schuld
5 auf andere und bestrafte sie mit den ausgesuchtesten Martern. Es waren jene Leute, die das Volk wegen ihrer Schandtaten haßte und mit dem Namen „Christen" belegte. Dieser Name stammt von Christus, der unter Tiberius vom Prokurator Pontius Pilatus hingerichtet worden war. Dieser verderbliche Aberglaube war für den Augenblick
10 unterdrückt worden, trat aber später wieder hervor und verbreitete sich nicht nur in Judäa, wo er aufgekommen war, sondern auch in Rom, wo alle Greuel und Abscheulichkeiten der ganzen Welt zusammenströmen und geübt werden. Man faßte also zuerst diejenigen, die sich (öffentlich als Christen) bekannten, dann auf deren Anzeige hin
15 eine gewaltige Menge Menschen. Sie wurden weniger der Brandstiftung als des Hasses gegen das ganze Menschengeschlecht überführt. Bei der Hinrichtung wurde auch noch Spott mit ihnen getrieben, indem sie in Tierhäute gesteckt und von wilden Hunden zerfleischt wurden. Andere wurden ans Kreuz geschlagen oder, zum Feuertode
20 bestimmt, nach Einbruch der Dunkelheit als nächtliche Fackeln ver-

brannt. Für dieses Schauspiel hatte Nero seinen eigenen Park herge-
geben und veranstaltete gleichzeitig ein Zirkusspiel, wobei er sich in
der Tracht eines Wagenlenkers unter das Volk mischte oder auf einem
Rennwagen stand. Daher wurde mit jenen Menschen, obwohl sie
25 schuldig waren und die härtesten Strafen verdient hatten, doch Mitleid rege, als würden sie nicht dem Gemeinwohl, sondern der Grausamkeit eines einzelnen geopfert.

6 *wegen ihrer Schandtaten haßte.* Laut Tacitus hat Nero eine unbeliebte
Minderheit zum Sündenbock gemacht, um die Aufmerksamkeit von sich
selbst abzulenken. Über die persönliche Machtausübung des Kaisers hinaus
wurden keine gesetzlichen Maßnahmen durchgeführt.

14 *die sich ... bekannten, qui fatebantur.* Die Deutung dieser Stelle ist sehr
umstritten.

## 12 Sueton, Nero 16.

Für die Gebäude der Hauptstadt ersann er eine ganz neue Bauart.
Insbesondere mußten vor allen Mietshausblöcken und einzelnen Häusern Säulengänge angelegt werden, um von deren flachen Dächern
aus die Brände bekämpfen zu können. Er erbaute sie auf seine Kosten.
5 Eigentlich hatte er sogar vorgehabt, die Stadtmauer bis nach Ostia
vorzurücken und von dort das Meer durch einen Kanal bis an die alte
Stadt zu leiten.

Viele alte strenge Strafbestimmungen und Verbote wurden unter
ihm wieder in Kraft gesetzt und ebenso auch neue eingeführt. So legte
10 man dem Luxus Schranken auf, beschränkte die öffentlichen Festes-
essen, die bisher in vollständigen Mahlzeiten bestanden hatten, auf
bestimmte Portionen und erließ ferner ein Verbot, in den Schenken
gekochte Speisen zu verkaufen. Nur Hülsenfrüchte und Gemüse waren ausgenommen, während früher alle möglichen Gerichte daselbst
15 feilgehalten wurden.

Mit Todesstrafen wurde gegen die Christen vorgegangen, eine Sekte, die sich einem neuen, gemeingefährlichen Aberglauben ergeben
hatte. Verboten wurden die Belustigungen der Rennfahrer, die das
altverbriefte Recht genossen, sich zu gewissen Zeiten in der Stadt
20 herumzutreiben und unter der Maske des Scherzes allerlei Betrüge-
reien und Diebesstreiche auszuführen. Die Parteianhänger der Panto-
mimen sowie diese selbst wurden aus der Hauptstadt ausgewiesen.

16 *Mit Todesstrafen wurde gegen die Christen vorgegangen.* Diese Notiz gehört
mit einer Anzahl anderer Polizeimaßnahmen zusammen. Sie sollten offenbar die Ordnung in der Stadt aufrechterhalten. Das große Feuer wird nicht
erwähnt (obwohl Z. 4 wahrscheinlich darauf hindeutet, daß es zu dieser Zeit
stattgefunden hat).

## 13 Sulpicius Severus, Chronik II 29.

Inzwischen, als die Zahl der Christen schon sehr groß war, geschah es,
daß Rom von einer Feuersbrunst heimgesucht wurde. Nero stand bei

Antium. Nichtsdestoweniger wandte sich in der Meinung aller der Vorwurf der Brandschatzung gegen den Kaiser, und man glaubte, daß
5 er damit den Ruhm eines Erneuerers der Stadt erstrebt habe. Nero konnte es mit keiner Maßnahme verhindern, daß man die Feuersbrunst für von ihm befohlen hielt. Schließlich wandte er den Vorwurf gegen die Christen, und die grausamsten Verhöre wurden gegen Unschuldige durchgeführt; ja, man erdachte sogar neue Todesarten, so
10 daß sie in die Felle wilder Tiere eingehüllt und von Bluthunden zerrissen wurden. Viele wurden ans Kreuz genagelt oder verbrannt. Eine große Zahl wurde dafür aufgespart, bei Tagesende als Fackeln während der Nacht verbrannt zu werden. Dies war der Beginn der Greuel gegen Christen. Danach wurden Gesetze zum Verbot dieser Religion
15 erlassen, und es wurde durch Edikte öffentlich für ungesetzlich erklärt, ein Christ zu sein. Damals wurden Paulus und Petrus zum Tode verurteilt: Dem einen wurde mit dem Schwert das Haupt angeschlagen, Petrus wurde ans Kreuz genagelt.

14 *Danach.* Sulpicus will sagen, daß unter Nero die ersten willkürlichen Grausamkeiten gegen Christen vorkamen und daß von da an die neue Religion auch gesetzlich verboten wurde.

**14** *Sueton, Nero 57.*

Nero starb im zweiunddreißigsten Lebensjahr, und zwar an dem Tage, an dem er einst Octavia ermordet hatte. So groß war die allgemeine Freude über seinen Tod, daß das Volk mit Freiheitskappen auf den Köpfen durch die ganze Stadt lief. Und doch gab es Leute, die lange
5 Zeit sein Grab mit Frühlings- und Sommerblumen schmückten und auf der Rednerbühne bald Bildnisse von ihm, die ihn in der pupurverbrämten Toga darstellten, bald seine Edikte zum Vorschein brachten, als ob er noch lebe und binnen kurzem zum Verderben seiner Feinde wiederkehren werde. Selbst der Partherkönig Vologäsus ließ durch
10 seine Gesandten, die er zwecks Erneuerung der Verträge an den Senat geschickt hatte, dringend darum bitten, dem Andenken Neros die gebührende Ehre zu erweisen. Und als endlich, zwanzig Jahre später – ich war damals noch ein junger Mensch –, ein unbekannter Mann auftrat, der sich für Nero ausgab, stand dieser Name bei den Parthern
15 noch in so hoher Gunst, daß sie jenen lange eifrig unterstützten und sich später schließlich nur ungern herbeiließen, ihn auszuliefern.

2 *Octavia,* Neros Frau, die er hatte töten lassen.

## F. Vespasian

Der Tod des Nero und die darauffolgenden Unruhen ereigneten sich, während Vespasian mit der Unterwerfung Judäas beschäftigt war (s. *158* mit Einleitung). Als dieser dann zur Kaiserwürde gelangte, überließ er es seinem Sohn Titus, die militärischen Operationen gegen Jerusalem fortzuführen. Er war ein kluger, starker und besonnener Regent (69–79), und Titus, der auf ihn folgte, zeigte ebenfalls seines Vaters gute Eigenschaften; leider regierte er nur zwei Jahre, bevor er von seinem Bruder Domitian abgelöst wurde, der ihn möglicherweise ermorden ließ.

## 15 Tacitus, Historien II 4f.

Nachdem Titus sich die Schätze und Weihgeschenke der Könige, und was sonst der altertumsfrohe Sinn der Griechen einer ungewissen Vorzeit zuschreibt, angesehen hatte, fragte er zunächst wegen seiner Seefahrt an. Und als er erfuhr, daß der Weg offenstehe und das Meer
5 günstig sei, stellte er auf indirekte Weise einige Fragen über sich selbst. Er ließ dazu mehrere Opfertiere schlachten. Sostratus – so war der Name des Priesters – stellte fest, daß die Eingeweide glückverheißend und in Ordnung seien und daß die Göttin großen Unternehmungen geneigt entgegensehe, und antwortete ihm für den Augenblick nur
10 mit wenigen konventionellen Worten. Den eigentlichen Blick in die Zukunft eröffnete er in einer von Titus erbetenen Geheimaussprache. Titus fuhr gehobenen Sinnes zu seinem Vater zurück; dadurch kam in die noch schwankende Stimmung der Provinzen und Heere eine mächtige Zuversicht in die Zukunft.
15 Vespasian hatte den jüdischen Aufstand nahezu niedergeschlagen; nur die Belagerung Jerusalems dauerte noch an. Es war eine harte und kaum bezwingbare Aufgabe, mehr wegen der Natur des Berges und der Hartnäckigkeit des Aberglaubens als deswegen, weil den Belagerten etwa noch genügend Kräfte zum Bestehen ihrer Not ge-
20 blieben wären. Vespasian selbst hatte, wie wir oben erwähnt haben, drei kriegserfahrene Legionen bei sich; Mucianus hatte vier Legionen aus Friedenszeiten, jedoch hatte der Wetteifer und der Ruf, der vom anderen Heere ausging, alle Trägheit beseitigt, und was jenen Gefahren und Mühen an Stärke gebracht hatten, das brachte diesen an
25 Energie die unberührte Ruhe und der Vorzug, noch nicht im Kampfe gestanden zu haben. Beide hatten Hilfstruppen aus Infanterie und Kavallerie sowie Flotteneinheiten und (verbündete) Fürsten und schließlich ihren ebenbürtigen, wenn auch auf verschiedene Weise erworbenen Ruhm.
30 Vespasian war ein harter Soldat. Oft ging er an der Spitze des Heeres und wählte den Platz für das Lager; Tag und Nacht arbeitete er an seinen Plänen, und wenn die Umstände es verlangten, warf er sich mit kleiner Schar dem Feind entgegen. Er aß, wann und wo es sich ergab; in Kleidung und Aussehen war er kaum von einem einfachen
35 Soldaten zu unterscheiden. Ja, wenn nur die Habsucht nicht gewesen wäre – er wäre den Führern der alten Zeit gleich gewesen. Mucianus dagegen ließen Großartigkeit, Reichtum und sein über den bürgerlichen Maßstab hinausgehendes Gebaren hervorragen; er war redege-

wandter und hatte Erfahrungen im Durchführen und Planen ziviler
40 Dinge: Ein hervorragender Charakter für das Prinzipat wäre entstanden, wenn unter Wegfall der Fehler nur die Tugenden beider sich vereinigt hätten. Übrigens war dieser Gouverneur von Syrien, jener von Judäa. Bei der Verwaltung der benachbarten Provinzen hatten sie sich durch Neid entzweit. Schließlich, nach dem Tode Neros, hatten
45 sie ihren Haß begraben und waren einander entgegengekommen. Zuerst vermittelten Freunde, später hatte Titus, der die beste Gewähr für Eintracht bot, den üblen Streit durch Betonung des gemeinsamen Nutzens beseitigt. Er war durch Natur und Geist geeignet, selbst den Charakter des Mucianus an sich zu ziehen. Tribunen, Centurionen
50 und Kriegsvolk wurden durch Eifer und Großzügigkeit, durch Tugenden oder Laster, wie es für einen jeden paßte, gewonnen.

3 *fragte er zunächst*, im Tempel der Paphianischen Venus auf Zypern, im
Jahre 69 n. Chr.
20 *wie wir oben erwähnt haben. Historien I 10.*

## G. Domitian

Mit Domitian (81–96) kam die Regierung wieder an die „schlechten" Kaiser, und es begann zum zweiten Male eine Zeit des Schreckens, schlimmer noch als unter Tiberius. Das Jahrhundert schloß jedoch hoffnungsvoll, und das Werk der Nachfolger des Domitian, Nerva, Trajan und Hadrian, sah das Imperium in den glücklichsten und blühendsten Abschnitt seiner Geschichte eintreten.

**16**  *Sueton, Domitian 13.*

Als er dann zur Herrschaft gelangt war, hatte er die Stirn, vor dem Senat zu prahlen, *er* sei es gewesen, der seinem Vater wie seinem Bruder den Thron gegeben, *sie* hätten ihm diesen nur zurückgegeben. Bei der Wiederverheiratung mit seiner geschiedenen Frau sagte er, er
5 habe sie auf seinen *Göttersitz* zurückgerufen. Auch hörte er gern, wie das Volk ihn im Amphitheater am Tage des großen Festschmauses mit dem Zuruf begrüßte: „Heil unserem *Herrn* und unserer *Herrin!*" Sogar noch mehr: Als beim Wettkampf zu Ehren des Kapitolinischen Jupiter alle Anwesenden ihn einstimmig baten, er möchte doch den früher aus
10 dem Senat gestoßenen Palfurius Sura, der jetzt aber den Siegeskranz im Wettstreit der Redner erhalten hatte, wieder in den Senat aufnehmen, würdigte er sie nicht einmal einer Antwort, sondern befahl ihnen ganz einfach durch Heroldsruf, den Mund zu halten. Von gleicher Anmaßung zeugt, wenn er im Namen seiner Prokuratoren ein amtliches
15 ches Rundschreiben diktierte und sich dabei der Eingangsformel bediente: „Unser *Herr* und *Gott* befiehlt, daß folgendes geschieht." Daher wurde es Brauch, ihn mündlich wie schriftlich nur so anzureden. Die

ihm auf dem Kapitol errichteten Statuen durften nur von Gold und Silber sein und mußten ein ganz bestimmtes Gewicht haben. Janus-
20 und Triumphbögen mit Viergespannen und Triumphalzeichen darauf errichtete er in allen Bezirken der Stadt in solcher Größe und Zahl, daß man einmal an einen auf griechisch schrieb: „Es ist genug!"

Siebzehnmal bekleidete Domitian das Konsulat, eine Zahl, die vor ihm niemand erreicht hatte. Die sieben mittleren hatte er in aufeinan-
25 derfolgenden Jahren inne, doch alle nur dem Namen nach und keins über den ersten Mai hinaus, viele sogar nur bis zum dreizehnten Januar. Nach zwei Triumphen und nach Annahme des Beinamens Germanicus nannte er die Monate September und Oktober nach seinen beiden Zunamen „Germanicus" und „Domitianus"; denn in dem
30 einen hatte er die Regierung angetreten, und in dem anderen war er geboren.

16 *unser Herr und Gott*. Die meisten früheren Kaiser hatten sich gescheut, sich auf ihre Göttlichkeit zu berufen.

22 *Es ist genug. Arci*, Wortspiel. Der Römer dachte an *arcus* „der Bogen" (dessen Plural allerdings meist *arcūs* heißt), gleichzeitig aber auch an die Umschrift von ἀρκεί „es ist genug".

**17**  *Sueton, Domitian 12.*

Als Domitian durch die Aufwendungen für Bauwerke und Spiele sowie auch durch die den Soldaten bewilligte Zulage seine Geldmittel völlig erschöpft hatte, machte er anfangs den Versuch, die Zahl der Soldaten herabzusetzen, um dadurch die Ausgaben für das stehende Heer zu
5 verringern. Allein, da er sah, daß er sich dadurch den Angriffen der Barbaren aussetzte und daß er trotz jener Maßnahmen doch nicht aus seiner Geldverlegenheit herauskam, begann er, ohne Scheu alle Leute rücksichtslos auf jede erdenkliche Weise auszuplündern. Das Vermögen der Lebenden wie der Verstorbenen verfiel in einem fort auf jede
10 beliebige Anklage und Anschuldigung hin der Beschlagnahme. Es genügte hierbei der Vorwurf einer noch so unbedeutenden Handlung oder Äußerung gegen die Majestät des Kaisers. Man konfiszierte ferner auch Erbschaften von ganz fremden Leuten, sobald sich nur irgendein Mensch fand, welcher aussagte, er habe es aus dem Munde
15 des Verstorbenen bei dessen Lebzeiten vernommen, der Kaiser sei sein Erbe. Besonders hart wurde die Judensteuer eingetrieben. Man denunzierte beim Fiskus sowohl die Leute, welche, ohne sich zum Judentum zu bekennen, nach jüdischen Ritus lebten, als auch die, welche ihre Abstammung verheimlichten, um sich so der Zahlung der
20 ihrem Volke auferlegten Steuer zu entziehen. Ich erinnere mich, als ganz junger Mensch dabei gewesen zu sein, wie ein neunzigjähriger Greis sich vor dem Prokurator und einem zahlreich versammelten Kollegium besichtigen lassen mußte, ob er beschnitten sei.

16 *die Judensteuer*. S. *161*. Nach dem Fall Jerusalems 70 n. Chr. zogen die Römer die ursprünglich an den Tempel gezahlten Steuern ein.

17 *ohne sich zum Judentum zu bekennen.* Vgl. *64* und *166*.

19 *welche ihre Abstammung verheimlichten*. Darunter mögen auch Christen gewesen sein, die ohne weiteres zu den Juden gerechnet wurden, sich selbst aber wohl von ihnen zu unterscheiden wußten.

**18** *Tacitus, Agricola 2.*

Lasen wir doch, es sei, als von Arulenus Rusticus der Paetus Thrasea, von Herennius Senecio der Helvidius Priscus gerühmt wurde, als ein todeswürdiges Verbrechen angesehen worden, und nicht nur gegen die Verfasser, sondern auch gegen ihre Bücher habe man gewütet,
5 indem man den Triumvirn den Dienst übertrug, die Denkmäler der erlauchtesten Geister auf dem Comitium und dem Forum zu verbrennen. Offenbar glaubte man, durch dieses Feuer würden die Stimme des römischen Volkes, die Freiheit des Senates und das Bewußtsein des Menschengeschlechtes ausgetilgt, wobei man obendrein noch die
10 Lehre der Weisheit vertrieb und jede edle Fertigkeit in die Verbannung jagte, damit nur nirgend mehr etwas Reines begegne.

**19** *Cassius, Dio, Epitome 67, 14, 1–3.*

Zu dieser Zeit [95 n. Chr.] wurde die Straße von Sinuessa nach Puteoli mit Steinen gepflastert. Und im gleichen Jahr ließ Domitian neben vielen anderen den Konsul Flavius Clemens hinrichten, obwohl er sein Vetter war und Flavia Domitilla, ebenfalls eine Verwandte des
5 Kaisers, zur Frau hatte. Beiden wurde Atheismus zum Vorwurf gemacht, weshalb auch viele andere, die sich in jüdische Lebensformen hineintreiben ließen, Verurteilung erfuhren. Einige von ihnen wurden hingerichtet, andere nur ihres Vermögens beraubt; Domitilla mußte lediglich in die Verbannung nach Pandataria gehen. Den Glabrio
10 hingegen, Trajans früheren Mitkonsul, ließ er töten; gegen ihn war neben den gleichen Anschuldigungen, wie sie auch die Mehrzahl der anderen trafen, vor allem ins Feld geführt worden, daß er als Gladiator mit wilden Tieren gekämpft habe. Sein dabei bewiesener Mut hatte ihm vor allem den Groll des Kaisers eingetragen, der ihn deshalb
15 beneidete. Domitian hatte nämlich Glabrio während dessen Konsulats auf sein Albanergut eingeladen, um den sogenannten Juvenalien beizuwohnen, und ihn bei dieser Gelegenheit genötigt, einen großen Löwen zu erlegen. Und Glabrio blieb nicht nur völlig unverletzt, sondern tötete auch noch das Tier mit einem wohlgezielten Streich.

3 *Flavius Clemens.* Sueton beschreibt ihn als einen Mann *contemptissimae inertiae,* „von sehr verachteter Trägheit" (*Domitian* 15). Wenn damit keine Charaktereigenschaft bezeichnet werden soll, so könnte man hier einen Hinweis darauf erblicken, daß Flavius, nachdem er zum Judentum (oder vielleicht zum Christentum?) übergetreten war, sich vom öffentlichen Leben zurückzog. Sein „Atheismus" bestand dann darin, daß er sich weigerte, die Zeremonien der Staatsreligion auszuführen; das mußte zum Vorwurf der Illoyalität führen (zum Atheismus des T. Flavius Clemens und der Flavia

Domitilla vgl. P. Lampe, *Die stadtrömischen Christen in den ersten beiden Jahrhunderten*, Tübingen [2]1989, S. 166–171).

4 *Flavia Domitilla* war eine Nichte des Kaisers. Ihr Name haftet an einer Katakombe an der Via Ardeatina in Rom, die jedoch erst gegen Ende des 2. Jh.s angelegt worden sein dürfte. Vgl. P. Lampe, *op. cit.*, S. 20 f.

9 *Glabrio*. Acilius Glabrio, Konsul des Jahres 91 (vgl. *66* Z. 9); er war zuvor bereits in die Verbannung geschickt worden (Sueton, *Domitian* 10). Möglicherweise war er Christ; seine Familie steht mit der Priscilla-Katakombe in Zusammenhang. Vgl. P. Lampe, *op. cit.*, S. 172.

# II. Die Papyri

Nichts hat während der letzten Jahre unsere Kenntnis der Welt, in der das NT entstand, und des NT selbst so bereichert wie die Papyrusfunde. Dieses Schreibmaterial, dessen Bereitung und Eigenschaften unten beschrieben werden, fand vor, in und nach der Zeit des NT allgemeine Verwendung. Unsere ältesten Handschriften des NT sind Papyri, und sehr wahrscheinlich wurden schon die Autographe der neutestamentlichen Schriften auf Papyrus geschrieben. Wichtiger noch ist freilich die Tatsache, daß in den letzten einhundert Jahren Tausende von Papyrusurkunden – zumeist einzelne Notizen, die nie für die Nachwelt bestimmt waren – gefunden und herausgegeben worden sind. Sie werfen nicht nur ein helles Licht auf die gesellschaftlichen und religiösen Gepflogenheiten ihres Herkunftslandes (fast alle stammen aus Ägypten, weil nur dort die klimatischen Bedingungen der Erhaltung des Papyrus günstig sind), sondern veranschaulichen auch in überraschender Weise die Sprache und zuweilen das Denken des NT und der frühen Kirche.

Die Bedeutung der Papyri für die Erforschung der Sozial- und Religionsgeschichte soll auf den folgenden Seiten kurz erläutert werden. Hier sei nur betont, daß ihr Inhalt im wesentlichen unliterarisch ist. Zwar hat man auch viele literarische Papyri gefunden, und manche haben das schon bekannte Corpus der griechischen Literatur um neue Zeugnisse erweitert; aber die große Masse der Papyrusfunde enthält Alltägliches. Wir lesen ungezählte Privatbriefe, Rechnungen, Verträge, Vereinbarungen, Übungen von Schulkindern, magische Sprüche, Zauberverse, Gebete, öffentliche Verlautbarungen, Bittschriften und so weiter. Wir sehen, wie die Beamten und die übrige Bevölkerung Ägyptens (in vieler Beziehung eine besondere, in anderer jedoch eine ganz typische Provinz im östlichen Teil des römischen Imperiums) ihrer Tagesarbeit nachgehen, frei vom Argwohn, beobachtet zu werden, wie sie regieren und regiert werden, kaufen und verkaufen, lehren und lernen, heiraten und verheiratet werden, Kinder zur Welt bringen und sie entweder aussetzen oder großziehen. Hier haben wir endlich den Reichtum an Quellenmaterial, wie ihn sich der Historiker erträumt, aber – jedenfalls in der alten Geschichte – selten in die Hand bekommt. Auf der Basis solcher Quellen kann man nicht nur die politische Geschichte, sondern vor allem das tägliche Leben eines Volkes rekonstruieren. Grundlegend für die Einzelerkenntnisse ist das Werk von L. Mitteis/U. Wilcken, *Grundzüge und Chrestomathie der Papyruskunde* (historischer und juristischer Teil, je 2 Bde), Berlin/Leipzig 1912.

Die Bedeutung der Papyri für Grammatik und Lexikographie können wir an dieser Stelle nicht behandeln. Man sollte sich zuerst das alte Standardwerk von A. Deißmann, *Licht vom Osten* (Tübingen [4]1923), vornehmen; darin werden ausgezeichnete Beispiele gegeben für die Lösung linguistischer und literarischer Probleme im NT mit Hilfe der neugefundenen Texte. In neuerer Zeit ist besonders auf die von G. H. R. Horsley herausgegebene Reihe *New Documents Illustrating Early Christianity. A Review of the Greek Inscriptions and Papyri* (Macquarie University, Australien, bislang 5 Bde.) hinzuweisen. Man darf die Hilfe, die die Papyrologie für das Verständnis des NT darstellt, nicht unterschätzen; aber wir dürfen hier vielleicht hinzufügen, daß sie nicht ganz so groß ist, wie besonders eifrige Verfechter behauptet haben. Die Sprache des NT ist mit der Sprache der Papyri nicht einfach identisch. Einfache Vokabeln mit kaufmännischer oder juristischer Grundbedeutung (z. B. ἀρραβών *Angeld* oder βεβαιοῦν *bürgen*) werden durch die kaufmännischen und juristischen Papyri vorbildlich illustriert; aber die zentralen Begriffe des NT wie ἀγάπη (*Liebe*) oder δικαιοσύνη (*Gerechtigkeit*) lassen sich auf diesem Wege nicht hinreichend klären. Um sie zu verstehen, muß man nicht nur die LXX (s. Kap. XII) hinzunehmen, sondern auch den einmaligen schöpferischen Impuls in Rechnung stellen, der das NT hervorbrachte und seine Sprache prägte.

## A. Bereitung und Verwendung des Papyrus

Der folgende Bericht bedarf nur weniger Erklärungen. Wir geben ihn so ausführlich wieder, weil die Kenntnis von Material und Herstellung des Papyrus für die Paläographie vonnutzen ist; außerdem gewährt der Text interessante Einblicke in Produktionsprozesse und Wirtschaftsverhältnisse der Antike. Zu diesem Text vgl. J. D. Kruijer u. a., *Mikroskopische Untersuchung von Papyrus und Plinius Historia Naturalis XIII, 74–83. Eine anatomisch-morphologische Studie*, ZPE 76, 1989, S. 39–44.

**20** *Plinius, Naturalis Historia XIII 68–83.*

Bis jetzt berührten wir noch nicht das Kapitel der Sumpfgewächse oder der Flußsträucher. Bevor wir jedoch Ägypten verlassen, soll noch

die Natur der Papyruspflanze geschildert werden, da auf dem Gebrau-
che des Papiers zumeist das menschenwürdige Leben, jedenfalls die
5 Erinnerung daran, beruht. Erst der Sieg Alexanders des Großen
brachte es in Umlauf, wie M. Varro bezeugt, nachdem Alexandria in
Ägypten gegründet worden war; vorher habe man kein Papier in
Gebrauch gehabt. Auf Palmblättern habe man anfangs geschrieben,
dann auf dem Bast gewisser Bäume; nachher habe man angefangen,
10 öffentliche Denkmäler auf Rollen von Blei, bald auch persönliche auf
solchen von Leinwand herzustellen oder auf Wachstafeln. Daß der
Gebrauch von Handtäfelchen schon vor den trojanischen Zeiten bestanden hat, finden wir bei Homer (*Ilias* VI 168); nach seinem Bericht
bestand aber nicht einmal das Land als solches, das man jetzt unter
15 Ägypten versteht, wo doch im Sebennutischen und Saitischen Gau
Ägyptens alles Papier gewonnen wird; erst später sei das Land vom
Nil angeschwemmt worden, weil doch Homer noch berichtet, daß das
Festland von der Insel Pharus, die gegenwärtig mit Alexandrien
durch eine Brücke zusammenhängt, eine Nacht- und Tagfahrt eines
20 Segelbootes entfernt war. Bald führte, wie ebenfalls Varro berichtet,
die Konkurrenz der Könige Ptolemäus und Eumenes bezüglich ihrer
Bibliotheken dazu, daß Ptolemäus das Papier zurückhielt und das
Pergament in Pergamum aufkam. Später stand der Gebrauch der
Sache, auf welcher die Unsterblichkeit der Menschen beruht, allge-
25 mein wieder frei.

Die Papyruspflanze also wächst in dem sumpfigen Delta Ägyptens
oder dem ruhendem Wasser des Nils, wo es über die Ufer getreten ist
und in einer Höhe von höchstens zwei Ellen still steht: mit armdicker,
schräglaufender Wurzel, dreieckigen Seiten, in einer Länge von nicht
30 mehr als zehn Ellen zu schlanker Höhe aufgerichtet und eine thyrsus-
artige Spitze umschließend, die keinen Samen enthält oder zu etwas
anderem dient denn als Blüte zum Bekränzen der Götter.

Die Wurzeln gebrauchen die Bewohner als Holz, nicht nur zum
Brennen, sondern auch sonst zu Gefäßen des Hausrats. Aus dem
35 Papyrusstengel selbst flechten sie Fahrzeuge und aus der Schale
Segel und Decken, desgleichen auch Kleider, selbst Matten und Seile.
Auch kauen sie ihn roh und gekocht, schlucken indes nur den Saft
hinunter. Die Pflanze wächst auch in Syrien um den See, wo das
wohlriechende Rohr sich findet, und nur daher hat König Antigonus
40 bei der Schiffstakelung seine Seile genommen, da das Pfriemengras
noch nicht eingeführt war. Kürzlich fand man, daß der Papyrus auch
am Euphrat und Babylon wächst und gleichfalls als Schreibpapier
Verwendung findet; und doch ziehen bis jetzt die Parther es vor, die
Schrift in Stoffe zu weben.

45 Man bereitet aus ihm (dem Papyrusstengel) das Schreibpapier,
indem man ihn mit einem spitzen Instrument in sehr dünne, aber
möglichst breite Baststreifen zerlegt. Die höchste Qualität hat die
Mitte, und von da nach der Folge der Schichten. „Hieratisches Papier"
hieß es und war von Alters her nur für religiöse Rollen bestimmt; aus

Schmeichelei erhielt es den Namen „Augustuspapier", sowie das zweitbeste den seiner Gemahlin Livia. So wurde „hieratisches Papier" zum Namen der dritten Sorte. Das nächste hieß „Amphitheater-Papier" nach dem Orte der Fabrikation. Dieses wanderte in die erfinderische Werkstätte des Fannius; da preßte man es dünn und machte es durch eine sorgfältige Zurichtung aus einem gemeinen zu einem hochfeinen Papier und gab ihm den Namen „Fanniuspapier". Das nicht so umgearbeitete behielt seinen Namen und Rang als Amphitheater-Papier. Nach diesem kommt das „Saitische", von der Stadt, wo es am meisten gedeiht, aus den geringeren Stücken; und noch näher der Schale das „Täneotische", vom benachbarten Orte, dieses bereits nach dem Gewichte, nicht nach der Güte verkäuflich; das „Kaufmannspapier" ist ohne Wert zum Schreiben und dient nur zu Umschlägen für Papiere und für Waren als Verpackung, daher nach den Kaufleuten benannt. Nach diesem kommt das eigentliche „Papyrum" (Schilf), und das Äußerste von diesem ist den Binsen ähnlich und selbst für Seile nur im Feuchten zu gebrauchen.

Alles Papier fügt man auf einer von Nilwasser nassen Tafel zusammen; die trübe Flüssigkeit hat die Wirkung des Leimes. Zuerst wird geradeaus nach oben eine Schicht auf die Tafel geklebt in möglichst großer Länge des Stengels, nachdem man die ungleichen Enden abgeschnitten hat; eine quergelegte Schicht vollendet hernach das Gewebe. Das Papier wird dann gepreßt; die Blätter werden an der Sonne getrocknet und unter sich verbunden, die der (an Größe) nächstfolgenden immer mit abnehmender Güte bis zu den schlechtesten. Nie kommen mehr auf eine Rolle als zwanzig.

Groß ist ihre Verschiedenheit in der Breite; 13 Zoll haben die besten Papiere, 2 weniger das hieratische Papier; das Fanniuspapier hat 10 Zoll und einen weniger das Amphitheater-Papier, noch weniger das Saitische – auch reicht es nicht aus für die Behandlung mit dem Schlägel –, das kurze Kaufmannspapier geht über 6 Zoll nicht hinaus. Außerdem sieht man beim Papier auf die Feinheit, Dichtigkeit, den Glanz und die Glätte. Die beste Sorte änderte Claudius Cäsar. Das Augustus-Papier war nämlich zu dünn, um beim Gebrauch dem Schreibrohr standzuhalten; da es überdies die Schrift durchschlagen ließ, mußte man von der Rückseite aus Verwischen befürchten, und auch sonst sah es unschön aus, weil es sehr durchsichtig war. Also wurde aus der zweiten Schicht (dem Livia-Papier) der Aufschlag gemacht, aus der ersten der Einschlag. Er gab ihm auch eine größere Fläche vom Maß des Fußes. Die Großformate hatten selbst das Maß einer Elle; indes zeigte sich bei näherem Überlegen der Fehler, daß das Abreißen eines einzigen Streifens mehrere Seiten gefährdete. Aus diesen Gründen wurde allen Sorten das Claudius-Papier vorgezogen, wenn auch das Augustus-Papier sein Ansehen als Briefpapier behielt. Das Liviapapier behielt seinen Rang, da es nichts von der ersten, sondern alles von der zweiten Schicht hatte.

Das Rauhe wird mit einem Zahn oder einer Muschel geglättet, aber

Die Papyri

die Schrift verliert an Dauer: Das Papier saugt weniger auf infolge der
Glättung, sein Glanz ist größer. Nachher wird es mit dem Schlägel
dünn geklopft und mit Kleister behandelt und, wenn es sich wieder
100 zusammengezogen hat, von den Falten befreit und mit dem Schlägel
ausgedehnt. Schwierigkeiten bereitet oft die unvorsichtige Verwendung des Wassers im Anfang; unter dem Schlägel läßt sich das wahrnehmen oder sogar am Geruch, wenn einer zu unachtsam war. Es
lassen sich auch die Stockflecken mit den Augen wahrnehmen; daß
105 aber ein mitten in der Kleisterung eingefügter Streifen infolge des
Papyrusschwammes Nässe anzieht, kann kaum anders festgestellt
werden, als indem die Schrift auseinanderfließt. So sehr kann man
sich dabei täuschen. Dann gibt es mit seiner Umarbeitung eine neue
Mühe.
110 Der gewöhnliche Kleister wird aus feinstem Staubmehl hergestellt
mit kochendem Wasser, bei einem ganz geringen Zusatz von Essig;
Handwerkskleister und Gummi leiden an Sprödigkeit. Wenn man
sorgfältiger zu Werke geht, wird das Weiche von gesäuertem Brote mit
kochendem Wasser durch ein Sieb geschlagen; so gibt es am wenigsten
115 Gerinnsel, und sogar die Weichheit des Nilwassers wird übertroffen.
Kein Kleister darf älter oder jünger sein als einen Tag.
So können die Dokumente von langer Dauer sein. Die Hand von
Tiberius und Gaius Gracchus habe ich bei Pomponius Secundus, dem
berühmten Dichter und Bürger, nach etwa 200 Jahren gesehen. Voll-
120 ends von Cicero und dem göttlichen Augustus sowie von Vergil sehen
wir sie oftmals.

6 *Marcus Varro*, Varro von Reate (so genannt, um ihn von Varro von Atax zu
unterscheiden); 116–27 v. Chr.

15 *Gau*, die alten ägyptischen Provinzen; sie wurden von der ptolemäischen
und römischen Verwaltung aufrechterhalten. S. W. Helck/E. Otto, *Kleines
Wörterbuch der Ägyptologie*, Wiesbaden 1958, S. 106 ff.

21 *König Eumenes*. Wahrscheinlich ist damit Eumenes II. (197–158 v. Chr.)
gemeint. Die Erzählung findet einige Unterstützung in dem Namen περ-
γαμηνή *pergamena* (Pergament).

30 *Thyrsus*, „der mit Efeu und Weinranken umwundene Stab, welchen Bac-
chus und die Bacchantinnen schwärmend in der Hand trugen" (K. E.
Georges, *Lateinisch-deutsches Handwörterbuch*, Hannover [8]1912–1918,
s. v.).

31 *Keinen Samen enthält*, nicht ganz richtig.

68 *die Wirkung des Leimes, vim glutinis*. Vielleicht ist die Übersetzung nicht
richtig; *glutinis* ist wahrscheinlich nicht der Genetiv von *gluten*, sondern
der Dativ Plural von *glutinum*, der von Plinius gebrauchten Wortform (z. B.
Z. 112). Irgendeine Art Leim wurde mit dem trüben Nilwasser angemacht
gebraucht.

76 *13 Zoll*. „Zoll" entspricht hier (und im gesamten Text) dem lateinischen
*digitus*, ungefähr 2 cm.

89 *Großformate*, lat. *macrocollīs* (griechisches Fremdwort); Cicero, *Ad Atti-
cum* XVI 3, 1 und XIII 25, 3, hat ebenfalls die Wortform *macrocollum*

„langgeklebt, aus zusammengeklebten Streifen hergestellt"; daneben einige Hss an unserer Stelle *macrocolis* (dat. vom plur. *macrocola*) „langgliedrig, mit langen Streifen".

117 *so können die Dokumente von langer Dauer sein.* Doch ist der beste Papyrus nicht so haltbar wie Pergament. Deshalb wird es immer nur ganz wenige frühe Hss des NT geben; und die, welche man findet, dürften nahezu alle aus Ägypten stammen. Aus dem Herstellungsverfahren, wie Plinius es beschreibt, geht wohl deutlich hervor, daß der Papyrus für gewöhnlich nicht zu Codices, sondern zu Rollen verarbeitet wurde; denn so war es am bequemsten. Deshalb ist die Tatsache bedeutsam, daß NT-Papyruscodices existiert haben. Auf eine Rolle konnte man nicht mehr als ein Evangelium schreiben; die Christen benutzten offenbar deshalb Codices, weil sie ihre Heiligen Schriften als Kanon zusammenhalten wollten. Eine andere Auffassung vertritt C. H. Roberts, *Manuscript, Society and Belief in Early Christian Egypt,* London 1979; vgl. ders./T. C. Skeat, *The Birth of the Codex,* London 1983.

120 *Cicero ... Vergil.* Auch Quintilian erwähnt, daß er noch originale Cicero- und Vergilhandschriften einsehen konnte (*Institutio oratoria* I 7,20).


# B. Briefform und Briefstil in den Papyri

Von den siebenundzwanzig Büchern des NT sind (wirklich oder dem Anschein nach) einundzwanzig Briefe. Außerdem enthalten die Offenbarung des Johannes die sieben Briefe an die sieben Kirchen Kleinasiens, die Apostelgeschichte den Brief des Apostelkonzils von Jerusalem an die Kirchen Antiochiens, Syriens und Kilikiens (15, 23–29) und den Brief des Tribunen Claudius Lysias an den Prokurator Felix (23, 26–30). Es wurde bereits darauf hingewiesen, daß viele Papyri Briefe darstellen, und es erstaunt deshalb nicht, daß zwischen den Briefen des NT und den ungefähr zeitgenössischen Briefen häufig Ähnlichkeiten bestehen. Einige Beispiele für solche Ähnlichkeit werden genügen.


**21** *PLond 42* (= UPZ 59; H & E 97). *Brief einer Frau an ihren Mann.* 168 v. Chr.

Isias ⟨grüßt⟩ Hephaistion, ihren Bruder. Wenn du gesund bist und es dir auch sonst nach Wunsch geht, ist es so, wie ich es beständig von den Göttern erbitte. Und auch ich bin gesund und das Kind und alle im Hause, ⟨deiner beständig gedenkend⟩. Als ich deinen Brief von Horos
5 empfing, in dem du mitteilst, du seist in Gotteshaft im Sarapeum in Memphis (gewesen), habe ich dafür, daß du gesund bist, sofort den Göttern gedankt; daß du aber nicht herkommst, während alle, die dort festgehalten waren, gekommen sind, darüber bin ich betrübt, weil ich durch solche schweren Zeiten mich und dein Kind hindurchgesteuert
10 habe und wegen des Getreidepreises zum äußersten gekommen bin

und dachte, wenigstens jetzt, wenn du hergekommen wärest, aufatmen zu können, du es aber nicht einmal in Erwägung gezogen hast, hierherzukommen, noch auf unseren Zustand Rücksicht genommen hast: wie ich noch bei deinem Hiersein an allem Mangel litt und nun
15 vollends, nachdem so lange Zeit verflossen ist – und was für Zeiten! – und du gar nichts geschickt hast. Nachdem aber auch Horos, der den Brief brachte, nun noch gemeldet hat, daß du aus der Gotteshaft entlassen bist, da bin ich ganz und gar betrübt. Doch da auch deine Mutter leidend ist, wirst du gut tun, sowohl ihretwegen als auch
20 unseretwegen in die Stadt zu kommen, falls nichts Notwendigeres dich zurückhält. Es wird uns aber lieb sein, wenn du für deinen Körper sorgst, damit du gesund bleibst. Lebe wohl! Im (Jahr) 2, am 30. Epeiph. (Verso: Adressiert) an Hephaistion.

1 *grüßt.* In diesem Papyrus hat der Herausgeber das Wort (χαίρειν) in eine kleine Lücke eingefügt. Die Konjektur ist jedoch angesichts der Häufigkeit des Wortes an Briefanfängen sicher. Wie auch hier, ist die Form meist „A grüßt B". Im NT erscheint das Wort χαίρειν (als Briefformel) nur in Apg 15, 23; 23, 26; Jak 1, 1; in den paulinischen Briefen wird das ähnliche, aber typisch christliche Wort χάρις (Gnade) gebraucht (zusammen mit εἰρήνη, das die übliche semitische Grußformel שׁלום *Heil* wiedergibt).
*Bruder.* Es geht aus dem Brief eindeutig hervor, daß Hephaistion und Isias Mann und Frau sind. „Bruder" (ἀδελφός) könnte ein Kosename, aber auch wörtlich zu verstehen sein (so Wilcken); Ehen zwischen Bruder und Schwester waren in Ägypten nicht ungewöhnlich.

2 *beständig von den Göttern erbitte.* Auch die paulinischen Briefe beginnen regelmäßig mit Dankgebet und Fürbitte.

5 *in Gotteshaft im Sarapeum.* Sarapis hatte offenbar durch seine Priester dem Hephaistion befohlen, im Tempel zu bleiben.

16 vgl. Z. 4 *Horos.* In den Briefen des Paulus hören wir zuweilen von einem Boten, der Briefe befördert und dazu ergänzende Nachrichten geben kann; z. B. Kol 4, 7–9 („Wie es um mich steht, wird euch alles kundtun Tychikus . . . welchen ich habe darum zu euch gesandt . . . Alles wie es hier steht, werden sie euch kundtun").

22 *Lebe wohl,* ἔρρωσο. Dieses Wort erscheint in Apg 15, 29 (im Plural) und 23, 30 (nach einigen Textzeugen). Paulus gebraucht stets christliche Formeln.

23 *an Hephaistion.* Der Brief ist wie gewöhnlich auf der Rückseite adressiert.

**22** *POx 292* (= H & E 106). *Empfehlungsbrief.* Ca. 25 n. Chr.

Theon grüßt den hochgeschätzten Tyrannos vielmals. Der Überbringer dieses Briefes, Herakleides, ist mein Bruder, weshalb ich dich mit aller Macht anflehe, ihn unter deinen Schutz zu nehmen. Ich habe auch deinen Bruder Hermias schriftlich gebeten, ihn bei dir anzukündigen.
5 Du tust mir den größten Gefallen, wenn du ihn dein Wohlwollen gewinnen läßt. Vor allem bete ich, daß dir Gesundheit und der beste Erfolg beschieden sein mögen und Schutz gegen Schadenzauber. Lebe wohl. An Tyrannos, den Dioiketen.

3 *anflehe, ihn unter deinen Schutz zu nehmen.* Empfehlungsbriefe sind unter den Papyri natürlich nicht selten. Im NT vgl. Röm 16, 1 (συνίστημι δὲ ὑμῖν Φοίβην τὴν ἀδελφὴν ἡμῶν „Ich empfehle euch aber unsere Schwester Phöbe") und 2 Kor 3, 1 („Heben wir denn abermals an, uns selbst zu empfehlen (συνιστάνειν)? Oder bedürfen wir, wie etliche, der Empfehlungsbriefe an euch oder Empfehlungsbriefe (συστατικῶν ἐπιστολῶν) von euch?"). Das in diesem Dokument für „unter deinen Schutz" übersetzte Wort ist συνεσταμένον.

8 *Dioiket,* in ptolemäischer Zeit ein bedeutender Finanzbeamter der Krone; hier ein Beamter niedrigeren Ranges.

**23** *BGU 27* (= H & E 113). *Brief an einen Bruder.* 2. oder 3. Jh. n. Chr.

Eirenaios grüßt seinen geliebten Bruder Apollinarios vielmals. Ich bete fortgesetzt für dein Wohlergehen und bin selbst wohlauf. Du sollst wissen, daß ich am 6. des Monats Epeiph an Land gekommen bin, und wir löschten unsere Ladung am 18. desselben Monats. Ich
5 ging am 25. des Monats nach Rom, und der Ort nahm uns auf, wie der Gott es wollte, und wir erwarten täglich unsere Entlassung, da bis heute noch keiner von uns mit den Getreidegeschäften fertig geworden ist. Viele Grüße an deine Frau und an Serenos und an alle, die dich lieben, jeden bei Namen. Lebe wohl. 9. Mesore. An Apollinarios von
10 seinem Bruder Eirenaios.

7 *Getreidegeschäfte,* die Lieferungen von Ägypten nach Rom.
8 *jeden bei Namen,* κατ᾽ ὄνομα, vgl. 3 Joh 15.

An dieser Stelle wollen wir das Gebiet der unliterarischen Papyri verlassen und uns einem weiteren Brieftyp zuwenden. Namentlich Hans Dieter Betz hat auf die Bedeutung des apologetischen Briefes aufmerksam gemacht, mit dem die paulinischen Briefe in gewisser Weise vergleichbar sind (vgl. *A. Commentary on Paul's Letter to the Churches in Galatia,* Philadelphia 1979). Es ist nicht einfach, diesen Brieftyp darzustellen, da ein Großteil dieser Literatur nicht erhalten ist; wer dennoch mit ihm operieren will, muß über das Zeugnis der Briefe hinaus apologetische Reden hinzunehmen. Platos *Siebter Brief* ist zwar wichtig, aber zu lang, um ihn hier anzuführen; kürzere Briefe können vielleicht verdeutlichen, welchen Geist diese Literatur atmet, aber sie sind in ihrem Aufbau mit einem Brief wie etwa dem an die Galater nicht vergleichbar. Die hier gegebenen Beispiele stammen aus den *Briefen des Pseudo-Diogenes,* die A. J. Malherbe in seiner Ausgabe: *The Cynic Epistles. A Study Edition,* Montana 1977, S. 92–183 mitsamt englischer Übersetzung abgedruckt hat.

**24** *Die Briefe des Diogenes 7* (A. J. Malherbe, *op. cit.*, S. 98).

An Hiketas. Laß es dich nicht verdrießen, Vater, daß ich als „Hund"
bezeichnet werde, mit einem doppelseitigen, abgetragenen Mantel
bekleidet bin, einen Rucksack auf den Schultern trage und einen Stab
in der Hand habe. Es lohnt nämlich nicht, sich über dergleichen
5 aufzuregen; freue dich lieber, daß dein Sohn sich mit wenigem be-
gnügt: Er ist unabhängig von der öffentlichen Meinung, der sie alle
dienen, Griechen und Barbaren. Die Bezeichnung ist in gewisser Weise ehrenvoll; nicht nur hat sie mit meinen Taten nichts zu tun, sondern sie ist auch ein Zeichen. Denn ich heiße ein „Hund" nicht der
10 Erde, sondern des Himmels; diesem mache ich mich gleich, indem ich
nicht nach Maßgabe der öffentlichen Meinung lebe, sondern der Natur
gemäß, unabhängig, unter Zeus, dem ich das Gute zuschreibe und
nicht dem Nächsten. Was die Ausrüstung betrifft, so schreibt auch
Homer, daß Odysseus, der weiseste Grieche, auf Athenes Anraten hin
15 sie trug, als er nach Hause zurückkehrte von Ilium; und deshalb ist sie
schön, so daß man sie übereinstimmend für eine Erfindung nicht von
Menschen, sondern von Göttern hält:
> Zuerst gab sie ihm Kleidung, einen Chiton und ein Überge-
> wand, elende, „schmutzige, vom bösen Rauche rußige, tat
20 > ihm ein großes Fell von einem schnellen Hirsch um, ein
> kahles, und reichte ihm einen Stock und einen schäbigen
> Ranzen, dicht bei dicht zerrissen, und an ihm war ein Strick
> als Tragband" (Homer, *Odyssee* XIII 435–438).

Sei getrost, Vater, in bezug auf den Namen, mit dem sie uns bezeich-
25 nen, und auf die Ausstattung, da der Hund auf der Seite der Götter,
das Gewand eine Erfindung Gottes ist.

1 Es handelt sich nicht um einen echten Brief des Diogenes; vermutlich
stammt er aus dem 2. Jh. v. Chr. (s. Malherbe, *op. cit.*, S. 17).

*Hund*, griechisch κύων (*kyōn*), wovon das Wort *kynisch* abgeleitet wurde.
Kleidung und Ausstattung des Philosophen erinnern an Mk 6,8f parr.

2 *mit einem doppelseitigen, abgetragenen Mantel bekleidet bin* usw. Zum
Erscheinungsbild der Kyniker vgl. unten *105–106*.

**25** *Die Briefe des Diogenes 45* (A. J. Malherbe, *op. cit.*, S. 174).

An Perdikkas. Alles Gute! Schäme dich darüber, daß du mir in deinem
Brief drohst; ich glaube dir ganz und gar nicht, daß ich schlimmer als
Eriphyle sei und mich in übler Weise für Gold verschleudert habe.
Denn das hältst du für angemessen, und du schiebst es zwar nicht auf,
5 mich mit Worten anzugreifen, drohst mir aber wie ein Käfer, daß du
mich töten wirst; du weißt nicht, daß, wenn du das tust, dir Entspre-
chendes widerfahren wird. Denn da ist jemand, der über uns waltet; er
treibt von denen, die mit ungerechten Taten den Anfang gemacht
haben, die gebührende Strafe für solche Taten ein, und zwar von den
10 Lebenden einfach, von den Toten aber zehnfach. Ich schreibe das nicht

aus Angst vor deinen Drohungen, sondern weil ich nicht will, daß du meinetwegen etwas Böses tust.

3 *Eriphyle*, die Frau des Amphiaraos, die ihren Mann um ein Halsband verriet.

11 f Die Formulierung erinnert auffällig an 2 Kor 13, 7.

## C. Religiöse und Zauberpapyri

In diesen Abschnitt wurden weder jüdische noch christliche Papyri aufgenommen; auch literarische Texte (vgl. *287*) wurden hier übergangen. Das mag zu dem Eindruck führen, daß die Religion Ägyptens in hellenistischer und römischer Zeit wenig echtes religiöses Gefühl zeigte, sondern teils geschäftsmäßiger und offizieller, teils magischer Natur war. Man sollte allerdings auch nicht erwarten, daß die mehr persönlichen und mystischen Seiten der Religion in nichtliterarischen Dokumenten von der Art, wie sie auf Papyrus erhalten sind, zur Sprache kommen.

**26** *POx 1211* (= H & E 403). *Opfergegenstände.* 2. Jh. n. Chr.

In dieser Notiz sind die Artikel aufgeführt für ein Opfer bei dem „Fest, das noch immer um die Sommersonnenwende abgehalten wird, wenn der Fluß zu steigen beginnt" (H & E 525). Offensichtlich war der Strategos für die Beschaffung oder zumindest für die Finanzierung des Opfermaterials verantwortlich.

An den Strategos. Artikel für das Opfer an den allerheiligsten Nil am 30. Pauni: 1 Kalb, 2 Krüge wohlduftenden Weines, 16 Oblaten, 16 Blumenkränze, 16 Tannenzapfen, 16 Kuchen, 16 grüne Palmzweige, ebenfalls 16 Schilfstengel, Olivenöl, Honig, Milch, jedes Gewürz außer 5 Weihrauch.

1 *Strategos* (στρατηγός), nicht, wie gewöhnlich im Griechischen, ein militärischer Titel, sondern der eines örtlichen zivilen Verwaltungsbeamten.

**27** *PTebt 294* (= H & E 353). *Bewerbung um das Amt des Propheten.* 146 n. Chr.

Die Religion Ägyptens war in den Händen des Staates, und ihre Diener hatten wie Beamte bezahlte Stellungen inne, um die sie sich bei der lokalen Behörde nach Zahlung eines Betrages bewerben mußten. Die Pflichten eines „Propheten" unterschieden sich erheblich von denen des a. t. lichen und christlichen Propheten.

Abschrift. An Tiberius Claudius Justus, Verwalter des Privatkontos von Pakebkis, dem Sohn des Marsisuchos, steuerbefreiter Priester des berühmten Tempels von Soknebtynis, auch Kronos genannt, und der größten dazugehörigen Götter, der im Tal Tebtynis im Bezirk von

5 Polemon im Arsinoitischen Gau liegt. Ich wünsche das Amt des Propheten in dem besagten Tempel zu erhalten, das seit langer Zeit zum
Kauf angeboten ist, wissend, daß ich ... und die Palmzweige tragen
und die anderen Aufgaben des Prophetenamtes erfüllen und in Übereinstimmung mit den Verordnungen den fünften Teil des Einkom-
10 mens erhalten werde, das dem Tempel zufällt, zum gesamten Preis
von 2200 Drachmen anstelle der schon vor langer Zeit von Marsisuchos, dem Sohn des Pakebkis, (versprochenen) 640 Drachmen, welche
Summe ich, wenn ich im Amt bestätigt bin, in die öffentliche Lokal-
bank zu den üblichen Terminen zahlen will; und ich und meine Nach-
15 kommen und Nachfolger sollen dieselbe Autorität und Macht mit
denselben Rechten und Pflichten nach Zahlung (von einem jeden) von
200 Drachmen für den Amtsantritt auf immer innehaben. Wenn es dir
deshalb gut scheint, mein Herr, wirst du meine Beamtung hier in der
Stadt auf Grund dieser Bedingungen bestätigen und dem Strategos
20 des Gaues über diese Angelegenheit schreiben, damit der gebührende
Dienst an den Göttern, die dich lieben, ausgeführt wird. Der fünfte
Teil des Erlöses aus dem erwähnten Einkommen, der mir zufällt,
beträgt nach Abzug der Spesen 50 (Artaben) Weizen, 9⅝ (Artaben)
Linsen, 60 Silber(drachmen). Möge es dir wohlergehen. Im 10. (Jahr)
25 des Cäsar Titus Aelius Hadrianus Antoninus Augustus Pius, am
10. Tubi.

1 *Privatkonto,* ἴδιος λόγος. Das alte Königreich Ägypten wurde als das Privat-
eigentum der Könige betrachtet, und die Erträge daraus waren ihr Eigentum. Diese Regelung wurde von den Ptolemäern aufrechterhalten und von
Augustus übernommen, der Ägypten in dieser und überhaupt in vielerlei
Hinsicht anders behandelte als die übrigen Provinzen.

2 *steuerbefreit,* das heißt befreit von der Zahlung *gewisser* Steuern. Einer der
Vorzüge bei einer offiziellen Stellung im Kult.

5 *Amt des Propheten,* ἡ προφητεία.

9 *Einkommen ... das dem Tempel zufällt.* Die Tempel besaßen Vermögen in
„heiligem Land", das zu ihrem finanziellen Nutzen verwaltet wurde.

18 *die Stadt,* Alexandria.

**28** *POx 1148* (= H& E 193). *Frage an ein Orakel.* 1. Jh. n. Chr.

Mein Herr Sarapis Helios, du Wohltäter, (sage,) ob es angeht, daß
Phanias, mein Sohn, und seine Frau jetzt nicht mit seinem Vater
übereinstimmen, sondern ihm widersprechen und keinen Vertrag machen. Sage mir dies genau. Lebe wohl.

4 *Lebe wohl.* Aus der Form der Frage könnte man auf einen an den Gott
gerichteten Brief schließen; s.o. *21.*

**29** *POx 1478* (= H & E 198). *Zauberspruch für Sieg.* Ca. 300 n. Chr.

Zauberspruch für Sieg für Sarapammon, den Sohn des Apollonios ...
(Es folgen zehn oder elf magische Symbole) ... Gib Sieg und Sicherheit

beim Rennen und der Menge dem obengenannten Sarapammon im
Namen des Sylikysesos.

4 *Sylikysesos*, ein Gott, von dem nichts bekannt ist.

**30** *Großer Pariser Zauberpapyrus Z. 3007–3085. Zaubermittel gegen
dämonische Besessenheit.* Ca. 300 n. Chr.

S. dazu A. Deißmann, *Licht vom Osten*, S. 216–225, dessen Übersetzung hier
übernommen wurde. Der gesamte Text des Pariser Zauberpapyrus wurde
herausgegeben und übersetzt von K. Preisendanz im 1. Band der *Papyri
Graecae Magicae*, Stuttgart ²1973; eine neuere englische Übersetzung findet
sich bei H. D. Betz, *The Greek Magical Papyri in Translation*, Chicago/
London 1986. Außerhalb der offiziellen, vom Staat aufrechterhaltenen Kulte
spiegelte die Religion in Ägypten die gemischte Bevölkerung des Landes
wider, in dem eingeborene Ägypter, griechische Siedler, Kaufleute, Verwal-
tungsbeamte und römische Soldaten neben verschiedenen Orientalen, darunter zahlreichen Juden, nebeneinander lebten. Besonders jene, die sich in
der Magie übten, bezogen unbedenklich aus jeder Quelle Namen und Formeln, die mächtig und wirksam klangen. Der folgende Text ist ein markantes
Beispiel für das so entstehende Gemisch. Der jüdische Einfluß steht außer
Frage; andererseits wurden die Zeilen sicher nicht von einem orthodoxen
Juden geschrieben, wahrscheinlich überhaupt von keinem Juden. Es gab
jedoch jüdische Geisterbeschwörer (vgl. Mt 12, 27 par. Lk 11, 19; Apg 19, 13),
und es ist möglich, daß einige von ihnen den in dem Papyrus beschriebenen
ähnliche Methoden anwandten. Die Wirklichkeit der auch im NT ständig
angenommenen Welt der Dämonen ist hier deutlich vorausgesetzt.

Gegen dämonische Besessenheit. Erprobtes Zaubermittel des Pibe-
chis.
Nimm Öl von unreifen Früchten nebst der Pflanze
Mastigia und Lotosmark und koche es mit Majoran
5 (dem nichtfarbigen) und sprich: „Joel, Ossarthiomi,
Emori, Theochipsoith, Sithemeoch, Sothe,
Joe, Mimipsothiooph, Phersothi AEĒIOYŌ,
Joe, Eochariphtha: Fahre aus von N. N. (andere übliche Formeln)."
Die Schutzformel aber schreibe auf ein zinnernes
10 Täfelchen: „Jaeo, Abraothioch, Phtha, Mesen-
psiniao, Pheoch, Jaeo, Charsok" und hänge es
dem Leidenden um: es ist für jeden Dämon ein Schauder, den er
fürchtet. Stelle dich dann gegenüber und beschwöre ihn. Es lautet
aber die Beschwörung
15 also: „Ich beschwöre dich bei dem Gott der Hebräer
Jesu, Jaba, Jae, Albraoth, Aia, Thoth, Ele,
Elo, Aeo, Eu, Jiibaech, Abarmas, Jaba-
rau, Abelbel, Lona, Abra, Maroia, Brakion,
im Feuer Erscheinender, der du inmitten von Flur und Schnee
20 und Nebel bist, Tannetis: Herabfahren soll dein unerbittlicher Engel und einweisen in Haft den
umherflatternden Dämon dieses Geschöpfes,

das Gott geschaffen hat in seinem heiligen Paradiese. Denn ich bete zum heiligen Gott, mich gründend auf Ammon-
25 ipsentancho." Spruch. „Ich beschwöre dich mit keckem Schwall:
Jakuth, Ablanathanalba, Akramm." Spruch. „Aoth, Jatha-
bathra, Chachtabratha, Chamynchel, Abro-
oth. Du bist Abrasiloth, Allelu, Jelosai,
Jael: „Ich beschwöre dich bei dem, der sich geoffenbart hat an
30 Osrael in der Lichtsäule und in der Wolke bei
Tag und der gerettet hat sein Wort vom Frondienst
des Pharao und der gebracht hat über Pharao die
Zehnzahl der Plagen, dieweil er nicht hörte. Ich beschwöre dich, jedweden dämonischen Geist, daß du sagest, wer im-
35 mer du auch bist. Denn ich beschwöre dich bei dem Siegel, das Solomon gelegt hat auf die Zunge
des Jeremias also, daß er redete. Auch du sage,
wer immer du bist, ein himmlisches oder ein Luftwesen
oder ein irdisches oder ein unterirdisches oder ein Wesen unter der
40 Erde oder ein ebusäisches oder ein chersäisches (ein Landwesen) oder
ein pharisäisches. Sage,
wer immer du bist; denn ich beschwöre dich bei Gott, dem Lichtträger, dem Unbezwinglichen, der das, was im Herzen jeglichen Lebens
ist, weiß, der aus Staub schuf das Geschlecht
45 der Menschen, der herausführte aus dem Verborgenen
und dicht macht die Wolken und regnen läßt auf die Erde
und ihre Früchte segnet, den da seg-
net jegliche himmlische Macht der Engel,
der Erzengel. Ich beschwöre dich bei dem großen Gott Saba-
50 oth, um dessentwillen der Jordanfluß zu-
rückwich und das Rote Meer:
Israel zog hindurch, und dann stand es unwegsam.
Denn ich beschwöre dich bei dem, der geoffenbart hat die hundertvierzig Zungen und sie verteilt hat
55 durch sein Befehlswort. Ich beschwöre dich bei dem, welcher der
steifnackigen Giganten (Sippe?) mit seinen Feuerstrahlen verbrannt hat, den besingt der Himmel Himmel,
den besingen die Fittiche des Cherubin.
Ich beschwöre dich bei dem, der Berge gesetzt hat ums Meer,
60 eine Mauer aus Sand, und ihm geboten hat, sie nicht zu über-
schreiten, und es gehorchte die (Meeres-)Tiefe. So gehorche auch du, jedweder dämonischer Geist; denn ich beschwöre dich
bei dem, der die Vier Winde bewegt von
den heiligen Äonen her, beim Himmelsgleichen, Meeres-
65 gleichen, Wolkengleichen, Lichtträger, Unbezwinglichen.
Ich beschwöre dich bei dem, der in dem reinen Jerusolymon ist, dem
das unauslöschliche Feuer durch alle Äonen hindurch dargeboten
wird, durch seinen heiligen Namen Jaeo-
baphrenemun (Spruch), vor dem die Feuerhölle erzittert,

70 und Flammen lodern ringsum und Eisen
zerkracht und ein jeglicher Berg fürchtet sich in seinen Grundfesten.
Ich beschwöre dich, jedweden dämonischen Geist, bei dem, der hin-
blickt über die Erde und erzittern läßt ihre
Grundfesten und geschaffen hat das All
75 aus dem Nichts ins Dasein." Ich beschwöre aber dich, der
du diese Beschwörung übernimmst, Schweinernes
nicht zu essen, und es wird dir untertan sein jedweder Geist
und Dämon, wer immer er auch sei. Während der Beschwörung aber
blase, den Hauch von oben (zu den Füßen) sendend und
80 von den Füßen zum Antlitz, und er (der Dämon) wird
in Haft eingewiesen werden. Hüte es als ein Reiner. Denn der Spruch
ist ein hebräischer und wird gehütet von rei-
nen Männern.

1 *Dämonische Besessenheit,* δαιμονιαζομένους. Vgl. das n.t.liche Wort δαιμο-
νίζεσθαι.
*Erprobtes Zaubermittel,* δόκιμον. Zu diesem Wort und seiner Bedeutung vgl.
1 Pt 1, 7. „Zaubermittel" ist hier aus dem Zusammenhang ergänzt.

5 *Joel.* Einige der eigentümlichen Wörter dieses und ähnlicher Papyri haben
keine erkennbare Bedeutung und sind wahrscheinlich bloßer Hokus-Pokus,
der zweifellos sehr eindrucksvoll klang, wenn er nur richtig und in der
entsprechenden Umgebung ausgesprochen wurde. Anderes wurde aus mancherlei Quellen entliehen, manches in diesem Papyrus aus dem AT.

7 *Joe.* Dies könnte eine Form des hebräischen *nomen sacrum* יהוה (JHWH)
sein. Vgl. unten Jaeo, Jabe und Jae.
*AEĒIOYŌ,* kein Wort, sondern die Vokale des griechischen Alphabets.

8 *Fahre aus von,* ἔξελθε ἀπό. Derselbe Befehl wird im NT gebraucht (Lk 4, 35,
vgl. Mk 1, 25; 5, 8; 9, 25). Es handelt sich wohl um eine bei Exorzisten übliche
Formel.

10 *Phtha,* Name eines ägyptischen Gottes.

12 *den er fürchtet,* φρικτόν; vgl. Jak 2, 19.

13 *und beschwöre ihn,* ὁρκίζειν; vgl. z. B. Apg 19, 13. Dieses war wahrscheinlich
auch ein übliches Wort der Exorzisten.

16 *Jesu.* Nach Deißmann würde weder ein Jude noch ein Christ Jesus *den Gott
der Hebräer* genannt haben. Aber ein nichtchristlicher Heide (oder vielleicht
sogar ein sehr unorthodoxer Jude) mag wohl den Namen gehört und ihn für
seine Zwecke für geeignet gehalten haben, da er seine Wirksamkeit im
Exorzismus und seine Verbindung mit dem Judentum erkannte. In der
folgenden Reihe von Namen erinnern Jaba und Jae an JHWH; Thoth =
Name einer ägyptischen Gottheit; Ele, Elo deuten auf das hebräische
אל, אלהים (*'el, 'elohim;* Gott).

19 *im Feuer Erscheinender* mag eine Anspielung auf die Erscheinung Gottes
vor Mose im brennenden Busch (Ex 3, 2) sein; jedoch ist Feuer ein gewöhnlicher Bestandteil jeder Theophanie.

23 *das Gott geschaffen hat* (ἔπλασεν, vgl. Gen 2, 7) *in seinem heiligen Paradiese,*
bezieht sich auf die biblische Erzählung von der Erschaffung des Menschen,
ist aber wohl keine direkte Anspielung; vgl. *Corpus Hermeticum* I und die
Anm. zu *113–114.*

24 *mich gründend auf* (ἐπί), Vgl. die n.t.liche Wendung ἐπὶ τῷ ὀνόματι.

30 *Osrael* kann ein einfacher Schreibfehler für Israel sein. Wenn es ein wirklicher Fehler ist, hatte der Schreiber des Papyrus sicherlich keine eigene Kenntnis des AT; doch die richtige Form steht in Z. 51.
*in der Lichtsäule und in der Wolke bei Tag*, wiederum biblische Anspielung (Ex 13, 21f), und wieder ungenau. Im AT haben wir „Feuersäule" στῦλος πυρός), nicht „Lichtsäule" (στῦλος φωτινός).

31 *Wort* – ein Schreibfehler; λόγον statt λαόν, Volk.

36 *Salomo* genoß große Berühmtheit als Exorzist, und sein Siegel war wohlbekannt; aber die Verbindung mit Jeremia scheint nirgendwo sonst bezeugt zu sein.

37 u. 41f *sage, wer immer du bist*. Auch das NT zeugt von der Wichtigkeit, den Namen eines Dämonen zu erfahren; vgl. Mk 5, 9.

41 *pharisäisch*. Dies ist offensichtlich der Name eines Dämonen oder einer Klasse von Dämonen; der Schreiber kannte wahrscheinlich die jüdische Partei, die diesen Namen trug, nicht. Deißmann erklärte die Eigennamen dieser Zeile wie folgt (S. 233 Anm. 12): „Diese merkwürdige Trias von Dämonen stammt offenbar aus LXX 1 Mose 15, 20; 2 Mose 3, 8. 17 u.a., wo die Χετταῖοι (daraus ist χερσαῖοι = Landdämonen geworden, die Φερεζαῖοι (daraus wurden die volkstümlicheren *Pharisäer*) und die Ἰεβουσαῖοι zusammenstehen."

42f (und 65) *Lichtträger*; möglicherweise eine Anspielung auf Gen 1, 3 und andere a.t.liche Stellen; in den folgenden Zeilen erscheinen viele solche Anspielungen.

53 *die hundertvierzig Zungen*. Manche Juden glaubten, daß das Gesetz am Sinai in 70 Sprachen gegeben wurde, entsprechend den 70 Nationen der Erde. Dies erklärt nicht die Zahl hundertvierzig; es ist gut möglich, daß der Exorzist einfach die traditionelle und orthodoxe Zahl durch Verdoppelung erweitern wollte; oder er hatte die Idee einer himmlischen Entsprechung zu jeder der irdischen Sprachen; oder er besaß eine andere Überlieferung.

58 *die Fittiche des Cherubin*. Cherubin ist im Papyrus fälschlicherweise als Singular aufgefaßt (τοῦ χερουβίν). Derselbe Fehler begegnet in der LXX (2 Sam 22, 11; 2 Chr 3, 11), ebenso in einigen späteren Übersetzungen des AT.

59 *Berge*, ὄρη, wahrscheinlich verderbt für „Grenzen", ὅρια.

66 *Jerusolymon, sic*.

71 *zerkracht*. Deißmanns Übersetzung ist nicht sicher, aber wahrscheinlich richtig.

76 *Schweinernes nicht zu essen*. Dieses jüdische Verbot konnte der ägyptischen Religion leicht angepaßt werden, ebenso der teilweise asketischen Praxis der gnostischen Magie. Es ist zu beachten, daß das jüdische Gesetz nicht vollständig auferlegt wird.

82 *ein hebräischer*, natürlich nicht der Sprache, sondern dem Ursprung nach. Fremder Ursprung wurde offenbar, wie der Gebrauch unverständlicher Namen, für eine Erhöhung der Zauberwirkung gehalten.

**31** *Großer Pariser Zauberpapyrus Z. 475–537. 624–655. 692–750. Aus der sog. Mithrasliturgie.*

Zur Ausgabe s. *30*; Text mit engl. Übers. in: The „Mithras Liturgy", hg. und übers. v. M. W. Meyer, Missoula, Montana 1976. A. Dieterich interpretierte den Text als eine von Magiern adaptierte und „verunstaltete" Liturgie aus dem Mithraskult, die durch Abzug der späteren Überarbeitung wiederhergestellt werden könne (den „gereinigten" Text druckte er mit deutscher Übersetzung ab in: *Eine Mithrasliturgie*, Leipzig/Berlin [3]1923, S. 2–15). Es besteht heutzutage freilich weitgehende Übereinstimmung darin, daß Dieterichs These nicht zu halten ist; der Zaubertext ist ein synkretistisches Produkt, das nichts mit dem Mithraskult zu tun hat. (Zu neuerer Literatur vgl. die Anmerkungen von M. W. Meyer, *op. cit.*, und H. D. Betz, *The Greek Magical Papyri in Translation*, Chicago/London 1986, S. 48 ff).

Sei mir gnädig, Vorsehung und Psyche, der ich diese ⟨un⟩verkäuflichen (?), überlieferten Geheimnisse niederschreibe; für mein einziges Kind aber bitte ich um Unsterblichkeit, einer Mystin (?) dieser unserer Macht (du mußt nun, Tochter, Säfte von Pflanzen und Spezereien
5 nehmen, die dir am Ende meiner heiligen Schrift ⟨bezeichnet werden⟩ sollen), die der große Gott Helios Mithras mir hat mitteilen lassen durch seinen Erzengel, damit ich als einziger Bittsteller (?) den Himmel beschreite und alles schaue.
　Die Anrufung des Gebetes lautet folgendermaßen:
10 ‚Erster Ursprung meines Ursprungs: aeēioyō; erster Anfang meines Anfangs: *schnalze dreimal, pfeife dreimal, schnaube (?)*; Geist des Geistes, des Geistes in mir Erstes: *brülle dreimal*; Feuer, von Gott in meine Mischung der Mischungen in mir gegeben, des Feuers in mir Erstes: *ēy ēia eē*; Wasser des Wassers, des Wassers in mir Erstes: *ōōō*
15 *aaa eee*; Erdstoff, des Erdstoffs in mir Erstes: *yē yōē*, mein, des Soundso, Sohn der Soundso, vollkommener Körper, gestaltet von ruhmvollem Arm und unvergänglicher rechter Hand in einer lichtlosen und glanzvollen Welt, in einer unbeseelten und beseelten: *yēi ayi eyōie*.
Wenn ihr aber beschlossen habt *meterta fōth* (anderswo: *methartha*
20 *fēriē) ierezath*, mich dem unsterblichen Ursprung wiederzugeben, mich, der ich zurückgehalten werde durch die mir zugrundeliegende Natur: So will ich nach der gegenwärtigen, mich äußerst bedrängenden Not den unsterblichen Anfang schauen mit dem unsterblichen Geist *anchrefrenesoufirigch*, mit dem unsterblichen Wasser *eronoui*
25 *parakounēth*, mit der festesten Luft *eioaē psenabōth*; so will ich im Geiste wiedergeboren werden *kraochrax r oim enarchomai*, und der heilige Geist soll in mir wehen *nechthen apotou nechthin arpi ēth*; so will ich staunend das heilige Feuer betrachten *kyphe*; so will ich das abgrundtiefe, schauerliche Wasser des Aufgangs erschauen *nyō thesō*
30 *echō ouchiechōa*, und der lebenzeugende und ringsumfließende Äther möge mich hören *arnomēthf*. Denn heute will ich erblicken mit unsterblichen Augen – ich, ein Sterblicher, geboren aus einem sterblichen Leib, erhöht von großmächtiger Kraft und unvergänglicher Rechten –, mit unsterblichem Geist den unsterblichen Äon und Herrn
35 der Feuerdiademe – ich, geheiligt durch heilige Heiligungen, wobei nur für kurze Zeit heilig bleibt meine menschliche Seelenkraft, die ich wieder unverkürzt übernehmen werde nach der gegenwärtigen, mich stark bedrängenden Not, ich, Soundso, Sohn der Soundso, aufgrund

des unveränderlichen Ratschlusses Gottes *eyē yia eēi aō eiay iya ieō.*
40 Da es mir unausführbar ist, als sterblich Geborener zusammen mit
den goldenen Lichtstrahlen der unsterblichen Leuchte nach oben zu
steigen *ōēy aeō ēya eōē yae ōiae,* so bleib stehen, vergängliche Menschennatur, und ⟨nimm⟩ mich augenblicklich gesund ⟨wieder auf⟩
nach der unerbittlichen und bedrängenden Not. Denn ich bin der Sohn
45 *psychō demou prochō prōa,* ich bin *macharff.Jn mou prōpsychōn prōe.'*
(Im Anschluß daran wird der Beter in die Höhe gehoben. Die feindlich gesinnten
Polgötter kann er durch ein zweites Gebet versöhnlich stimmen. Mit einem
Donnerschlag wird sich die Sonnenscheibe öffnen, in der ein feuerloser Kreis
und verschlossene Feuertore sichtbar werden. Nach siebenfacher Rezitation
eines dritten Gebets wird es erneut donnern und krachen.)

Dann öffne die Augen, und du wirst die Türen offen sehen und die
Welt der Götter (erblicken), die innerhalb der Türen ist, so daß dein
Geist sich von der Wonne des Anblicks und der Freude mitreißen läßt
und hinaufsteigt. Nun bleib stehen und ziehe sofort von dem Göttli-
50 chen, indem du (es) anstarrst, den Geisthauch in dich hinein. Wenn
dann deine Seele wiederhergestellt ist, sprich: ‚Komm herzu, Herr,
*archandara fōtaza pyrifōta zabythix etimenmero forathēn eriē prothri
forathi!'* Nach diesen Worten werden sich die Strahlen gegen dich
wenden; blicke du in ihre Mitte. Wenn du das getan hast, wirst du
55 einen jugendlichen Gott sehen, wohlgestaltet, mit feurigen Haaren, in
einem weißen Gewand und einem scharlachroten Mantel, der einen
Feuerkranz trägt. Begrüße ihn sofort mit dem Feuergruß:
‚Herr, sei gegrüßt, Großmächtiger, Großherrscher, König, Größter
der Götter, Helios, du Herr des Himmels und der Erde, Gott der
60 Götter, dein Hauch ist gewaltig, deine Macht ist gewaltig, Herr. Wenn
es dir recht ist, melde mich dem größten Gott, der dich gezeugt und
geschaffen hat, mit den Worten: Ein Mensch verlangt dich anzubeten
– ich, Soundso, Sohn der Soundso, geworden aus dem sterblichen Leib
der Soundso und aus Samenflüssigkeit und, da ich heute von dir neu
65 gezeugt wurde, unter so vielen Tausenden unsterblich gemacht in
dieser Stunde nach dem Ratschluß Gottes, des überschwenglich Guten – und bittet nach menschlichem Vermögen, daß du mit zu dir
nehmest den Regenten des heutigen Tages und der Stunde, dessen
Name Thrapsiari Morirok lautet, damit er erscheine und in den guten
70 Stunden Orakel erteilt *eōrō rōre ōrri ōriōr rōr rōi ōr reōrōri eōr eōr eōr
eōre.'*
(Erneut öffnen sich nun Türen, aus denen die „sieben Schicksalsgöttinnen des
Himmels" – das Siebengestirn der Pleiaden – und die 7 „Polherrscher des
Himmels" – das Siebengestirn des Bären – hervortreten. Sie sind reihum zu
begrüßen.)

Wenn sie auf beiden Seiten in Reih und Glied stehen, starre in die
Luft, und du wirst sehen, wie Blitze herabkommen und ein Licht
glänzt und die Erde erbebt und ein über die Maßen großer Gott
75 herabkommt mit leuchtendem Angesicht, jugendlich, mit Goldhaar,
in einem weißen Gewand und mit einem Goldkranz und in Hosen; in
der Rechten hält er das goldene Schulterblatt eines Rindes, das ist

Arktos (das Bärengestirn), die den Himmel bewegt und wendet, stun-
denweise am Pol hinauf- und hinabschreitend. Dann wirst du aus
80 seinen Augen Blitze und aus seinem Körper Sterne springen sehen.
Du aber brülle sofort lang, indem du deinen Bauch anstrengst, damit
du die fünf Sinne zusammen bewegst, so lang, bis es nachläßt, und
küsse erneut die Amulette und sprich: ‚*Mokrimo ferimofereri*, mein,
des Soundso Leben (?), bleibe, wohne in meiner Seele, verlaß mich
85 nicht, denn es befiehlt dir *entho fenen thropiōth*.‘ Und blicke den Gott
an, indem du dabei lange brüllst, und grüße ihn so:
‚Herr, sei gegrüßt, Herrscher des Wassers, sei gegrüßt, Herr der
Erde, sei gegrüßt, Gewaltiger des Geistes, Glanzstrahlender, *proprofeggē emethiri artentepi. thēth. mimeo yenarō fyrchechō psēri dariō. Frē*
90 *Frēlba:* Erteile Orakel, Herr, über die betreffende Sache. Herr, als
Wiedergeborener scheide ich, Stärke empfangend und gestärkt sterbe
ich, in lebenzeugender Geburt geboren gehe ich, zum Sterben gelöst,
dahin, wie du gegründet, wie du festgelegt und geschaffen hast das
Mysterium. Ich bin *feroura miouri*.‘
95    Wenn du das gesagt hast, wird er sofort Orakel erteilen. Du wirst
losgelöst sein von (deiner) Seele und wirst nicht in dir sein, wenn er dir
antwortet. Er sagt dir das Orakel in Versen und wird, wenn er gesprochen hat, weggehen; du aber steh stumm, weil du das alles von selbst
verstehen wirst; und dann wirst du dich unfehlbar an die Worte des
100 großen Gottes erinnern, bestünde das Orakel auch aus Tausenden von
Versen.
Wenn du aber auch einen Miteingeweihten hinzuziehen willst, so
daß er allein mit dir das Gesagte hört, soll er sich mit dir ⟨sieben⟩ Tage
heiligen und Fleisch sowie Baden meiden. Wenn du aber allein bist
105 und dich an den Worten des Gottes versuchst, sprich, wie in Ekstase
weissagend. Willst du es aber auch ihm (dem Miteingeweihten) zeigen, so prüfe, ob er gewiß würdig ist als Mensch, und zwar so, als
würdest du an seiner Stelle in der Unsterblichkeitspraxis geprüft. Sag
ihm das erste Gebet vor, das mit den Worten beginnt: ‚Erster Ur-
110 sprung meines Ursprungs: *aeēioyō*‘, und sprich das Folgende als sein
Myste über seinem Kopf in tonloser Stimme, damit er es nicht hört,
und salbe sein Gesicht mit dem Mysterium. Diese Unsterblichkeitspraxis kann dreimal im Jahr durchgeführt werden. Wenn aber jemand, mein Kind, nach Empfang des Gebots nicht gehorchen will, dem
115 wird sie nicht mehr zur Verfügung stehen.

4 *du mußt nun, Tochter, usw.* Bei dem in Klammern stehenden Satz handelt
es sich um eine spätere Einschaltung; zu ihr gehört auch die sekundäre
Anleitung zur Praktik am Ende des Textes (PGM IV Z. 750–824).

10 *aeēioyō.* Die sieben Vokale des griechischen Alphabets.

15 *mein, des Soundso, Sohn der Soundso.* Der Text ist ein Formular, in das
jeder Beter seine Daten einzutragen hat.

16 *gestaltet von ruhmvollem Arm und unvergänglicher rechter Hand.* Vgl. Dtn
5, 15.

19 *anderswo.* Offenbar hatte der Schreiber des Papyrus mindestens zwei Versionen vor sich.

26 *im enarchomai.* Vielleicht für ursprüngliches *ina enarchōmai* (ἵνα ἐνάρχω-μαι), „damit ich beginne". Teilweise sind die Zauberworte ägyptischen Ursprungs, teilweise semitisch, teilweise vielleicht auch absichtlicher Nonsens; gelegentlich läßt sich jedenfalls noch vermuten, daß korrekte griechische Sätze oder Satzteile verschrieben und so zum Kauderwelsch wurden.

32 *geboren aus einem sterblichen Leib, erhöht von großmächtiger Kraft und unvergänglicher Rechten.* Der Parallelismus erinnert an Röm 1, 3f.

42 *vergängliche Menschennatur,* der Körper.

68 *den Regenten des heutigen Tages und der Stunde.* Die Tages- und Stundengötter sind die „imaginäre(n) Herren der Zeit" (H. G. Gundel, *Weltbild und Astrologie in den griechischen Zauberpapyri,* München 1968, S. 48).

75 *mit leuchtendem Angesicht, jugendlich, mit Goldhaar, in einem weißen Gewand und mit einem Goldkranz und in Hosen; in der Rechten hält er das goldene Schulterblatt eines Rindes.* Diese Beschreibung könnte auf eine Epiphanie des Gottes Mithras hinweisen, der dem Mythos zufolge den Urstier tötet und dadurch die Welt schafft (so Dieterich); H. G. Gundel denkt eher an eine Epiphanie des personifizierten Bärengestirns, das in altägyptischen magischen Texten durch einen Stierschenkel dargestellt ist (*op. cit.,* S. 59). Offenbar handelt es sich um eine typisch synkretistische Mischbeschreibung.

78 *Arktos.* Vgl. dazu W. Fauth, *Arktos in den griechischen Zauberpapyri,* ZPE 57, 1984, S. 93–99 (S. 95f zu unserer Stelle).

88 *proprofeggē,* „Vor-Voranleuchtender".

90 *Erteile Orakel, Herr, über die betreffende Sache.* Vermutlich ist der Unsterblichkeitszauber erst nachträglich zu einer Praktik fürs Orakel umfunktioniert worden. Vgl. auch ZZ. 69f.

102 Vermutlich ist auch der Abschnitt über den Miteingeweihten erst sekundär hinzugekommen.

**32** *PTebt 276. Aus einem astrologischen Fachbuch.*

Spätes 2. oder 3. Jh. n. Chr. Ein besonderer Zug der gnostisch-magischen Religion war die Astrologie, die die hellenistische Welt faszinierte und den hellenistischen Geist lähmend umklammert hielt.

... Wenn außerdem noch Merkur in Konjunktion ist ... und Saturn außerhalb von diesem steht von einer ungünstigen Position aus, ... wenn zur selben Zeit Mars in Opposition zum Saturn steht, während die obengenannte Position noch besteht, (wird er) Gewinne aus den
5 Geschäften (stören?). Saturn im Dreieck zum Mars bedeutet Unglück. Jupiter im Dreieck zum Mars oder in Konjunktion schafft große Herrschaften oder Reiche. Venus in Konjunktion mit Mars verursacht Unzucht und Ehebruch; wenn dazu noch Merkur bei ihnen steht, erfolgen daraus Ausschweifung und Wollust. Wenn Merkur in Kon-
10 junktion mit Jupiter steht oder im Dreieck, verursacht das günstige Handlungen oder Geschäfte, oder jemand wird seinen Lebensunterhalt verdienen mit ... oder durch Verstand, und ...; wenn Mars im

Dreieck zu diesem und zu Saturn erscheint, bringt das großes Glück, und er wird große Erwerbungen machen und ... Wenn während dieser
15 Position (von Jupiter und Saturn) Mars in Konjunktion mit einem der beiden kommt, ... nachem er Wohlstand (erreicht hat) und ein Vermögen erworben, wird er es ausgeben und verlieren. Wenn Jupiter, Merkur und Venus in Konjunktion sind, bringen sie Ruhm, Reiche und großen Wohlstand; und wenn diese Konjunktion am morgendli-
20 chen Aufgang (der Venus) auftritt, bringen sie Wohlstand von Jugend auf.


D. Papyri aus dem sozialen und wirtschaftlichen Leben

Fast jeder unter den Tausenden uns erhaltener Papyri gehört in gewisser Weise unter diese Überschrift. Auf den folgenden Seiten wird der Versuch gemacht, einige Verhältnisse des privaten Lebens – Geburt, Beruf, Ehe, Familie, Tod – zu illustrieren und zu zeigen, wie die Papyri Daten für die Wirtschaftsgeschichte liefern: Waren, Preise, Steuern und ähnliches, und einige Beispiele von juristischen Urkunden zu geben. Am Schluß ist ein sehr wichtiges politisches Dokument abgedruckt. Die Papyri erfordern zum größten Teil (außer für spezielle Untersuchungen) keine weiteren Erklärungen; doch wer sich mit ihnen – und den vielen ähnlichen Papyri – mit Aufmerksamkeit und Einfühlung beschäftigt, wird zum Lohn einen Einblick in die Welt des Urchristentums erhalten, wie er wohl auf keinem anderen Wege zu erreichen wäre.


**33**  *PTebt 299. Geburtsanzeige.* Ca. 50 n. Chr.

An Arios, Sohn des Lysimachos, Komogrammateus von Tebtynis, von Psyphis, Sohn des Harpokras, Sohn des Pakebkis und der Thenmarsisuchos, Tochter des Psyphis und der Kellauthis, Einwohner des Dorfes, Priester des fünften Stammes der Götter im Dorfe des Kronos, des
5 größten Gottes, und der Isis und des Sarapis, der großen Götter, und einer von den fünfzig steuerbefreiten Personen. Ich lasse Pakebkis registrieren, meinen und der Taasies Sohn, der Tochter des ... und der Taopis, im 10. Jahr des Tiberius Claudius Cäsar Augustus Germanicus Imperator, und bitte, daß der Name meines obengenannten Soh-
10 nes Pakebkis in (die Liste eingetragen wird ...).
    Dieser Papyrus ist an verschiedenen Stellen verstümmelt, und die Ergänzungen sind nicht sicher, doch alle wahrscheinlich.

1 *Komogrammateus*, ein Dorfbeamter (κώμη = Dorf).

6 *steuerbefreit*, s. o. *27* mit Anm.

10 *in die Liste eingetragen wird*. Wahrscheinlich war der Junge zum Priester bestimmt.

**34** *POx 275* (= H & E 13). *Lehrlingsvertrag.* 66 n. Chr.

Tryphon, Sohn des Dionysios, des Sohnes des Tryphon und der Tha-
munis, Tochter von Onnophris, und der Weber Ptolemaios, Sohn des
Pausirion, Sohn des Ptolemaios und der Ophelus, der Tochter des
Theon, beide Einwohner von Oxyrhynchos, bestätigen sich gegensei-
5 tig, daß Tryphon dem Ptolemaios seinen Sohn Thoonis, dessen Mutter
Saraeus, Tochter des Apion, ist, und welcher noch nicht volljährig ist,
in die Lehre gegeben hat für die Zeit eines Jahres von diesem Tage an,
mit der Verpflichtung, alle von Ptolemaios gegebenen Anweisungen in
der Webekunst, soweit er sich selbst darauf versteht, zu befolgen,
10 wobei der Sohn während der ganzen Zeit ernährt und gekleidet wird
von seinem Vater Tryphon, der auch für alle Steuern aufkommen
wird, unter der Bedingung, daß Ptolemaios ihm monatlich für Essen
fünf Drachmen und am Ende der festgesetzten Zeit für Kleidung zwölf
Drachmen zahlt, daß Tryphon nicht das Recht haben soll, den Jungen
15 vor Ablauf der Zeit dem Ptolemaios wegzunehmen, daß er ihn jeden
Tag, den der Junge schwänzt, am Ende der Zeit nachholen lassen oder
eine Silberdrachme pro Tag zahlen soll, und daß er 100 Drachmen
Strafe und die gleiche Summe an die Staatskasse zahlen soll, wenn er
den Jungen innerhalb der Zeit aus dem Dienst holt. Wenn Ptolemaios
20 den Jungen nicht ausreichend unterrichtet, soll er dieselbe Strafe
zahlen müssen. Dieser Lehrvertrag ist gültig. 13. (Jahr) des Nero
Claudius Cäsar Augustus Germanicus Imperator, am 21. des Monats
Sebastos. (Von einer anderen Hand:) Ich, Ptolemaios, Sohn des Pausirion, des Sohnes des Ptolemaios, und der Ophelus, der Tochter des
25 Theon, will in dem einen Jahr alles tun. Ich, Zoilos, Sohn des Horos,
des Sohnes des Zoilos, und der Dieus, der Tochter des Sokeus, habe für
ihn geschrieben, da er des Schreibens nicht kundig ist. 13. Jahr unter
Nero Claudius Cäsar Augustus Germanicus Imperator, 21. Sebastos.

15 *vor Ablauf der Zeit*, eigentlich: bevor die (im Vertrag vereinbarte) „Zeit
erfüllt wird" (χρόνος πληρωθῆναι). Vgl. Gal 4, 4: „Als aber die Erfüllung der
Zeit (τὸ πλήρωμα τοῦ χρόνου) kam, sandte Gott seinen Sohn".

**35** *BGU 1052* (= H & E 3). *Ehevertrag.* 13. v. Chr.

An Protarchos, von Thermion, Tochter des Apion, mit ihrem Vormund
Apollonios, Sohn des Chaireas, und von Apollonios, Sohn des Ptolemaios. Thermion und Apollonios, Sohn des Ptolemaios, bestätigen,
daß sie zusammengekommen sind, ihr Leben gemeinsam zu führen;
5 der genannte Apollonios, Sohn des Ptolemaios, bestätigt, daß er von
Thermion in die Hand vom Hause eine Mitgift erhalten hat von einem
Paar goldener Ohrringe im Gewicht von drei Viertel und .. Silberdrachmen; und von jetzt an soll Apollonios, Sohn des Ptolemaios, der
Thermion als seinem angetrauten Weib alles Nötige und Kleidung
10 geben, wie seine Mittel es ihm gestatten, und soll sie nicht mißhandeln
noch sie verstoßen noch eine andere Frau ins Haus bringen; sonst soll

er sofort der Mitgift verlustig gehen und der Hälfte des Wertes dazu, wofür Apollonios, Sohn des Ptolemaios, mit seiner Person und all seinem Gut wie durch Gerichtsentscheid bürgt; und Thermion soll
15 ihre Pflichten gegenüber ihrem Gemahl und gegenüber ihrem gemeinsamen Leben erfüllen und soll sich nicht ohne die Erlaubnis des Apollonios für eine Nacht oder für einen Tag vom Haus entfernen noch ihr gemeinsames Heim beleidigen oder schädigen noch mit einem anderen Manne verkehren; sonst soll auch sie, wenn einer dieser
20 Handlungen für schuldig befunden, nach einer Untersuchung ihrer Mitgift verlustig gehen; außerdem soll der Übertreter die festgesetzte Buße zahlen.
17. (Jahr) unter Cäsar, 20. Pharmuthi.

23 *Cäsar,* der Kaiser Augustus.

**36**  *POx 744* (= H & E 105). *Brief eines Mannes an seine Frau.* 1 v. Chr.

Hilarion an Alis, seine Schwester, viele Grüße! Auch an Berus, meine Herrin, und Apollonarion! Wisse, daß wir auch jetzt noch in Alexandrea sind. Ängstige dich nicht, wenn beim allgemeinen Einrücken ich in Alexandrea bleibe. Ich bitte dich und flehe dich an, sorge für das
5 Kindchen. Und sobald wir erst Lohn erhalten, werde ich (ihn) dich hinaufsenden. Wenn du ... gebierst, wenn es männlich war, laß es (leben); wenn es weiblich war, setze es aus. Du hast der Aphrodisias aufgetragen: „Vergiß mich nicht!" Wie könnte ich dich vergessen? Ich bitte dich also, dich nicht zu ängstigen. Im Jahre 29 des Cäsar, Pauni
10 23. (Auf der Rückseite die Adresse:) Hilarion an Alis, gib ab.

1 *Schwester* s. die Anm. über Bruder zu *21.*

5 *dich,* falsch für *dir.*

6 *du ... gebierst.* In der Lücke hat der griechische Text eine bisher nicht recht erklärte Buchstabenverbindung.

7 *setze es aus.* Das Aussetzen von Kindern war anscheinend nicht ungewöhnlich; der Autor des Briefes an Diognet hält es für nötig darauf hinzuweisen, daß die Christen zwar heiraten und Kinder erzeugen wie andere Menschen, daß sie aber ihre Kinder nicht aussetzen (5. 6).

7 *Aphrodisias* brachte Hilarion die Botschaft, möglicherweise mit einem Brief.

9 *Cäsar,* s. o. *35.*

**37**  *Revue Égyptienne 1919, S. 201* (= H & E 133). *Brief eines Sohnes an seinen Vater.* Frühes 3. Jh. n. Chr.

Thonis grüßt seinen Herrn und Vater Arion. Vor allem bete ich für dich jeden Tag und bitte auch die Götter der Väter an diesem fremden Ort, daß ich dich und alle unsere Leute wohl finden möge. Sieh her, dies ist mein fünfter Brief an dich, und du hast außer einem Mal nicht
5 an mich geschrieben über euer Ergehen noch bist du mich besuchen gekommen; obwohl du versprochen hast: „Ich komme", bist du nicht

gekommen, um nachzusehen, ob der Lehrer sich um mich kümmert
oder nicht. Er selbst fragt mich fast jeden Tag nach dir: „Kommt er
noch nicht?" Und ich sage nur: „Doch." Versuche also, schnell zu mir zu
10 kommen, damit er mich unterrichten kann, wie er es gerne möchte.
Wenn du mit mir hierhergekommen wärest, wäre ich schon lange
unterrichtet. Und wenn du kommst, erinnere dich an das, was ich dir
oft geschrieben habe. Komm also schnell zu uns, bevor er das Land
hinaufzieht. Ich grüße alle unsere Leute vielmals, jeden bei Namen,
15 und alle, die uns lieben. Grüße auch an meine Lehrer. Leb mir wohl,
mein Herr und Vater, und möge es dir wohlergehen viele Jahre lang
wie auch meinen Brüdern, die vor Schadenzauber geschützt sein mögen, worum ich bete. (Nachschrift). Denkt an unsere Tauben. (Adressiert:) An Arion, meinen Vater, von ...

**38** *BGU 1103* (= H & E 6). *Scheidungsurkunde.* 13 v. Chr.

An Protarchos von Zois, Tochter des Herakleides, mit ihrem Vormund,
ihrem Bruder Eirenaios, Sohn des Herakleides einerseits, und von
Antipater, Sohn des Zenon andererseits. Zois und Antipater bestätigen, daß sie sich voneinander getrennt haben und die Lebensgemein-
5 schaft lösen, die sie durch eine Vereinbarung vor demselben Gerichtshof in Hathyr im 17. Jahr des Cäsar eingegangen waren, und Zois
bezeugt, daß sie von Antipater aus dem Haus ausgehändigt bekommen hat, was er für die Mitgift, Kleider im Wert von 120 Silberdrachmen und ein Paar goldener Ohrringe, erhalten hatte. Die Eheschlie-
10 ßung ist hinfort aufgelöst, und weder Zois noch andere Personen für
sie sollen Antipater wegen Rückerstattung der Mitgift verfolgen, noch
soll einer gegen den anderen ein Verfahren einleiten wegen des Zu-
sammenlebens oder irgendeiner anderen Angelegenheit bis auf den
heutigen Tag; und hinfort soll es sowohl Zois gesetzlich erlaubt sein,
15 einen anderen Mann zu heiraten, als auch Antipater, eine andere
Frau zu heiraten, ohne daß einer von beiden befragt werden müßte.
Zusätzlich zu dieser gültigen Vereinbarung soll jeder, der sie nicht
einhält, Schadenersatz und die vorgeschriebene Buße zahlen. 17.
(Jahr) unter Cäsar, 2. Pharmuthi.

**39** *PTebt 381. Testament.* 123 n. Chr.

Im achten Jahr des Imperators Cäsar Traianus Hadrianus Augustus,
den 22. Choiak, in Tebtynis im Bezirk Polemon im arsinoitischen Gau.
Thaesis, Tochter des Orsenuphis, des Sohnes des Onnophris, und der
Thenobastis, in besagtem Dorfe Tebtynis, Alter ungefähr 78 Jahre,
5 mit einer Narbe auf dem rechten Unterarm, zusammen mit ihrem
Vormund, ihrem Verwandten Kronion, Sohn des Ameis, Alter ungefähr 27, mit einer Narbe zwischen den Augenbrauen, bestätigt, daß
sie, Thaesis, als bestätigende Partei zugestimmt hat, daß nach ihrem
Tod ihrer Tochter Thenpetesuchos aus der Ehe mit dem verstorbenen

10 Ehemann Pomsais, und dem Sansneus, Sohn des Tephersos und ihrer
anderen inzwischen verstorbenen Tochter Taorseus, (das Vermögen
in folgender Weise zufällt:) An Thenpetesuchos allein das Haus, der
Hof und alle Wertsachen, die ihr, Thaesis, in besagtem Dorf Tebtynis
durch Verkaufsrecht von Thenpetesuchos, Tochter des Petesuchos,
15 gehörten, dazu die Möbel, Gebrauchsgegenstände, Haushaltsgegen-
stände und Kleidung, die Thaesis hinterläßt, und die Geldbeträge, die
noch ausstehen, und anderes Gut irgendwelcher Art. Sansneus aber
bekommt von ihr 8 Silberdrachmen vermacht, welche Sansneus nach
dem Tode der Thaesis von Thenpetesuchos erhalten soll, unter der
20 Bedingung, daß die Tochter Thenpetesuchos das Begräbnis ordentlich
besorgt und ihre Mutter ausstattet und alle Privatschulden begleicht,
die Thaesis nachweislich schuldet; aber solange ihre Mutter Thaesis
am Leben ist, soll sie die Macht haben ...

6 *Vormund.* Als Frau, auch in vorgerücktem Alter, hat Thaesis einen männli-
chen Vormund, wenn dieser auch fünfzig Jahre jünger ist als sie. Vgl. *38*
Anfang. Dazu L. Mitteis/U. Wilcken, *Grundzüge und Chrestomathie der
Papyruskunde*, Bd. II, 1, S. 248–256.

18 *acht Silberdrachmen.* Aus einigen anderen Zeugnissen ist zu schließen, daß
diese Summe gebräuchlich war, wo nur aus Höflichkeitsgründen etwas
vermacht wurde.

23 Wahrscheinlich verfügte das Testament weiter, daß Thaesis zu Lebzeiten
volle Verfügungsgewalt über ihr Eigentum behalten solle; dieser Passus
kommt in Testamenten häufig vor.

**40** *POx 39. Befreiung vom Wehrdienst aufgrund ärztlichen Attestes.*
52 n. Chr.

Abschrift einer Befreiung, datiert und signiert im Jahre 12 unter
Tiberius Claudius Cäsar Augustus Germanicus Imperator, 29. Pharmuthi. Die Befreiung vom Wehrdienst wurde gewährt von Gn. Vergi-
lius Capito, Präfekt von Ober- und Unterägypten, dem Tryphon, Sohn
5 des Dionysos, Weber, der an einem grauen Star und Kurzsichtigkeit
leidet, in der Hauptstadt Oxyrhynchos. Die Untersuchung fand in
Alexandria statt.

4 *von Ober- und Unterägypten,* wörtlich „von beiden" (ἀμφοτέρων). Es ist klar,
daß damit die beiden Bezirke gemeint sind.

**41** *PTebt 300. Todesanzeige.* 151 n. Chr.

An Melanas, Komogrammateus von Tebtynis, von Paopis, Sohn des
Psoiphis, des Sohnes des Paopis, steuerbefreiter Priester des berühmten Tempels in Tebtynis. Mein Vater Psoiphis, Sohn des Paopis und
der Asis, aus genanntem Dorfe, steuerbefreiter Priester des besagten
5 Tempels, verstarb im Monat Tybi des laufenden Jahres 14 unter
Antoninus Caesar, dem Herrn. Weshalb ich diese Anzeige vorlege, daß
dieser Name gestrichen werde und in die Liste solcher Personen eingetragen werde, und ich schwöre bei dem Glück des Antoninus Cäsar,

des Herrn, daß oben gegebene Nachricht wahr ist. (2. Hand:) Ich,
10 Paopis, Sohn des Psoiphis, habe die Anzeige erstattet. (1. Hand:) Im
14. Jahr des Imperators Cäsar Titus Aelius Hadrianus Antoninus
Augustus Pius, den 15. Mechir.
(Folgt die Unterschrift des Melanas mit Empfangsbestätigung und
Datum. Auf der Rückseite steht der Titel des Dokumentes ὑπόμ(νημα)
15 τελευτ(ῆς) Ψύφις Παῶπις).

6 *dem Herrn,* τοῦ κυρίου.

8 *bei dem Glück,* τὴν ... τύχην.

9 *Ich, Paopis ... die Anzeige erstattet.* Dieser Satz ist von einer anderen Hand
geschrieben, wahrscheinlich von Paopis selbst. Der Rest war zweifellos von
einem Berufsschreiber oder Beamten geschrieben.

**42** *PCairo Zen 59092* (= H & E 182). *Kleiderliste.* Ca. 257 v. Chr.

Zenons Truhe enthält: 1 leinenes Umhängetuch, gewaschen; 1 tonfar-
bener Mantel, für den Winter, gewaschen, und 1 getragener; 1 für den
Sommer, halbgetragen, 1 naturfarbener für den Winter, gewaschen,
und 1 getragener; 1 wickenfarbener, für den Sommer, neu; 1 weiße
5 Tunika mit Ärmeln, für den Winter, gewaschen; 1 naturfarbene mit
Ärmeln, für den Winter, getragen; 1 naturfarbene, für den Winter,
getragen; 2 weiße, für den Winter, gewaschen, und 1 halbgetragene; 3
neue weiße, für den Sommer, 1 ungebleicht, 1 halbgetragen; 1 weißes
Obergewand, für den Winter, gewaschen; 1 grober Mantel; 1 weißes
10 Sommergewand, gewaschen, und 1 halbgetragenes; 1 Paar sardischer
Kissenbezüge; 2 Paar Socken, tonfarben, neu, 2 Paar neue weiße; 2
weiße, neue Gürtel. (Auf der Rückseite:) Von Peisikles, eine Liste von
Zenons Kleidern.

**43** *PTebt 35* (= H & E 223). *Offizielle Festsetzung des Myrrhe-Preises,
eines Regierungsmonopols.* 111 v. Chr.

Apollonios grüßt die Epistaten im Bezirk Polemon und die anderen
Beamten. Für die in den Dörfern abgegebene Myrrhe soll niemand
mehr als 40 Silberdrachmen für eine Mine (Gewicht) oder in Kupfer 3
Talente 2000 Drachmen und zusätzlich 200 Drachmen pro Talent für
5 die Fracht fordern; diese Summe soll bis zum 3. Pharmuthi an den
dazu abgesandten Kollektor gezahlt werden. Untenstehende Bekanntmachung soll mit Unterstützung des Komogrammateus veröffentlicht werden, der seinen Namen neben die eurigen unter den
Befehl setzen soll. Wer diesen Anweisungen zuwiderhandelt, wird
10 unter Anklage gestellt. Wir haben deshalb auch die Schwertträger
mitgesandt. Lebt wohl! 6. (Jahr), 2. Pharmuthi.
(Es folgt der juristisch verbindliche Text der Preisfestsetzung.)

1 *Epistat,* Dorfaufseher.

4 *für die Fracht,* da die betreffende Menge Kupfer sehr schwer sein würde.

6 *untenstehende Bekanntmachung.* Sie ist hier nicht abgedruckt, weil sie die vorstehende Anweisung an die Epistaten fast wörtlich wiederholt.

10 *Schwertträger.* Apollonios schickt wohlbewaffnete Polizei mit, weil er annehmen muß, daß seine Anordnung nicht beliebt sein wird.

**44** *POx 1439* (= H & E 381). *Zollquittung.* 75 n. Chr.

Sarapion hat ein (Prozent) Oasen-Zoll gezahlt für eine Eselsladung Gerste und eine Eselsladung Knoblauch. 2. (Jahr) unter Vespasian, dem Herrn, 7. Mechir.

**45** *PAmh 51* (= H & E 28). *Urkunde über einen Hausverkauf.* 88 v. Chr.

(Kol. 1: Zusammenfassung.) 26. Jahr, 28. Mesore. Peteesis, Sohn des Pates, hat dem Pelaias, dem Sohn des Eunoos, sein ihm gehöriges Haus im östlichen Teil von Pathyris, gebaut mit Sparrenwerk und Türen, mit den Grenzen, wie sie im Verkaufsvertrag gegeben sind,
5 verkauft. (Kol. 2: Text der Urkunde.) Im 26. Jahr der Regierung des Ptolemaios mit dem Beinamen Alexander und seiner Schwester Kleopatra, der Götter Philometores und Soteres, unter den Priestern und Priesterinnen und der Kanephoros, die jetzt im Amt sind, am 28. des Monats Mesore in Pathyris, vor Hermias, Agoranomos der oberen
10 Toparchie (Bezirksregierung) im Gau Pathyris.

Peteesis, Sohn des Pates, Perser, ungefähr 40 (Jahre) alt, mittelgroß, hellhäutig, glatthaarig, langgesichtig, gradnasig, mit einer Narbe unter der linken Augenbraue, hat das ihm gehörige, gebaute, mit Sparrenwerk und Türen versehene Haus an der sogenannten Quelle
15 im östlichen Teil von Pathyris verkauft. Die Grenzen sind im Süden das Haus des Pelaias, des Käufers, im Norden das Haus der Taenutis, der Tochter des Psenpoeris, das Totoes, der Sohn des Panechates, in Besitz hat, im Osten und Westen eine königliche Straße, oder was sonst noch Grenzen drumherum sein mögen. Pelaias, Sohn des Eu-
20 noos, hat es für ein Kupfertalent gekauft. Makler und Bürge aller Verkaufsbedingungen: Peteesis, der Verkäufer, anerkannt von Pelaias, dem Käufer. (Unterschrieben:) Eingetragen von mir, Hermias.

7 *Philometores und Soteres* sind kultische Titel dieser beiden Herrscher.

8 *Kanephoros*, eine Priesterin in Alexandria.

9 *Agoranomos*, ein Beamter, durch den Kaufverträge aufgesetzt wurden.

**46** *PRyl 125* (= H & E 278). *Klage eines Hausbesitzers wegen Diebstahls.* 28–29 n. Chr.

An Serapion, Vorsteher der Polizei, von Orsenuphis, Sohn des Harpaesis, Notabler des Dorfes Euhemeria im Bezirk Themistes. Im Monat Mesore des vergangenen 14. (Jahres) unter Tiberius Caesar Augustus ließ ich einige alte Mauern an meinem Grundstück von dem Maurer

5 Petesuchos, Sohn des Petesuchos, abreißen, und während ich von
Hause abwesend war, um meinem Beruf nachzugehen, entdeckte
Petesuchos beim Abreißen einen Schatz, von meiner Mutter in einer
kleinen Schachtel im 16. (Jahr) unter Cäsar versteckt, darinnen ein
Paar goldener Ohrringe im Gewicht von vier (Vierteln), ein goldener
10 Halbmond im Gewicht von drei (Vierteln), ein Paar silberner Armrin-
ge im Gewicht von 12 Drachmen ungemünzten Metalls, ein Halsband
mit silbernen Ornamenten, 80 Drachmen wert, und 60 Silberdrachmen. Er lenkte die Aufmerksamkeit seiner Gehilfen und meiner Leute
ab und ließ die Dinge durch seine kleine Tochter in sein eigenes Haus
15 bringen. Nachdem er die aufgezählten Gegenstände herausgenommen hatte, warf er die leere Schachtel in mein Haus; und er gab zu,
daß er den Behälter, jedoch leer, gefunden habe. Weshalb ich bitte,
wenn du es billigst, daß der Beklagte zur entsprechenden Bestrafung
vor dich gebracht werde. Lebe wohl.
20 Orsenuphis, 50 Jahre alt, Narbe am linken Unterarm.

**47** *PHamb I 4* (= H & E 249). *Gerichtliche Vorladung.* 87 n. Chr.

Abschrift. An Nemesion, königlichen Schreiber des Bezirkes von Herakleides, von Lucius Vettius Epaphroditus. Ich schwöre beim Imperator Cäsar Domitianus Augustus Germanicus, daß ich mich in Alexandria bis zum 23. des Monats Pharmuthi des laufenden 6. (Jahres)
5 unter dem Imperator Cäsar Domitianus Augustus Germanicus in
Alexandria vorstellen werde und vor dem heiligsten Gericht des aller-
mächtigsten Präfekten Gaius Septimius Vegetus erscheinen will, bis
ich den Prozeß, den Marcus Antonius Tituleius, Soldat, gegen mich
angestrengt hat, zu Ende geführt habe gemäß dem an Claudius Cha-
10 res, den damaligen Strategen, gerichteten Schreiben, widrigenfalls
ich die Folgen des Eides auf mich zu nehmen zu habe. Isidoros, öffent-
licher Urkundenschreiber, hat für ihn geschrieben, der angibt, des
Schreibens unkundig zu sein. Epaphroditus, 35 (Jahre alt), mit einer
Narbe am kleinen Finger der rechten Hand, (beschrieben von) Tebu-
15 lus, Gehilfe, im 6. Jahr unter dem Imperator Cäsar Domitianus Augustus Germanicus, 3. Pharmuthi.

14 *Tebulus*, der diesen Satz hinzufügt, war offenbar angewiesen, eine Beschreibung von Epaphroditus anzumerken für späteren Gebrauch, even-
tuell zur Identifikation.

**48** *POx 37* (= H & E 257). *Notizen von einem Gerichtsprozeß vor
einem Strategos.* 49 n. Chr.

Aus den Notizen von Tiberius Claudius Pasion, Strategos, im 9. (Jahr)
unter Tiberius Claudius Cäsar Augustus Germanicus Imperator, den
3. Pharmuthi. Vor Gericht. Pesuris gegen Saraeus. Aristokles, Anwalt
für Pesuris, sagte: „Pesuris, für den ich spreche, nahm im 7. (Jahr)
5 unter Tiberius Claudius Cäsar, dem Herrn, von einem Abfallhaufen

einen männlichen Findling mit Namen Heraklas auf. Er vertraute ihn
der Beklagten an, und damals wurde sie als Amme für den Sohn des
Pesuris eingestellt. Sie erhielt ihren Lohn für das erste Jahr. Der
Termin für das zweite Jahr kam, und sie erhielt ihn wiederum. Zum
10 Beweis, daß diese Angaben wahr sind, sind ihre Quittungen da, in
denen sie die Zahlung bestätigt. Da der Findling nicht genug zu essen
bekam, nahm ihn Pesuris weg. Daraufhin drang sie bei der ersten
Gelegenheit in das Haus meines Klienten ein und raubte den Findling
und versucht nun, den Findling als ein freigeborenes Kind zu bekom-
15 men. Ich habe hier erstens den Ammenvertrag, ich habe zweitens die
Quittung für die Lohnzahlungen. Ich bitte, daß diese anerkannt werden." Saraeus: „Ich entwöhnte mein eigenes Kind, und der Findling
dieser Personen wurde mir anvertraut. Ich habe von ihnen die vollen
acht Stateren erhalten. Dann starb der Findling, und das Geld war
20 übrig. Jetzt versuchen sie, mir mein eigenes Kind wegzunehmen."
Theon: „Wir haben die Papiere des Findlings." Der Strategos: „Da es
dem Anblick nach scheint, daß das Kind der Sohn der Saraeus ist,
spreche ich, wenn sie und ihr Mann eine Erklärung unterschreiben,
daß der ihr von Pesuris anvertraute Findling gestorben ist, mein
25 Urteil gemäß der Entscheidung unseres Herrn, des Präfekten, daß sie
nach Rückzahlung des Geldes, das sie erhalten hat, ihr eigenes Kind
haben soll."

5 *nahm ... von einem Abfallhaufen,* wohl kein ungewöhnliches Vorkommnis;
vgl. oben Hilarions Brief (*36*).

19 *das Geld war übrig.* Das vorausgezahlte Geld für den letzten Teil des
2. Jahres, nach des Kindes Tod.

21 *Theon,* wahrscheinlich der Anwalt der Saraeus.

25 *der Präfekt.* Der Strategos konnte nur auf Anweisung des Präfekten handeln. Offenbar hatte er bereits eine Anweisung von seinem Vorgesetzten
erhalten.

An dieser Stelle seien noch drei jüdische Dokumente, zwei Ehe-
verträge und ein Scheidebrief, hinzugefügt. In allen drei Fällen
handelt es sich um sog. Doppelurkunden: Der Text wurde zweimal
untereinander geschrieben; der obere Teil wurde eingerollt, ver-
schnürt und versiegelt, der untere als Gebrauchstext nur zusam-
mengefaltet (vgl. Jer 32, 10–15).

**49** *PMur 20. Ein jüdischer Ehevertrag aus dem Wadi Murabbaat.*

Text und Übers. bei K. Beyer, *Die aramäischen Texte vom Toten Meer,*
Göttingen 1984, S. 309 f. Der Vertrag wurde vermutlich im Februar/März 64
n. Chr. aufgesetzt.

Am siebten Adar im elften Jahre [des Kaisers Nero (?)] in Haradona
[sagte Juda, der Sohn des Jo ..., des Sohnes] des Manasse von den
Eliaschibiten, [wohnhaft in Haradona, zu ... der Tochter des ...,

wohnhaft in ...]: Du wirst mir Ehefrau werden nach dem Recht Moses
5 [und der Juden. Und ich werde dich ernähren und bekleiden von heute
an] für immer von meinem Besitz. Und [mir] obliegt [... Und ich setze
dir das Silber deines Ehevertrages aus] vollgewichtig (und) geprägt,
[zweihundert] Sus Silber, [welche sind fünfzig Sela. ... Und] das wird
verbindlich sein. Wenn du gefangen [weggeführt werden wirst, werde
10 ich dich loskaufen und dich in deine Heimat zurückbringen. ... Wenn]
du in das Grab steigen wirst [vor mir, werden deine von mir stammen-
den Söhne das Silber deines Ehevertrages erben nach dem Recht
Moses und] der Juden. Und wenn [dir von mir] Töchter sein werden,
[werden sie von meinem Besitz unterhalten werden, bis sie sich ver-
15 heiraten an] Ehemänner. Oder wenn ich in das Grab [steigen werde
vor dir, wirst du in meinem Hause wohnen bleiben] und ernährt und
bekleidet werden [von meinem Besitz ... alle Tage] der Witwenzeit,
die dir nach [meinem Tode beschieden sein wird ... Und alles, was mir
gehört und was ich noch] erwerben werde, bürgt und garantiert, [das
20 Silber deines Ehevertrages einzuhalten und zu erfüllen dir gegen-
über] und gegenüber deinen Erben ohne Rücksicht auf irgendeinen
[Einspruch und Prozeß. Und zu dem Zeitpunkt, an dem du (es) mir
sagen wirst, werde ich] dir die Urkunde [erneuern], wenn [ich noch am
Leben sein werde].
25 Juda, der Sohn des Jo[..., verpflichtet].
[...].

3 *Eliaschibiten*, ein bekanntes Priestergeschlecht (1 Chron 24, 12).

8 *[zweihundert] Sus Silber*, die Hochzeitssumme für eine Jungfrau (sonst die
Hälfte), den sie im Falle der Scheidung erhält (s. *50* Z. 9; vgl. auch *186*). Ein
Sus entspricht einer Drachme und enthält 3,4 g Silber.

23 *die Urkunde [erneuern]*. Für den Fall, daß die Urkunde unleserlich wird,
verpflichtet sich Juda, eine Ersatzurkunde auszustellen.

**50** *PMur 19. Ein jüdischer Scheidebrief aus dem Wadi Murabbaat.*
Text und Übers. bei K. Beyer, *op. cit.* [*49*], S. 307 f. Vgl. Dtn 24, 1; Mt 5, 31 f;
Mk 10, 4 par. Der Text stammt vermutlich aus dem Oktober 71 n. Chr.;
möglicherweise kommen auch Oktober 58 oder 59 in Betracht. Bei dieser
Doppelurkunde weichen Innen- und Außenschrift gelegentlich voneinander
ab; die Auslassungen in der Außenschrift werden kursiv gedruckt.

Am ersten Marcheschwan im sechsten Jahre in Masada: Heute entlas-
se und verstoße ich, Josef, der Sohn des Naqsan *aus* [...], *wohnhaft in
Masada*, aus meinem freien Willen dich, Mariam, *die Tochter* des
Jonatan aus Darpalata, wohnhaft in Masada, die du bis jetzt meine
5 Ehefrau gewesen bist (und) die du (jetzt) im Besitz der Verfügungsgewalt über deine Person bist, wegzugehen *und* Ehefrau jedes beliebigen
jüdischen Mannes zu werden, den du wollen wirst. Sodann wird dir
von mir Scheidebrief und Entlassungsurkunde zuteil werden. Sodann
gebe ich (dir) alles Silber (deines Ehevertrages). *Und* alle Wertminde-
10 rungen, Schäden und Verluste (an deinem Besitz) werde ich *dir* bezah-

len. So wird es verbindlich sein. Und ich zahle in Münzen. Und zu dem Zeitpunkt, an dem du (es) mir sagen wirst, werde ich dir die Urkunde erneuern, wenn (ich noch) am Leben (sein werde).

Josef, der Sohn des Naqsan, verpflichtet.

15 Elieser, [der Sohn des] Malka, Zeuge.

Josef, der Sohn des Malka, Zeuge.

Eleasar, der Sohn des Hanana, Zeuge.

3 *Masada*, die letzte Bastion des Widerstandes gegen die Römer im Krieg von 66–70, die erst im April 74 von den Römern eingenommen werden konnte. S. *160*.

**51** *PYadin 18. Ein jüdischer Ehevertrag aus dem Babatha-Archiv.* 128 n. Chr.

Der griechische Papyrus mit zwei aramäischen und einem griechischen Anhang wurde publiziert und ausführlich kommentiert von N. Lewis/R. Katzoff/ J. C. Greenfield in IEJ 37, 1987, S. 229–250. Die Lücken im Außentext wurden nach dem Innentext ergänzt und sind hier nicht gekennzeichnet.

Unter den Konsuln Publius Metilius Nepo(s), zum 2. Mal (Konsul), und Marcus Annius Libo, an den Nonen des April, nach der Zählung der neuen Provinz Arabia im 23. Jahr, am 15. des Monats Xandikos, in Maoza im Bereich von Zoara. Judas, der Sohn des Eleazar alias
5 Chthousion, hat seine eigene Tochter Selampsion, eine Jungfrau, dem Judas mit dem Beinamen Cimber, dem Sohn des Ananias, des Sohnes des Somala, gegeben. Beide (stammen) aus dem Dorf Engedi in Judäa und sind wohnhaft hier. Selampsion soll dem Judas Cimber gehören als rechtmäßige Gattin zwecks ehelicher Gemeinschaft gemäß den
10 Gesetzen. Dabei bringt sie ihm auf Konto „Aussteuer" dar: Frauenschmuck in Silber, Gold und Kleidung, dessen Wert sie unter sich, wie beide (Parteien) sagen, auf 200 Denare geschätzt haben. Der Bräutigam Judas, genannt Cimber, bestätigte, diesen Gegenwert von ihr in bar unverzüglich erhalten zu haben durch ihren Vater Judas und (ihn)
15 der genannten Selampsion, seiner Frau, zu schulden zusammen mit weiteren 300 Denaren, die er ihr zu geben versprochen hat über ihre oben erwähnte Aussteuer hinaus, alles auf Konto „Mitgift", entsprechend dem Grundsatz, sie und die künftigen Kinder zu nähren und zu kleiden gemäß griechischer Sitte, auf die Bürgschaft des genannten
20 Judas Cimber und mit Haftung auch all (seiner) Güter, sowohl die, die er in seiner genannten Heimatstadt und hier besitzt, als auch alle, die er rechtsgültig erwerben mag überall, auf welche Weise auch immer Selampsion, seine Frau, wählen mag – oder, wer auch immer durch sie oder für sie handelt, wählen mag –, die Vollstreckung durchzuführen.
25 Judas, genannt Cimber, wird seiner Frau Selampsion, wann immer sie es von ihm verlangt, diesen Vertrag auf eigene Kosten in Silber, das gebührend verwahrt ist, eintauschen, ohne Einwände zu erheben. Andernfalls wird er ihr die gesamten obengenannten Denare doppelt bezahlen, wobei sie das Recht hat, die Vollstreckung sowohl in (die

30 Person des) Judas Cimber, ihres Mannes, als auch in sein Eigentum
durchzuführen, in welcher Weise auch immer Selampsion – oder wer
auch immer durch sie oder für sie handelt – wählen mag. In gutem
Glauben wurde die Frage gestellt und übereinstimmend erwidert, daß
dies sonach korrekt geschah.

35 (*1. aramäischer Zusatz*) Yehuda, Sohn des Elazar Khtusion: Ich
habe meine Tochter Shelamṣion, eine Jungfrau, dem Yehuda [Qim]ber,
dem Sohn des Ḥanania, dem Sohn des Somala, gegeben gemäß dem,
was oben geschrieben ist. Yehuda hat es geschrieben.

(*2. aramäischer Zusatz*) [Yehuda Q]imber, Sohn des [Ḥanan]ia,
40 So⟨hn⟩ des Somala: Ich bestätige die Schuld von [5]00 Silberdenaren,
die Mitgift meiner Frau Shelamṣion, gemäß dem, was sie oben geschrieben haben. [Yeh]uda hat es geschrieben.

(*1. griechische Hand*) Ich, Theenas, Sohn des Simon, *librarius*, habe es geschrieben.

8 *wohnhaft hier*, nämlich in Maoza.

12 *beide*, nämlich die Vertragspartner Judas, Sohn des Eleazar, und Judas
Cimber.

15 *zusammen mit weiteren 300 Denaren, die er ihr zu geben versprochen hat.*
Daß der Bräutigam zur Mitgift seiner Frau beiträgt, scheint ein spezifisch
jüdisches Element dieses Ehevertrages zu sein (vgl. *mKetubbot* 6, 3).

18 *zu nähren und zu kleiden gemäß griechischer Sitte.* R. Katzoff interpretiert
diese Passage als eine Selbstverpflichtung des Judas, seiner Frau einen
Lebensstandard zu ermöglichen, wie er bei Griechen üblich ist (*art. cit.*,
S. 241 f).

19 *auf die Bürgschaft des genannten Judas Cimber und mit Haftung auch all
(seiner) Güter,* griech. ἐπὶ τῆς ... πίστεως καὶ κινδύνου καὶ πάντων ὑπαρ-
χόντων. Die Übersetzung ist unsicher; die Herausgeber verstehen hier:
„upon the said Judah Cimber's good faith and peril and [the security of] all
his possessions." Vielleicht ist aber statt κινδύνου besser κινδύνῳ zu lesen
und der folgende Genetiv davon abhängig zu machen (zu dieser Formel vgl.
POx 133 Z. 20; PAmh 149 Z. 17; 150 Z. 30). Ἐπὶ τῆς πίστεως καὶ κινδύνῳ
könnte dem lateinischen *fide et periculo* (Marcell, *Digesta* 46, 1, 24) entsprechen.

25 *wann immer sie es von ihm verlangt.* Was damit gemeint ist, wird nicht recht
deutlich. Scheinbar wird der Frau das Recht eingeräumt, von sich aus die
Scheidung zu vollziehen; das widersprach jedoch jüdischem Eherecht (vgl.
Josephus, *Ant* XV 259 f; *mYevamot* 14, 1). Eine jüdische Ehefrau konnte aber
unter bestimmten Umständen die Scheidung gerichtlich beantragen; er-
zwang der Richter für sie die Scheidung, so wäre Judas in diesem Falle
verpflichtet, die volle Mitgift zu erstatten. Normalerweise wurde allerdings
ein finanzieller Unterschied gemacht, je nachdem die Scheidung auf Initiative des Mannes oder der Frau erfolgte. Möglicherweise ist der Satz hier
deshalb so zu verstehen, daß Selampsion auch während ihrer Ehe mit Judas
Cimber die Mitgift einfordern konnte. Vgl. die ausführliche Diskussion von
R. Katzoff, *art. cit.*, S. 243–246.

32 *In gutem Glauben wurde die Frage gestellt und übereinstimmend erwidert.*
Diese sog. Stipulationsklausel ist ein „förmliches, mündliches Leistungsver-
sprechen, bestehend aus der Frage des zukünftigen Gläubigers (*stipulator*)

an den zukünftigen Schuldner und Antwort des letzteren, wobei das Frage-
verbum in der Antwort wiederkehren muß, z. B. *dari spondes? spondeo*" (C.
Ebner, Art. *Stipulatio*, Kleiner Pauly V, Sp. 375). Hier dürfte die Frage
allerdings an beide Vertragspartner gerichtet worden sein.
43 *librarius*. Der Schreiber war eine Art Notar.

**52** *PLond* 1912 (= H & E 212; CPJ I 153). *Ein Brief des Kaisers
Claudius an die Alexandriner*. 41 n. Chr.

Dieser Brief ist von großer historischer und verfassungsrechtlicher Bedeu-
tung. Er wurde erstmals veröffentlicht und erklärt von H. I. Bell, *Jews and
Christians in Egypt*, London 1924; s. *166–167* und A. Kasher, *The Jews in
Hellenistic and Roman Egypt*, Tübingen 1985, S. 310–326.

(Kol. 1) Verkündigung durch Lucius Aemilius Rectus. Da wegen ihrer
großen Zahl nicht die ganze Bevölkerung in der Lage war, beim Verlesen des allerheiligsten und wohltätigsten Briefes an die Stadt anwesend zu sein, hielt ich es für notwendig, den Brief zu veröffentlichen,
5 damit ihr, wenn ihr ihn Mann für Mann lest, die Majestät unseres
Gottes Cäsar bewundert und Dankbarkeit empfindet für sein Wohl-
wollen gegenüber der Stadt. 2. (Jahr) unter Tiberius Claudius Cäsar
Augustus Germanicus Imperator, am 14. Neos Sebastos.
(Kol. 2) Tiberius Claudius Cäsar Augustus Germanicus Imperator,
10 Pontifex Maximus, im Besitz der tribunizischen Gewalt, designierter
Konsul, grüßt die Stadt Alexandria. Tiberius Claudius Barbillus,
Apollonius, Sohn des Artemidoros, Chairemon, Sohn des Leonidas,
Marcus Iulius Asklepiades, Gaius Iulius Dionysios, Tiberius Claudius
Phanias, Pasion, Sohn des Potamon, Dionysios, Sohn des Sabbion,
15 Tiberius Claudius Apollonius, Sohn des Ariston, Gaius Iulius Apollo-
nius, Hermaiscus, Sohn des Apollonius, eure Gesandten, nachdem sie
mir den Beschluß übergeben hatten, sprachen ausführlich über die
Stadt und lenkten meine Aufmerksamkeit auf euren guten Willen uns
gegenüber, der schon seit langem, des mögt ihr gewiß sein, in meinem
20 Gedächtnis bewahrt ist; denn ihr seid von Natur fromm gegen die
Augusti, wie ich aus vielen Dingen erkenne, und besonders bemüht ihr
euch um mein Haus, was ich warm erwidere, wofür, um den letzten
Punkt zu erwähnen, die anderen aber beiseitezulassen, mächtigster
Zeuge mein Bruder Germanicus Cäsar ist, der euch mit persönlichen
25 Worten angeredet hat. Deshalb nehme ich mit Freuden die mir von
euch erwiesenen Ehren an, obwohl ich solchen Dingen nicht sehr
zugänglich bin. Zuerst erlaube ich euch, meinen Geburtstag als *dies
Augustus* zu feiern, wie ihr es vorgeschlagen habt, und ich stimme der
Errichtung von Statuen meiner Person und meiner Familie an ihren
30 verschiedenen Plätzen zu; denn ich sehe, daß ihr sehr gerne auf jede
Weise Gedächtnisstätten eurer Verehrung für mein Haus erbauen
wollt. Von den beiden goldenen Statuen soll die eine, die die Pax
Augusta Claudiana darstellt, wie mein sehr geschätzter Barbillus
vorschlug und mich drängte, als ich es aus Furcht, sie könnte prahle-
35 risch erscheinen, abschlagen wollte, der Roma geweiht werden, (Kol.

3) und die andere soll, wie ihr es wünscht, an Namenstagen bei euch in der Prozession getragen werden; und mit ihr soll ein Thron getragen werden, der mit Schmuck nach eurem Wunsch versehen sei. Vielleicht wäre es töricht, gleichzeitig solche großen Ehrerweisungen anzunehmen, aber die Einrichtung eines claudianischen Stammes zu untersagen und die Anlage von Hainen nach ägyptischer Art zu verbieten; weshalb ich euch auch diese Bitte erfülle, und wenn ihr wollt, mögt ihr auch die von Vitrasius Pollio, meinem Prokurator, geschenkten Reiterstatuen aufstellen. Was die Errichtung der Statuen mit Viergespannen betrifft, die ihr am Eingang des Landes für mich aufzustellen wünscht, erlaube ich, daß eine bei Taposiris, der libyschen Stadt dieses Namens, eine andere bei Pharus bei Alexandria und eine dritte beim ägyptischen Pelusium aufgestellt werde; aber ich billige nicht die Ernennung eines Oberpriesters für mich und den Bau von Tempeln; denn ich wünsche nicht bei meinen Zeitgenossen Anstoß zu erregen, und meine Ansicht ist, daß Heiligtümer und ähnliches allein ein Vorrecht der Götter sind, das ihnen zu allen Zeiten gebührt.

Was nun die Bitten betrifft, um deren Erfüllung ihr euch bemüht, entscheide ich folgendermaßen. Allen denjenigen, die bis zu meinem
55 Prinzipat Epheben geworden sind, bestätige ich das Bürgerrecht von Alexandria mit allen Privilegien und Vorrechten, die die Stadt genießt, außer denjenigen, die sich, obwohl sie von Sklavenmüttern abstammen, in die Ephebenschaft bei euch eingeschlichen haben. Und ebenso ist es mein Wille, daß auch die anderen Dinge nicht weniger
60 gültig seien, alle, die euch durch die Gunst meiner Vorgänger im Prinzipat sowie von Königen und Präfekten vor mir zuteil wurden, wie es auch der göttliche Augustus bestätigt hat. (Kol. 4) Es ist mein Wille, daß die Neokoroi des Tempels des göttlichen Augustus in Alexandria durch das Los gewählt werden sowie auch die des besagten göttlichen
65 Augustus in Kanopus durch das Los bestimmt werden. Daß die staatlichen Ämter alle drei Jahre erneuert werden, scheint mir ein guter Vorschlag; denn aus Furcht, jede schlechte Amtsführung verantworten zu müssen, werden eure Magistraten sich während ihrer Amtszeit mit größerer Umsicht verhalten. Bezüglich des Senats kann ich nicht
70 sagen, wie euer Brauch unter den alten Königen war, aber ihr seid euch darüber im klaren, daß ihr unter den früheren Augusti keinen hattet. Da dieses der erste Beginn eines neuen Planes ist, dessen Nützlichkeit für die Stadt und für meine Belange nicht ersichtlich ist, habe ich an Aemilius Rectus geschrieben, daß er Erkundigungen ein-
75 ziehen und mich benachrichtigen möge, ob erstens der Senat einzurichten sei, und wenn er es sei, in welcher Weise dies geschehen solle. Über die Frage, welche Partei für die Unruhen und Aufstände – oder eher, wenn die Wahrheit gesagt werden soll, den Krieg – mit den Juden verantwortlich war, war ich doch nicht gewillt, eine strenge
80 Untersuchung zu veranlassen, obwohl bei der Gegenüberstellung (mit ihren Gegnern) eure Gesandten und besonders Dionysios, der Sohn des Theon, mit großem Eifer eure Sache vertraten; jedoch hege ich

gegen die, die den Konflikt erneuert haben, bei mir einen unversöhnlichen Zorn; und ich sage euch ein für allemal, daß ich, wenn ihr nicht
85 mit dieser verderblichen und eigensinnigen Feindschaft gegeneinan-
der aufhört, dazu gezwungen sein werde, euch zu zeigen, wie ein an
sich wohlwollender Fürst sein kann, wenn man ihn zu gerechtem Zorn
reizt. Deshalb beschwöre ich euch jetzt noch einmal, daß ihr, die
Alexandriner, euch einerseits geduldig und freundlich gegenüber den
90 Juden betragt, die seit langer Zeit in derselben Stadt gewohnt haben,
(Kol. 5) und keinen der von ihnen befolgten Riten zur Anbetung ihrer
Götter schändet, sondern ihnen erlaubt, ihren Gebräuchen wie zu den
Zeiten des göttlichen Augustus nachzugehen, welche ich, nachdem ich
beide Seiten angehört, ebenfalls sanktioniert habe; und andererseits
95 befehle ich den Juden ausdrücklich, nicht auf mehr Privilegien, als sie
früher besaßen, hinzuarbeiten, und in Zukunft keine besonderen Ge-
sandtschaften mehr auszusenden, als ob sie in einer anderen Stadt
lebten, etwas, was noch nie vorgekommen ist; und sich nicht mit
Gewalt in die Wettspiele der Gymnasiarchen und die Kosmetien ein-
100 zudrängen, wo sie doch ihre eigenen Privilegien besitzen und eine
große Menge von Vorteilen in einer fremden Stadt genießen, und nicht
neue Juden herbeizuziehen oder zuzulassen, die von Syrien oder
Ägypten den Fluß hinunterkommen, ein Vorgang, der mich dazu veranlassen könnte, noch mißtrauischer zu werden; im anderen Falle will
105 ich sie mit allen Mitteln vertreiben als Erreger einer allgemeinen
Plage für die ganze Welt. Wenn ihr von diesen Dingen ablaßt und in
gegenseitiger Nachsicht und Freundlichkeit miteinander leben wollt,
will ich meinerseits die wohlwollendste Sorge für die Stadt bezeigen,
wie sie euch auch von meinen Vorfahren bezeigt wurde. Ich bezeuge
110 meinem Freund Barbillus die Sorge, mit der er euch alle Zeit vor mir
vertritt, und den sehr großen Eifer, mit dem er jetzt den Streitfall für
euch geführt hat, und ebenso meinem Freund Tiberius Claudius Ar-
chibius. Lebt wohl.

1 *Lucius Aemilius Rectus*, der Präfekt.

24 *mit persönlichen Worten*. Wahrscheinlich in griechischer Sprache, während
dieser Brief ursprünglich lateinisch verfaßt war. Unser (griechischer) Text
trägt die Spuren einer Übersetzung. Die vorliegende Stelle ist nicht ganz
geklärt.

40 *ein claudianischer Stamm*, d. h. eine φυλή in der Stadt Alexandria.

55 *Epheben*, Jünglinge aus Familien, die das Bürgerrecht besitzen.

63 *Neokoroi*, offizielle Tempelwächter.

77 Zum großen und aufrührerischen jüdischen Bevölkerungsanteil in Alexandria vgl. *167*.

99 *Gymnasiarchen*, die das sportliche Training in der Stadt leiteten.
*Kosmetien:* Wahrscheinlich Spiele, die durch die Kosmeten – Beamte zur
Ausbildung der Epheben in der Stadt – gestiftet oder ausgerichtet wurden.
Eine andere mögliche Übersetzung, die aber weniger Wahrscheinlichkeit
für sich hat, würde an dieser Stelle eine Bezugnahme auf die Wahlen zu den
Ämtern des Gymnasiarchen und Kosmeten, und nicht die Spiele, erblicken.

# III. Die Inschriften

Eine unermeßliche Zahl von Inschriften auf Stein und Metall, in lateinischer, griechischer oder einer semitischen Sprache sind in verschiedenem Erhaltungszustand aus der Zeit des Urchristentums auf uns gekommen. Sie bilden zusammengenommen ein umfassendes und wertvolles Material für die Rekonstruktion der militärischen, politischen, sozialen und religiösen Geschichte der Alten Welt. Eine vollständige Darstellung oder auch nur ein angemessener Überblick über dieses Material würde natürlich den Rahmen dieses Buches sprengen, ebenso eine Beschreibung aller Methoden, mit denen Inschriften gesucht, ausgegraben, gelesen und interpretiert werden und worden sind. Die folgenden nichtchristlichen Inschriften haben alle, wenn auch auf verschiedene Weise, Beziehung zur Geschichte des frühen Christentums; man darf aber nicht vergessen, daß andere Inschriften, die keine so unmittelbare Beziehung haben, dennoch von großer Bedeutung für einen Historiker sind, der das NT und andere frühchristliche Zeugnisse in ihrem ursprünglichen Zusammenhang erforschen will. Weitere Inschriften sind zitiert in *1, 10, 130–132*.

## A. Die Gallio-Inschrift in Delphi

**53** *Syll³ 801D*.

Am Anfang unseres Jh.s wurden in Delphi zunächst vier Fragmente eines Steines mit einem Erlaß des Kaisers Claudius gefunden, in dem Gallio, der Prokonsul der Provinz Achaia, erwähnt wird, vor dem Paulus in Korinth verklagt wurde (Apg 18, 12–17); später kamen 5 weitere Fragmente hinzu. Der Stein ist datiert und ermöglicht so eine einigermaßen genaue Einordnung der paulinischen in die absolute Chronologie. Allerdings läßt sich angesichts des fragmentarischen Bestandes der Inschrift nicht sicher entscheiden, ob der Erlaß während der Statthalterschaft Gallios (so J. H. Oliver) oder der seines Nachfolgers (so A. Plassart) erging; vgl. die Rekonstruktionen und Interpretationen von A. Plassart, *L'inscription de Delphes mentionnant le proconsul Gallion*, REG 87, 1967, S. 372–378 (mit Bibliographie S. 374, Anm. 4); ders., *Lettre de l'empereur Claude au gouverneur d'Achaïe (en 52)*, in: Les inscriptions du temple du IVᵉ siècle, École française d'Athènes: Fouilles de Delphes III/4, Paris 1970, S. 26–32 (Nr. 286); J. H. Oliver, *The Epistle of Claudius which Mentions the Proconsul Junius Gallio*, in: Hesperia 40, 1971, S. 239f; C. J. Hemer, *Observations on Pauline Chronology*, in: Pauline Studies. FS F. F. Bruce, Exeter/Grand Rapids 1980, S. 3–18 (6–8). Eine ausführliche Diskussion der Gallio-Inschrift wird bei R. Riesner (*Die Frühzeit des Paulus*, § 11. 1 [erscheint voraussichtlich 1991]) nachzulesen sein. Dem hier wiedergegebenen Auszug liegt der von Oliver rekonstruierte Text zugrunde (mit Übersetzung abgedruckt bei: H.-M. Schenke/K. M. Fischer, *Einleitung in die Schriften des Neuen Testaments*, Bd. I, Berlin 1978, S. 50f).

Tiber[ius Claudius Cäs]ar A[ugustu]s G[ermanicus, im 12. Jahr seiner tribunizischen Gew]alt, [Imperator da]s 26. Mal, V[ater des V]aterlan-[des, grüßt ---.]

Schon lang[e war ich d]er St[adt] Delph[i ni]cht nu[r wohlgesonnen,
5 sondern trug auch Sorge für ihr Gl]ück; immer bewahr[te ich de]n Kul[t d]es [pythischen] Apo[ll. Weil sie aber] gegenwärtig auch kaum no[ch Bür]ger haben soll, w[ie mir kürzlich] mein F[reund] un[d Prok]onsul [L. Iu]nius Gallio [mitteilte], so er[teile ich Euch] – [aus dem Wunsch heraus, daß Delphi] den fr[üheren Glanz] auch weiterhin
10 [vollständ]ig aufrechterhalten möge – [Befehl, auch aus an]deren Städten [Freigeborene als neue Einwohner nach Delphi zu] ruf[en] [und] ihnen [und ihren Nachkommen alle] Vorr[echte der Del]phier einzuräumen wie Bür[gern unter der Bedingung der Gleichberechtigung.]...

1 *Claudius.* Der Umfang der Ergänzungen in dieser und anderen Zeilen ist weniger erstaunlich, als es auf den ersten Blick erscheint. Die meisten amtlichen Inschriften sind in ihrer Formulierung stereotyp. Oft genügt die Kenntnis der üblichen Formeln und der Buchstabenzahl, die ursprünglich vorhanden war, um den Text zuverlässig rekonstruieren zu können.

2 *[Imperator da]s 26. Mal.* Die Zahl 26 ist auf der Inschrift vorhanden, die 12 ist ergänzt. Die Zahlen sind von großer Bedeutung; denn durch sie ist die Inschrift datiert. Bekanntlich erhielten die Kaiser die tribunizische Gewalt mit ihrem Regierungsantritt und behielten sie ohne Unterbrechung; die Jahre wurden vom Datum des Regierungsantritts (bei Claudius 25. Januar 41) an gezählt. Die Akklamationen als Imperator erfolgten je nach militärischen Erfolgen. Das genaue Datum der 26. Akklamation ist nicht bekannt. Im 11. Jahr seiner Regierung (und tribunizischen Gewalt) wurde Claudius zum 22., 23. und 24. Mal als Imperator ausgerufen; in seinem 12. Jahr – und zwar vor dem 1. August 52 – erfolgte die 27. Akklamation. (Diese Daten gehen aus anderen Inschriften hervor). Die 26. Ausrufung muß deshalb entweder am Ende des 11. Regierungsjahres (das wären dann 5 Akklamationen in einem Jahr) oder, was wahrscheinlich ist, in der 1. Hälfte des 12. Regierungsjahres, also zwischen dem 25. 1. und dem 1. 8. 52, erfolgt sein. Demnach gehört auch die Inschrift in diesen Zeitraum.

6 *des pythischen Apoll:* der Gott, der die berühmten delphischen Orakel gab.

7 *mein F[reund] un[d Prok]onsul [L. Iu]nius Gallio.* Gallio, der Bruder des Philosophen und Nero-Erziehers Seneca (s. *80*), war Statthalter der senatorischen Provinz Achaia. Normalerweise waren Provinzstatthalter ein Jahr, nur in Ausnahmefällen ein zweites, im Amt. Sie traten es im Frühsommer, wahrscheinlich am 1. Juli, an. War das kaiserliche Reskript an Gallio gerichtet, so käme als spätestes Datum für Gallios Amtsantritt der 1. 7. 52 in Frage; das ist jedoch wenig wahrscheinlich, weil dann in höchstens einem Monat – zwischen dem Amtsantritt des Prokonsuls und der 27. Akklamation des Kaisers – Gallios Bericht und die Antwort des Kaisers untergebracht werden müßten. Die größte Wahrscheinlichkeit hat darum das Amtsjahr 1. 7. 51 bis 30. 6. 52 für sich; dasselbe Datum ergibt sich, wenn der

kaiserliche Erlaß an Gallios Nachfolger gerichtet war. Es ergibt sich uns damit ein wichtiges Datum für die neutestamentliche Chronologie, auch wenn wir nicht genau wissen, ob die Anklage des Paulus am Anfang oder am Ende des Prokonsulats Gallios erfolgte.

## B. Eine Tempelinschrift

**54**  *OGIS 598* (= G. Pfohl, *Griechische Inschriften als Zeugnisse des privaten und öffentlichen Lebens,* Nr. 135).

Heiden hatten Zugang zum äußeren, aber nicht zum inneren Bezirk des Tempels von Jerusalem. Josephus schreibt darüber: „Ging man über diesen Hof, so kam man an ein den zweiten Tempelhof umschließendes, drei Ellen hohes Steingitter von sehr gefälliger Arbeit. An ihm waren in gleichen Abständen Säulen angebracht, die das Reinheitsgesetz in griechischer und römischer Sprache verkündeten, wonach kein Fremder das Heiligtum betreten dürfe; so nannte man diesen zweiten Raum des Tempels, zu dem man auf vierzehn Stufen vom ersten hinaufstieg." (*Bell* V 193f; vgl. *Bell* VI 124–126; *Ant* XV 417; Philo, *Legatio ad Gaium* 212) Eine dieser Warntafeln wurde 1871 von Clermont-Ganneau unmittelbar nördlich des Tempelplatzes in Jerusalem entdeckt; ein weiteres, gleichlautendes Exemplar wurde 1935 gefunden (SEG VIII, 1937, Nr. 169). Vgl. dazu Apg 21, 26–30; Eph 2, 14. Ob die Todesstrafe an Zuwiderhandelnden durch die aufgebrachte Volksmenge oder durch die priesterliche Tempelautorität vollzogen wurde, ist umstritten; vgl. zuletzt P. Segal, *The Penalty of the Warning Inscription from the Temple of Jerusalem,* IEJ 39, 1989, S. 79–84.

Niemand aus einem anderen Stamm darf (den Raum) innerhalb der Schranke und der Umzäunung rings um den Tempel betreten. Wer dabei angetroffen wurde, wird an sich selbst schuldig sein, weil darauf die Todesstrafe steht.

3 *wird an sich selbst schuldig sein.* Der genaue Sinn der griechischen Formulierung ἑαυτῷ αἴτιος ἔσται ist nicht sicher. Nach Segal (*art. cit.*) könnte es sich um ein griechisches Äquivalent zur mischnischen Formulierung מתחיב בנפשו (*mAvot* 3, 7f) handeln; man hätte dann zu übersetzen: ‚wird sein Leben verwirken'.

## C. Synagogeninschriften

Jüdische Gemeinden, von denen viele über eine Synagoge verfügten, gab es in zahlreichen Städten des römischen Reiches. Die folgenden Inschriften bezeugen die Existenz von Synagogen in Korinth, Rom und Jerusalem. Vgl. insgesamt E. Schürer, *The History of the Jewish People in the Age of Jesus Christ,* Bd. III/1, Edinburgh 1986, S. 90f.

**55**  *CIJ 718. Eine Synagoge in Korinth.*

[Syn]agoge der Hebr[äer]

**56**  *CIJ 510 (= CIG 9909). Eine Synagoge in Rom.*
Hier liegt
Salo,
Tochter von Ga-
dia, Vater
5 der Synagoge
der Hebräer. Sie
lebte 41 Jahre.
In Frieden
sei ihr
10 Schlaf.

5 *Synagoge der Hebräer.* Über die Synagoge im allgemeinen s. *205–212* und S. 238. Der genaue Sinn dieser Inschriften und besonders dieser römischen hängt davon ab, was „Hebräer" bedeutet: Werden damit „Hebräer nach der Abstammung" oder „hebräisch (bzw. aramäisch) sprechende Juden" bezeichnet? Vielleicht sollte man den Ausdruck dahingehend deuten, daß diese Synagoge (daneben sind in Rom Synagogen der Augustäer, der Volumnier, der Herodier, der Kampesier, der Siburesier, der Vernaculi, der Kalkaresier, der Tripolitaner, der Eläer, der Sekeni und der Kalabrier inschriftlich bezeugt) die der ursprünglich kleinen Gruppe von Juden gewesen ist, die schon zur Zeit des Pompeius in Rom wohnte, und daß neu hinzukommende Synagogen andere und besondere Namen erhielten; doch bleibt diese Deutung wie alle anderen Annahmen hypothetisch.

**57**  *CIJ 1404 (= G. Pfohl, Griechische Inschriften als Zeugnisse des privaten und öffentlichen Lebens, Nr. 120). Eine Synagoge in Jerusalem.*

S. dazu F. J. F. Jackson/K. Lake, *The Beginnings of Christianity* IV, S. 67; A. Deißmann, *Licht vom Osten*, S. 380.

Theodotos, des Vettenus Sohn, Priester und
Synagogenvorsteher, Sohn eines Synagogenvorstehers, Enkel eines Synagogenvorstehers, erbaute die(se) Synagoge zur Vorle-
5 sung des Gesetzes und zum Unterricht in den Geboten, ebenso
auch das Fremdenhaus und die Kammern und die Wasseranlagen für die (Pilger) aus der Fremde, die
eine Herberge brauchen. Den Grundstein dazu hatten gelegt seine Väter und die Äl-
10 testen und Somonides.

1 *Theodotos, des Vettenus Sohn.* Es ist von vornherein sehr unwahrscheinlich, daß eine jüdische Inschrift nach 70 n. Chr. in Jerusalem angebracht wurde (s. *159*); auch die Form der Buchstaben weist auf ein Datum um die Mitte des 1. Jh.s n. Chr. Die Verbindung des griechischen Namens *Theodotos* mit dem lateinischen *Vettenus* in einer griechischen Inschrift macht es wahrscheinlich, daß Theodotos ein Freigelassener war; denn Freigelassene nahmen häufig die Namen ihrer früheren Besitzer an. Die Inschrift könnte deshalb einiges Licht auf Apg 6, 9, die sog. „Synagoge der Libertiner (*libertini* =

Freigelassene)", werfen. Jedoch ist zu beachten, daß die Inschrift nicht direkt sagt, daß Theodotos oder Vettenus Freigelassene waren.

*Priester und Synagogenvorsteher.* Zum Amt des Synagogenvorstehers vgl. Mk 5, 22. Theodotos war auch Priester; Tempel und Synagoge standen nicht in Gegensatz zueinander, obwohl der Tempel bis zu einem gewissen Grade die Hochburg der Sadduzäer, die Synagoge die der Pharisäer war.

4 *zur Vorlesung des Gesetzes und zum Unterricht in den Geboten.* Hier wird der Zweck der Existenz von Synagogen deutlich zum Ausdruck gebracht. Vgl. auch *64* Z. 3.

6 *das Fremdenhaus.* Die Juden der Diaspora nahmen, wenn irgend möglich, an den Wallfahrtsfesten teil (s. *196–199* mit Anm.). Sie kamen so zahlreich, daß es äußerst schwierig wurde, in Jerusalem Unterkunft zu finden. Die Vorzüge eines Synagogengebäudes, das zugleich als Herberge eingerichtet war, sind offenkundig.

8 *den Grundstein ... hatten gelegt seine Väter,* d.h. wahrscheinlich der Vater und der Großvater, auf die sich Z. 2–3 beziehen. Der Sinn dürfte sein, daß sie das Fremdenhaus gründeten, das Theodotos wiederaufbaute und vielleicht vergrößerte. Simonides ist unbekannt.

# D. Freilassungsurkunden

In der Antike war Sklaverei eine allgemeine und kaum in Frage gestellte Institution. Deshalb sind Freiheit und Knechtschaft und der Übergang zwischen beiden Zuständen den Schreibern des NT viel vertrauter als uns. Wie es viele Arten gab, auf die man Sklave werden konnte, so gab es auch mehrere Arten der Emanzipation. Zum Beispiel konnten ein Gott und seine Priester zu dem Vorgang zugezogen werden; diese Art gibt uns die Möglichkeit, verschiedene neutestamentliche Metaphern besser zu verstehen. Sie soll durch die folgenden Inschriften verdeutlicht werden.

**58** H. Collitz, *Sammlung der griechischen Dialektinschriften* Bd. II, Göttingen 1899, 2116, Z. 4–9 (ed. J. Baunack).

Eine Inschrift aus dem Jahre 200/199 v. Chr., zusammen mit anderen an einer Mauer des Apollotempels in Delphi gefunden.

(Zeitangabe durch Namen von Beamten usw.)
... Der Pythische Apollo
kaufte von Sosibios
aus Amphissa
einen weiblichen Sklaven in die Freiheit, mit Namen
5 Nikaia, römischer Herkunft, um den Preis
von dreieinhalb Minen Silber.
Vorheriger Verkäufer war nach
dem Gesetz Eumnastos
aus Amphissa. Er hat den Kaufpreis
10 erhalten. Den Kauf in die Freiheit

hat Nikaia dem Apollo
anvertraut.

(Es folgt eine lange Liste von Zeugen, danach eine Bestimmung über
die Hinterlegung des Kaufpreises.)

1 *Der Pythische Apollo kaufte.* Über Apollo in Delphi s. *53.* Der Gott soll die
Sklavin von ihrem bisherigen Eigentümer gekauft haben, aber es geht aus
dieser und anderen Inschriften hervor, daß die Sklavin den Preis vorher in
den Tempelschatz einzahlte; als Sklavin konnte sie den Kauf nicht selbst
durchführen.

4 *in die Freiheit* (vgl. Z. 10). Der Gott hat die Sklavin nicht zu dem Zweck
gekauft, daß sie ihm als Sklavin dient, sondern zu ihrer Freiheit; der Vertrag ist deshalb eine Form der Freilassung.

8 *Eumnastos,* der Nikaia an Sosibios verkaufte, wird genannt, um Sosibios'
Recht, sie zu verkaufen (d. h. freizulassen), zu verbürgen.

10 *Kauf* ist der Akt des Kaufes, d. h. die Inschrift selbst, der durch Anbringung
im Tempel öffentliche Gültigkeit verliehen wird. Eine zweite Übersetzung
des Wortes (ὠνά für ὠνή) ist *Kaufpreis;* Nikaia vertraute das Kaufgeld dem
Apollo an, der dann die Transaktion bewirkte.

**59**  *CIJ 683* (= CIG 2114 bb; *Inscriptiones Antiquae Orae Septentrio-
nalis Ponto Euxini Graecae et Latinae,* Bd. II, hg. v. B. Latyschev,
Petersburg 1890 [Nachdr. Hildesheim 1965], Nr. 52).

Diese Inschrift wurde in Pantikapaion auf der Krim gefunden. Sie ist erkenn-
bar jüdischer Herkunft und zeigt sowohl die weite Ausdehnung der Diaspora
(s. *166–170*) als auch die Tatsache, daß die Juden ebenfalls die Freilassung in
ihren Heiligtümern durchführten.

Unter der Herrschaft des Königs Tiberius Julius Rheskuporis, Freundes
des Kaisers und Roms, des frommen, im Jahre 377, im Monat Periti-
5 us, am 12., gebe ich, Chreste, ehe-
mals Frau des Drusus, beim Gebetshaus meinen Haussklaven Heraklas
völlig frei gemäß meinem Gelübde,
so daß er nicht mehr beansprucht oder be-
10 helligt werden darf von irgendeinem meiner Erben.
Er kann sich ungehindert
wenden, wohin er will, wie ich es
gelobt habe, außer daß ihm devotes (?) und
beständiges Gebet (auferlegt sei).
15 Diesem haben ebenfalls
meine Erben Hera-
kleides und Helikonias zugestimmt.
Auch die Synagoge der Juden
wird mit darüber wachen.

4 *im Jahre 377.* Das Datum ist Januar 81 n. Chr.

6 *Gebetshaus.* Dieses Wort (προσευχή, nicht συναγωγή) wird häufig für das

Gebäude (oder den Platz) gebraucht, wo die Juden ihren Gottesdienst verrichteten. Es kommt auch in heidnischem Gebrauch vor, z. B. *Inscriptiones ... Ponti Euxini* ... Bd. I (Inscriptiones Tyrae, Olbiae, Chersonesi Tauricae aliorum locorum a Danubio usque ad Regnum Bosporanum), ed. B. Latyschev, 1885, 98 (= *CIG* 2079); doch ist der jüdische Ursprung dieser Inschrift nicht zu bezweifeln (s. Z. 18). In dieser Inschrift wird übrigens, im Gegensatz zu der vorigen, auf einen fiktiven Verkauf an einen Gott kein Bezug genommen.

8 *meinem Gelübde.* Die Eigentümerin hat die Freilassung des Heraklas offenbar unter irgendwelchen Umständen gelobt, über die wir nichts wissen. Es ist das Gelübde, nicht ein Verkauf, der hier die Freilassung bewirkt.

13 *außer daß ihm* ... χωρὶς ἐς τ[ὴ] ν προ[σ]ευχὴν θωπείας τε εαὶ (*sic*) προσκα[ρτερ]ήσεω[ς]. Latyschev hat ἰς statt ἐς und καὶ statt ἐαὶ. Der Sinn dieses Satzes ist dunkel. Andere übersetzen etwa „außer in bezug auf das Gebetshaus, (welches) der Devotion und dem Zusammensein (dient)". Offenbar wurde durch diesen Satz die Freizügigkeit des Heraklas eingeschränkt, soweit es irgendwelche religiösen Verpflichtungen betraf. Das erinnert, allerdings nur entfernt, an heidnische Formen kultischer Freilassung.

18 *die Synagoge der Juden.* Hier heißt Synagoge nicht Versammlungsplatz, sondern bezeichnet die dortige jüdische Gemeinde, die im Gebetshaus zusammenkam; so etwa auch in einer Inschrift aus Berenike: „Es gefiel der Synagoge der Juden in Berenike, die Spender für die Ausbesserung der Synagoge aufzuschreiben auf eine Stele aus parischem Stein" (bei G. Lüderitz, *Corpus jüdischer Zeugnisse aus der Cyrenaika*, Wiesbaden 1983, Nr. 72).

# E. Fünf jüdische Ossuare

In jüdischen Grabkammern befanden sich an den Seiten Bänke, auf die die Toten gelegt wurden. Wenn der Platz nicht mehr ausreichte, sammelte man die Knochenüberreste zusammen und häufte sie zunächst an einer Stelle des Grabes auf. Seit 37 v. Chr. wurden die Gebeine dann in Urnen oder kleine Kisten (Ossuare) gesammelt und gewissermaßen ein zweites Mal beigesetzt. Manche dieser Ossuare tragen aramäische, griechische oder zweisprachige Inschriften. Aus dem zahlreichen Material wurden hier lediglich fünf Inschriften ausgewählt. Vgl. insgesamt É. Puech, *Inscriptions Funéraires Palestiniennes: Tombeau de Jason et Ossuaires,* Revue Biblique 90, 1983, S. 481–533; Figueras, *Decorated Jewish Ossuaries*, Leiden 1983.

**60** *Zwei Ossuar-Inschriften aus Talpiot.*

Im Jahr 1945 wurde in Talpiot, einem Vorort Jerusalems, eine große Grabkammer entdeckt. Sie scheint zwischen 50 v. Chr. und 50 n. Chr. in Gebrauch gewesen zu sein. Sie enthielt 14 Ossuare; auf einigen waren noch leserliche

Inschriften, teils auf aramäisch, teils auf griechisch. Die beiden griechischen Inschriften, deren Interpretation umstritten ist, sind folgendermaßen zu transkribieren:

a) Iesous iou
b) Iesous aloth

Der Name Jesus ist deutlich zu lesen und wirft keine Fragen auf. Die folgenden Buchstaben haben verschiedene Interpretationen erfahren. Die plausibelste Erklärung dürfte sein, daß es sich bei *Iou* und *Aloth* um Personennamen handelt; es wäre dann von den Gebeinen Jesu, des Sohnes des Iou (oder des Ias, wenn ιου der Genitiv von 'Ιας ist), bzw. von denen Jesu, des Sohnes des Aloth, die Rede. In diesem Falle hätten die Ossuare nichts mit den Ursprüngen des Christentums zu tun; das wäre insofern ein interessantes Ergebnis, als sich auf einigen Ossuaren auch eingravierte Kreuze befinden, die dann als jüdische Symbole aufgefaßt werden müssen (vgl. E. Dinkler, *Signum Crucis*, Tübingen 1967, S. 3–15; R. H. Smith, *The Cross Marks on Jewish Ossuaries*, Palestine Exploration Quarterly 106, 1974, S. 53–66). Manche Forscher freilich beziehen den Namen Jesus auf Jesus von Nazareth. E. L. Sukenik faßt *iou* und *aloth* als Klagerufe auf: Angesichts des Todes wenden sich die Hinterbliebenen in ihrem Kummer an Jesus (in: American Journal of Archaeology 51, 1947, S. 351–365). B. Gustafsson (in: New Testament Studies 3, 1956, S. 65–69) akzeptiert diese Auslegung für *iou*, das er als einen Hilferuf versteht: ,Jesus, hilf!' *Aloth* bringt er mit dem hebräischen *'alah* in Verbindung und versteht die Inschrift folgendermaßen: ,Jesus, laß ihn (der hier ruht) auferstehen!'

**61** *Ossuar des Alexander aus Kyrene, Sohn des Simon.*

Die folgende Ossuar-Inschrift aus Jerusalem (1. Jh. n. Chr). ist in der 1. Zeile auf griechisch, in der zweiten auf aramäisch abgefaßt. Möglicherweise handelt es sich um das Grab desjenigen Alexanders, dessen Vater, Simon aus Kyrene, nach Mk 15, 21 gezwungen wurde, Jesu Kreuz zu tragen (vgl. K. Beyer, *Die aramäischen Texte vom Toten Meer,* Göttingen 1984, S. 344).

Alexander Simon. [Simon Ale] Alexander, (Sohn) des Simon. (Ossuar) des Alexander.
Alexander aus Kyrene.

**62** *Ossuar der Urenkelin des Hohepriesters Hannas.*

Das folgende Ossuar stammt vermutlich aus Ḥizma, einem kleinen Dorf in der Nähe Jerusalems; die Inschrift wurde von D. Barag und D. Flusser veröffentlicht und kommentiert (*The Ossuary of Yehoḥanah Granddaugther of the High Priest Theophilus*, IEJ 36, 1986, S. 39–44).

Yehoḥanah.
Yehoḥanah, Tochter des Yehoḥanan,
Sohn des Theophilos, des Hohepriesters.

Die Inschrift, die mit Ausnahme der hebräischen Worte *des Hohepriesters* auf aramäisch verfaßt ist, wurde von zwei verschiedenen Schreibern geschrieben. Die erste Hand schrieb nur den Namen Yehoḥanah, die zweite fügte die beiden folgenden Zeilen hinzu. Johannas Großvater, der Hohepriester Theophilos, war ein Sohn des Hohepriesters Hanan = Ananus (Josephus, *Bell* V 506), der aus dem NT als Hannas bekannt ist (vgl. Lk 3, 2; Joh 18, 13. 24; Apg 4, 6), und ein Schwager des Kaiphas (vgl. dieselben Stellen und Mt 26, 3. 57; Joh 11, 49). Er trat das hohepriesterliche Amt im Jahr 37 als Nachfolger seines Bruder Jonathas – diesen Namen lesen einige Handschriften in Apg 4, 6 anstelle von Johannes – an (Josephus, *Ant* XVIII 123 f). Wie lange er es bekleidete, ist nicht bekannt. Sein Sohn Matthias, dessen Bruder Johannes in der obigen Inschrift genannt ist, wurde im Jahr 65 Hohepriester. Gleichzeitig teilen die Herausgeber noch eine weitere inschriftliche Erwähnung eines Hohepriesters zur Zeit des NT mit: Die noch von K. Beyer (*Die aramäischen Texte vom Toten Meer*, S. 349) mit *Der Hohepriester ʿAqabja* zitierte Kruginschrift aus Masada muß nach verbesserter Lesung durch J. Naveh lauten: *Ḥa[nani]a, der Hohepriester; ʿAqavia, sein Sohn.* Ḥananiah = Ananias (vgl. Josephus, *Ant* XX 103) war Hohepriester ca. von 47–59 n. Chr. (*art. cit.*, S. 41 Anm. 8).

### 63  Eine Ossuar-Inschrift aus Jericho.

In Jericho wurde eine ganze Serie von Ossuaren aus der Goliath-Familie entdeckt (R. Hachlili, *The Goliath Family in Jericho: Funerary Inscriptions from a First-Century A. D. Jewish Monumental Tomb*, Bulletin of the American School of Oriental Research, Nr. 235, 1979, S. 31–66); dazu gehört auch die folgende griechische Inschrift (*art. cit.*, Nr. 3a [vgl. 3b]).

Des Theodotos, (des) Freigelassenen (der) Königin
Agrippina, Ossuar.

Theodotos („der Gottgebene") ist der einzige griechische Name in den Inschriften der Goliath-Familie; vermutlich ist er mit Nat[an]el („Gott hat gegeben") identisch, der in Nr. 7 als Vater Marias und Sohn des Shlomson genannt wird, und hat den griechischen Namen erst angenommen, als er Sklave der Königin Agrippina wurde. Agrippina d. J. (ca. 15–59 n. Chr.) heiratete im Jahr 49 ihren Onkel, Kaiser Claudius, den sie dann im Jahr 54 vergiftete, um ihren Sohn Nero an die Macht zu bringen; 5 Jahre später wurde sie im Auftrag ihres Sohnes ermordet. Ungefähr Anfang der 50er Jahre muß sie, die dem jüdischen Volk wohlwollend gegenüberstand, Theodotos freigelassen haben.

## F. Juden und Gottesfürchtige in Aphrodisias

### 64  Eine Inschrift aus Aphrodisias.

Während der Grabungen in Aphrodisias, einer ca. 50 km westlich von Kolossä gelegenen Stadt in Karien, wurde eine auf zwei nebeneinanderliegenden Seiten (*a* und *b*) beschriebene Marmorstele gefunden, deren Text u. a. Proselyten und eine Gruppe von „Gottesfürchtigen" (θεοσεβεῖς) erwähnt. Seite *a* dokumentiert die Stiftung einer wohltätigen Einrichtung durch die Vorsitzenden einer Vereinigung mit dem Namen „die Lernbegierigen"; zum Vereinsvorstand gehören zwei Proselyten und zwei „Gottesfürchtige". Seite *b* enthält zwei Listen. Die obere Aufzählung, deren Anfang fehlt, nennt 55 Personen, deren Namen teilweise aus der Septuaginta vertraut sind. Von ihnen ist durch einen Zwischenraum eine weitere Liste von 52 Personen abgesetzt, die mit den Worten „Und die folgenden Gottesfürchtigen" eingeleitet wird. J. Reynolds und R. Tannenbaum, die die Texte herausgegeben und ausführlich kommentiert haben (*Jews and Godfearers at Aphrodisias. Greek Inscriptions with Commentary*, Cambridge 1987), halten *a* und *b* für zwei zusammengehörige Teile einer einzigen jüdischen Inschrift aus dem 1. Jahrzehnt des 3. Jh.s n. Chr. Bei dem Verein dürfte es sich ihrer Meinung nach um eine Vereinigung zum Studium des mosaischen Gesetzes und zum gemeinsamen Gebet handeln, zu dessen Mitgliedern neben Juden (die obere Liste der Seite *b*) auch eine Gruppe von „Gottesfürchtigen" gehörte. Bei diesen θεοσεβεῖς könnte es sich um einen Kreis interessierter Heiden handeln, der den σεβόμενοι in der Apostelgeschichte entspricht (vgl. jetzt dazu auch L. H. Feldman, *Proselytes and „Sympathizers" in the Light of the New Inscriptions from Aphrodisias*, REJ 148, 1989, S. 265–305).

Die Übersetzung einiger Auszüge aus dieser Inschrift basiert auf der Interpretation des Textes durch die Herausgeber. Aus den beiden Listen der Seite *b* wurden v. a. diejenigen Personen ausgewählt, deren Berufsbezeichnung Einblick in die soziale Schichtung der Juden und „gottesfürchtigen" Heiden in Aphrodisias gewähren.

*Seite a*
Gott, unser Helfer. Gebäude (?) für eine Volksküche (?).

Die unten aufgeführten (Mitglieder) des Leitungsgremiums (des Vereins) der „Gesetzesstudenten" (?), die auch die „allezeit Lobpreisenden" (?) heißen, haben zur Linderung der Not für die Gemeinde aus
5  eigenen Mitteln (diese) Gedenk(stätte?) errichtet:
Jael, der Patron, mit (seinem) Sohn Josua, dem Vorstandsmitglied; Theodotos, ein ehemaliger Angestellter am kaiserlichen Hof, mit (seinem) Sohn Hilarianus; Samuel, der Vereinsvorsitzende (?), der Proselyt; Joses, Sohn des Jesseos; Benjamin, der Psalmensänger (?); Judas
10 Eukolos; Joses, der Proselyt; Sabbatios, Sohn des Amachios; Emmonios, der Gottesfürchtige; Antoninus, der Gottesfürchtige; Samuel, Sohn des Politianus.

(Es folgen in einer anderen Schrift fünf weitere Namen, einer davon mit dem Zusatz „Proselyt", am linken Rand ist ein weiterer Name nachgetragen.)

*Seite b*
(Anfang fehlt) ... Eugenios, der Goldschmied; ... Jako, der Schäfer; ... Eusabbathios, der Gemüsehändler; ... Zacharias, der Kolonialwaren-
15 händler; ... Eutychios, der Kupferschmied; ... Joseph, der Konditor; Ruben, der Konditor; ... Eutychios, der Geflügelhändler; Judas, der auch Zosi(mos?) (heißt); Zenon, der Altstoffhändler ...
Und die folgenden Gottesfürchtigen: Zenon, der Ratsherr (es folgen 8 weitere Ratsherren); Eupithios, der Purpurhändler; ... Valerianus,
20 der Schreibtafelhersteller; ... Hortasios, der Steinmetz; ... Adolios, der Hackfleischproduzent; ... Patricius, der Kupferschmied; Elpidianos, der Athlet (?); ... Paramonos, der Bildhauer (oder Maler); Eutychianos, der Walker; Prokopios, der Geldwechsler; Prunikios, der Walker; Stratonikos, der Walker; Athenagoras, der Zimmermann ...

## G. Römisches Recht in den Provinzen

**65** *Monumentum Ephesenum §§ 1. 9. 10. 37. 42. 44: Aus dem klein-asiatischen Zollgesetz.*

Im August 1976 wurde in Ephesus eine Inschrift gefunden, die die Bestimmungen für die Verpachtung der fünf Zollbezirke in der römischen Provinz Asia enthält. Neben einem Präskript aus dem Jahr 62 n.Chr. enthält der Text 63 Paragraphen. Die ersten 36 Paragraphen beinhalten das kleinasiatische Zollgesetz (*lex portorii Asiae*), das im Jahr 75 v.Chr. verabschiedet wurde; §§ 37–38 beinhalten Zusätze aus dem Jahr 72 v.Chr., der Rest stammt aus augusteischer und nachaugusteischer Zeit. Die Inschrift wurde herausgegeben, übersetzt und ausführlich kommentiert von H. Engelmann und D. Knibbe (*Das Zollgesetz der Provinz Asia. Eine neue Inschrift aus Ephesos,* Epigraphica Anatolica 14, 1989).

§ 1 Zollgesetz von Asia für Einfuhr und Ausfuhr zu Wasser und zu Land für [(alle), die anlanden und abfahren, und für (alle), die von] Kappadokien, Galatien, Bithynien aus die Asia umgürten.

§ 9 Wenn einer zur See etwas einführt oder ausführt, so soll er beim
5 Zöllner an den [nachfolgenden Orten] deklarieren: [Hieron am] Pontos, Kalchedon, Daskyleion, Apollonia an der Mündung des Rhyndakos, Kyzikos, Priapos, Parion, Lampsakos, [... As]sos, Gargaron, Poroselene, Antandros, Astyria, Adramytion, Atarneus, Pitane, Elaia, Myrina, dem früheren [Kyme, ... K]olophon,
10 Teos, Ephesos, Priene an der Mündung des Mäander, Milet, Iasos, Bargylia, Keramos [...], Perge, Magydos, Phaselis, am Promonturium Side.

§ 10 Wer zu Land einführt, soll an den Orten (seine Ware) anme[lden und deklarieren, an welchen eine Zollstation vor dem] früheren
15 Königs[land] oder (den) freien Städten oder (den) Stämmen oder (den) Demen besteht, bei dem Zöllner oder seinem Ver[treter, der, um den Zoll zu fordern, an] jener [Zollstation] ohne Arglist angeschrieben ist.

§ 37 Die Konsuln Lucius Gellius (Publicola) und Cn. (Cornelius) Len-
20 tulus (Clodianus) fügten (folgenden Zusatz) an: Was ein Herumziehender für seinen eigenen Gebrauch in das Gebiet oder die Stadt, wo [er Bürgerrecht hat], einführt und mitführt, dafür braucht er keinen Zoll zu bezahlen. Was ein [Herumziehender] aber aus jenem Gebiet oder (jener) Stadt, wo er kein Bürgerrecht
25 hat, [ein]führt und mitführt, das soll er deklarieren und dafür Zoll bezahlen; und auf diese Ware soll wie auf die übrigen Waren Zugriff und Pfand[nahme (erlaubt) sein].

§ 42 Dieselben (Konsuln) [fügten (auch folgenden Zusatz) an: Der Z]öllner, der vom (römischen) Volk das Eintreiben der Zölle ge-
30 pachtet hat, soll in dem Jahr, in welchem er den Nießbrauch übernimmt, an den zweiten Iden des Oktobers [dem Aerarium Saturni] (die Pacht) bezahlen; und auch in den übrigen Jahren

(soll er die Pacht) an den Iden des Oktobers (bezahlen), Jahr für Jahr.

35 § 44 Die [Konsuln] Publius Sulpicius Quirinus und Lucius Valgius [Rufus] fügten (folgenden Zusatz) an: Das Zoll(recht) für Einfuhr und Ausfuhr zu Wasser und zu Land innerhalb der Grenzen und Häfen der Colonia Augusta Troas ist (den Publicani) ent[zogen, damit allein] diese Colonia den Nutzen (aus dem Zoll) hat; das
40 Übrige (regelt sich) nach dem Gesetz.

2 *[für (alle), die von] Kappadokien, Galatien, Bithynien aus die Asia umgürten,* die also an die Provinz Asia angrenzen.

17 *[um den Zoll zu fordern]. Er betrug in der Regel 2,5%.*

*ohne Arglist angeschrieben.* „Der Name des Zollpächters sollte deutlich an jeder Zollstation ausgehängt sein (...). Der Deklarierende durfte sich auf den Aushang an der Zollstation verlassen; arglistige Täuschung lag vor, wenn eine nichtberechtigte Person an der Station verzeichnet war" (Engelmann/Knibbe, *op. cit.,* S. 74). Das Wort προγράφειν, das hier „deutlich lesbar anschreiben" meint, benutzt Paulus in Gal 3, 1 vielleicht in ähnlichem, aber übertragenem Sinne.

19 Der Zusatz § 37 datiert aus dem Jahr 72 v. Chr.

20 *ein Herumziehender.* „Der Paragraph betraf die Gruppe der κυκλεύοντες, also Leute, die wohl in ihrer überwiegenden Mehrheit berufsmäßig umherreisten ... Zu dieser Gruppe werden Kaufleute (...) mit Handelsniederlassungen in verschiedenen Provinzen sowie herumziehende Intellektuelle ... gezählt haben." (Engelmann/Knibbe, *op. cit.,* S. 102) Mitgeführte Waren des persönlichen Bedarfs (z. B. Geld, Proviant, Bücher, Schuhe, Siegelringe, vgl. § 25 f) waren nach § 35 zollfrei, wenn der Deklarierende sie aus dem Herrschaftsgebiet des römischen Staates nach Asien einführte. § 37 schränkt diese Bestimmung für „Herumziehende" ein: Mitgeführter Eigenbedarf war nur dann zollfrei, wenn der Deklarierende (1) das Bürgerrecht in der Provinz Asia und (2) das Bürgerrecht in der Stadt des Zollauslands, aus der er angereist kam, besaß. Für Paulus, einen Bürger der kilikischen Hauptstadt Tarsus (Apg 21, 39), der wie seine Mitarbeiter häufig zwischen der Asia und anderen Provinzen hin- und herreiste, dürfte dieser Zusatz eine erhebliche finanzielle Mehrbelastung bedeutet haben.

27 *Zugriff und Pfand[nahme],* d. h. die Waren wurden beschlagnahmt und nur gegen eine Pfandzahlung zurückerstattet.

28 *Dieselben (Konsuln),* nämlich C. Furnius und C. Silanus. Der Zusatz ist vor dem 15. 10. des Jahres 17 v. Chr. erlassen worden.

29 *das Eintreiben der Zölle gepachtet hat.* Die Pachtperiode währte 5 Jahre; sie begann am 15. 1.

31 *Iden des Oktobers.* Die Pachtschuld war jeweils am 15. 10. eines Jahres fällig.

35 *Publius Sulpicius Quirinus,* der in der Weihnachtsgeschichte erwähnte „Landpfleger in Syrien" (Lk 2, 2). Der Zusatz stammt aus dem Jahr 12 v. Chr.

38 *Colonia Augusta Troas.* Augustus erhob Alexandria Troas (vgl. Apg 16, 8. 11; 20, 5 f; 2 Kor 2, 12; 2 Tim 4, 13) zur Colonia Augusta Troas; wie Parion besaß sie das *ius Italicum* und hatte ihre eigene Zollhoheit.

**66** *Reskript des Kaisers Domitian am Ende der Lex Irnitana.*

Im Süden Spaniens wurden 1981 insgesamt 6 Bronzetafeln gefunden; ihr Text beinhaltet weite Abschnitte des flavischen Munizipalgesetzes für die Stadt Irni (Text mit engl. Übers. bei J. González, *The Lex Irnitana: a New Copy of the Flavian Municipal Law,* JRS 76, 1986, S. 147–243). Das weitgehend einheitliche flavische Munizipalgesetz war durch die fragmentarisch erhaltenen Fassungen der *Leges Salpensana* und *Malacitana* (CIL II 1963 und 1964; dt. Übers. bei H. Freis, *Historische Inschriften zur römischen Kaiserzeit,* Darmstadt 1984, Nr. 59–60) bereits seit 1851 bekannt; durch den Neufund werden manche Lücken gefüllt. Unter den ursprünglich 96 Paragraphen regelten einige die Bedingungen zur Erlangung des römischen Bürgerrechts. Demnach erhielten Magistratspersonen nach ihrer Amtszeit automatisch das Bürgerrecht. Ihre engsten Verwandten, insbesondere die rechtmäßige Ehefrau und die Kinder aus dieser Ehe, profitierten in gleicher Weise (§ 21). Für die ehemaligen Magistratsmitglieder mußte es beschämend sein, wenn sie mit einer Freigelassenen verheiratet waren, die auch nach Erhalt des Bürgerrechts noch unter der Vormundschaft ihres Patrons stand. Offenbar wandte sich eine Gemeinde mit einer Bittschrift an Domitian in der Hoffnung auf eine Ausnahmeregelung; der nachgetragene § 97 legt noch einmal die klaren gesetzlichen Bestimmungen fest, auf die der Kaiser in seinem Reskript insistiert (vgl. J.-L. Mourgues, *The So-Called Letter of Domitian at the End of the Lex Irnitana,* JRS 77, 1987, S. 78–87).

Ich weiß, daß einige Ehen von dem eingebrachten Gesetz betroffen sind; und wenn eure Sorge ein Zeichen dafür ist, daß ihr in der Folgezeit in irgendeiner Art eine Ehe geschlossen habt, ohne euren Stand genügend zu berücksichtigen, so verlange ich von euch, denen
5 ich in der Vergangenheit verziehen habe, daß ihr in Zukunft des Gesetzes gedenkt. Denn mit meiner Nachsicht hat es jetzt ein Ende.
Reskript, erteilt am 4. Tag vor den Iden des April in Circei, öffentlich verlesen am 5. Tag vor den Iden des Monats Domitian. Im Jahr der Konsuln M. Acilius Glabrio und M. Ulpius Traianus.

3 *ohne euren Stand genügend zu berücksichtigen.* Bestimmte Standesunterschiede konnten eine rechtlich gültige Ehe ausschließen.

7 *am 4. Tag vor den Iden des April.* 10. 4. 91.

*Circei,* eine Stadt in Latium, südlich von Rom.

8 *am 5. Tag vor den Iden des Monats Domitian.* 11. 10. 91. Zum Monat Domitian s. *16* Z. 29.

9 *M. Acilius Glabrio,* s. *19* mit Anm.

*M. Ulpius Traianus,* der spätere Kaiser Trajan.

# IV. Die Philosophen

Die Philosophie spielt in dem engeren Sinn, in dem der Begriff heute verstanden wird, in der Umwelt des NT nur eine geringe Rolle. Zur Zeit der frühen Christen war das Zeitalter der großen Philosophen vorüber. Die furchtlose Gedankenfreiheit des perikleischen Athens war verschwunden; die Menschen hatten das Vertrauen in die Kraft ihres Verstandes verloren; sie glaubten nicht mehr, Probleme des Geistes und der Materie, des Menschen und des Alls durch abstrakte Schlußfolgerungen lösen zu können. Dogmatismus, Offenbarung, Religion und sogar Aberglaube traten an die Stelle des unabhängigen Denkens; das Interesse für Metaphysik wurde durch das Interesse an der praktischen Ethik ersetzt: Wie sollte ein tugendhafter Mann in der Umgebung schlechter Menschen und kümmerlicher Zustände leben? Die Probleme der Kosmologie wurden als göttliche Geheimnisse betrachtet, die sich nur dem Auserwählten offenbaren.

Das ist vielleicht zu schwarz gemalt. Schließlich ist die Beschäftigung mit Moral für kein Zeitalter eine Schande, und schließlich kam ja auch das Christentum – wie übrigens schon das Judentum – als eine Offenbarung über die antike Welt. – Selbst eine nur oberflächliche Darlegung der metaphysischen Systeme von Plato und Aristoteles würde in diesem Buch ganz fehl am Platze sein. Das Werk Platos als des eigentlichen Begründers des Idealismus war sogar im ersten Jahrhundert noch recht einflußreich; aber das erste Jahrhundert machte daraus Gnosis oder ähnliches (s. Kap. V), und die in Kol 2, 8 vedammte „Philosophie" war eher eine Anbetung der Engel als eine Suche nach der Wahrheit und dem idealen Guten. Das erste Jahrhundert war in der Philosophie ein eklektisches Zeitalter, und wir werden hier nicht versuchen, die Theorien der verschiedenen philosophischen „Schulen" aufzuführen (wenn auch einige bewährte Titel beibehalten werden). Doch können die folgenden Auszüge vielleicht dazu verhelfen, die Atmosphäre wiederzugeben, in der der christliche Glaube propagiert wurde.

Nicht nur Philosophen vom Fach denken tiefsinnig und lehrreich über den Sinn des Lebens nach. Sie hinterlassen bei ihren Zeitgenossen auch nicht immer den Eindruck, als seien sie die weisesten und achtbarsten Leute. Dichter, und zwar nicht nur Tragiker, etablierten sich in einem intellektuellen Milieu. Die Kritik, die etwa ein Komiker wie Aristophanes vorbrachte, war erheblich mehr als die moderne Verspottung des zerstreuten Professors. Menschen wie er waren darüber schockiert, wie leichtfertig die Sophisten ihrem Wesen nach waren und wie gierig sie nach Profit strebten: Sie waren bereit, einem alles mögliche weiszumachen, wenn sie nur ihren Lebensunterhalt damit verdienten. Sokrates verdiente diese Kritik weniger als die meisten anderen; seine persönlichen Eigenschaften und sein Ruf gaben gleichwohl dazu Anlaß. Aristophanes hatte ernsthafte Dinge zu sagen über solche Themen wie Krieg und Frieden oder Männer und Frauen, wenn er es auch in zynischer Form zum Ausdruck brachte. Dennoch sucht man tiefsinnige Gedanken über Pflicht und Schicksal des Menschen eher bei den großen Tragikern. Diese entnahmen das Grundgerüst für ihre Dramen der griechischen Sagenwelt. Sie sahen dort die zentralen Fragen des Lebens angesprochen, die sie mit Hilfe der alten Geschichten neu zum Ausdruck brachten.

## A. Heraklit und der Logos

Es ist sehr unwahrscheinlich, daß diese Fragmente des Philosophen Heraklit – er lebte im 5. Jh. v. Chr. in Ephesus –, die das Wort λόγος enthalten, irgendetwas mit der Logoslehre des Johannes oder mit irgendeiner anderen neutestamentlichen Lehre zu tun haben. Man hat jedoch behauptet, daß Heraklits äußerst dunkle Bemerkungen für das Studium des NT von Bedeutung seien; sie werden hier abgedruckt, damit die Leser die Frage selbst entscheiden können. Die Zählung der Fragmente folgt der Ausgabe von H. Diels/W. Kranz, *Die Fragmente der Vorsokratiker*, Bd. I, Berlin [9]1959).

**67** *Heraklit, Fragment 1.*

Für diesen Logos aber, der immer (wahr) ist, bleiben die Menschen ohne Verständnis, sowohl ehe sie (ihn) gehört haben, als auch nachdem sie (ihn) das erste Mal gehört haben. Denn geschieht auch alles nach diesem Logos, so gleichen sie doch Unerfahrenen, wenn sie sich
5 an solchen Worten und Werken, wie ich sie erörtere, erproben, indem sie ein jegliches nach seiner Natur zerlegen und erklären, welche Bewandtnis es damit hat. Den anderen Menschen aber bleibt, was sie im Wachzustand tun, ebenso verborgen wie das, was sie im Schlaf vergessen.

1 *Logos* meint hier wie in Z. 4 die Lehren, fast: Sehersprüche, des Heraklit selbst. Andere übersetzen: „Für diesen Logos aber ... bleiben die Menschen

immer ohne Verständnis." Zur Diskussion der Stelle vgl. M. Conche, *Héra-clite. Fragments*, Paris 1986, S. 32f.

**68** *Heraklit, Fragment 2.*

[Darum ist es Pflicht, dem Gemeinsamen zu folgen.] Während der wahre Logos universell ist, leben die Vielen, als ob sie ein partikulares Denken hätten.

1 *[Darum ist es Pflicht, dem Gemeinsamen zu folgen.]* Dieser Satz gehört möglicherweise nicht zum Heraklit-Zitat (vgl. M. Conche, *op. cit.*, S. 57f).

2 *Logos* scheint sich wieder auf Heraklits Lehre zu beziehen.

**69** *Heraklit, Fragment 31.*

Veränderungen des Feuers: zuerst Meer, von (dem) Meer die eine Hälfte Erde, die andere Hälfte Glutwind. ⟨Erde⟩ zerfließt zu Meer und wird gemessen nach demselben Logos, wie er galt, bevor es zu Erde wurde.

*Logos* dürfte hier *Maßstab* oder *Verhältnis* bedeuten; ein ähnlicher Gebrauch liegt in den Fragmenten 45 und 115 vor.

**70** *Heraklit, Fragment 50.*

Für die, die nicht mich, sondern den Logos gehört haben, ist es weise, darin übereinzustimmen, daß alles eins ist.

1 *Logos* könnte hier mit „mein Wort" wiedergegeben werden. Heraklit will zum Ausdruck bringen, daß seine Botschaft wahr ist, was immer man auch vom Boten halten mag.

# B. Plato: Die Aufgabe des Philosophen und die Ideenlehre

Es würde weit über die Grenzen dieses Buches hinausführen, die Beziehung zwischen Sokrates und den Sophisten zu diskutieren. Daß Sokrates selbst fähig war, zwischen seinem eigenen Werk und dem der gewöhnlichen Sophisten scharf zu unterscheiden, ist klar; aber genauso klar ist, daß äußerlich keine geringe Ähnlichkeit zwischen ihnen bestand. Auch er schien wie sie manchmal „das schwächerere Argument zum stärkeren gemacht" zu haben. Das lag daran, daß er jede herkömmliche, unerforschte Ansicht in Zweifel zog, die Menschen aufforderte, sich selbst und ihre Voraussetzungen zu prüfen, und daß er es wagte, über so heikle Dinge wie Religion und die herrschende Staatsordnung neue Meinungen zu haben – oder mindestens neuartige Fragen zu stellen. Er schuf sich mächtige Feinde durch seine zersetzende Beweisführung, mit der er die hohlen Scheinweisheiten besonders derer bloßlegte, die als weise und einflußreich galten. Die Sophisten waren Lehrer der Rhetorik; Sokrates lehrte die Menschen, sich selbst zu erkennen und in dieser Erkenntnis ihre eigene Unwissenheit zu entdecken. Das war seine Sendung in Athen, und in treuer Erfüllung dieser Aufgabe wurde er zum Vorbild des philosophischen Missionars (s. unten *101–105*) und sogar des philosophischen Märtyrers.

**71**  *Plato, Apologie des Sokrates 28 D–30 C.*

In diesem Werk verteidigt sich Sokrates gegen den Vorwurf, dessen er für schuldig befunden und weswegen er zum Tode verurteilt wurde, nämlich daß er „die jungen Leute der Stadt verdorben habe und nicht an die Götter glaube, an die die Stadt glaube, sondern neue Götter eingeführt habe." Als Antwort beschreibt Sokrates den Ursprung seiner „Sendung". Das Delphische Orakel hatte ihn für den weisesten Menschen erklärt. Das fand er unglaubhaft, und zur Widerlegung hatte er nach und nach alle diejenigen befragt, die wegen ihrer Weisheit Ruhm genossen. Er war erstaunt, in ihnen ungeachtet ihres Rufes unwissende Männer zu finden, und kam zu der Ansicht, daß er vielleicht doch der weiseste der Menschen sei; denn, obwohl auch er unwissend war, wußte er doch wenigstens, daß er es war (vgl. Z. 22 ff.). Das Thema seiner Sendung wird dann weiter entwickelt.

Ich also hätte Arges getan, ihr Athener, wenn ich – als die Befehlshaber mir einen Platz anwiesen, die ihr gewählt hattet, um über mich zu befehlen bei Potidaia, bei Amphipolis und Delion – damals also, wo jene mich hinstellten, gestanden hätte wie irgendein anderer und es
5 auf den Tod gewagt; wo aber der Gott mich hinstellte, wie ich es doch glaubte und annahm, damit ich in Aufsuchung der Weisheit mein Leben hinbrächte und in Prüfung meiner selbst und anderer, wenn ich da, den Tod oder irgendetwas fürchtend, aus der Ordnung gewichen wäre! Arg wäre das, und dann in Wahrheit könnte mich einer mit
10 Recht hierher führen vor Gericht, weil ich nicht an die Götter glaubte, wenn ich dem Orakel unfolgsam wäre und den Tod fürchtete und mich weise dünkte, ohne es zu sein. Denn den Tod fürchten, ihr Männer, das ist nichts anderes, als sich dünken, man wäre weise, und es doch nicht sein. Denn es ist ein Dünkel, etwas zu wissen, was man nicht weiß.
15 Denn niemand weiß, was der Tod ist, nicht einmal, ob er nicht für den Menschen das größte ist unter allen Gütern. Sie fürchten ihn aber, als wüßten sie gewiß, daß er das größte Übel ist. Und wie wäre dies nicht eben derselbe verrufene Unverstand, die Einbildung, etwas zu wissen, was man nicht weiß!
20 Ich nun, ihr Athener, übertreffe vielleicht um dasselbe auch hierin die meisten Menschen. Und wollte ich behaupten, daß ich um irgend etwas weiser wäre, so wäre es um dieses, daß, da ich nichts ordentlich weiß von den Dingen in der Unterwelt, ich es auch nicht glaube zu wissen; gesetzwidrig handeln aber und dem Bessern, Gott oder
25 Mensch, ungehorsam sein, – davon weiß ich, daß es übel und schänd-

lich ist. Im Vergleich also mit den Übeln, die ich als Übel kenne, werde
ich niemals das, wovon ich nicht weiß, ob es nicht ein Gut ist, fürchten
oder fliehen. So daß, wenn ihr mich jetzt lossprecht, ohne dem Anytos
zu folgen, welcher sagt, entweder sollte ich gar nicht hierhergekom-
30 men sein, oder, nachdem ich einmal hier wäre, sei es ganz unmöglich,
mich nicht hinzurichten, indem er euch vorstellt, wenn ich nun durch-
käme, dann erst würden eure Söhne sich dessen recht befleißigen, was
Sokrates lehrt und alle ganz und gar verderbt werden; wenn ihr mir
hierauf sagtet: „Jetzt, Sokrates, wollen wir zwar dem Anytos nicht
35 folgen, sondern wir lassen dich los, unter der Bedingung jedoch, daß
du diese Nachforschung nicht mehr betreibst und nicht mehr nach
Weisheit suchst; wirst du aber noch einmal betroffen, daß du dies tust,
so mußt du sterben" – wenn ihr mich also, wie gesagt, auf diese
Bedingungen losgeben wolltet, so würde ich zu euch sprechen: Ich bin
40 euch, ihr Athener, zwar zugetan und Freund, gehorchen aber werde
ich dem Gotte mehr als euch, und solange ich noch atme und es
vermag, werde ich nicht aufhören, nach Weisheit zu suchen und euch
zu ermahnen und zurechtzuweisen, wen von euch ich antreffe, mit
meinen gewohnten Reden: „Wie, bester Mann, als ein Athener aus der
45 größten und für Weisheit und Macht berühmtesten Stadt, schämst du
dich nicht, für Geld zwar zu sorgen, wie du dessen aufs meiste erlan-
gest, und für Ruhm und Ehre; – für Einsicht aber und Wahrheit und
für deine Seele, daß sie sich aufs beste befinde, sorgst du nicht, und
hierauf willst du nicht denken?" Und wenn jemand unter euch dies
50 leugnet und behauptet, er denke wohl darauf, werde ich ihn nicht
gleich loslassen und fortgehen, sondern ihn fragen und prüfen und
ausforschen. Und wenn mich dünkt, er besitze keine Tugend, behauptet es aber, so werde ich es ihm beweisen, daß er das Wichtigste
geringer achtet und das Schlechtere höher.
55 So werde ich mit Jungen und Alten, wie ich sie eben treffe, verfahren
und mit Fremden und Bürgern, um so viel mehr aber mit euch Bürgern, als ihr mir näher verwandt seid. Denn so, wißt nur, befiehlt es
der Gott. Und ich meinesteils glaube, daß noch nie größeres Gut dem
Staate widerfahren ist als dieser Dienst, den ich dem Gott leiste. Denn
60 nichts anderes tue ich, als daß ich umhergehe, um Jung und Alt unter
euch zu überreden, ja nicht für den Leib und für das Vermögen zuvor
noch überall so sehr zu sorgen als für die Seele, daß diese aufs beste
gedeihe, zeigend, wie nicht aus dem Reichtum die Tugend entsteht,
sondern aus der Tugend der Reichtum und alle anderen menschlichen
65 Güter insgesamt, eigentümliche und gemeinschaftliche. Wenn ich
nun durch solche Reden die Jugend verderbe, so müßten sie ja schädlich sein; wenn aber jemand sagt, ich rede etwas anderes als dies, der
sagt nichts. Demgemäß nun, würde ich sagen, ihr athenischen Männer, – gehorcht nun dem Anytos oder nicht, sprecht mich los oder
70 nicht, – daß ich auf keinen Fall anders handeln werde, und müßte ich
noch so oft sterben!

1 *ich also hätte Arges getan.* Sokrates erklärt, warum er nicht aufgehört habe, zu philosophieren und „auszuforschen".

3 *bei Potidaia, bei Amphipolis und Delion,* in den Schlachten, die an diesen Orten in den Jahren 432, 422 und 424 v. Chr. stattgefunden haben. In wenigstens zwei von diesen hatte sich Sokrates durch seine Tapferkeit ausgezeichnet.

5 *wo der Gott mich hinstellte,* durch das Delphische Orakel. Vielleicht ist auch das „Daimonion" gemeint, von dem Sokrates sich geführt glaubte. Vgl. Z. 57.

70 Zum philosophischen Märtyrer vgl. *24–25* und *101–105.*

## 72  Plato, Staat VII, 514 A–517 A.

Das berühmte Höhlengleichnis gibt in Umrissen Platos Ideenlehre wieder. Es ist bezeichnend, daß dem Gleichnis eine praktisch-moralische Ausrichtung und Anwendung gegeben ist. Sokrates' Gesprächspartner ist Glaukon.

Nach diesen Erörterungen, fuhr ich fort, betrachte nun unsere menschliche Anlage vor und nach ihrer Entwicklung mit dem in folgendem bildlich dargestellten Zustande: Stelle dir nämlich Menschen vor in einer höhlenartigen Wohnung unter der Erde, die einen nach
5 dem Lichte zu geöffneten und längs der ganzen Höhle hingehenden Eingang habe, Menschen, die von Jugend auf an Schenkeln und Hälsen in Fesseln eingeschmiedet sind, so daß sie dort unbeweglich sitzenbleiben und nur vorwärts schauen, aber links und rechts die Köpfe wegen der Fesselung nicht umzudrehen vermögen; das Licht für sie
10 scheine von oben und von der Ferne von einem Feuer hinter ihnen; zwischen dem Feuer und den Gefesselten sei oben ein Querweg; längs diesem denke dir eine kleine Mauer erbaut, wie sie die Gaukler vor dem Publikum haben, über die sie ihre Wunder zeigen.

Ich stelle mir das vor, sagte er.

15 So stelle dir nun weiter vor, längs dieser Mauer trügen Leute allerhand über diese hinausragende Gerätschaften, auch Menschenstatuen und Bilder von anderen lebenden Wesen aus Holz, Stein und allerlei sonstigem Stoff, während, wie natürlich, einige der Vorübertragenden ihre Stimme hören lassen, andere schweigen.

20 Ein wunderliches Gleichnis, sagte er, und wunderliche Gefangene!

Leibhaftige Ebenbilder von uns! sprach ich. Haben wohl solche Gefangene von ihren eigenen Personen und voneinander etwas anderes zu sehen bekommen als die Schatten, die von dem Feuer auf die ihrem Gesichte gegenüberstehende Wand fallen?

25 Unmöglich, sagte er, wenn sie gezwungen wären, ihr ganzes Leben lang unbeweglich die Köpfe zu halten.

Ferner, ist es nicht mit den vorübergetragenen Gegenständen ebenso? Allerdings.

Wenn sie nun miteinander reden könnten, würden sie nicht an der
30 Gewohnheit festhalten, den vorüberwandernden Schattenbildern, die sie sähen, dieselben Benennungen zu geben?

Notwendig.

Weiter: Wenn der Kerker auch einen Widerhall von der gegen-
überstehenden Wand darböte, so oft jemand der Vorübergehenden
35 sich hören ließe –, glaubst du wohl, sie würden den Laut etwas anderem zuschreiben als den vorüberschwebenden Schatten?

Nein, bei Zeus, sagte er, ich glaube es nicht.

Überhaupt also, fuhr ich fort, würden solche nichts für wahr gelten
lassen als die Schatten jener Gebilde?

40 Ja, ganz notwendig, sagte er.

Betrachte nun, fuhr ich fort, wie es bei ihrer Lösung von ihren
Banden und bei der Heilung von ihrem Irrwahne hergehen würde,
wenn solche ihnen wirklich zuteil würde: Wenn einer entfesselt und
genötigt würde, plötzlich aufzustehen, den Hals umzudrehen, herum-
45 zugehen, in das Licht zu sehen, und wenn er bei allen diesen Handlungen Schmerzen empfände und wegen des Glanzgeflimmers vor seinen
Augen nicht jene Dinge anschauen könnte, deren Schatten er vorhin
zu sehen pflegte: Was würde er wohl dazu sagen, wenn ihm jemand
erklärte, daß er vorhin nur ein unwirkliches Schattenspiel gesehen,
50 daß er jetzt aber dem wahren Sein schon näher sei und sich zu schon
wirklicheren Gegenständen gewandt habe und daher nunmehr auch
schon richtiger sehe? Und wenn man ihm dann nun auf jeden der
vorübergehenden wirklichen Gegenständen zeigen und ihn durch
Fragen zur Antwort nötigen wollte, was er sei, – glaubst du nicht, daß
55 er ganz in Verwirrung geraten und die Meinung haben würde, die
vorhin geschauten Schattengestalten hätten mehr Realität als die, die
welche er jetzt gezeigt bekomme?

Ja, bei weitem, antwortete er.

Und nicht wahr, wenn man ihn zwänge, in das Licht selbst zu sehen,
60 so würde er Schmerzen an den Augen haben, davonlaufen und sich
wieder jenen Schattengegenständen zuwenden, die er ansehen kann,
und würde dabei bleiben, diese wären wirklich deutlicher als die,
welche er gezeigt bekam?

So wird's gehen, meinte er.

65 Wenn aber, fuhr ich fort, jemand ihn aus dieser Höhle mit Gewalt
den rauhen und steilen Aufgang zöge und ihn nicht losließe, bis er ihn
an das Licht der Sonne herausgebracht hätte, – würde er da wohl nicht
Schmerzen empfunden haben, über dieses Hinaufziehen aufgebracht
werden und, nachdem er an das Sonnenlicht gekommen, die Augen
70 voll Blendung haben und also gar nichts von den Dingen sehen können, die jetzt als wirkliche ausgegeben werden?

Er würde es freilich nicht können, sagte er, wenn der Übergang so
plötzlich geschähe.

Also einer allmählichen Gewöhnung daran, glaube ich, bedarf er,
75 wenn er die Dinge über der Erde schauen soll. Da würde er nun
erstlich die Schatten am leichtesten anschauen können und die im
Wasser von den Menschen und den übrigen Wesen sich abspiegelnden
Bilder, sodann erst die wirklichen Gegenstände selbst. Nach diesen
zwei Stufen würde er die Gegenstände am Himmel und den Himmel

80 selbst erst des nachts, durch Gewöhnung seines Blickes an das Ster-
nen- und Mondlicht, leichter schauen als am Tage die Sonne und das
Sonnenlicht.

Ohne Zweifel.

Und endlich auf der vierten Stufe, denke ich, vermag er natürlich
85 die Sonne, das heißt nicht ihre Abspiegelung im Wasser oder in sonst
einer außer ihr befindlichen Körperfläche, sondern sie selbst in ihrer
Reinheit und in ihrer eigenen Region anzublicken sowie ihr eigentli-
ches Wesen zu beschauen.

Ja, notwendig, sagte er.

90 Und nach solchen Vorübungen würde er über sie die Einsicht gewinnen, daß sie die Urheberin der Jahreszeiten und Jahreskreisläufe ist,
daß sie die Mutter von allen Dingen im Bereiche der sichtbaren Welt
und von allen jenen allmählichen Anschauungen gewissermaßen die
Ursache ist.

95 Ja, entgegnete er, offenbar muß er zu diesen Einsichten nach jenen
Vorübungen gelangen.

Wenn er nun an seinen ersten Aufenthaltsort zurückdenkt und an
die dortige Weisheit seiner Mitgefangenen: Wird er da wohl nicht sich
wegen seiner Veränderung glücklich preisen und jene bedauern?

100 Ja, sicher.

Und wenn damals bei ihnen Ehres- und Beifallsbezeugungen wech-
selseitig bestanden sowie Belohnungen für den schärfsten Beobachter
der vorüberwandernden Schatten, ferner für das beste Gedächtnis
daran, was vor, nach und mit ihnen zu kommen pflegte, und für die
105 geschickteste Prophezeiung des künftig Kommenden: Meinst du, daß
er da danach Verlangen haben werde, daß er die bei jenen Höhlenbe-
wohnern in Ehre Stehenden und Machthabenden beneidet? Oder daß
es ihm geht, wie Homer sagt, und er „viel lieber als Tagelöhner bei
einem anderen dürftigen Manne das Feld bestellen" und eher alles in
110 der Welt über sich ergehen lassen will, als jene Meinungen und jenes
Leben haben?

Letzteres glaube ich, sagte er, daß er nämlich sich eher allen Leiden
unterziehen als jenes Leben führen wird.

Hierauf nun, fuhr ich fort, bedenke folgendes: Wenn ein solcher
115 wieder hinunterkäme und sich wieder auf seinen Platz setzte: Würde
er da nicht die Augen voll Finsternis bekommen, wenn er plötzlich aus
dem Sonnenlicht käme?

Ja, ganz sicherlich, sagte er.

Aber wenn er nun, während sein Blick noch verdunkelt wäre, wie-
120 derum im Erraten jener Schattenwelt mit jenen ewig Gefangenen
wetteifern sollte, und zwar ehe seine Augen wieder zurechtgekommen
wären – und die zu dieser Gewöhnung erforderliche Zeit dürfte nicht
ganz klein sein –: Würde er da nicht ein Gelächter veranlassen, und
würde es nicht von ihm heißen, weil er hinaufgegangen wäre, sei er
125 mit verdorbenen Augen zurückgekommen, und es sei nicht der Mühe
wert, nur den Versuch zu machen hinaufzugehen? Und wenn er sich

gar erst unterstände, sie zu entfesseln und hinaufzuführen, – würden
sie ihn nicht ermorden, wenn sie ihn in die Hände bekommen und
ermorden könnten?

130 Ja, gewiß, sagte er.

## C. Aristoteles

Nur eine einzige Passage aus dem Werk dieses großen und einflußreichen Philosophen soll hier zitiert werden. Sie wirft ein Licht auf
seine Logik und auf sein penibles Interesse an genauen Defini-
tionen.

**73** *Nikomachische Ethik V 7–12 (1132a 19–b 9).*

Wenn es daher Streitigkeiten gibt, so geht man zum Richter um Hilfe.
Der Weg zum Richter aber ist der Weg zum Recht; denn das Wesen des
Richters will gleichsam verkörpertes Recht sein. Und man sucht den
Richter als den Mann, der in der Mitte steht, und mancherorts nennt
5 man ihn ‚Mittler‘, um die Erwartung anzudeuten, daß man sein Recht
bekommt, wenn man die Mitte bekommt. So ist das Recht ein Mittle-
res, da es auch der Richter ist. Der Richter stellt die Gleichheit wieder
her, und das ist so, wie wenn er bei einer in zwei ungleiche Teile
geteilten Linie den Abschnitt, um den der größere Teil über die Mitte
10 hinausreicht, wegnähme und dem kleineren Teil hinzufügte. Wird
aber das Ganze in zwei gleiche Teile geteilt, so sagt man, man habe
‚das Seinige‘, wenn jeder eben den gleichen Anteil erhalten hat.
   Das Gleiche aber ist die Mitte zwischen der größeren und der kleineren Linie entsprechend der arithmetischen Proportion; daher der Na-
15 me *dikaion* (das Gerechte), weil es sich um ein *dicha* (eine Zweitei-
lung) handelt. Es ist, wie wenn man *dichaion* sagte und der Richter
(*dikastes*) ‚Zweiteiler‘ (*dichastes*) heiße. Denn wenn zwei gleiche Grö-
ßen gegeben sind und man die eine um ein Stück verkleinert und dies
der anderen hinzufügt, so ist die andere um diese zwei Stücke größer
20 geworden. Hätte man nämlich nur verkleinert und nicht hinzugefügt,
so wäre sie nur um das eine Stück größer geworden. Sie ist also um ein
Stück größer geworden als die Mitte, und die Mitte ist um ein Stück
größer geworden als die verkleinerte Größe. Dadurch mag uns denn
klar werden, was wir von dem, was größer geworden ist, wegzuneh-
25 men und dem, was kleiner geworden ist, hinzuzufügen haben: Dem
Kleiner-Gewordenen ist das hinzuzufügen, wodurch die Mitte es übertrifft, und dem Größten ist das wegzunehmen, wodurch es die Mitte
übertrifft. Beispiel: Die Strecken AA′ BB′ CC′ seien einander gleich.
Von AA′ werde die Strecke AE weggenommen und der Strecke CC′ als
30 CD hinzugefügt, so daß die ganze Strecke DCC′ die Strecke EA′ durch
die Strecke CD und CF übertrifft. Sie ist also um CD größer geworden
als BB′.

3 *verkörpertes Recht*, δίκαιον ἔμψυχον. Vgl. *97* Z. 5 mit Anm.

| A | E | | A' |
|---|---|---|---|
| B | | | B' |
| D | C | F | C' |

## D. Die ältere Stoa

Als philosophisches System war der Stoizismus materialistisch; viel wichtiger als dies ist jedoch die Tatsache, daß er im Geist tief religiös und ethisch war. Das Weltall, glaubten die Stoiker, ist nicht ein sinnloser Raum, noch ist des Menschen Platz darin zufällig. Die geordnete Materie wird von Vernunft und Zweck, λόγος, der selbst göttlich und letzten Endes der einzige Gott ist, an den die Stoiker glaubten, durchdrungen (s. jedoch *76* über ihre Bereitschaft, die Götter der Volksreligion anzuerkennen). Diese göttliche Vernunft ordnet die regelmäßigen Bewegungen der Himmelskörper, die Folge der Jahreszeiten und den genauen Ablauf der den Naturdingen jeweils zukommenden Funktionen. Des Menschen Pflicht ist, in Übereinstimmung mit dieser Vernunft oder dem Naturgesetz (κατὰ λόγον) zu leben; ein Funke oder Samenkorn der allgemeinen Vernunft (ein λόγος σπερματικός) wohnt in den Menschen, oder zumindest in den besten und weisesten. Wie Sokrates muß der Stoiker dem göttlichen Funken um jeden Preis gehorchen, und sei es um den Preis seines Lebens. Es kann sogar unter gewissen Umständen der angemessenste Weg für den weisen und pflichtbewußten Mann sein, sich das Leben zu nehmen – ein Leben, das Würde und Wert verloren hatte, durfte dem Tod nicht vorgezogen werden. Das macht den Eindruck eines kalten und freudlosen Glaubens, und vielleicht war es so; doch ohne Frage spornte er so manchen an, dem Kampf des Lebens mit klarem Kopf und tapferem Herzen entgegenzusehen, und er brachte Menschlichkeit und Gleichmut in eine Welt, in der diese Tugenden nicht verbreitet waren.

Kein Werk eines der älteren Stoiker ist vollständig auf uns gekommen, und die Autoren selbst sind uns nur unvollkommen bekannt. Der Gründer der Schule war Zeno (ca. 336–263 v. Chr.), der in der freskengeschmückten Säulenhalle (*Stoa poikile*) in Athen lehrte, von der die Schule ihren Namen hat. Beinahe gleichzeitig mit ihm lebte Kleanthes (ca. 331–232 v. Chr.). Eine Generation später lebte Chrysipp (ca. 280–205 v. Chr.), vielleicht der fruchtbarste aller stoischen Schriftsteller. Poseidonios, der in diesem Abschnitt ebenfalls zitiert wird, gehört zu einer späteren

Periode (ca. 135–51 v. Chr.) und ist besonders deshalb wichtig, weil er sich bemühte, stoische und platonische Gedanken zu vereinigen. Die Texte der folgenden Fragmente sind zusammengestellt bei J. v. Arnim, *Stoicorum veterum fragmenta*, 3 Bde., Leipzig 1903 ff (Nachdr. Stuttgart 1964).

## 74 *Zeno, Fragmente 175. 176.*

Schicksal ist die verkettete Ursache der Dinge oder der Logos, nach dem der Kosmos geleitet wird. Zeno ... nennt (das Schicksal) die bewegende Kraft der Materie ... die man auch „Vorsehung" oder „Natur" nennen könne.

1 u. 2 *Schicksal* (εἱμαρμένη) ... *Logos*. Schon bei Zeno erscheint die charakteristische stoische Lehre, daß das Weltall vom Logos durchwaltet werde, welcher zur gleichen Zeit der Plan ist, nach dem sich die Dinge bewegen, und die Kraft, die ihre Bewegung veranlaßt. Durch den Begriff des Schicksals ist er verbunden mit den regelmäßigen Bewegungen der Himmelskörper, welche ihrerseits die menschlichen Angelegenheiten beeinflussen.

## 75 *Zeno, Fragment 98.*

Das Urelement der Dinge ist das Feuer (sagen sie) ... Dessen Ursprung ist Materie und Gott ... beide sind Körper: der aktive (Gott) wie der passive (Materie) ... Nach bestimmten, festgesetzten Zeiträumen geht der gesamte Kosmos in Feuer auf, darauf bildet sich seine
5 Ordnung aufs neue. Das ursprüngliche Feuer jedoch bleibt wie ein Same gleichsam bestehen und enthält die Gedanken und Gründe aller Dinge, die waren, sind und sein werden. Ihre Verknüpfung und Folge ist Schicksal, Wissen, Wahrheit und Gesetz der Dinge, unentrinnbar, unausweichlich. Auf diese Weise ist das ganze All auf das Beste re-
10 giert, wie ein Staat, der sich auf die hervorragendsten Gesetze stützt.

1 *dessen Ursprung ist Materie und Gott.* Hier hat der Überlieferer, Euseb, den stoischen Gedanken kaum richtig wiedergegeben. Gott *ist* Feuer; und als der Kosmos sich bildete, verwandelte sich etwas Feuer in Materie.

4 *geht der gesamte Kosmos in Feuer auf.* Dies geschieht, wie die Stoiker glauben, periodisch. Der Vorgang hieß ἐκπύρωσις.
*bildet sich seine Ordnung aufs neue.* Auch dies war ein wiederkehrendes Ereignis. Feuer wird zur Materie; s. oben.

6 *Gedanken* λόγοι. Der Logos oder die Vernunft des Weltalls wurde unterschieden, jedoch nicht völlig getrennt von den Logoi, die jedes Einzelding kontrollieren.

## 76 *Zeno, Fragmente 162. 152.*

Das allgemeine Gesetz, dasselbe wie die „richtige Vernunft", welches alles durchdringt, ist identisch mit Zeus, dem obersten Walter aller Dinge.

Zeno hat auch diesen Gedanken ausgesprochen: „Mit gutem Grund
5 ehrt man doch wohl die Götter. Nicht vorhandene würde man aber
nicht mit gutem Grund verehren. Also gibt es Götter."

1 *richtige Vernunft* (ὀρϑὸς λόγος) ... *identisch mit Zeus.* In diesem Punkt
nähert sich der Stoizismus dem Theismus; diese Stelle zeigt jedoch, daß sein
Theismus ein Pantheismus war.

2 *dem obersten Walter aller Dinge,* καϑηγεμόνι τούτῳ τῆς τῶν ὄντων διοική-
σεως ὄντι.

4 *mit gutem Grund ehrt man ... die Götter.* Es ist erstaunlich, daß Zeno die
*petitio principii,* die in dieser Prämisse enthalten ist, nicht bemerkt hat.

**77** *Kleanthes, Fragment 537.* Der berühmte Zeushymnus.

Zeus, der Unsterblichen höchster, vielnamiger Herrscher des Welt-
Ursprung du der Natur, der alles gesetzlich regieret, [alls,
Sei mir gegrüßt! Dich zu rufen, geziemt ja den Sterblichen allen.
Denn sie stammen aus deinem Geschlecht. Den Menschen allein nur
5 Gabst du die Sprache von allem, was lebt und sich reget auf Erden.
Preis sei dir, und deine Gewalt soll immer mein Lied sein.
Willig gehorcht dir die Welt, die rings die Erde umkreiset,
Folgt dir, wohin du sie führest, gefügig dem mächtigen Willen.
Denn du schwingst ja als Werkzeug in unüberwindlichen Händen
10 Ihn, den zackigen, feurigen Blitz, den immer lebend'gen,
Der mit loderndem Strahl die Werke der Schöpfung vollendet.
Durch ihn sendest du aus die Vernunft, die alles durchwaltet
Und sich vermählt mit den großen und kleineren Lichtern des Him-
Durch ihn bist du so mächtig, der oberste König des Weltalls. [mels;
15 Nichts kann ohne dein Zutun, o Gott, geschehen auf Erden,
Nichts im göttlichen Äther des Himmels noch drunten im Meere,
Außer allein, was die Bösen in ihrer Verblendung verbrochen.
Doch auch, was ungrad, vermagst du gerade zu richten, aus Wirrung
Ordnung zu schaffen und selbst Liebloses in Liebe zu wandeln.
20 Denn so fügtest du alles in Eins, das Gute und Böse,
Daß aus allem die Eine und ew'ge Vernunftordnung werde,
Die von den Menschen allein die Bösen verlassen und fliehen,
Die Unseligen, die nach den Gütern der Welt nur sich sehnen,
Aber von Gottes allgült'gem Gesetz nichts sehen noch hören,
25 Dem sie gehorchen nur dürften, um richtigen Sinnes zu leben.
Aber sie trachten stattdessen verblendet nach allerlei Übeln:
Ruhm erstreben die Einen im Eifer verderblicher Kämpfe,
Andre beherrscht, dem Anstand zum Hohn, die schnöde Gewinn-
Oder es lockt sie der Sinne Genuß, der den Körper entkräftet. [sucht,
30 Aber nur Unheil wird ihnen zuteil, so sehr sie sich mühen,
Heute durch dies und morgen durch jenes das Glück zu erjagen.
Darum, o Zeus, Allgeber, schwarzwolkiger Schleudrer des Blitzes,
Nimm von dem Menschengeschlecht der Sinnenlust trübe Verblen-
Reiß aus dem Herzen sie aus, o Vater, und laß es erlangen [dung,
35 Weisheit, kraft derer du selber gerecht das Weltall regierest,

Daß wir die Ehre, die du uns verliehen, dir gerne vergelten
Preisend stets, wie es Sterblichen ziemt, dein herrliches Walten.
Denn kein schön'rer Beruf ist Göttern und Menschen gegeben,
Als das ew'ge Gesetz des Weltalls würdig zu preisen.

1 *Zeus.* Über die stoische Bereitschaft, die alten Götter anzuerkennen, s. oben; doch Zeus unterscheidet sich in diesem Hymnus weitgehend vom Zeus des Volksglaubens.

2 *gesetzlich regieret.* Durch das Gesetz (νόμος), die Vernunft, die das Weltall regiert (s. oben 76); hier als Werkzeug eines persönlichen Gottes dargestellt.

4 *sie stammen aus deinem Geschlecht.* Überliefert ist *wir* (stammen), doch muß schon aus metrischen Gründen geändert werden (vgl. die Anmerkung von Arnim, Bd. II, S. 121 zu Z. 37). Der Fehler könnte aus Arat von Soli, *Phaenomena* 5 (ed. E. Maass, Berlin² 1954) eingedrungen sein, dessen ganz ähnliche Worte Paulus in Athen zitiert (Apg 17, 28).

17 *außer allein was die Bösen ... verbrochen.* Das Böse ist der Protest der Menschen gegen den göttlichen Logos bzw. das göttliche Gesetz; Gott kann dafür nicht verantwortlich gemacht werden.

## 78  Chrysipp, Fragment 625.

Die Stoiker sagen, daß, wenn die Planeten wieder in dieselbe Stellung zurückkehren nach Länge und Breite, welche jeder innehatte, als der Kosmos am Anfang entstand, sie in angegebenen Zeiträumen eine Verbrennung und Vernichtung aller Dinge hervorrufen. Der Kosmos
5 entsteht aber wiederum von Anfang an genau in der alten Ordnung. Die Sterne bewegen sich ebenfalls wieder; jeder vollbringt unverändert in der alten Bahn seinen Umlauf. Sokrates und Plato werden wieder wieder leben mit denselben Freunden und Mitbürgern, und sie werden dasselbe erleiden und dasselbe treiben; und jede Stadt, jedes Dorf,
10 jedes Feld werden wiederhergestellt. Und die Wiederherstellung des Ganzen geschieht nicht einmal, sondern oft. Ja, bis in alle Ewigkeit werden dieselben Dinge wiedergeschehen. Die Götter, die der Vernichtung nicht unterliegen und diese eine Periode verfolgt haben, kennen hieraus alle Zukunft für die nächsten Perioden. Denn es wird
15 nichts Fremdes gegenüber den früheren Ereignissen geschehen, sondern alles in derselben Weise unverändert bis zur kleinsten Kleinigkeit.

1 *die Planeten.* Der fatalistische Glaube an das Schicksal (oben 74) war eng verbunden mit der Astrologie. Ohne Zweifel war die regelmäßige, unveränderliche Bewegung der Sterne ein höchst eindringliches und imponierendes Phänomen.

4 *eine Verbrennung und Vernichtung.* S. oben 75. Die Geschichte war eine Folge von Zyklen, von denen jeder dem vorigen vollständig glich.

## 79  Chrysipp, Fragment 1169. Über das Problem des Bösen.

Es gibt nichts Törichteres als die Meinung, es könnte irgendwo Gutes geben, ohne daß es auch Schlimmes gibt. Denn da das Gute das

Gegenteil vom Schlimmen ist, so bilden beide notwendig Gegensätze
und können nur gegenseitig voneinander gestützt bestehen. Es gibt ja
5 doch keinen Gegensatz ohne seinen Gegensatz. Denn wie könnte es
ein Rechtsgefühl geben, wenn es kein Unrecht gäbe, oder was ist
Gerechtigkeit anderes als die Verneinung der Ungerechtigkeit? Wie
könnte man verstehen, was Tapferkeit sei, wenn nicht Feigheit daneben stünde? Wie wäre die Mäßigkeit zu erkennen, außer aus der
10 Unmäßigkeit? Wo bliebe ebenso die Klugheit, wenn ihr nicht die
Unklugheit entgegenstünde? Warum verlangen die Menschen in ihrer
Torheit nicht auch noch, daß es Wahrheit gäbe, aber daneben keine
Lüge? Denn auf gleiche Art besteht Gutes und Schlimmes, Glück und
Unglück, Schmerz und Lust. Sie sind nämlich, wie Plato sagt, mit den
15 entgegengesetzten Enden aneinandergebunden; wenn man eines beseitigt, beseitigt man beide.

**80**   *Chrysipp, Fragment 1192.*

Wenn es Götter gibt, und sie geben den Menschen die Zukunft nicht
bekannt, (1) lieben sie entweder die Menschen nicht, oder (2) kennen
selbst die Zukunft nicht, oder (3) sind der Meinung, daß es die Menschen nicht interessiere, was sein wird, oder (4) halten es für nicht
5 mit ihrer Hoheit vereinbar, die Zukunft vorauszusagen, oder (5) die
Götter sind selbst außerstande vorauszusagen. Aber (1) weder lieben
sie uns nicht, denn sie sind Wohltäter und Freunde des Menschenge-
schlechts; (2) noch kennen sie die Dinge nicht, die von ihnen selbst
beschlossen und vorgezeichnet sind; (3) noch interessiert es uns nicht,
10 was sein wird – wir wären nämlich vorsichtiger, wenn wir es wüßten;
(4) noch halten sie es für unvereinbar mit ihrer Hoheit – denn nichts
ist hochstehender als Wohltätigkeit; (5) noch sind sie außerstande, die
Zukunft vorherzuerkennen. Es kann also keine Götter geben, ohne
daß sie die Zukunft anzeigen. Es gibt aber Götter, also sagen sie auch
15 voraus. Und wenn sie voraussagen, so enthalten sie uns nicht die
Mittel vor, die Zeichen zu erkennen; denn sie würden ja umsonst
Zeichen geben; und wenn sie uns Mittel geben, fehlt auch die Weissagekunst nicht: Es gibt also Weissagekunst.

   8 *die von ihnen selbst beschlossen und vorgezeichnet sind.* Daß alle Dinge von
   den „Göttern" vorherbestimmt sind, ist ein volkstümlicher Ausdruck dafür,
   daß alle Dinge in Übereinstimmung mit der universalen Vernunft geschehen. Auf diese Weise waren die Stoiker in der Lage, den volkstümlichen
   Glauben an die Weissagekunst zu verteidigen.

   18 *Weissagekunst, divinatio.*

**81**   *Poseidonios, Fragment 395a* (ed. W. Theiler, Berlin/New York
1982 = Sextus Empiricus, *Adv. Math. VII 93*).

Wie das Licht, sagt Poseidonios in seiner Erklärung des platonischen
Timäus, durch den Gesichtssinn wahrgenommen wird, welcher licht-

haft ist, der Klang aber durch das Gehör, welches lufthaft ist, so muß
die Natur aller Dinge vom Verstand (λόγος) wahrgenommen werden,
5 welcher ihr artverwandt ist.

1 *Erklärung des platonischen Timäus*, d.h. zu 45 B. Der Platonismus begann
zur Zeit des Poseidonios, den Stoizismus stark zu beeinflussen. Der Timäus
wurde nach und nach geradezu als Heilige Schrift angesehen, als eine
inspirierte Offenbarung der Natur aller Dinge.

**82** *Poseidonios, Fragment 417* (ed. Theiler = Galen, *De placitis Hippocratis et Platonis* V 469 f).

Die Ursache der Affekte – d.h. der Disharmonie und des unglücklichen Lebens – ist, daß die Menschen dem Dämon in ihnen, der verwandt und wesensähnlich dem ist, der den ganzen Kosmos durchwaltet, nicht vollständig folgen; sondern dem Schlechteren und Tieri-
5 schen neigen sie zu und gehen mit ihm zusammen. Diejenigen, die das übersehen haben, haben weder hierin eine bessere Ansicht über die Ursache der Affekte noch haben sie eine richtige Meinung über das Glück und die Harmonie. Denn sie sehen nicht, daß bei ihr das Wichtigste ist, sich in keiner Hinsicht vom unvernünftigen, unglücklichen
10 und gottlosen (Teil) der Seele leiten zu lassen.

2 *dem Dämon in ihnen,* oder λόγος σπερματικός (s. oben S. 80); jedoch wird
diese Kraft, die zu richtigem Denken und Verhalten führt, hier mehr persönlich gefaßt, und die Auffassung der menschlichen Natur, die dahintersteht,
nähert sich mehr einem Dualismus. Vgl. das „Daimonion" des Sokrates,
durch das er geleitet wurde.

8 *Harmonie,* nämlich mit sich und der Natur.

## E. Die stoische Ethik

Es wurde oben bereits festgestellt, daß der Stoizismus von Anfang an eine Moralphilosophie war. Während sich aber die älteren Stoiker mit einer spekulativen Physik beschäftigten, die zwar von ihren Nachfolgern in der römischen Periode keinesfalls aufgegeben wurde, aber doch langsam in den Hintergrund trat, gewannen später ethische Interessen wachsende Bedeutung; denn der Stoizismus wurde zur vorherrschenden Philosophie der durch und durch praktischen Römer. Epiktet war ein gelähmter Sklave des Epaphroditus, der selbst ein Freigelassener Neros war. Man erlaubte ihm, Philosophie zu studieren, und schließlich wurde auch er freigelassen. Er war in Kleinasien geboren, kam nach Rom und ließ sich später in Nikopolis in Epirus nieder. Die genauen Daten seines Lebens sind uns nicht überliefert, aber er wirkte als Philosoph bereits im Jahre 89 n. Chr. und lebte bis zur Mitte des 2. Jahrhunderts. Marcus Aurelius Antoninus war von 161–180 römischer Kaiser. Er zeichnete sich schon in seiner Kindheit durch sein vornehmes Wesen aus, und es stand ihm alles zur Verfügung, was Wohlhabenheit und hohe Stellung geben können. Diese Dinge bedeuteten ihm jedoch nichts im Vergleich mit dem tugendhaften Leben eines Moralphilosophen. Vielleicht kam er dem Ideal eines Philosophenkönigs in der Geschichte am nächsten. „Der lahme phrygische Sklave und der Herrscher des Weltreichs – welche Gegensätze! Und doch haben beide im stoischen Glauben gefunden, was sie als sittliche und religiöse Menschen brauchten" (M. Pohlenz, *Die Stoa. Geschichte einer geistigen Bewegung,* Göttingen 1948, S. 341). Ihren Worten haben wir einen literarischen Brief Senecas, des Erziehers des Kaisers Nero, vorangestellt.

**83**  *Seneca, Epistulae morales 116.*

> Aus dem umfangreichen Werk Senecas wurde nur dieser eine Brief an Lucilius ausgewählt, um am Beispiel des Verhältnisses zu den Affekten (Leidenschaften) den Unterschied zwischen Stoikern und Peripatetikern anschaulich zu machen; vgl. dazu *100.*

Es ist eine alte Frage, ob die Mäßigung oder die völlige Tilgung der Leidenschaften vorteilhafter sei. Unsere stoischen Freunde wollen sie getilgt wissen, die Peripatetiker sind für Zügelung. Ich selbst vermag nicht einzusehen, wie die Herabmilderung einer Krankheit heilsam
5 oder nützlich sein kann. Keine Angst! Ich will dir nichts nehmen, was du dir nicht versagen möchtest. Ich bin in allen Dingen entgegenkommend und gefällig, die dir am Herzen liegen, die du für lebensnotwendig, nützlich und angenehm hältst. Nur was lasterhaft ist, will ich dir entreißen. Auch wenn ich dir die Gier untersage, kann ich dir den
10 Wunsch erlauben: Dann kannst du ihn ohne Angst, auch mit größerer Energie hegen und die Annehmlichkeiten stärker empfinden. Glaubst du nicht, daß eine Lustempfindung dich stärker erfüllt, wenn du ihr Herr, nicht ihr Sklave bist?

„Aber es ist doch natürlich", wirfst du ein, „daß ich unter der Sehn-
15 sucht nach dem Freund schwer leide; warum sollen meine Tränen nicht fließen? Ebenso natürlich beeindrucken uns die Meinungen der Mitmenschen, und ein schlechtes Urteil verstimmt uns: Warum willst du mir diese berechtigte Furcht vor der schlechten Meinung der Mitmenschen nicht lassen?" Jeder Fehler hat seinen Verteidiger. Immer
20 ist der Anfang unerheblich und verzeihlich; dann aber breitet er sich immer weiter aus, und es gibt trotz aller Anstrengungen kein Aufhören, hat man ihn einmal entstehen lassen. Zu Anfang ist auch jede Leidenschaft schwach. Dann gibt sie sich selbst die Sporen und gewinnt im Fortschreiten immer neue Kraft. Sie von vornherein auszu-
25 schließen ist leichter, als sie später auszutreiben. Jede Leidenschaft hat zweifellos eine natürliche Quelle. Die Natur hat uns die Sorge für

uns selbst mitgegeben; erst allzu große Selbstliebe wird ein Laster. Ebenso hat die Natur den Lebensfunktionen eine Lustempfindung mit auf den Weg gegeben, freilich nicht, um dieser Lust nachzujagen,
30 sondern damit ihre Mitwirkung uns den Kampf um lebensnotwendige Bedürfnisse angenehmer mache. Tritt die Lust selbständig auf, wird sie zur Ausschweifung, Zügellosigkeit. Also: Widerstand beim ersten Auftreten der Leidenschaft! Denn, wie gesagt, nicht entstehen lassen ist leichter als wieder loswerden.
35 „Schmerz und Trauer", sagst du, „gestatte wenigstens bis zu einem gewissen Grade!" Gerade dies ‚bis zu einem gewissen Grade' ist dehnbar; jedenfalls endet es nicht, wo du willst. Der Weise freilich braucht nicht ängstlich über sich zu wachen; er bremst Tränen und Lust an jeder beliebigen Stelle. Für uns hingegen ist es am besten, gar nicht
40 erst loszugehen, denn die Umkehr ist nicht einfach.
Eine geistvolle und feine Antwort gab Panaitios einem jungen Menschen auf die Frage, ob ein Weiser lieben dürfe: „Vom Weisen", sagte er, „wollen wir jetzt nicht sprechen. Jedenfalls dürfen ich und du, die wir noch längst keine Weisen sind, es nicht so weit kommen lassen,
45 daß wir in einen leidenschaftlichen, unbeherrschten Zustand geraten und einem anderen hörig, uns selbst verächtlich werden. Verschmäht er uns nicht, reizt uns seine Zugänglichkeit; verachtet er uns, empört uns sein Stolz. Entgegenkommen und Abweisung sind in der Liebe gleich schädlich: Entgegenkommen macht uns zu Gefangenen, Abwei-
50 sung zwingt uns zum Kampf. Im Bewußtsein unserer Schwäche wollen wir uns daher sozusagen neutral verhalten. Wir schwachen Menschen sollten uns dem Wein, der Schönheit, der Schmeichelei und anderen verführerischen Lockungen keinesfalls überlassen."
Was Panaitios in Fragen der Liebe antwortet, behaupte ich von
55 allen Leidenschaften. So weit wie möglich weg von diesem glatten, schlüpfrigen Boden! Schon auf trockener Erde stehen wir nicht fest. Jetzt wirst du mir die allgemein üblichen Vorwürfe gegen die Stoiker entgegenhalten: „Eure Versprechungen sind zu groß, eure Forderungen zu hart. Wir sind nur schwache Menschen und können uns nicht
60 alles versagen. Wir wollen trauern, doch nicht lange; wir wollen begehren dürfen, freilich mit Maßen; wir wollen auch mal zornig werden, aber dann wieder versöhnlich sein." Weißt du, warum wir das alles nicht können? Weil wir an unser Können nicht glauben. Oder vielmehr – weiß Gott, in Wirklichkeit ist es noch anders: Wir sind in unsere
65 Fehler verliebt, nehmen sie in Schutz und wollen sie lieber entschuldigen als ablegen. Stärke hat die Natur dem Menschen genug gegeben – nur müssen wir sie gebrauchen, unsere Kräfte zusammenfassen und restlos für uns, keinesfalls gegen uns verwenden. Mangel an Willen ist der Grund, Unfähigkeit nur Vorwand.

41 *Panaitios*, bedeutender Vertreter der jüngeren Stoa (Schulhaupt von 129–109 v. Chr.).

68 *Mangel an Willen ... Unfähigkeit.* Vgl. dagegen Paulus: „Das Wollen ist bei mir vorhanden, aber das Gute zu vollbringen nicht" (Röm 7, 18).

**84** *Epiktet, Vorträge I, XVI 1–8. 15–21.* Von der Vorsehung.

Verwundert euch nicht, daß für die übrigen Geschöpfe alles, was der
Leib erfordert, in Bereitschaft ist, nicht nur Speise und Trank, sondern auch Lagerstätten, und daß sie keiner Schuhe, keiner Betten
noch Kleider bedürfen, wir Menschen dagegen alles dessen bedürfen.
5 Denn weil sie nicht um ihrer selbst willen, sondern zum Dienen geschaffen sind, so wäre es nicht zweckmäßig gewesen, sie so zu machen,
daß sie noch etwas bedürften. Denn bedenke doch, wie übel es um uns
stünde, wenn wir nicht nur für uns selbst, sondern auch für die Schafe
und Esel sorgen müßten, daß sie Schuhe und Kleider hätten, daß
10 Essen und Trinken für sie vorhanden sei. Vielmehr ist es wie bei den
Soldaten: Sie stehen dem Feldherrn in Stiefeln, in völliger Montur und
Waffen schon bereit da, und es wäre nicht auszustehen, wenn die
Hauptleute erst noch umhergehen und das Regiment Mann für Mann
ankleiden und stiefeln müßten! Also hat auch die Natur die Tiere, weil
15 sie zum Dienen bestimmt sind, so geschaffen, daß sie, schon gerüstet
und bereit, keiner weiteren Fürsorge bedürfen. Ein einziger kleiner
Junge treibt mit seinem Stabe eine ganze Herde Schafe.

Nun aber, anstatt Gott für diese Einrichtung zu danken, machen
wir ihm Vorwürfe, daß er minder Sorge auf uns als auf die Tiere
20 gewendet habe. Und es könnte doch, beim Zeus und allen Göttern, ein
einziges Ding in der Natur schon genug sein, einem ehrlichen und
dankbaren Menschen die Vorsehung fühlbar zu machen. Du darfst
mir dabei nicht einmal an Großes denken. Betrachte nur dies, daß aus
Gras Milch und aus Milch Käse wird und daß Wolle aus dem Felle
25 wächst. Wer ist es, der dies gemacht, der dies erdacht hat?

Niemand, sagst du?

Ist es möglich, so unverschämt, so gefühllos zu sein? ...

Was sollten wir doch, wenn uns der Sinn dafür aufgegangen wäre,
insgesamt und einzeln anderes tun, als Gott lobsingen und preisen
30 und seine Wohltaten aufzählen? Sollte man nicht beim Pflügen, beim
Graben, beim Essen den Lobgesang auf Gott singen: „Groß ist Gott,
daß er uns dies Werkzeug gegeben hat, die Erde zu bebauen! Groß ist
Gott, daß er uns Hände gegeben, daß er unsern Schlund, daß er unsern
Magen geschaffen hat! Der gemacht hat, daß wir unvermerkt wach-
35 sen, daß wir atmen im Schlafe!"

So sollten wir bei jedem singen, den erhabensten und feurigsten
Lobgesang aber darüber anstimmen, daß er uns das Vermögen gegeben hat, die Dinge deutlich zu erkennen und auf gehörige Art und
Weise zu brauchen. Nun denn, weil ihr andern großenteils blind dage-
40 gen seid, sollte denn da nicht jemand sein, der diesen Platz ausfüllte
und für alle Gott den Lobgesang darbringt? Was kann ich lahmer
Greis andres tun, als Gott loben? Wäre ich eine Nachtigall, so täte ich,
was die Nachtigall kann. Wäre ich ein Schwan, so täte ich, was der
Schwan kann. Nun bin ich ein vernünftiges Geschöpf: Ich muß Gott
45 loben. Das ist mein Werk; ich will es verrichten und diesen Posten

behalten, solange es mir vergönnt ist. Auch euch fordere ich zu eben diesem Liede auf.

44 *ein vernünftiges Geschöpf,* λογικός, mit λόγος ausgestattet und deshalb der göttlichen Natur aller Dinge entsprechend.

**85**  *Epiktet, Vorträge II, VIII 9–14.*

Willst du nicht also das Wesen des Guten in dem Vermögen, von den sinnlichen Vorstellungen Gebrauch zu machen, suchen? Und wenn es fehlt, willst du da nicht sagen, keins von den lebendigen Geschöpfen außer dem Menschen sei desselben fähig? „Wie denn? Sind jene nicht
5 auch Werke der Götter?" Gewiß, nur nicht bevorzugte und nicht Teile der Götter. Du aber bist ein bevorzugtes Wesen, du bist ein Stück von Gott, du hast ein Teilchen von ihm in dir selbst. Warum kennst du deinen Adel nicht? Warum weißt du nicht, woher du stammst? Willst du nicht daran denken, wenn du issest, wer du bist, der du issest, und
10 wen du ernährst? Willst du nicht daran denken, wenn du dich in Liebe vereinst, wer du bist, der es tut? Wenn du in Gesellschaft bist, wenn du Leibesübungen machst, wenn du dich unterhältst, weißt du nicht, daß du gleichsam einen Gott ernährst, einen Gott übst? Einen Gott trägst du mit dir herum, du Armer, und weißt es nicht. Meinest du, ich rede
15 von einem silbernen oder goldenen außer dir? In dir hast du ihn und nimmst nicht wahr, daß du ihn mit unreinen Gedanken und garstigen Handlungen entheiligst. Wenn auch nur eine Bildsäule Gottes dastünde, so würdest du dich nicht erkühnen, etwas von dem zu tun, was du tust. Dagegen schämst du dich nicht, dergleichen Dinge zu denken
20 und zu tun, da doch Gott selbst in dir gegenwärtig ist und alles sieht und hört. O, wie wenig erkennst du deine Natur! Wie sehr mußt du Gott mißfallen!

4 *jene nicht auch,* zweitrangige Geschöpfe, die von Gottes Vorsehung dadurch zeugen, daß sie mit Eigenschaften ausgestattet sind, mit denen sie uns dienen können; s. oben *84.*

5 *Teile der Götter*, indem in dir ein Funke oder ein Same des universalen λόγος ist, der Gott ist.

**86**  *Epiktet, Vorträge IV, I 1–23. 128–131.*

Frei ist, wer lebt, wie er will, wer unter keiner Notwendigkeit, unter keiner Gewalt, unter keinem Zwange lebt; dessen Trieben nichts im Wege steht; dessen Begierden jedesmal erhalten, wonach sie streben; dessen Ablehnungen nie in das hineingeraten, was ihnen zuwider ist.
5 Ist nun aber irgendein Mensch, der in Sünden leben wollte?
Nicht einer.
Ist ein Mensch, der in Irrtum, in Übereilungen, in Ungerechtigkeiten, in Ausschweifungen, in Unzufriedenheit, in niedriger Gesinnung leben wollte?
10 Keiner.

Demnach lebt kein böser Mensch, wie er will, und folglich ist auch kein Böser frei. Oder will jemand gern in Betrübnis, in Kummer, in Neid, in Mitleid, in vergeblicher Begierde, in fruchtlosem Ablehnen leben?

15 Nein, das will niemand.

Ist nun unter den Bösen einer zu finden, der ohne Betrübnis, ohne Kummer ist, dessen Begierde nie vergeblich, dessen Ablehnung nie fruchtlos ist?

Nein.

20 So ist also auch kein Freier unter ihnen zu finden.

Wenn du dergleichen vor einem Herrn sagtest, der schon zweimal Konsul gewesen, und noch beifügtest: „Aber du bist ein Weiser; das geht dich nichts an", so würde er dir's zugut halten. Wenn du ihm aber die reine Wahrheit sagst: „Du bist um kein Haar besser als die, welche
25 schon zum dritten Mal verkauft worden sind, du bist nicht minder Sklave als sie", was könntest du anders als Stockschläge erwarten?

„Wie kann ich denn ein Knecht sein?" wird er sagen. „Mein Vater ist freigeboren, meine Mutter ist freigeboren, es wird niemand sagen können, daß er mich gekauft hat. Und überdies bin ich Senator, habe
30 Zutritt am kaiserlichen Hofe, bin Konsul gewesen und ein Herr von vielen Knechten."

Hierauf ist zu erwidern: „Erstens, mein bester Senator, dürften wohl dein Vater und deine Mutter und dein Großvater und so weiter hinauf alle deine Voreltern in eben demselbem Sinne wie du Sklave
35 gewesen sein. Gesetzt aber, sie seien so frei gewesen, als man immer sein kann, was geht das dich an? Oder wie? Wenn sie tapfer gewesen und du eine Memme bist? Wenn sie unerschrocken, du zaghaft, wenn sie enthaltsam gewesen, du hingegen ausschweifend wärest?"

„Ja was dann?" lautet die Antwort, „würde das beweisen, ich sei ein
40 Sklave?"

„Dünkt es dich kein Beweis, daß einer ein Sklave sei, wenn man zeigt, daß er etwas wider Willen, aus Zwang und mit Seufzen tut?"

„Das laß ich gelten. Aber wer kann mich zwingen, ausgenommen unser aller Herr, der Kaiser?"

45 „Du gestehst also doch selbst, daß du wenigstens einen Herrn hast. Daß er aber, wie du sagst, Herr über alle zusammen ist, das soll dir gar kein Trost sein, sondern du hast dich hiermit für einen Sklaven aus einer weitläufigen Haushaltung anzusehen. So haben die Bürger von Nikopolis auch den Brauch auszurufen: ‚Bei des Kaisers Glück, wir
50 sind freie Leute.'

Jedoch wir wollen, wenn du erlaubst, vom Kaiser jetzt weiter nicht reden, wohl aber sollst du mir sagen: Bist du noch nie etwa in eine Magd oder in einen Buben oder einen Sklaven oder in eine freie Person verliebt gewesen?"

55 „Was willst du damit? Was geht das die Knechtschaft oder Freiheit an?"

„Hat dich deine Gebieterin niemals zu Sachen beordert, die du nicht

gerne tatest? Hast du deiner kleinen Sklavin nie Schmeicheleien gesagt? Hast du ihr nie die Füße geküßt? Gleichwohl würdest du, wenn
60  dich jemand zwingen wollte, dem Kaiser die Füße zu küssen, das für
einen großen Schimpf und ein Übermaß von Tyrannei halten. Was ist
nun das anders als Knechtschaft? Bist du nie nächtlicher Weile an
einen Ort hingegangen, wohin du nicht gerne gingest? Hast du nie
größern Aufwand gemacht, als du gern wolltest? Hast du nie dies und
65  das mit Klagen und Seufzen gesagt? Hattest du niemals Schimpfworte
zu verdauen? Mußtest du dich niemals ausgeschlossen sehen? Aber
vielleicht schämst du dich, deine Liebeshändel zu gestehen, so schau,
was Thrasonides tat und sagte, ein Mann, der wohl in mehr Feldzügen
gewesen sein dürfte, als wirklich du selbst. Der ist erstens zur Nacht-
70  zeit aus dem Hause gegangen, zu einer Zeit, da sich Geta nicht getraut
auszugehen und nur mit großem Geschrei und Wehklagen über herbe
Sklaverei gehen würde, wenn ihn der Herr dazu zwingen sollte. Und
was sagt da unser Held?

Mich, den noch keines Feindes Macht bezwungen,
75      Macht eine schlechte Sklavin jetzt zum Sklaven.

> (Menander, *Misumenos*, F 3 [Koerte])

Unseliger! Einer Sklavin Sklave bist du, und noch dazu einer
schlechten! Warum willst du denn noch den Namen eines Freien
haben? Warum prahlst du mit deinen Feldzügen? Hernach ruft er,
man solle ihm sein Schwert bringen, und wird ganz böse auf den
80  Diener, der es ihm aus guter Meinung nicht gibt. Dann schickt er der
Unerbittlichen Geschenke und bittet und weint. Und kaum läßt sie
ihn ein wenig blauen Himmel sehen, so ist er vor Freude außer sich.
Aber in welcher Verfassung ist er selbst dann? In seiner Freude so
wenig frei, als er es in seiner Begierde oder seiner Sorge gewesen ist ...
85  Nun denn, laßt uns durchgehen, was bisher eingeräumt worden ist.
Derjenige Mensch ist frei, dem man nichts verwehren kann, dem die
Sachen nach Wunsch zur Hand sind; wem man hingegen etwas verwehren, wen man zwingen oder verhindern kann, wen man wider
seinen Willen zu etwas bringen kann, der ist ein Knecht. Wem aber
90  kann man nichts verwehren? Dem, der nach keinen fremden Dingen
strebt. Welche sind fremde Dinge? Die, welche nicht in unserer Macht
stehen, sie zu haben oder nicht zu haben, sie so oder anders zu haben.
Der Leib ist hiermit ein fremdes Ding, seine Glieder sind fremde
Dinge, der Besitz ist etwas Fremdes. Wenn du demnach an irgendeins
95  dieser Dinge dein Herz hängst, als wenn es dein Eigentum wäre, so
wirst du gestraft sein, wie es einer, der nach fremden Dingen strebt,
verdient. Dies ist der Weg zur Freiheit; dies ist die einzige Erlösung
von der Knechtschaft, daß man einmal von ganzer Seele sagen könne:

Wo immer meine Stell', o Zeus und weises Schicksal,
100     Von Euch bestimmt ist, dahin führet mich."

**87**  *Mark Aurel, Selbstbetrachtungen II 1.*

Morgens früh zu dir sagen: Ich werde mit einem zudringlichen, undankbaren, frechen, falschen, mißgünstigen, unfreundlichen Menschen zusammentreffen. – Alle diese Eigenschaften haben sie ja, weil sie im unklaren darüber sind, was gut und böse ist. Ich aber, der das
5 Wesen des Guten erkannt hat, daß es schön ist, und des Bösen, daß es häßlich ist, wie auch die Natur des (gegen mich) Fehlenden selber, d. h., daß er mit mir verwandt ist – hat er auch nicht an demselben Blut oder Samen mit mir teil, so doch an demselben Geist und an der gleichen göttlichen Abkunft – ich kann von keinem von ihnen Schaden
10 erleiden. Denn in Schande kann mich keiner stürzen. Ich kann auch meinem Verwandten nicht zürnen oder ihm feind sein. Denn wir sind zum Zusammenarbeiten bestimmt, wie die Füße, die Hände, die Augenlider, die Reihen der oberen und unteren Zähne. Einander entgegenzuarbeiten ist daher wider die Natur. Wir arbeiten uns aber entge
15 gen, wenn wir einander zürnen oder uns meiden.

1 *Morgens früh zu dir sagen.* Mark Aurels Selbstbetrachtungen enthalten in für ihn charakteristischer Weise Mahnungen zur Disziplin und Pflege des sittlichen Lebens.

10 *in Schande kann mich keiner stürzen,* d. h. gegen meinen Willen. Sie können meinem Körper Schaden antun, aber in Schande stürzen kann ich mich nur selbst.

**88**  *Mark Aurel, Selbstbetrachtungen III 7.*

Betrachte niemals etwas als deinen Vorteil, was dich einmal zwingen kann, die Treue zu brechen, die Ehrfurcht zu verlieren, jemanden zu hassen, zu beargwöhnen, zu heucheln, etwas zu begehren, das der verdeckenden Mauern oder Vorhänge bedarf. Denn wer seinen eige
5 nen Geist und den Dämon in seiner Brust und ein seiner Heiligung geweihtes Leben allem anderen auf der Welt vorzieht, der wird nicht Held einer Tragödie, der stöhnt nicht, der bedarf weder der Einsamkeit noch einer Ansammlung vieler Menschen. Und, was die Hauptsache ist, er lebt, ohne zu verfolgen und ohne zu fliehen. Ob er aber für
10 eine längere oder eine kürzere Spanne Zeit seine Seele im Kerker des Leibes haben wird, das kümmert ihn überhaupt nicht. Denn selbst, wenn er schon aufbrechen muß, dann rückt er so leichten Herzens ab, als wenn er im Begriffe stünde, irgendetwas anderes von dem auszuführen, was unter Wahrung von Ehrfurcht und Sittsamkeit getan
15 werden kann. Nur hütet er sich sein Leben lang, daß seine Seele eine Wandlung erfährt, die einem Lebewesen fremd ist, das mit Denkkraft und bürgerlichem Gemeinsinn begabt ist.

16 *Lebewesen ... mit Denkkraft und bürgerlichem Gemeinsinn,* νοεϱὸν ϰαὶ πολιτιϰὸν ζῷον. Daß der Mensch ein Geschöpf des Geistes (νοῦς) ist oder sein sollte, glauben natürlich alle Stoiker. Daß Mark Aurel seine gesellschaftlichen Verpflichtungen so betont, ist ihm nicht allein eigen, aber doch charakteristisch für ihn. Vgl. unten *91–92.*

**89**  *Mark Aurel, Selbstbetrachtungen IV 7.*

Tilge die Meinung: dann ist (die Vorstellung) „Ich bin geschädigt
worden" getilgt! Tilge (die Vorstellung) „Ich bin geschädigt", und der
Schaden ist getilgt.

**90**  *Mark Aurel, Selbstbetrachtungen VI 54.*

Was dem Schwarm nichts nützt, nützt auch der (einzelnen) Biene
nichts.

**91**  *Mark Aurel, Selbstbetrachtungen VIII 34.*

Falls du jemals eine abgehauene Hand oder einen Fuß oder einen
abgeschnittenen Kopf getrennt von dem übrigen Körper hast daliegen
sehen – zu einem solchen macht sich ein Mensch selber, der, soviel an
ihm liegt, nicht will, was ihm widerfährt, und sich absondert oder
5 etwas wider den Geist der menschlichen Gemeinschaft tut. – Du hast
dich gewissermaßen von der naturgewollten Einheit losgerissen; denn
du warst doch als ein Teil von ihr geboren. Nun hast du dich selber
losgesagt! Aber dem gegenüber steht die wundervolle Tatsache, daß es
dir möglich ist, dich wieder zu vereinigen! Diese Fähigkeit hat Gott
10 keinem anderen Teile (des Kosmos) verliehen: sich, nachdem er losge-
trennt und abgehauen ist, wieder (mit dem gesamten Körper) zu
vereinigen. Mach dir doch einmal die Güte klar, durch die er (in
solcher Weise) den Menschen ausgezeichnet hat; denn er hat es nicht
nur in seine Macht gestellt, überhaupt nicht von dem Ganzen losgeris-
15 sen zu werden, sondern sogar, wenn er losgerissen ist, wieder (zum
Ganzen) zurückzukehren und (mit ihm wieder) zusammenzuwachsen
und die Stellung eines Teils wieder einzunehmen.

**92**  *Mark Aurel, Selbstbetrachtungen XII 35 f.*

Wer nur das, was im rechten Augenblick geschieht, für ein Gut hält,
und wem es gleich ist, ob er gemäß der rechten Vernunft mehr oder
weniger Handlungen vollbringt, und wem es nichts ausmacht, ob er
den Kosmos längere oder kürzere Zeit schaut, dem ist auch der Tod
5 nichts Schreckliches.
   Mensch, du bist Bürger gewesen in diesem großen Staat: Was macht
es da aus, ob fünf Jahre oder hundert? Denn gemäß den Gesetzen (zu
leben) ist für einen jeden gleich. Was ist es da schlimm, wenn dich aus
dem Staat nicht ein Tyrann oder ein ungerechter Richter hinausweist,
10 sondern die Allnatur, die dich (einst) in ihn hineingeführt hat? Es ist
gerade, wie wenn der Prätor einen Schauspieler, den er in Dienst
genommen hat, von seiner Pflicht zu spielen entbindet. „Aber ich habe
nicht meine fünf Akte gespielt, sondern nur drei." – Gut, aber im
Leben bedeuten drei Akte das ganze Drama. Denn wann es zu Ende
15 ist, das bestimmt jener, der dich einst hat ins Dasein treten lassen, wie

er jetzt dein Ende beschlossen hat. Du aber bist unschuldig an beidem. Scheide darum in Güte. Denn auch er, der dich abberuft, ist voll Güte.

1 *Wer nur das* ... Damit beginnen die letzten Worte in Mark Aurels Buch.

6 *Bürger ... in diesem großen Staat.* Gemeint ist der Weltstaat. Da alle Menschen durch ihren gemeinsamen Anteil am Logos verwandt waren, war es nach Meinung der Stoiker vernünftiger, sich als Bürger der Welt zu empfinden als irgendeines einzelnen Staates. Besonders die Verwandtschaft aller weisen und guten Menschen durchbrach alle Grenzen.

## F. Epikur

Stoiker und Epikureer ähnelten sich mehr, als jeder von ihnen wahrhaben wollte. Beide hielten die Disziplinierung der Lust für den einzigen Weg, in einer chaotischen Welt Frieden zu finden. Epikur (ca. 342–270 v. Chr.), den man oft einen Atheisten nannte, leugnete nicht die Existenz der Götter, aber er lehrte, daß sie als Wesen, die selbst fortgesetztes Glück genießen, niemals Leid und Kummer über die Menschen brächten; man hat von ihnen nichts zu befürchten, sie können weder besänftigt werden, noch kann man ihnen schmeicheln, – wenn sie alle Gebete erhören wollten, die die Menschen an sie richten, würde die Menschheit bald zugrunde gehen, so närrisch und widerspruchsvoll sind die vorgebrachten Bitten. Das Leiden kommt zwar zu den Menschen, aber man kann es ertragen, wie Epikur selbst bewiesen hatte, nicht nur in „stoischer" Gelassenheit, sondern voller Glückseligkeit. Schlimme Schmerzen sind von kurzer Dauer; anhaltende Schmerzen sind selten schlimm. Und Schmerzen können uns nie etwas anhaben, wenn unser Geist sich nicht mit ihnen beschäftigt. Lust (Epikur meint damit nicht die sinnliche oder individualistische Lust) ist das höchste Gut; es kann nur von denen erreicht werden, die es in Weisheit suchen. In der Physik lehrt Epikur einen Atomismus. Der hier zitierte Lukrez war ein römischer Epikureer (ca. 99–55 v. Chr.), der wie viele andere in Epikurs Lehre so große Erleichterung von Furcht und Trübsal fand, daß er es nur in der Sprache der Religion auszudrücken vermochte; Epikur war ein Retter – von der Religion.

**93** *Lukrez, Über die Natur der Welt I 62–79.*

Trostlos bot sich dem Blick das menschliche Leben auf Erden,
Unter der Religion schwer lastendem Drucke sich schleppend,
Die in himmlischen Höhen ihr Haupt den Sterblichen zeigte
Und aus grimmigem Aug' herabschoß drohende Blicke.

5 Da hat ein griechischer Mann zuerst das Herz sich genommen,
Ihr ins Auge zu schaun, zuerst zum Kampf sie zu fordern.
Ihn erschreckten nicht Tempel der Götter, nicht zuckende Blitze,
Ihn nicht des Donners dräuendes Grollen am Himmel: Das reizte
Nur umso mehr ihm das tapfere Herz, als erster die Riegel,
10 Welche das Tor der Natur uns neidisch verschlossen, zu sprengen.
Und des Geistes lebendige Kraft, sie führt' ihn zum Siege:
Über die flammenden Mauern des Weltalls schritt er im Geiste
Weit hinaus, zu durchwandern der Welt unendliche Räume.
Und als Siegespreis bracht' er uns heim die hohe Erkenntnis
15 Dessen, was sein und nicht sein kann, nach welchen Gesetzen
Jeglichen Wesens Kraft begrenzt, welch Ziel ihm gesteckt sei.
Und überwunden liegt die Religion nun am Boden,
Doch uns hebet der Ruhm des errungenen Sieges zum Himmel.

2 *unter der Religion schwer lastendem Drucke.* Religion bestand aus den
mannigfaltigen Riten, Gebeten und Opfern, die nötig waren, um die Götter
geneigt zu machen und sich ihrer Gunst zu versichern.

**94** *Epikur, Brief an Menoikeus 123–125. 127b–132a.*

Wozu ich dich immer ermahnte, das tue und übe in der Erwägung, daß
dies die Elemente eines guten Lebens seien. Fürs erste: Sieh in Gott
ein unvergängliches, seliges Wesen, entsprechend der allgemeinen
Vorstellung, die man sich von Gott bildet, und schreibe ihm nichts zu,
5 was seiner Unvergänglichkeit widerspräche oder mit seiner Seligkeit
unvereinbar wäre; dagegen denke dir, er habe alle die Eigenschaften,
die ihm die Wahrung seiner Seligkeit und Unvergänglichkeit gestatten. Denn es gibt Götter; ihre Erkenntnis ist deutlich. Aber so, wie sie
sich die Menge vorstellt, sind sie nicht. Denn sie wahrt ihnen die
10 Eigenschaften nicht, die sie ihnen in ihrer Vorstellung zuschreibt.
Gottlos ist nicht, wer die Götter der Menge beseitigt, sondern wer die
Anschauungen der Menge auf die Götter überträgt. Denn die Meinungen der Menge von den Göttern sind nicht Begriffe, sondern falsche
Voraussetzungen: Danach erwächst von seiten der Götter den Bösen
15 der größte Schaden, den Guten entsprechender Nutzen. Da sie eben
immer nur mit ihrer eigenen Leistungsfähigkeit schalten und walten,
nehmen sie auch die Götter als sich ähnlich an und halten alles, was
nicht derart ist, für etwas Fremdartiges.

Gewöhne dich an den Gedanken, daß der Tod uns nichts angehe;
20 denn alles Gute und Schlimme beruht auf Empfindung; der Tod aber
besteht eben in der Aufhebung der Empfindung. Deshalb ermöglicht
uns die richtige Erkenntnis, daß der Tod uns nichts angehe, erst den
Genuß des sterblichen Lebens, indem sie nicht an dieses ein Dasein
von unendlicher Dauer ansetzt, sondern indem sie die Sehnsucht nach
25 Unsterblichkeit beseitigt. Denn nichts ist im Leben für den furchtbar,
der wirklich den Gedanken erfaßt hat, daß im Nichtleben nichts
Furchtbares liegt. Es ist also eine törichte Behauptung, man fürchte

den Tod nicht, weil er schmerzen werde, wenn er einmal kommt, sondern weil die Aussicht auf ihn schmerze. Denn was, wenn es da ist,
30 nicht widerwärtig ist, bei dem ist es eine Einbildung, daß seine Erwartung Schmerz verursache. Das schauerlichste Übel, der Tod, geht uns somit nichts an, weil, solange wir sind, der Tod nicht da ist; ist er aber da, so sind wir nicht mehr. Der Tod geht demnach weder die Lebenden noch die Toten etwas an, da er für die ersteren nicht vorhanden ist, die
35 letzteren aber nicht mehr sind ...

Es ist ferner zu bedenken, daß von den Begierden die einen natürlich sind, die anderen grundlos, und von den natürlichen die einen notwendig, die andern nur natürlich; von den notwendigen sind die einen zum Glück notwendig, die andern zur Beruhigung des Leibes,
40 wieder andere zum Leben selbst. Welche von ihnen zu wählen und welche zu meiden sind, das vermag die Sicherheit der Lehre über sie auf die Gesundheit des Leibes und auf den Frieden der Seele zurückzuführen, weil dies das Ziel eines glücklichen Lebens ist. Denn das ist der Zweck alles unseres Tuns, daß wir nicht Schmerz erleiden noch im
45 Innern gestört werden. Ist uns aber dies einmal zuteil geworden, dann legt sich der ganze Sturm der Seele, da dann das lebende Wesen nicht mehr auf etwas Unzureichendes ausgehen noch etwas anderes suchen kann, was das höchste Gut für Leib und Seele bilden könnte. Denn wir haben nur dann ein Bedürfnis nach Lust, wenn wir infolge der Abwe-
50 senheit von Lust Schmerz empfinden; wenn wir aber keinen Schmerz empfinden, brauchen wir auch die Lust nicht mehr. Deshalb bezeichnen wir die Lust als Ausgangspunkt und Ziel des glücklichen Lebens. In ihr haben wir das erste und angeborene Gut erkannt; sie bildet den Ausgangspunkt für all unser Wählen und Meiden, und auf sie kom-
55 men wir zurück, indem wir alles, was gut ist, nach dem Maßstab des Affektes beurteilen. Und da sie das erste und angeborene Gut ist, so wählen wir darum auch nicht jede Lust, sondern wir verzichten unter Umständen auf vieles, was Lust bringt, wenn die Folge davon für uns eine größere Widerwärtigkeit wäre; und viele Schmerzen ziehen wir
60 der Lust vor, wenn eine größere Lust daraus entspringt, daß wir langwierige Schmerzen ertragen. Jede Lust ist gemäß dem ihr eigenen Wesen ein Gut; aber trotzdem ist nicht jede zu wählen; ebenso ist jeder Schmerz ein Übel; aber dennoch ist nicht jeder jederzeit zu meiden. Dies alles durch Abwägung des Zuträglichen gegen das Unzuträgliche
65 zu beurteilen, ist Aufgabe der Überlegung. Denn wir bedienen uns zu Zeiten des Guten wie eines Übels und umgekehrt des Übels wie eines Guten. Wir halten sogar die Selbstgenügsamkeit für ein großes Gut, nicht in der Absicht, unter allen Umständen nur wenig zu brauchen, sondern damit wir, wenn wir nicht viel haben, uns mit wenigem zu
70 begnügen vermögen, fest überzeugt, daß diejenigen, die ihn am wenigsten bedürfen, den Luxus mit größter Lust zu genießen verstehen, sowie daß das Natürliche immer leicht und nur das Unnütze schwer zu beschaffen ist. Denn einfache Speisen gewähren die gleiche Lust wie ein kostbares Mahl, sobald der in der Entbehrung liegende Schmerz

75 ganz beseitigt ist; und Brot und Wasser bereiten die höchste Lust,
wenn man sie aus Bedürfnis zu sich nimmt. Die Gewöhnung an eine
einfache und nicht kostspielige Lebensweise dient der Gesundheit
und macht den Menschen gegenüber den unerläßlichen Anforderungen des Lebens unverdrossen; sie verleiht uns eine überlegene Stim-
80 mung, wenn wir ausnahmsweise auch einmal zu kostbaren Genüssen
kommen, und macht uns unerschrocken gegenüber dem Geschick.
Wenn wir also sagen, die Lust sei das Ziel, so meinen wir damit nicht
die Lüste der Schlemmer noch diejenigen, die auf dem Genuß beruhen,
wie manche Unwissende oder Gegner oder Böswillige meinen, son-
85 dern die Freiheit von körperlichem Schmerz und den Frieden der
Seele. Denn nicht fortgesetzte Trinkgelage, nicht der Genuß von Knaben und Weibern oder von Fischen und sonstigen Gerichten, wie sie
eine kostbare Tafel trägt, bereichern das Leben mit Lust, sondern
nüchternes Denken, das die Gründe für das Wählen und Meiden jedes
90 Tuns erforscht und die Meinungen beseitigt, aus denen die meisten
Störungen des Seelenlebens sich ergeben.

15 *der größte Schaden ... entsprechender Nutzen.* Im Gegenteil, von den Göttern ist nichts zu erhoffen, nichts zu fürchten. Durch Erkenntnis des Notwendigen und des Nichtnotwendigen wird der Mensch von den Ketten des
Schicksals befreit (vgl. *74*).

42 *Frieden der Seele,* ἀταραξία, das epikureische Ziel.

82 *so meinen wir damit nicht* ... Der moderne Gebrauch des Adjektivs „epiku-
reisch" ist eine Verleumdung Epikurs.

**95** *Diogenes von Oinoanda, Fragment 26, col. I–III; 28, col. VI–VII.*

Gegen Ende des 2. Jh.s n. Chr. ließ Diogenes, ein enthusiastischer Anhänger
Epikurs aus dem südwestlichen Kleinasien, eine Inschrift von ca. 40 m Länge
in einer Säulenhalle seiner Heimatstadt anbringen. Mit dem umfangreichen
Text wollte er seinen Mitbürgern „die Medizin des Heils darreichen" (F 2
col. V–VI), d. h. die wahre Philosophie nahebringen. Die Reste sind gesammelt bei C. W. Chilton (*Diogenis Oenoandensis Fragmenta*, Leipzig 1967);
Ergänzungen im Text wurden nicht gekennzeichnet.

Wenn nun, ihr Männer, das zwischen diesen (sc. den Stoikern) und
uns diskutierte Problem die Untersuchung der Frage beinhaltete:
„Was ist die Ursache der Glückseligkeit?", und diese sagen wollten:
„die Tugenden" – was ja auch wahr wäre –, dann hätte man diesen nur
5 zuzustimmen und hätte keine Schwierigkeiten mehr. Da aber, wie ich
sage, das Problem nicht darin liegt, was die Ursache der Glückseligkeit, sondern was das Glückseligsein ist und wonach unsere Natur
letztlich strebt, so sage ich: die Lust, und rufe es jetzt und für immer
allen Griechen und Barbaren laut zu, daß sie das Ziel der besten
10 Lebensform ist; die Tugenden aber, die nun zur Unzeit von diesen (sc.
den Stoikern) bemüht werden (denn sie werden aus der Position der
Ursache in die des Ziels versetzt), sind keinesfalls das Ziel, sondern die
Ursache des Ziels ... Wir fragen nun, wie das Leben für uns lustvoll

wird sowohl in den ruhigen Momenten als auch in den Aktivitäten.
15 Über die ruhigen Momente wollen wir zuerst sprechen; dabei behalten
wir jenen Grundsatz im Auge, daß nach Beseitigung der Leidenschaften, die die Seele beunruhigen, an ihre Stelle das tritt, was ihr Lust
bereitet. Was ist es nun, was (die Seele) beunruhigt? Zum einen sind es
Furchtgefühle: die Furcht vor Göttern, vor (dem) Tod, vor Schmerzen;
20 darüberhinaus eine Begierde, die die natürlichen Grenzen weit über-
schreitet. Denn diese (Begierden) sind die Wurzeln aller Übel, und
wenn wir sie von Grund auf abgeschnitten haben, wird uns keines der
Übel erwachsen ...

16 *nach Beseitigung der Leidenschaften, die die Seele beunruhigen.* Die Ata-
raxie, der unerschütterliche Seelenfriede, konstituiert für Diogenes den
Nutzen der Philosophie (s. F 2 col. I).

## G. Neupythagoreische Ethik

Das meiste aus den Werken der Neupythagoreer ist uns nur durch
die Exzerpte bei Johannes Stobaios, einem Gelehrten des 5. Jh.s
n. Chr., erhalten. Das erschwert die Datierung dieser Texte. Die
beiden folgenden Auszüge, deren Verwandtschaft mit den neutestamentlichen Haus- und Ständetafeln offensichtlich ist, dürften
wohl aus hellenistischer Zeit stammen; für (Pseudo-)Diotogenes
ist aber auch das 2. Jh. n. Chr. in Anspruch genommen worden (L.
Delatte).

**96** *Pseudo-Charondas, Vorrede zu den Gesetzen.*

Charondas war ein berühmter griechischer Gesetzgeber aus dem 7. oder
6. Jh. v. Chr. Er wurde nachträglich zu einem Schüler des Pythagoras gemacht. Seine Gesetze wurden weitertradiert und in pythagoreischem Sinne
variiert. Der folgende Textauszug stammt aus den *Prooimia Nomon,* die eine
Mischung aus Gesetzgebung und ethischer Forderung darstellen. Sie wurden in manchen Städten auswendig gelernt und bei festlichen Anlässen
vorgetragen. Text bei H. Thesleff, *The Pythagorean Texts of the Hellenistic
Period,* Åbo 1965, S. 60–63.

... Die Älteren sollen die Jüngeren leiten und sie anweisen, das Böse
zu scheuen und sich davor zu schämen, indem sie sich selbst sichtlich
schämen und scheuen. Denn in den Städten, wo die Älteren schamlos
sind, wachsen auch ihre Kinder und Kindeskinder in Schamlosigkeit
5 auf. Auf Schamlosigkeit und mangelnde Scheu folgen Hybris und
Ungerechtigkeit, und ihnen folgt das Verderben. Keiner soll schamlos
sein, vielmehr soll jeder besonnen sein, weil er so bei den Göttern
Gnade und Heil finden wird; denn kein Übeltäter ist von Gott geliebt.
Jeder soll das Gute und Wahre achten und das Schlechte und die Lüge
10 hassen; denn das sind die Zeichen der Tugend und der Schlechtigkeit.
Deswegen soll man (sie) von Kindheit an daran gewöhnen, indem man

die Freunde der Lüge bestraft, die Freunde der Wahrheit aber liebt,
damit jedem das Beste und Keimfähigste der Tugend eingepflanzt
werde. Jeder Bürger soll sich lieber Besonnenheit als Nachsinnen
15 zueigen machen; denn wenn sich jemand einen nach Hohem strebenden Sinn aneignet, so ist das ein Zeichen für seine Rohheit und Niedrigkeit. Die Aneignung von Besonnenheit geschehe in Aufrichtigkeit;
denn niemand soll mit bloßen Worten gute Werke tun, während er der
Tat und der guten Gesinnung entbehrt.

20     Man soll auch sorgfältig darauf achten, daß man den Herrschenden
gegenüber wohlgesinnt ist, indem man ihnen gleichwie Vätern willig
folgt und sie hochachtet. Denn wer nicht so gesinnt ist, wird Strafe
empfangen für seinen bösen Willen durch die Schutzgötter; die Herrschenden sind ja die Beschützer des Staates und des Heils seiner
25 Bürger.

Die Herrschenden sollen aber auch ihre Untertanen, die gleichsam
ihre eigenen Kinder sind, gerecht leiten, indem sie Feindschaft,
Freundschaft und Parteilichkeit beim Richten aus dem Spiel lassen.

Lob und Ansehen sollen diejenigen erhalten, die, wenn sie etwa
30 reich sind, den Bedürftigeren unter die Arme greifen, da sie gewissermaßen die Kinder und Verteidiger ihres eigenen Vaterlands retten.
Sie sollen diejenigen unterstützen, die durch ihr Schicksal arm sind
und nicht aufgrund eines müßigen und ausschweifenden Lebenswan-
dels. Denn das Schicksal ist allen gemeinsam, ein müßiger und aus-
35 schweifender Lebenswandel aber ist schlechten Menschen eigen.

Es soll aber auch als gut gelten, Anzeige zu erstatten, wenn etwa
einer Mitwisser eines Unrechts ist, damit der Staat gerettet werde,
indem er viele Wächter seiner Ordnung hat. Der anzeigt, soll frei von
Schuld sein, auch wenn er gegen die nächsten Verwandten Meldung
40 macht; denn nichts ist einem näher verwandt als das Vaterland ...

Als größte Vergehen sollen gelten: die Verachtung der Götter, die
willentliche schlechte Behandlung der Eltern, die Geringschätzung
der Herrschenden und der Gesetze sowie die willentliche Entehrung
der Gerechtigkeit. Als der gerechteste und pflichtbewußteste Bürger
45 soll der gelten, der diese Gesetze ehrt und gegen ihre Verächter Anzeige erstattet vor den Bürgern und Herrschenden.

Für das Vaterland zu sterben soll in höheren Ehren stehen, als es
und das Gute im Stich zu lassen, weil man am Leben hängt; denn es ist
besser, gut zu sterben, als schlecht und schimpflich zu leben ...
50     Wer den Zorn besiegt, soll als ein tüchtigerer Bürger angesehen
werden, als wer sich aus Zorn vergeht ...

Wer dem Reichtum und Gütern dient, soll verachtet sein für seine
Engherzigkeit und seinen Geiz und dafür, daß er gänzlich korrum-
piert ist von kostspieligen Besitztümern und von einem aufgebausch-
55 ten Lebenswandel ...

Wer seine Stiefmutter heiratet, soll nicht in gutem Rufe stehen,
sondern gescholten werden, weil er an einer familiären Entzweiung
mitwirkt.

Man soll dem Obenstehenden getreu bleiben; wer es übertritt, soll
60 der staatlichen Bestrafung unterworfen sein. Das Gesetz schreibt vor, daß alle Bürger diese Vorrede auswendig lernen und an den Festen nach den Kultgesängen aufsagen, falls der Gastgeber es anordnet, damit die Gebote jedem eingepflanzt werden.

14 *Besonnenheit ... Nachsinnen,* griech. σωφρονεῖν ... φρονεῖν; φρονεῖν heißt ‚denken, sinnen‘, die Vorsilbe σω- bedeutet ‚gesund‘. Vgl. Röm 12, 3: Dort betrachtet Paulus das ‚Sinnen‘ als ein ethisch neutrales Vermögen, das zu ‚Besonnenheit‘ (σωφρονεῖν) oder zu ‚Selbstüberschätzung‘ (ὑπερφρονεῖν) führen kann. Letzteres ist oben mit dem *nach Hohem strebenden Sinn* (φρονεῖν μέγα) gemeint.

52 *Wer dem Reichtum und Gütern dient.* Vgl. Mt 6, 24; Lk 16, 13.

56 *Wer seine Stiefmutter heiratet.* Vgl. 1 Kor 5, 1 ff.

**97** *Pseudo-Diotogenes, Über die Königsherrschaft, Fragment 1* (Text bei H. Thesleff, *op. cit.,* S. 71 Z. 18 bis S. 72 Z. 23).

Der Gerechteste sollte wohl König sein, und der am meisten dem Gesetz Entsprechende ist der Gerechteste. Denn ohne Gerechtigkeit könnte keiner König sein, und ohne Gesetz gäbe es ⟨keine⟩ Gerechtigkeit. Denn daß der Gerechte beruht auf dem Gesetz – das Gesetz ist ja
5 Ursache des Gerechten –, und der König ist ja doch das personifizierte Gesetz bzw. ein gesetzmäßiger Herrscher. Deshalb ist er also der Gerechteste und der am meisten dem Gesetz Entsprechende.

Der König hat drei Aufgaben: die Heeresführung, die Rechtsprechung und den Götterkult. Er wird nun ein Heer gut führen können,
10 wenn er viel von der Kriegsführung versteht, gut Recht sprechen und alle seine Untertanen anhören, wenn er die Natur des Gerechten und des Gesetzes eifrig studiert hat, die Götter fromm und heilig verehren, wenn er über die Natur Gottes und die Tugend reiflich nachgedacht hat. Folglich ist der vollkommene König notwendig ein guter Feldherr,
15 Richter und Priester; denn das entspricht der Überlegenheit und Tugend des Königs und ist dem angemessen.

Ein Kapitän soll ja sein Schiff unversehrt erhalten, ein Wagenlenker seinen Wagen, ein Arzt die Kranken, ein König und der Feldherr diejenigen, die im Krieg ihr Leben riskieren; denn jeder, der eine
20 Gruppe anführt, ist auch ihr Lenker und Vorsitzender.

Aber auch das Rechtsprechen und das Zuteilen des Gerechten – in einem allgemeinen Sinne für die Gesamtheit, im speziellen für den Einzelnen – ist einem König eigentümlich, gerade so, wie es Gott eigentümlich ist, in der Welt, ⟨der⟩ er ein Anführer und Vorsteher ist,
25 im allgemeinen Sinne das Ganze zu einer einzigen Herrschaft und Hegemonie zusammenzufügen, im speziellen auch die einzelnen Dinge zu derselben Harmonie und Hegemonie zusammenzufügen. Darüberhinaus handelt der König gut an seinen Untertanen und erweist ihnen Wohltaten; denn das geschieht nicht ohne Gerechtigkeit und
30 Gesetz.

Aber auch das dritte, nämlich der Götterkult, ist eines Königs würdig; denn das Beste muß vom Besten geehrt werden und das Herrschende vom Herrschenden. Von dem, was von Natur aus am ehrwürdigsten ist, ist Gott das Beste, von dem, was auf Erden und unter den
35 Menschen, der König. Wie mit Gott zur Welt, so verhält es sich mit dem König zum Staat, und wie mit dem Staat zur Welt, so mit dem König zu Gott. Denn der Staat, zusammengefügt aus Vielen und Verschiedenen, ahmt die Ordnung und Harmonie der Welt nach, und der König, da er unumschränkte Gewalt hat und das personifizierte
40 Gesetz ist, figuriert als ein Gott unter Menschen.

5 *das personifizierte Gesetz* (νόμος ἔμψυχος). Denselben Ausdruck (mit dem Zusatz ‚und vernünftig‘) verwendet Philo für die Erzväter (*de Abrahamo* 5) und für Mose (*Vita Mosis* I 162); in *Vita Mosis* II 4 spricht er vom König als dem personifizierten Gesetz und vom Gesetz als dem gerechten König. Vgl. auch 73 Z. 3.

21 *Aber auch das Rechtsprechen* usw. In den beiden folgenden Abschnitten wird ein Vergleich zwischen dem göttlichen Wirken im Kosmos und dem Werk des Königs im Staat durchgeführt, der teilweise bis in die Formulierungen hinein auch bei Philo begegnet (*De specialibus legibus* IV 186–188).

## H. Rhetorik und Popularphilosophie

Nachdem Rom im Jahr 168 v. Chr. Makedonien besiegt hatte, schwappte eine Welle griechischer Bildung in die Hauptstadt über. Die Reaktion Roms war zunächst schroff ablehnend: Ein Senatsbeschluß von 161 v. Chr. verbot griechischen Rhetoren und Philosophen den Aufenthalt in Rom, und 6 Jahre später wurde eine in Rom eintreffende athenische Gesandtschaft, die aus den damaligen Leitern der drei führenden Philosophenschulen zusammengesetzt war, auf Betreiben Catos wieder ausgewiesen. Dabei spielte gewiß das Mißtrauen gegenüber einer Virtuosität des Wortes mit, die auch einer ungerechten Sache zum Erfolg verhelfen kann. Auf die Dauer ließ sich eine solch starre Abgrenzung freilich nicht aufrechterhalten. In den folgenden Jahrzehnten entstanden in Rom Rhetorikschulen, deren Unterricht zunächst auf griechisch, später auch auf lateinisch abgehalten wurde. Zu denen, die einer lateinischen Beredsamkeit zum Durchbruch verhalfen, gehörte Cicero. Gegen eine rein am Erfolg orientierte Rhetorik hielt er das Ideal eines philosophischen Redners hoch. Nur der sittlich Gute kann ein guter Rhetor werden. Philosophie und Rhetorik, die erst durch Sokrates getrennt wurden, müssen nach Ciceros Forderung wieder zusammengeführt werden. Rhetorik und eine pragmatisch orientierte Philosophie wurden so eng miteinander verbunden.

Der normale Bildungsgang der immer breiter werdenden Bevölkerungsschicht, die am Erziehungswesen Anteil haben konnte, vollzog sich in mehreren Stufen. Mit ca. 7 Jahren begannen die Kinder, lesen und schreiben zu lernen. Ca. 12jährig kamen sie dann für drei oder vier Jahre unter die Fittiche eines Grammatiklehrers: Zunächst wurden ausgewählte Texte aus Historikern und Dichtern in verschiedenen Variationen nacherzählt, um Vielseitigkeit des Ausdrucks und Sprachgewandtheit zu fördern; später kamen neben anderen Übungen auch Erörterungen hinzu, die teils praktischer (beliebtes Thema: „Ob man heiraten soll"), teils theoretischer Natur („Ob die Götter für die Welt sorgen") waren und die enge Verbindung von Rhetorik und einer pragmatischen Philosophie demonstrieren. Nach Beendigung des Grammatikunterrichts wird für die meisten Jugendlichen die Schule zuende gewesen sein. Wer eine politische oder juristische Karriere anstrebte, ging noch für einige Jahre bei einem Rhetoriklehrer in die Schule; hier lernte er die Kunst der Rede im engeren Sinn, die in erster Linie an der Situation eines Anwalts vor Gericht orientiert war. Nur wenige werden wie Plutarch in den Genuß gekommen sein, sich bei einem philosophischen Lehrer Privatunterricht zu leisten.

**98**   *Theon, Progymnasmata 5. Über die Chria.*

Der Alexandriner Aelius Theon verfaßte vielleicht noch im 1. Jh. n. Chr. ein Lehrbuch für den Grammatikunterricht. Zu den einfachsten Aufgaben gehörte neben der Nacherzählung von Fabeln und Geschichten die Formulierung von Chrien, einer Art lehrhafter Anekdote, wie sie uns in den Evangelien häufig belegt ist (Text bei L. Spengel, *Rhetores Graeci* II, Leipzig 1854, S. 94 ff und mit englischer Übersetzung in: R. F. Hock/E. N. O'Neil, *The Chreia in Ancient Rhetoric*, Bd. I: *The Progymnasmata*, Atlanta 1986, S. 84–107). Zur Chria vgl. H. Lausberg, *Handbuch der literarischen Rhetorik*, München [2]1973, S. 536–540; K. Berger, *Formgeschichte des Neuen Testaments*, Heidelberg 1984, S. 80–93; Hock/O'Neil, *op. cit.*, S. 3–60. 297–343).

Eine Chria ist eine kurze Äußerung oder Handlung, die mit Prägnanz einer bestimmten Person oder etwas, das einer Person entspricht, zugeschrieben wird ...

Es gibt drei Hauptgattungen der Chria: die Verbal-Chrien, die Ak-
5 tions-Chrien und die gemischten Chrien.

Verbal-Chrien beinhalten keine Handlung, sie wirken nur durch Worte, z. B.: „Als der Philosoph Diogenes von jemandem gefragt wurde, wie man berühmt werden könne, erwiderte er: ‚Indem man am wenigsten über Ruhm nachdenkt.'" Unter den Verbal-Chrien gibt es
10 zwei Arten, den „Ausspruch" und die „Erwiderung". Zum Ausspruch gehören einerseits solche, die keinen konkreten Anlaß haben, z. B.:

„Der Sophist Isokrates pflegte zu sagen, die begabten Schüler seien Kinder der Götter", andererseits solche, die an einen Umstand anknüpfen, z. B.: „Als der Kyniker Diogenes einen reichen, aber ungebil-
15 deten jungen Mann sah, sagte er: ‚Dieser ist versilberter Schmutz.'" Denn Diogenes tat den Ausspruch nicht einfach so, sondern aufgrund dessen, was er sah.

Was nun die Erwiderung betrifft, so gibt es vier Arten: die der Erwiderung auf eine einfache Frage, die der Erwiderung auf eine
20 komplexe Frage, die der erläuternden Erwiderung auf eine Frage und die, die wie die Gattung einfach Erwiderung genannt wird. Der Unterschied zwischen komplexer und einfacher Frage besteht darin: Eine einfache Frage erfordert nur Zustimmung oder Ablehnung, wie z. B. Kopfschütteln oder Nicken bzw. Bejahung oder Verneinung, eine kom-
25 plexe Frage aber erfordert eine ausführlichere Antwort. Ein Beispiel für eine Chria aufgrund einer einfachen Frage: „Auf die Frage, ob einer, ohne daß die Götter es merken, etwas Böses tun kann, antworte-te Pittakos aus Mitylene: ‚Nein, er kann es nicht einmal im Schilde führen.'" ... Die komplexe Erwiderung sieht so aus: „Als die Pythago-
30 reerin Theano gefragt wurde, wieviele Tage eine Frau von einem Mann rein sein müsse, bevor sie in den Tempel der Demeter gehen dürfe, antwortete sie: ‚Wenn vom eigenen, sofort, wenn von einem fremden, niemals.'" Die Chrien, die eine erläuternde Erwiderung auf eine Frage beinhalten, sind all diejenigen, die, abgesehen von der
35 Antwort auf die Frage, eine Begründung geben oder einen Rat enthalten oder etwas dergleichen, z. B.: „Auf die Frage, ob ihm der König der Perser glückselig zu sein scheine, sagte Sokrates: ‚Das kann ich nicht sagen; denn ich weiß ja nicht, wie gut es um seine Bildung steht.'" Einfache Erwiderungen sind Chrien, die weder auf eine einfache noch
40 auf eine komplexe Frage antworten, aber dennoch einen Ausspruch beinhalten, auf den hin die Erwiderung erfolgt, z. B.: „Als Diogenes einmal auf dem Marktplatz frühstückte und Plato zum Frühstück einlud, sagte dieser: ‚O Diogenes, wie angenehm wäre deine natürliche Einfachheit, wenn sie nicht gekünstelt wäre.'" Denn weder hatte
45 Diogenes Plato nach irgend etwas gefragt, noch hatte sich Plato bei ihm erkundigt, sondern jener hatte diesen einfach zum Frühstück eingeladen, was weder das eine noch das andere ist ...

Aktions-Chrien sind solche, die ohne Ausspruch einen Gedanken veranschaulichen. Die einen sind aktivisch, die anderen passivisch.
50 Aktivisch sind diejenigen, die eine Tätigkeit zeigen, z. B.: „Als der Kyniker Diogenes einen schlemmenden Knaben sah, schlug er den Pädagogen mit dem Stock." Passivisch sind die, die ein Erleiden bezeichnen, z. B.: „Der Flötenspieler Didymos, der des Ehebruchs überführt wurde, wurde an seinem Namen aufgehängt."
55 Gemischte Chrien sind diejenigen, die sowohl mit Verbal-Chrien als auch mit Aktions-Chrien etwas gemeinsam haben, wobei das Schwergewicht auf der Handlung liegt, z. B.: „Auf die Frage, wie lange das menschliche Leben währe, ging der Philosoph Pythagoras ins Schlaf-

gemach hinauf und verbarg sich eine Weile; damit signalisierte er die
60 Kürze des Lebens." ...

So viel zu den Gattungen der Chria; formuliert werden sie sentenzenhaft, beweisend, scherzhaft, syllogistisch, enthymematisch, paradigmatisch, wünschend, symbolisch, allegorisch, doppeldeutig, meta-
leptisch oder in einer Kombination des Genannten.

65 Sentenzenhaft: „Der Sophist Bion sagte, die Geldgier sei die Mutter
allen Übels." Beweisend: „Der Redner Isokrates ermahnte seine Schüler, ihre Lehrer mehr zu achten als ihre Eltern; denn diesen verdanken wir nur, daß wir leben, den Lehrern aber auch, daß wir recht
leben." ... Scherzhaft: „Als Olympias erfuhr, daß ihr Sohn Alexander
70 sich für einen Abkömmling des Zeus erklärte, sagte sie: ,Wird dieser
nicht aufhören, mich bei Hera verhaßt zu machen?'" Syllogistisch: „Als
er einen Jungen sah, der sich über die Maßen herausputzte, sagte der
Philosoph Diogenes: ,Wenn du es für Männer tust, begehst du einen
Fehler, wenn für Frauen, ein Unrecht.'" Enthymematisch: „Als ein
75 Schüler namens Apollodoros dem Philosophen Sokrates sagte: ,Zu
Unrecht haben dich die Athener zum Tod verurteilt', sagte dieser
lachend: ,Wäre es dir lieber, zurecht?'" Denn wir müssen uns hinzu-
denken, daß es nämlich besser ist, zu Unrecht als zurecht verurteilt zu
werden; gerade das scheint in der Chria übergangen zu sein, wird aber
80 dem Sinn nach deutlich. Paradigmatisch: „Als der Makedonenkönig
Alexander von seinen Freunden ermahnt wurde, Geld anzuhäufen,
sagte er: ,Aber das nützte auch Krösus nichts.'" Wünschend: „Als dem
Gymnastiklehrer Damon, der hinkte, die Sandalen gestohlen wurden,
sagte er: ,O daß sie doch dem Dieb paßten!'" Symbolisch: „Als Alexan-
85 der, der König der Makedonen, gefragt wurde, wo er seine Schätze
habe, sagt er: ,In diesen da', und zeigte dabei auf seine Freunde."
Allegorisch: „Der Philosoph Plato pflegte zu sagen, die Zweige der
Tugend wüchsen durch Schweiß und Mühen." Doppeldeutig: „Als ein
Knabe bei dem Redner Isokrates eingeschrieben wurde und der, der
90 ihn einschreiben ließ, fragte, wessen er (für den Unterricht) bedürfe,
sagte Isokrates: ,Einer Schreibtafel *kainou* und eines Griffels *kainou*.'" Denn es ist doppeldeutig, ob er von Verstand (*nou*) und (*kai*)
einer Schreibtafel spricht oder von einer neuen (*kainou*) Schreibtafel
und einem neuen (*kainou*) Griffel. Eine metaleptische Formulierung
95 liegt vor, wenn jemand in seiner Antwort das Thema wechselt und die
Frage auf etwas anderes bezieht: „Als Pyrrhos, der König der Epiro-
ten, beim Trinkgelage gefragt wurde, wer von beiden der bessere
Flötenspieler sei, Antigennidas oder Satyros, sagte er: ,M.E. (ist)
Polysperchon der (bessere) Stratege.'" ...

1 *Chria*, griech. Χρεία; so genannt wegen ihrer ,Nützlichkeit'.

54 *wurde an seinem Namen aufgehängt.* Didymos, eigentlich ,Zwilling', hat
auch die Bedeutung ,Hode'.

71 *Hera*, die Schwester und Gattin des Zeus.

96 *Pyrrhos*, seit 306 v. Chr. König der Molosser und später Hegemon des epiro-

tischen Bundes. Plutarch, bei dem die Flötenspieler Python und Kaphisias heißen, erzählt dieselbe Geschichte und erläutert die Antwort des Pyrrhos so: „... womit er sagen wollte, daß es sich für einen König ziemte, nur hiernach zu fragen und etwas davon zu wissen." (*Pyrrhos* VIII 3) Der Themawechsel könnte dadurch veranlaßt sein, daß das griechische Wort für ‚Flötenspieler' (αὐλήτης) mit anderer Akzentuierung (αὐλητής) den ‚Verwalter eines Viehhofes' bezeichnet. Damit war ein Übergang zu Polysperchon, einem General Alexanders d. Gr., geschaffen.

**99**   *Quintilian, Institutio oratoria XII 1, 1. 30f; 2, 1. 23–28.*

Nachdem Kaiser Vespasian in Rom von der öffentlichen Hand finanzierte Rhetorikschulen eingerichtet hatte, gehörte Quintilian zu den ersten Lehrstuhlinhabern; später wurde er zum Erzieher der Großneffen und Adoptivsöhne des Kaisers Domitian berufen. In seinen 12 Büchern *Über die Ausbildung des Redners* versuchte Quintilian, eine auf Moralität gegründete Rhetorik zu entwickeln.

Für uns soll also der Redner, den wir heranbilden wollen, von der Art sein, wie ihn Marcus Cato definiert: ‚ein Ehrenmann, der reden kann' – unbedingt jedoch das, was in Catos Definition am Anfang steht und auch seinem Wesen nach das Wichtigere und Größere ist: ein Ehren-
5 mann ... Gute Menschen werden nie verlegen sein um schöne, ehrliche Worte, nie auch – da sie ja zugleich auch klug sind – um das Auffinden des besten, edelsten Inhaltes. Mag es hierbei auch an verführerischen Reizen fehlen, so bietet das eigene Wesen natürlichen Schmuck genug, und Ehrlichkeit ist immer beredt. Deshalb, liebe
10 Jugend, oder vielmehr jung und alt – denn zum ehrlichen Wollen ist keine Zeit zu spät –: Laßt uns mit ganzem Herzen danach streben, auf dieses Ziel hinarbeiten! Vielleicht könnte es doch glücken, zur Höhe zu gelangen; denn wenn es die Natur nicht verwehrt, daß es wirklich Ehrenmänner gibt wie auch solche, die gut reden können, warum
15 sollte dann nicht auch jemand in einer Person beides erreichen können? Warum aber sollte nicht jeder die Hoffnung hegen, selbst dieser ‚jemand' zu sein? ...
Da also der Redner ein Ehrenmann ist, ein solcher aber ohne Verbindung mit der Tugend nicht vorstellbar ist, so gilt es, diese Tugend,
20 auch wenn sie bestimmte Antriebe aus der natürlichen Wesensart entnimmt, doch noch durch Schulung (Bildung) zu vervollkommnen; vor allem wird der Redner seine Sitten durch Studien veredeln und das ganze Gebiet des Gerechten und Guten, ohne das er weder ein Ehrenmann sein noch sich in der Rede recht auskennen kann, gründ-
25 lich durcharbeiten müssen ...
Doch hieraus ergibt sich für mich die weitere Frage, welche Philosophenschule der Beredsamkeit das Meiste bieten kann, wenngleich für diesen Wettbewerb nicht viele in Frage kommen; denn vor allem Epikur weist uns gleich selbst von sich mit seinem Gebot, vor aller
30 Schulzucht schleunigst davonzusegeln. Aber auch Aristipp, der das höchste Gut in der körperlichen Lust ansetzt, würde uns wohl nicht zu dieser Anstrengung raten. Und welche Rolle kann denn Pyrrhon bei

unserer Aufgabe einnehmen, für den es keine Gewißheit gibt, daß die
Richter, vor denen er seine Rede hält, der Angeklagte, für den er redet,
35 und der Senat, in dem er seine Meinung vortragen muß, wirklich
existieren? Die Akademie halten manche für am nützlichsten, weil
ihre Gewohnheit, beide Seiten einer Frage zu erörtern, an die Übung
in Gerichtsfällen am nächsten herankomme. Als Beweis fügen sie den
Umstand hinzu, daß diese Schule die in der Beredsamkeit hervorra-
40 gendsten Männer hervorgebracht habe. Auch die Peripatetiker brüsten sich mit einer Art rednerischer Betätigung; denn die Einrichtung,
zur Übung allgemeine Themen vorzutragen, ist wohl von ihnen begründet worden. Die Stoiker müssen zwar zugeben, daß ihren Lehrern
Fülle und Glanz der Beredsamkeit fast ganz gefehlt habe, behaupten
45 aber dafür, daß niemand sonst scharfsinniger sei im Beweisen und
genauer im logischen Schließen. Doch das betrifft die Philosophenschulen untereinander, die es, als wären sie durch Fahneneid verpflichtet oder durch Glaubenswahn gebunden, für eine Sünde halten,
von einer einmal gefaßten Überzeugung wieder abzugehen; der Red-
50 ner aber hat es nicht nötig, auf die Satzung irgendeiner dieser Schulen
zu schwören. Denn größer ist die Aufgabe und bedeutender, zu der er
selbst strebt und für die er gleichsam die Anwartschaft besitzt, falls er
wirklich durch die Anerkennung, die seine Lebensführung und dann
auch seine Beredsamkeit findet, wirklich vollkommen sein wird; da-
55 her wird er sich zur Nachahmung als Redemuster jeden vornehmen,
der besonders gewandt im Reden ist, zur Bildung seiner sittlichen
Grundsätze aber wird er die bestmöglichen Anleitungen zum ehrba-
ren Leben und den geradesten Weg zur Tugend auswählen. Von jeder
Übung zwar wird er Gebrauch machen, aber dennoch im höchsten
60 Maße gerade von den bedeutendsten und von Natur edelsten. Denn
welches Thema läßt sich finden, das reicheren Stoff bietet, mit Würde
und Fülle zu reden, als die Gedanken über die Tugend, über die
Staatsgemeinschaft, über die Vorsehung, über die Abkunft des
menschlichen Geistes und über die Freundschaft? Das sind Gegen-
65 stände, bei denen sich Geist und Rede gleichermaßen erheben: was in
Wahrheit gut ist, was die Ängste lindert, die Begierden zügelt, uns von
den Meinungen der Menge löst und unseren himmlischen Geist den
ihm verwandten Gestirnen näherzubringen vermag.

30 *Aristipp* aus Kyrene gehörte in Athen zum Kreis um Sokrates; er gilt als
Archeget der Kyrenaiker, hat aber keine feste Schulorganisation geschaffen.

32 *Pyrrhon*, radikaler Skeptiker zur Zeit des Aristoteles.

42 *allgemeine Themen*. Die sog. *Thesis*, eine Art Erörterung, gehörte zu den
etwas anspruchsvolleren Übungen im Grammatikunterricht. S. o. S. 102.

**100**  *Plutarch, Über die sittliche Tugend 4. 6 (= Moralia 443 C–D; 445*
*B–C).*

In seinem außergewöhnlich umfangreichen Werk hat sich Plutarch mit praktisch allen Fragen einer moralischen Lebensführung auseinandergesetzt.

Der folgende Abschnitt wurde ausgewählt, um den Gegensatz zur stoischen Definition des Verhältnisses von Vernunft und Affekt zu veranschaulichen (vgl. *83*).

Deswegen ist der Ausdruck ‚Sittlichkeit' (τὸ ἦθος) gut gewählt. Grob gesagt ist Sittlichkeit nämlich eine Beschaffenheit des Vernunftlosen; denn mit Sittlichkeit bezeichnet man das Vernunftlose, weil es, indem es von der Vernunft geformt wird, genau diese Beschaffenheit und
5 Differenzierung durch die Gewohnheit (ἔθος) empfängt. Die Vernunft will den Affekt nicht ganz und gar ausrotten (das wäre weder möglich noch besonders gut), sondern sie legt ihm eine Art Grenze und einen Platz fest und pflanzt die ethischen Tugenden ein, die jeweils nicht in der Freiheit von Affekten bestehen, sondern in ihrem Gleichgewicht
10 und im Mittelwert. Sie pflanzt sie ein, indem sie durch die praktische Vernunft die Anlage zum Affektiven zu einer gebildeten Charaktereigenschaft macht. Die folgenden drei nämlich, so sagt man, gibt es in der Seele: die Anlage, den Affekt und die Eigenschaft. Die Anlage ist nun Ursprung und Stoff des Affekts, wie z. B. die Neigung zu Zorn,
15 Scham oder Unverzagtheit. Der Affekt ist sodann eine Art Bewegung der Anlage, wie z. B. das Gefühl des Zorns, der Zuversicht oder der Schmach ⟨...⟩. Die Charaktereigenschaft ist eine aus der Gewohnheit erwachsene Fähigkeit und Handhabung der vernunftlosen Anlage: ein Laster, wenn der Affekt von der Vernunft schlecht geleitet wurde,
20 eine Tugend, wenn gut. ...
Es gäbe keinen Unterschied zwischen Selbstbeherrschung und Besonnenheit, zwischen Unbeherrschtheit und Lasterhaftigkeit hinsichtlich der Lust und der Begierden, wenn das Begehren und das Urteilen demselben Bereich der Seele angehörten. Tatsächlich liegt
25 aber dort Besonnenheit vor, wo die Vernunft das Affektive lenkt und an die Hand nimmt wie ein folgsames und sanftmütiges Haustier, indem sie es in bezug auf die Begierden so behandelt, daß es sich unterordnet und aus freien Stücken das rechte Maß und das Anständige annimmt. Der Selbstbeherrschte aber dirigiert die Begierde durch
30 eine starke und mächtige Vernunft. Er dirigiert sie aber auf eine recht betrübliche Art und Weise; sie folgt ja nicht willig, sondern wendet sich zur Seite und widersetzt sich; da er sie (nur) unter Schlägen und mittels des Zaumzeugs bezwingt und zum Stehen bringt, ist er innerlich voller Kampf und Aufruhr.

1  Plutarch hat zuvor unter Rückgriff auf Plato und Aristoteles gegen die Stoa zu zeigen versucht, daß nicht nur die Vernunft (ὁ λόγος), sondern auch das Vernunftlose (τὸ ἄλογον), nämlich die Affekte (Triebe, Sinnlichkeit etc.), zur menschlichen Seele gehört. Sittlichkeit besteht deshalb nicht in der Unterdrückung der Affekte durch die Vernunft („Selbstbeherrschung"), sondern in ihrer Lenkung („Besonnenheit").

1, 5  *Sittlichkeit ... Gewohnheit,* eine aristotelische Etymologie (*Nikomachische Ethik* 1103a 17).

9  *Freiheit von Affekten,* ἀπάθεια, ist das stoische Ideal.

10 *Mittelwert.* Nach aristotelischer Auffassung bildet die Tugend die ausgewo-
gene Mitte zwischen zwei entgegengesetzten Lastern, z. B. die Tapferkeit
zwischen Verwegenheit und Feigheit.

12 *so sagt man:* Aristoteles, *Nikomachische Ethik* 1105b 20f.

31 Der Vergleich mit dem Reiter bzw. Wagenlenker ist Platons *Phädrus* (253
C ff) entnommen; vgl. auch *248* Z. 28 ff.

## I. Die Sendung des Philosophen

Im Zeitalter des NT war die Philosophie nicht ausschließlich eine
Angelegenheit der Universität und Gegenstand theoretischer Studien; sie war im wesentlichen praktischer Natur und dazu bestimmt, gelebt zu werden (s. o. S. 71. 101 f). Die Philosophielehrer
sahen in ihren Überzeugungen das notwendige Heilmittel für die
Krankheiten der Menschen und boten sie so der Öffentlichkeit an
(s. u. *115*). Die Philosophen wurden öffentliche Straßenredner;
besonders die Kyniker predigten ihr „Evangelium" allen, die es
hören wollten (s. o. *24–25*). Der Philosoph wurde zu einer Gestalt,
die einiges zum neutestamentlichen Bild des Apostels beigesteuert haben mag. Das betrifft insbesondere die Rolle des Leidenden
und Märtyrers (s. o. *71*), zugleich aber auch die eines übermensch-
lichen, göttlichen Mannes (θεῖος ἀνήρ).

**101** *Epiktet, Vorträge III, XXII 19–26.*

Du mußt also zuerst dein oberstes Seelenvermögen reinigen mit folgendem Anfang: „Mein Verstand (mußt du denken) ist jetzt mein Stoff,
den ich zu bearbeiten habe, so wie der Zimmermann das Holz und der
Gerber die Felle. Meine Aufgabe ist, die sinnlichen Vorstellungen
5 recht zu gebrauchen. Der Leib geht mich nichts an; seine Teile gehen
mich nichts an. Der Tod? Der mag kommen, wenn er will, dem ganzen
Leibe oder nur einem Teile desselben. Die Verbannung? Wohin? Kann
mich jemand aus der Welt jagen? Das kann niemand, und ich mag
hinkommen, wohin ich will, so finde ich doch auch da Sonne, Mond und
10 Sterne, Träume, Vogelzeichen und den Umgang mit Göttern."
So muß sich einer vorbereiten; er darf es aber dann dabei nicht
bewenden lassen, wenn er in Wahrheit ein Kyniker sein will; sondern
er soll wissen, daß er von Zeus als ein Bote und Herold an die Menschen abgeordnet ist, ihnen vorstellig zu machen, daß sie in ihren
15 Anschauungen über Gut und Böse ganz irre gehen und das Wesen von
Gut und Böse in Dingen suchen, wo es nicht ist, wo es hingegen ist, es
nicht wahrnehmen. Er muß, wie Diogenes, als er nach dem Treffen bei
Chäronea zu Philippus geführt ward, ein Kundschafter sein; denn der
Kyniker ist wirklich einer, der es ausspäht, was dem Menschen freund
20 und feind sei. Er muß, wenn er das genau ausgekundschaftet hat,

kommen und die wahre Beschaffenheit der Sachen berichten. Er darf sich weder von Furcht einnehmen lassen, so daß er uns Feinde zeigt, die nirgends sind, noch sonst auf irgendeine andere Weise von den sinnlichen Vorstellungen beunruhigt oder verwirrt werden.

25 Er muß mit ausgestrecktem Arm, wenn es sich so trifft, und wie von einer Schaubühne herab, das bekannte Wort des Sokrates ausrufen können: „O, ihr Menschen, wo geratet ihr hin?" Was tut ihr, ihr Elenden? Ihr schleppt euch wie Blinde auf und nieder! Ihr geht auf einem falschen Wege, ihr habt den rechten Weg verlassen. Ihr sucht
30 das Wohlergehen, und zwar die Glückseligkeit, nur an Orten, wo sie nicht ist, und wenn euch schon jemand zeigt, wo sie sei, so glaubt ihr nicht.

18 *ein Kundschafter* (κατάσκοπος) *sein*. Der Philosoph entdeckt z. B., daß vom Tode nichts zu fürchten ist, und gibt sein Wissen der großen Masse der Menschen weiter.

## 102 *Philostrat, Leben des Apollonius I 17.*

Einst frug ihn ein Spintisierer, warum er nicht fragend zu Werke gehe. „Das Fragen", sagte er, „habe ich als Jüngling geübt; jetzt ist nicht Fragenszeit, sondern ich muß lehren, was ich erfahren habe." – „Wie also", frug jener, „wie wird, o Apollonius, der Weise sich am besten
5 lehrend unterhalten?" – „Wie ein Gesetzgeber", sagte er, „denn der Gesetzgeber muß das, was seine Überzeugung ist, für die Menge zum Gesetz erheben." – Auf diese Weise verfuhr er in Antiochia, und es gelang ihm, die Aufmerksamkeit selbst der ungebildetsten Menschen zu fesseln.

1 *frug ihn ein Spintisierer*, nämlich den Apollonius von Tyana. Apollonius lebte fast durch das ganze erste christliche Jahrhundert. Das von Philostrat geschilderte *Leben* wurde irgendwann nach 217 n. Chr. veröffentlicht und enthält legendäres Material, gibt aber wahrscheinlich kein ganz falsches Bild von diesem sehr eindrucksvollen pythagoreischen Philosophen, der weit herumreiste, Wunder tat und überall lehrte.

## 103 *Philostrat, Leben des Apollonius IV 20.*

Als er in seinen Unterredungen die Trankopfer behandelte, traf sich's, daß ein Jüngling anwesend war, auf dessen ausschweifenden und verwerflichen Wandel selbst Gassenlieder gedichtet waren. Er war aus Korkyra und stammte von Alkinoos, dem phäakischen Gastfreund
5 des Odysseus. Apollonius hatte eben bemerkt, man solle aus dem Opferbecher nicht trinken, sondern ihn rein und unbefleckt den Göttern bereithalten, und hatte sogar geraten, dieselben mit Henkeln zu versehen und die Spende an der Henkelseite auszugießen, an der Stelle, welche am wenigsten von den Lippen berührt werde. Da brach
10 der Jüngling in ein breites, schamloses Gelächter aus, Apollonius aber heftete seinen Blick auf ihn und sagte: „Nicht du frevelst hier, sondern

der böse Geist, von dem du besessen bist, ohne daß du es weißt!" Er war
aber wirklich besessen, ohne daß es bekannt war; er lachte, wo niemand lachte, weinte ohne Ursache, sang und hielt mit sich Zwiege-
15 spräch. Die Leute meinten, seine zügellose Jugend verschulde das; ihn
leitete aber ein böser Dämon, und er erschien in seinem Frevel wie
trunken. Als nun Apollonius ihn schärfer und zorniger anblickte,
schrie der Dämon auf wie ein Gebrannter oder Gefolterter und
schwur, den Jüngling loszulassen und nie wieder einen Menschen zu
20 überfallen! Als Apollonius aber zu ihm sprach wie ein zorniger Herr zu
einem schamlos bösen Knecht und ihm befahl, sichtbar auszufahren,
da rief er aus: „Das Standbild dort will ich umwerfen", und wies auf
eine Statue bei der Königshalle. Wirklich geriet diese in Bewegung
und stürzte um! Welcher Schrecken! Welches Staunen! Wer mag's
25 beschreiben? Der Jüngling aber rieb sich die Augen wie ein Erwachen-
der, sah nach der Sonne und war verlegen, weil aller Augen auf ihn
sahen. Von da an erschien er aber nicht mehr so wild und maßlos wie
vorher, sondern seine gesunde Natur kam wieder zum Vorschein wie
nach dem Gebrauch eines Heilmittels. Er vertauschte die feinen mit
30 rauhen Kleidern, nahm den Tribon und folgte dem Apollonius nach.

30 *Tribon*, der graue Mantel der Philosophen. Die Ähnlichkeit dieser Erzählung von Exorzismus und Konversion mit einigen Geschichten des NT wird
an mehreren Stellen deutlich.

**104**  *Philostrat, Leben des Apollonius V 24.*

Als Apollonius von da nach Alexandria kam, begab sich folgendes: In
dieser Stadt war man dem noch fern weilenden Apollonius mit herzli-
cher Liebe zugetan, und auch aus Oberägypten, dem Lande der Theologen, war die Bitte um seinen Besuch an ihn ergangen. Denn da
5 zwischen Oberägypten und Unterägypten ein reger Verkehr herrschte, gelangte er im ganzen Lande rasch zu großem Ruf, und jedes Ohr
war gespannt, von ihm zu hören. Als er nun vom Schiffe aus nach der
Stadt ging, schaute man zu ihm auf wie zu einem Gotte und machte
ihm in den engen Straßen Platz wie den Leuten, die Heiligtümer
10 tragen.

Als er nun so mit einem fürstlich zahlreichen Gefolge seinen Einzug
hielt, begegneten ihnen zwölf Männer, die als Räuber zur Hinrichtung
geführt wurden. Apollonius warf einen Blick auf sie und, auf einen der
Gefangenen hinweisend, rief er aus: „Nicht alle sind schuldig, dieser
15 da ist fälschlich beschuldigt." Dann hieß er die Henker, von denen sie
geführt wurden, langsamer zum Richtplatze zu gehen und den einen
zuletzt hinzurichten, „denn", setzte er hinzu, „dieser hat keinen Teil
an der Schuld, ihr aber werdet ein gutes Werk tun, wenn ihr denen
einen kleinen Teil des Tages noch vergönnt, die besser gar nicht
20 hingerichtet würden." Im Gegensatz zu seiner sonstigen Kürze gab er
dieser Ansprache aber eine ungewöhnliche Ausdehnung, und seine
Absicht wurde alsbald klar. Schon waren nämlich acht Verurteilte

enthauptet, als ein Reiter auf dem Richtplatze erschien und ausrief: „Schonet des Pharion!", denn dieser sei kein Räuber, er habe nur aus
25 Furcht vor der Folter sich schuldig bekannt; andere hätten, peinlich befragt, übereinstimmend die Unschuld des Mannes bezeugt. – Ich schweige von dem triumphierenden Jubel, den dieses Ereignis in Ägypten hervorrief; dieses Volk ist ja überhaupt dem Wunderglauben zugeneigt.

**105** *Apollonius von Tyana, 3. Brief.*

Du hast von Syrien aufbrechend die Völker bis nach Italien besucht und bist in den sogenannten königlichen Städten aufgetreten, und du hattest damals das Doppelgewand und einen langen weißen Bart und weiter nichts. Aber wieso kehrst du dann zur See zurück mit einem
5 Lastschiff voll Silber, Gold, allen Arten von Geschirr, bestickten Gewändern und übrigem Schmuck, aufgeblasenes, prahlerisches und unseliges Zeug? Was ist das für eine Ladung und was für eine neue Art von Handel? Zeno handelte höchstens um ein paar Nüsse.

1 *Du*, ein gewisser Euphrates, der um des Gewinnes willen als Philosoph herumgereist ist.

3 *Doppelgewand*, der doppelt umschlagbare Philosophenmantel, den die Kyniker trugen.

Der eben zitierte Brief läßt bereits ahnen, in welch enger Verbindung Philosophie und Kommerz stehen konnten. Niemand hat das spöttischer aufs Korn genommen als Lukian von Samosata, der „Voltaire des klassischen Altertums" (F. Engels). In dem Dialog *Der Fischer (Piscator)* wird er unter dem Decknamen Parrhesiades von den bedeutendsten griechischen Philosophen wegen seines Lästerns unter Anklage gestellt; er wird aber freigesprochen und rehabilitiert, weil er nachweisen kann, daß die zeitgenössischen Philosophen nur von Raffgier erfüllt sind und selbst den bissigsten Spott verdient haben. Wie die leichtgläubige Menge auch dem größten Scharlatan aufsitzt, demonstriert Lukian in *Über das Lebensende des Peregrinus*, der sich u.a. auch bei den Christen durchfütterte und zuletzt in Olympia selbst verbrannte. Zuweilen erweckt der Satiriker den Eindruck, als ziehe er gegen die Philosophie selbst zu Felde; in dem Stück *Der Verkauf der philosophischen Sekten* etwa läßt er Jupiter die berühmtesten Philosophen als Sklaven zum Kauf anbieten. Doch im Grunde genommen will er die Philosophie, deren Reputation durch ihre Vertreter arg ramponiert ist, in Schutz nehmen und in ihr Recht einsetzen.

**106**  *Lukian, Fugitivi 14–21.*

In dem Dialog *Die entlaufenen Sklaven* verspottet Lukian kynische Pseudo-
Philosophen. Die personifizierte Philosophie flüchtet sich zu Jupiter und
führt darüber Klage, daß ungebildete Handwerker ihren Beruf aufgeben und
unter dem Deckmantel der Philosophie als wandernde Bettler ihr gutes
Einkommen haben.

Das Unsere – ich spreche vom Erscheinungsbild – ist, wie du weißt,
äußerst einfach und leicht nachzuahmen, und es bedarf keiner großen
Mühe, einen alten Mantel überzuwerfen, sich einen Ranzen umzuhängen, einen Wanderstock in der Hand zu tragen, laut zu rufen – oder
5 vielmehr zu schreien wie ein Esel und zu bellen – und alle Leute zu
beschimpfen … Sie haben nun ausreichend Brot und nicht mehr, wie
zuvor, bloßes Gerstenbrot, und zum Brot essen sie nicht Pökelfleisch
oder Thymian, sondern allerlei Fleischspeisen und möglichst den sü-
ßesten Wein, und sie bekommen Geld, von wem sie wollen. Wenn sie
10 jemandem ihre Aufwartung machen, treiben sie gleichsam ihre
Steuern ein; sie selbst nennen es „Schafe scheren"…
Jede Stadt ist nun voll von solchem Betrug, besonders derer, die sich
bei Diogenes, Antisthenes und Krates eingetragen haben und unter
der Fahne des „Hundes" dienen. … Wenn diese Leute, die sich nach
15 außen hin und in der Öffentlichkeit recht würdevoll und verdrießlich
geben, einen hübschen Knaben oder eine schöne Frau zu fassen bekommen oder wenigstens Hoffnung darauf haben – – – man sollte gar
nicht aussprechen, was sie dann tun. Einige entführen sogar die
Frauen ihrer Gastfreunde und brechen mit ihnen die Ehe wie jener
20 trojanische Jüngling, unter dem Vorwand, sie seien nun Philosophin-
nen geworden. Danach haben sie die Frauen mit allen gemeinsam und
meinen, damit platonischer Lehre zu entsprechen; dabei wissen sie
nicht, zu welchem Zweck jener Heilige dafür plädierte, die Frauen
gemeinsam zu haben. Wie sie sich bei den Gastmählern aufführen und
25 was sie im Rausch anstellen, das zu erzählen, würde zu weit führen.
Das tun sie, kannst du es glauben, während sie selbst Trunkenheit,
Ehebruch, Ausschweifung und Geldgier anprangern. Man kann in der
Tat keine größeren Gegensätze finden als ihre Worte und Taten. Sie
geben beispielsweise vor, Schmeichelei zu hassen, und doch übertref-
30 fen sie Gnathonides oder Struthias in Sachen Schmeichelei. Die anderen halten sie zur Wahrheit an, selbst aber können sie nicht einmal
den Mund aufmachen, ohne zu lügen. Ihren Worten zufolge sind sie
alle Gegner der Lust und Feinde Epikurs, in ihren Taten aber ist die
Lust das Ziel all ihrer Handlungen. In ihrem Jähzorn, ihrer Kleinlich-
35 keit und ihrem aufbrausenden Wesen übertreffen sie kleine Kinder;
sie geben ihren Zuschauern keinen geringen Grund zum Lachen,
wenn ihnen aus dem erstbesten Grund die Galle überschäumt und
ihre Haut sich dunkel färbt und sie dreist und unsinnig dreinblicken
und ihr Mund voller Geifer, oder besser Gift, ist.
40 Hoffentlich triffst du sie nicht gerade, wenn jener verruchte Unrat

ausgeschüttet wird: „Gold oder Silber, bei Herakles, muß ich nicht haben. Ein Obolos, um Lupinen zu kaufen, reicht völlig; denn zu trinken gibt mir eine Quelle oder ein Bach." Und kurz darauf verlangen sie nicht mehr Obolen oder ein paar Drachmen, sondern ganze
45 Vermögen. Welcher Kauffahrer hätte mit seiner Fracht je einen solchen Gewinn erzielt, wie diese Leute sich durch ihre Philosophie bereichern? Wenn sie dann genügend beisammen und zur Seite geschafft haben, werfen sie jenen unseligen Mantel ab und kaufen zuweilen Landgüter, weiche Kleider, Knaben mit langen Haaren und
50 ganze Dörfer und sagen dem Ranzen des Krates, dem Mantel des Antisthenes und dem Faß des Diogenes Lebewohl. Wenn nun die einfachen Leute das sehen, spucken sie alsbald aus vor der Philosophie und glauben, daß alle Philosophen so seien und es bei mir gelernt hätten ...

3 *einen alten Mantel überzuwerfen, sich einen Ranzen umzuhängen, einen Wanderstock in der Hand zu tragen.* Vgl. *24* Z. 2.

13 *Diogenes* von Sinope, der bekannteste Kyniker, war Hörer des Antisthenes.

*Antisthenes,* ca. 455–360, Schüler des Sokrates. Die von ihm begründete Schule in Athen wurde zum Ausgangspunkt des Kynismus.

*Krates* von Theben, Schüler des Diogenes, führte das Wanderleben eines Kynikers.

14 *Hund,* s. *24,* Z. 1 mit Anm.

19 *jener trojanische Jüngling*: Paris entführte Helena, die Frau des Menelaos, und verursachte damit den Trojanischen Krieg.

22 *platonischer Lehre.* Vgl. Plato, *Staat* V 459–461.

30 *Gnathonides ... Struthias,* wörtlich „Kinnbacke" und „Sperling", zwei Schmarotzertypen in der Komödie.

42 *Ein Obolos.* Eine sechstel Drachme.

## K. Der Kommentar der Dichter

Einige Bemerkungen zu den Dichtern und ihrer Bedeutung wurden oben (S. 71 f) schon gemacht. Aristophanes (ca. 448–380 v. Chr.) zeichnete satirische Bilder der großen Personen seiner Zeit. In den *Wolken* nahm er sich Sokrates vor. Die Karikatur erscheint böse, aber vielleicht wurde sie nicht so ernst genommen. Plato hielt Aristophanes für einen gefälligen und amüsanten Gesellschafter, der eine Unterhaltung, die zu ernst zu werden drohte, aufheitern konnte. Aischylos (ca. 525–456 v. Chr.) war Soldat in den Perserkriegen und schrieb ca. 90 Stücke, von denen 7 erhalten sind. Sie zeigen Neuerungen in Sachen Bühnentechnik und handeln von Schicksal, von Erbschuld und von dem Verhängnis, das anmaßender Stolz (ὕβϱις) mit sich bringt. Sophokles (ca. 496–406

v. Chr.) war unter den großen Tragikern vielleicht der am wenigsten kritische. Die Religion nimmt er als gegeben hin; er beschäftigt sich sehr mit dem Charakter des Menschen und seinem Verhalten, wenn verschiedene Pflichten miteinander kollidieren wie in dem unten zitierten Abschnitt. Euripides (ca. 485–406 v. Chr.) wiederum war immer ein unabhängiger Denker mit der Fähigkeit, die öffentliche Meinung durch Kritik ihrer Konventionen zu schockieren.

**107** *Aristophanes, Wolken 222–274.*

Strepsiades:               He, Sokrates! ――― Sokrates'chen ―――
            Du dort!

Sokrates
(*aus der Höhe*):            Was rufst du mich, du Sohn des Staubes?

5 Strepsiades: Nein, aber sag, was machst du denn da oben?

Sokrates:     In Lüften schweb' und Helios überseh' ich.

Strepsiades: So? Über unsre Götter siehst du weg?
            Warum denn hoch im Korb und nicht am Boden?

Sokrates:     Wie könnt' ich wahr das Überird'sche deuten,

10             wenn schwebend nicht des Geistes zarter Äther
            mit dem verwandten Element sich mischte?
            Umsonst vom Boden unten schaut' ich auf
            nach oben; denn die Erde zieht zu sich
            unwiderstehlich des Gedankens Tau:

15             Ein Beispiel hast du an der Brunnenkresse.

Strepsiades: Was sagst du da?
            Das Denken zieht den Tau der Kresse zu?
            Hör, Sokrates'chen, komm zu mir herunter,
            ich will was lernen, komm und sei mein Lehrer!

20 Sokrates (*läßt*
*sich herab*): Was willst du lernen?

Strepsiades:                 Reden, lieber Mann!
            Die Zinsen und die groben Gläub'ger, denk,
            die plündern, pfänden, ziehn mich völlig aus.

25 Sokrates: Wie kamst du denn in Schulden, dummer Mensch?

Strepsiades: Roßfieber heißt die Krankheit, die mich frißt.
            Jetzt lehre mich von deinen beiden Künsten
            die: Nichts zu zahlen, und das Honorar
            erleg' ich gleich, das schwör' ich bei den Göttern!

30 Sokrates: Bei welchen Göttern? Denn die Götter sind
            hier abgeschätzte Münz'.

Strepsiades:             Wie schwört denn ihr?
            Bei eisernen, wie's in Byzanz gebräuchlich?

Sokrates: Willst du der Götter Wesen aus dem Grund

35             begreifen lernen?

| | |
|---|---|
| Strepsiades: | Ja, bei Zeus, womöglich. |
| Sokrates: | Und mit den Wolken selber Zwiesprach halten, |
| | die unsre Götter sind? |
| Strepsiades: | Das möcht' ich gern. |
| 40 Sokrates: | So setze dich auf diesen heil'gen Sitz! |
| Strepsiades: | Das kann ich schon! Da sitz' ich. |
| Sokrates: | So! Jetzt nimm |
| | den Kranz! |
| Strepsiades: | Wozu den Kranz? Ach, Sokrates, |
| 45 | wollt ihr mich opfern wie den Athamas? |
| Sokrates: | Mitnichten! Solches tun wir stets, wenn einer |
| | wird eingeweiht. |
| Strepsiades: | Was hab' ich denn davon? |
| Sokrates: | Ein Sprecher wirst du, flink, gewandt, gerieben, |
| 50 | wie Mehlstaub fein. So halt doch still! |
| Strepsiades: | Wahrhaftig, |
| | so ist's, schon bin ich um und um voll Staub. |
| Sokrates: | Andächtiges Schweigen geziemt dem Greis, |
| | und es lausche sein Ohr dem Gebete! |
| 55 | Allwaltende Herrin, unendliche Luft, die du hältst |
| | in der Schwebe den Erdball! |
| | Und du, strahlender Äther, ihr Göttinnen hehr, |
| | blitzdonner- und hagelgewaltig, |
| | erhebt euch, erscheinet, erhabene Frau'n, |
| 60 | in den Höhen dem sinnenden Forscher! |
| Strepsiades: | Nein, ich bitte, noch nicht! Laß den Mantel mich erst |
| | um den Kopf ziehn wider die Nässe! |
| | Verdammt, daß ich heut auch gerade von Haus |
| | bin gegangen ohne den Filzhut! |
| 65 Sokrates: | Kommt, kommt, hochheilige Wolken, und gönnt |
| | ihm den Anblick eurer Gestalten! |
| | Wo ihr immer verweilt, auf Olympos' Höh'n, |
| | den beschneiten, heiligen, oder |
| | Vaters Okeanos' Gärten, vereint mit den |
| 70 | Nymphen |
| | zum festlichen Reigen, |
| | ob am flutenden Nil ihr soeben die Flut |
| | in goldenen Eimern heraufzieht, |
| | ob ihr schwebt am maiotischen See oder fern |
| 75 | auf dem schneeigen Gipfel des Mimas: |
| | Wo ihr seid, o erhört mich und schauet mit Huld |
| | auf das Opfer der heiligen Weihe! |

6  Vgl. die Worte des Sokrates bei Plato, *Apologie* 19 B–C: „Rufen wir uns also
  zurück von Anfang an, was für eine Anschuldigung es doch ist, aus welcher
  mein übler Ruf entstanden ist, worauf auch Meletos bauend diese (Klage-)
  Schrift gegen mich verfaßt hat. Wohl! Mit was für Reden also verleumdeten
  mich meine Verleumder? Als wären sie ordentliche Kläger, so muß ich ihre

beschworene Klage ablesen: ‚Sokrates frevelt und treibt Torheit, indem er unterirdische und himmlische Dinge untersucht und die schlechtere Sache zur besseren macht und dies auch andere lehrt.' Solcherlei ist sie etwa: Denn solcherlei habt ihr selbst gesehen in des Aristophanes Komödie, wo ein Sokrates vorgestellt wird, der sich rühmt, in der Luft zu gehen, und viele andere Albernheiten vorbringt, wovon ich weder viel noch wenig verstehe. Und nicht sage ich dies, um eine solche Wissenschaft zu schmähen, sofern jemand in diesen Dingen weise ist, ..., sondern nur, ihr Athener, weil ich eben an diesen Dingen nicht teilhabe."

22 Rhetorik war das Hauptfach antiker Erziehung und wurde von den Sophisten gelehrt; Sokrates glich ihnen in mancherlei Hinsicht, obwohl er sich aufs deutlichste von ihnen distanzierte.

26 *Roßfieber*. Strepsiades' Sohn, ein Pferdenarr, hatte den Vater in Schulden gestürzt.

27 *von deinen beiden Künsten,* nämlich der Kunst der guten Sache (δίκαιος λόγος) und der schlechten Sache (ἄδικος λόγος), die in den *Wolken* als Personen auftreten. Mittels letzterer, so die Behauptung, erweist Sokrates die schlechtere Sache als die bessere.

33 *bei eisernen,* eine Anspielung auf Eisenmünzen.

43 *Kranz,* der auf ein Opfertier gelegt werden könnte.

59 *Erhebt euch, erscheinet, erhabene Frau'n.* Die Wolken nahen sich und drohen zu regnen.


**108** *Aischylos, Eumeniden 752–807.*

Athena:  Der Mann ist freigesprochen von dem Mord.
Denn beider Lose Zahl ist völlig gleich.
Orest:  O Pallas, die mein Haus gerettet hat,
den Heimatlosen führest du zurück,
5  und manchen wird man hören, wie er sagt:
„Dem Mann von Argos ward sein Vatergut
zurückerteilt durch Pallas und Apoll
und durch den dritten Retter, höchsten Zeus!"
Der nie des Vaters Mord vergaß, er sah
10  der Mutter Meute, und er schützte mich.
So zieh ich in die Heimat. Deinem Land
und deinem Volke aber schwör ich zu
für morgen und für ungemeßne Zeit,
daß nie ein Lenker meines Lands hierher
15  die weitgerühmten Speere bringen soll.
Wir selber werden von dem Grabe aus
den Männern, welche brechen diesen Eid,
viel Hindernisse stürzen in den Weg,
mutlosen Aufbruch senden, schlimme Fahrt,
20  daß reuevoll sie lassen von dem Werk.
Doch sind sie treu und ehren sie die Stadt
der Pallas mit dem kampfbereiten Speer,
so senden wir den Segen und das Glück.

Leb wohl! Athena! Du auch, stolze Burg!
25 Mit sichren Griffen wehre dich des Feinds,
dein sei das Heil und jeder stolze Sieg! (*ab*)

Chor:  O ihr neueren Götter,
die alten Gesetze,
ihr tratet sie nieder,
30 entwunden sind sie der Hand!
Der Würden beraubt,
mit bitterem Grimm
send ich auf diese Erde, weh!
Zum Lohn für das Leid
35 Gift, o Gift, das dem Herzen entquillt,
Tropfen, den Boden vertrocknend.
Da wuchert der Fraß,
der das Blatt verdorrt,
der das Weib verdorrt – o Dike!
40 Er stürzt auf das Land,
drückt das Pestmal auf,
Brandmäler des Todes.
Ich stöhne;
was soll ich fortan,
45 ein Spott dieser Stadt?
Nie trag ich die Schmach!
Furchtbar traf es die Töchter der Nacht,
sie trauern, sie klagen
verlorene Würde.

50 Athena:  O hört mich, tragt das Urteil ohne Zorn
als Unbesiegte! Gleiche Stimmenzahl
erschien, und eure Ehre blieb gewahrt.
Es siegte helles Wort des Vaters Zeus,
er wußte und bezeugte, daß Orest
55 für seine Taten ohne Strafe sei.
Was speit ihr euren Groll auf dieses Land?
Bedenkt euch, laßt den Zorn und träufelt nicht
den Mißwachs aus dem Geifer eurer Brust,
den wilden Pfeil, der alle Saat verzehrt!
60 Denn ich gelob euch treulich einen Sitz,
wo sich die Erde öffnet eurem Reich,
gesalbten Thron am fetten Opferherd,
von allen diesen Bürgern reichgeehrt.

1 *der Mann,* Orest, Sohn des Agamemnon und der Klytämnestra. Vor Beginn
des Trojanischen Krieges opferte Agamemnon seine Tochter Iphigenie, um
für das Unternehmen günstige Bedingungen zu erhalten. Klytämnestra
vergab ihm nie. Als er aus dem Krieg zurückkehrte, ermordete sie ihn mit
Hilfe ihres Liebhabers Ägist. Von Apollo bedrängt, ermordete Orest aus
Rache seine Mutter. Aufgeschreckt durch Klytämnestras Geist verfolgen
die Furien (Erinnyen) Orests Verurteilung und Tod; er wird vor dem Areo-

Die Philosophen

pag in Athen vor Gericht gestellt, angeklagt von den Erinnyen, verteidigt
von Apollo. Die Abstimmung über Verurteilung und Freispruch endet un-
entschieden; Athene, die Göttin von Athen, stimmt zu Orests Gunsten.

11 *Heimat,* Argos.

27 Die Erinnyen sind darüber erzürnt, daß das Urteil gegen sie ausgefallen ist
und das Blut nicht gerächt wird. Zuguterletzt gelingt es Athene, sie zu
versöhnen; sie werden zu „Eumeniden", d. h. zu „Freundlichen". Es ist nicht
Zeus' Wille, daß die Kette der Vergeltung ohne Ende sei.


**109**  *Sophokles, Antigone 441–470.*

| | |
|---|---|
| Kreon: | Zu dir jetzt, die das Haupt zu Boden senkt: |
| | Gestehst du oder leugnest du die Tat? |
| Antigone: | Ich tat sie, und ich leugne sie nicht ab. |
| Kreon: | Dann ist der Wächter ledig seiner Schuld |

5 (*zum Wächter*) und schere schleunig sich, wohin er will!
  (*zu Antigone*) Du sage kurz und bündig, frei heraus:
War das Verbot des Herolds dir bekannt?
Antigone: Nur zu bekannt, er rief es laut genug.
Kreon: Und dennoch hast du frech dich widersetzt?
10 Antigone: Nicht Zeus hat dies Verbot erlassen, noch
hat Dike, die mit Totengöttern thront,
uns Menschen solche Satzung auferlegt,
noch maß ich deiner Botschaft soviel bei,
daß ungeschrieb'nes ehernes Gesetz
15 der Götter vor den Menschen weichen soll;
denn dies ist nicht von heut' und gestern, nein,
von Ewigkeit, den Ursprung kennt kein Mensch.
In diesem Recht durft ich aus Menschenfurcht
niemals den Göttern schuldig werden. Daß
20 ich einmal sterben muß, wie wüßt' ich's nicht
auch ohne deine Drohung? Wird die Zeit
verkürzt, so acht' ich's für ein großes Glück:
Wer so im bitt'ren Leide lebt wie ich,
dem ist das Sterben wahrlich nur Gewinn.
25 Das Todeslos ist nicht mein größter Schmerz,
doch hätt' ich meines eignen Bruders Leib
ganz unbestattet liegen lassen: Das
wär' bittrer Schmerz; das andre zähl' ich nicht.
Wenn du mich heute eine Torin nennst,
30 so spricht dies Wort doch nur der größ're Tor!

2 *die Tat.* Antigone hatte den Leichnam ihres Bruders Polyneikes bestattet;
dieser war bei einem Angriff auf Theben, das nun von Kreon beherrscht
wurde, getötet worden.

4 Der Wächter hatte Antigone auf frischer Tat ertappt, als sie ihren Bruder
begrub, und sie zu Kreon gebracht.

7 Kreon hatte ein Verbot erlassen, die Leichname der feindlichen Soldaten,

und insbesondere den des Polyneikes, zu bestatten. Das war ein schwerwie-
gendes Vergehen mit Folgen für das Leben nach dem Tode.

12 Antigone handelt aus der Überzeugung heraus, daß wir Gott mehr gehorchen müssen als den Menschen.

24 Antigone benutzt dasselbe Wort für *Gewinn* (κέρδος) wie Paulus in Phil 1,
21.

**110** *Euripides, Die Troerinnen 634–683.*

Bei dem folgenden Abschnitt handelt es sich um einen Monolog Andromaches.

Hör, liebe Mutter, doch die trefflichste Begründung,
daß deinem Herzen ich Erleichterung verschaffe!
Ich meine, nicht geboren sein ist gleich dem Sterben,
doch Sterben besser noch als Leben voller Jammer.
5 Den Toten kümmert's nicht, wenn er ein Leid erfuhr.
Doch wer vom Glück ins Unglück stürzte, der empfindet
sehr tief den Unterschied zum einst'gen Wohlergehen.
Und sie ist, grad als hätte sie das Licht niemals
erblickt, gestorben, ahnt auch nichts von ihrem Leid.
10 Doch ich, die ich gestrebt nach edlem Ruhm, ich habe
zuviel des Glücks erreicht, und darin lag mein Fehler.
Denn was es für ein Weib an Sittsamkeit nur gibt,
darum bemühte ich in Hektors Haus mich redlich.
Zuerst entsagte ich dem Wunsch auf ein Verhalten,
15 das Frauen in Verruf bringt – mögen sonst sie Tadel
verdienen oder nicht –, dem Wunsche, nicht daheim
zu bleiben. Ich für mein Teil hütete das Haus.
Und in die Wohnung ließ die schönen Worte ich
der Weiber gar nicht ein. Mit meinem eignen Herzen
20 als einem guten Mahner gab ich mich zufrieden.
Der Zunge Schweigen, einen stillen Blick bot ich
dem Gatten, wußte, wann ich ihn zu leiten und
wann ihm die Leitung ich zu überlassen hatte.
Und dieser Ruf, der bis zum Griechenheere drang,
25 hat mich vernichtet. Denn als ich gefangen wurde,
da wollte des Achilleus Sohn als Gattin mich
gewinnen. Sklavin soll ich sein im Haus der Mörder.
Und stoß ich von mir Hektors liebes Antlitz, öffne
dem jetzigen Gemahl mein Herz, so tu ich klar
30 dem Toten Unrecht. Doch wenn Abscheu jenem ich
bekunde, werde meinen Herren ich verhaßt.
Und doch erzählt man, *eine* Nacht zerbreche schon
den Trotz des Weibes gegen eines Mannes Kraft.
Ich hasse alle, die den früheren Gemahl
35 vergessen und in neuer Bindung andre lieben.
Wird doch ein Pferd selbst, das man trennt von dem Genossen

des Joches, widerwillig nur sein Fuhrwerk ziehen –
und ist ein roh Geschöpf und ohne Sprache, schwach
an Einsicht, bleibt an Gaben hinter uns zurück.
40 Dich, lieber Hektor, hatte ich als meinen Schutz,
dich, groß an Klugheit, Adel, Reichtum, Tapferkeit.
Mich Unberührte nahmst du aus dem Vaterhaus,
hast mich zuerst in reiner Ehe dir verbunden.
Du bist jetzt tot, doch mich schleppt man, als Kriegsgefangne,
45 zu Schiff nach Hellas unters Joch der Sklaverei.
Ist somit denn geringer nicht als mein Verderben
der Opfertod Polyxenes, die du bejammerst?
Mir ist ja nicht einmal vergönnt, was allen Menschen
noch bleibt, die Hoffnung, und ich täusche mich nicht mit
50 Erwartungen. Und doch ist angenehm ein Wahn.

1 *Andromache* war die Frau Hektors; dieser war der Sohn des Priamos, des
Königs von Troja, und der Hekabe, die hier angesprochen wird. Troja ist
inzwischen in die Hände der Griechen gefallen. Hektor ist tot; die Frauen,
die noch am Leben sind, werden unter den Siegern verteilt. Hekabe wird zu
Odysseus gehen, ihre Tochter Kassandra zu Agamemnon, Andromache zu
Neoptolemos, dem Sohn Achills. Hekabes zweite Tochter Polyxene war auf
dem Grab Achills geopfert worden. Astyanax, der kleine Sohn Andromaches
und Hektors, soll getötet werden; vor dem Ende des Stücks wird sein Leichnam hereingetragen. Das Stück untersucht und erörtert die tragische Situation der beteiligten Frauen. Es entstand und wurde aufgeführt inmitten
wirrer Zeiten: Im Jahr 416 v.Chr. hatten die Athener ohne jeden Rechts-
grund die Insel Melos belagert und erobert, die wehrfähigen Männer umgebracht und die übrige Bevölkerung in die Sklaverei verkauft; im Jahr darauf, als das Stück aufgeführt wird, steht Athen am Vorabend eines neuerli-
chen Angriffskrieges, der Sizilischen Expedition. Euripides warnt vor den
Schrecken des Krieges: „Den Krieg soll also meiden, wer vernünftig ist" (*Die
Troerinnen* 400).

**111**  *Ezechiel, Exagoge 90–119.*

Aus hellenistischer Zeit ist uns der älteste Versuch bekannt, einen alttestamentlichen Stoff in das Gewand der griechischen Tragödie zu kleiden (vgl.
dazu *275* Z. 47 ff). Ca. zwischen 240 und 100 v.Chr. behandelte der jüdische
Tragiker Ezechiel das Exodusthema in dichterischer Form. Durch Euseb ist
uns eine Reihe von Fragmenten überliefert. Der folgende Auszug stammt aus
dem 3. Akt, der die Szene am brennenden Dornbusch beinhaltete. Text in:
*Tragicorum Graecorum Fragmenta*, Bd. I, hg. v. B. Snell, 2. Aufl. v. R. Kan-
nicht, Göttingen 1986, Nr. 128, Z. 90–119; Übersetzung aller Fragmente von
E. Vogt, JSHRZ IV. 3, Gütersloh 1983, S. 121–133 (dort [S. 118–120] auch
Literaturhinweise).

Mose:         Weh, welch ein Zeichen (kommt) mir hier aus dem
                                          Dornbusch,
              unbegreiflich und für Menschen unglaublich?
              Plötzlich brennt der Dornbusch lichterloh,
              und doch bleibt all sein Zweigwerk unversehrt.

Was ist das? Ich will näher herantreten und das Wunder schauen,
das übergewaltige; denn es ist für Menschen
unglaublich.

Stimme
Gottes:

Halte ein, Bester, nahe dich nicht,
Mose, ehe du von deinen Füßen die Riemen gelöst hast,
denn heilig ist die Erde, auf der du stehst;
die Stimme Gottes ist es, die dir aus dem Dornbusch
strahlt.
Fasse Mut, mein Kind, und höre auf meine Worte;
denn mein Antlitz zu sehen ist unmöglich
für einen Sterblichen, auf meine Worte aber kannst du
hören, um derentwillen bin ich gekommen.
Ich bin der Gott deiner Väter,
Abrahams und Isaaks und Jakobs, dieser drei.
Im Gedenken an jene und an meine früheren Verheißungen
bin ich da, zu retten mein Hebräervolk,
der ich sehe Elend und Mühsal meiner Knechte.
Doch gehe hin und zeige an mit meinen Worten
erstlich den Hebräern selbst allen zugleich,
dann dem König meine Gebote,
auf daß du mein Volk aus (diesem) Lande führst.

Mose:

Nicht bin ich beredt, meine Zunge
findet schwer das rechte Worte und stockt leicht, so daß
meine Worte
nichts ausrichten werden vor dem König.

Stimme
Gottes:

Ich will (dir) rasch deinen Bruder Aaron senden,
damit du ihm alles sagst, was ich gesagt habe,
und *er* soll vor dem König sprechen;
du (gehörst) zu mir, er aber nimmt von dir.

# V. Gnosis und Gnostizismus

Nicht nur die Ursprünge des Gnostizismus sind umstritten; auch über die Definition des Begriffs herrscht Uneinigkeit. Manchmal bezeichnet man damit die gemeinsame Richtung bzw. Substanz, in der eine Reihe von christlichen Häresien des 2. Jh.s. miteinander übereinstimmen. Dann ist es natürlich nicht möglich, den Gnostizismus als einen Teil der Umwelt des NT zu betrachten: Er entstand dann erst, als das Neue Testament schon abgeschlossen war. Diese Definition hat einiges für sich: Sie ist unvoreingenommen und fügt sich zu den datierbaren Texten, Personen und Ereignissen. Dennoch ist sie nicht ganz zufriedenstellend; denn wenn man den Gnostizismus des 2. Jh.s. analysiert, so zeigt er eine Reihe von Merkmalen, auf die bereits einige neutestamentliche Autoren zu reagieren scheinen. Zwar entstanden die ausgereiften christlichen Häresien erst nach Abschluß des Neuen Testaments, auf dem sie bis zu einem gewissen Grade gründen; aber schon bevor jedenfalls ein Teil des Neuen Testaments niedergeschrieben wurde, muß es eine religiöse Gedankenwelt gegeben haben, die zumindest einige Merkmale der gnostischen Bewegung des 2. Jh.s offenbarte. Manche nennen die vorchristliche Bewegung Gnostizismus, andere reservieren diesen Begriff für die späteren Systeme und bezeichnen erstere als Gnosis, wieder andere als Proto-Gnostizismus und ähnliches. An und für sich spielt es keine Rolle, welche Terminologie man verwendet, solange man jedenfalls deutlich macht, in welchem Sinne die fraglichen Begriffe zu verstehen sind. Eine einheitliche Terminologie wäre allerdings äußerst wünschenswert. Im folgenden werden mit Gnostizismus die christlichen Sondergruppen vom 2. Jh. an, mit Gnosis die damit vergleichbare religiöse Strömung zur Zeit des NT oder früher bezeichnet. Diese Unterscheidung ist zwar nützlich, leidet allerdings darunter, daß für beide nur das eine Adjektiv ‚gnostisch‘ zur Verfügung steht. Auch läßt die hier zugrundegelegte Definition eine Reihe von sehr komplizierten Fragen unbeantwortet. Was war Gnosis? Aus welchen Quellen kennen wir sie? Wie verhält sie sich zum Gnostizismus?

Dieses Kapitel will die aufgeworfenen Fragen nicht einmal versuchsweise beantworten. Dennoch muß in einem Buch mit Texten zur Umwelt des Neuen Testaments klipp und klar festgestellt werden: Obwohl es so gut wie sicher ist, daß es eine Gnosis gab, gibt es keine Quellen, die ihre Existenz beweisen oder uns genau sagen, worum es sich dabei handelte, oder die uns das Verhältnis von Gnosis und Gnostizismus darlegen. Sie muß zum großen Teil aus dem Neuen Testament rekonstruiert werden, wo sie ausdrücklich genannt wird (1 Tim 6, 20); an anderer Stelle wird indirekt auf sie Bezug genommen (z. B. Kol 2, 8) oder ist von solchen Leuten die Rede, die vollmundig behaupten, Gott zu kennen (1 Joh 2, 4). Eine Zusammenstellung neutestamentlicher Belegstellen wäre in diesem Buch fehl am Platze. Die meisten Abschnitte, die zitiert werden, stammen unweigerlich aus einer späteren Zeit; manche sind christlicher Herkunft, aber häretisch, andere nicht-christlich. Alle jedoch bezeugen sie mittelbar ein früheres Stadium, in dem christliche, jüdische, griechische und orientalische Strömungen zusammenflossen und so die noch unfertige Gnosis in ihren veränderlichen Formen hervorbrachten. Über das hier angeführte Material hinaus ist Philo ein wichtiger Zeuge für die frühesten Stadien der Gnosis (vgl. Kapitel X, besonders *256–259*).

Die folgenden Abschnitte sind nicht unter thematischen Gesichtspunkten, sondern ihrer Herkunft nach zusammengestellt. Dennoch dürften in ihnen einige Hauptthemen der Gnosis deutlich werden; vielleicht können sie andeutungsweise zu verstehen geben, wie sich die Entwicklung zum Gnostizismus vollzog.


## A. Die Hermetische Literatur

Hauptsächlich durch christliche Vermittlung ist aus dem Altertum eine Anzahl von Traktaten überliefert, die mehr oder weniger eng mit einem Gott Hermes Trismegistos zusammenhängen. Viele von ihnen sind lediglich astrologischen oder magischen Inhalts und können hier außer Betracht bleiben. Die übrigen enthalten ein Corpus von Lehren, die man mit gleich guten Gründen religiös wie philosophisch nennen kann. Diese Lehren, die hier und dort Berührungen mit dem griechischen AT zeigen, bilden ein bedeutsames Element in der Umwelt des NT.

Hermes Trismegistos, der „dreimal große Hermes", ist der griechische Titel des ägyptischen Gottes Thoth. Das Wort Trismegistos entspricht wahrscheinlich einer ägyptischen Ausdrucksform für „sehr groß" und sollte den fremden Gott von dem ursprünglich griechischen Hermes unterscheiden. In den meisten dieser Traktate übermittelt Hermes selbst oder eine ähnliche göttliche Gestalt einem zuweilen – aber nicht immer – mit Namen genannten

Schüler die geheime Erkenntnis (*Gnosis*) über Gott, Schöpfung oder Erlösung. Gewöhnlich wird die Offenbarung in Form eines Dialogs gegeben, worin die Rolle des Schülers darauf beschränkt ist, Fragen zu stellen und Bewunderung auszudrücken. Daneben finden sich Gebete und Doxologien, die an den Gott gerichtet sind.

Die hermetischen Schriften können nicht sicher datiert werden; wahrscheinlich wurden die meisten von ihnen zwischen 100 und 200 n. Chr. verfaßt, wenn auch einige durchaus schon ins 1. Jahrhundert n. Chr. fallen können. Wichtiger aber ist, daß diese literarischen Aufzeichnungen ganz offenbar den Niederschlag von jahrelanger mündlicher Lehre, von Reflexion und mystischer Meditation festhalten. Es ist zwar, wie die Dinge liegen, nicht beweisbar, aber doch recht wahrscheinlich, daß Ideen, wie sie ähnlich in den hermetischen Traktaten vorkommen, in Ägypten und vielleicht anderswo zu eben der Zeit lebendig waren, als die Schriften des NT niedergeschrieben wurden und das Christentum sich von Palästina aus nach Westen in die griechische Welt hinein ausbreitete.

Diese Bewegung des Christentums nach Westen muß hier erwähnt werden, weil auch die *Hermetica* zum Teil den Übergang jüdischer und ägyptischer, also orientalischer Gedanken in griechische Gestalt und Ausdrucksweise repräsentieren. Wer die hermetischen Schriften verstehen will, muß sich vor allen Dingen gegenwärtig halten, daß ihre Verfasser glaubten, ihnen sei ein Evangelium offenbart worden, das sie allen Menschen zu predigen hätten. Das geht vielleicht am deutlichsten aus dem ersten hermetischen Traktat, oft *Poimandres* genannt, hervor, aus dem die meisten der hier wiedergegebenen Texte stammen (vgl. dazu J. Buechli, *Der Poimandres, ein paganisiertes Evangelium*, Tübingen 1987). ‚Er erzählt, wie der Gott seinem Propheten in der Ekstase den göttlichen Ursprung von Welt und Mensch offenbarte und ihn beauftragte, den Weg der Erlösung allen Menschen zu predigen. Er benutzt mancherlei Formen religiöser Belehrung, wie wir sie aus jüdischer und christlicher Literatur kennen – die offenbarten Mythen vom Anfang der Dinge, die Lehre von der Unsterblichkeit, die Ankündigungen und Androhungen des göttlichen Gerichts, die Eschatologie und den Bußruf –, und schließt mit einem Hymnus des Lobes und der Sehnsucht. Sein eigentlicher Lehrgehalt ist derselbe wie in den meisten anderen Hermetica, aber er wird hier in eindrucksvollerer Weise als sonst dargeboten; er spricht das Gefühl leichter an und sticht von der Esoterik einiger anderer hermetischer Schriften ab, indem er sich an jeden wendet, der hören will' (C. H. Dodd, *The Bible and the Greeks*,

London ²1954, S. 99). Der Traktat beginnt mit der Erscheinung des Poimandres und der Bitte des Schülers um Erkenntnis. Darauf wird eine Vision geschildert, die den Ursprung des Alls lehrt; ferner wird in mythologischer Form der Ursprung und damit auch die Natur des Menschen offenbart. Seine Geschichte wird vom Urmenschen an bis zum gegenwärtig-empirischen Stand der gefallenen Menschheit hin verfolgt. Dabei werden Ursache und Art der Verdorbenheit des Menschen aufgezeigt und damit auch der Weg der Errettung. Die Seele muß alles hinter sich lassen, was sterblich und verderblich ist, und durch die sieben Sphären aufsteigen, bis sie zu Gott eingeht und selbst göttlich wird. Daß dies geschehen kann, ist das Evangelium des Poimandres. Nachdem der Schüler es in sich aufgenommen hat, wird er zum Apostel und predigt der Menschheit den Weg der Erlösung; einige lehnen ihn ab, andere nehmen ihn an und suchen weitere Belehrung. Diese versammelt der Prophet um sich und hält sie an, Gott zu danken. Nach ihrem Abschied preist er selbst seinen Gott in einem kurzen Psalm.

**112** *Corpus Hermeticum I. Poimandres 1–3.* Einführung.

1. Als ich einmal über das Seiende meditierte und mein Denken ganz erhoben war, während meine körperlichen Sinne niedergehalten waren wie bei denen, die nach reichlicher Mahlzeit oder körperlicher Anstrengung vom Schlafe beschwert sind, da schien es mir, als riefe
5 ein Gewaltiger von unermeßlicher Größe meinen Namen und spräche zu mir: „Was begehrst du zu hören und zu sehen, durch Denken zu lernen und zu erkennen?" – 2. Ich sprach: „Wer bist du?" „Ich bin Poimandres", antwortete er, „der Geist der höchsten Macht; ich weiß, was du begehrst, und bin allenthalben bei dir." 3. Ich sprach: „Ich will
10 das Seiende kennenlernen und seine Natur verstehen, und ich will Gott erkennen. Wie sehr", sprach ich, „begehre ich zu hören!" – Wieder antwortete er mir: „Behalte in deinem Geist, was du lernen willst, und ich werde es dich lehren."

2 *während meine körperlichen Sinne niedergehalten waren.* Es ist eine Konsequenz des Dualismus, der in den Hermetica (wie auch sonst oft in mystischer Literatur) eine so große Rolle spielt, daß man mit einer geistigen Vision am ehesten dann rechnet, wenn die sinnliche Wahrnehmung ruht. Das ist z. B. bei Philo ein ganz gewöhnlicher Gedanke, so in *Legum Allegoriae* III 42: „Es ist unmöglich, daß der, welcher im Körper und inmitten der Sterblichen haust, zum Sein bei Gott gelangt; das kann nur der, den Gott aus dem Gefängnis befreit." Vgl. *Corp. Herm.* XIII 7.

8 *Poimandres, der Geist* (νοῦς) *der höchsten Macht.* Die Bedeutung dieses Begriffs ist ziemlich ähnlich der, an die ein Christ bei den Begriffen *Wort* (λόγος) oder *Geist* (πνεῦμα) des obersten Gottes gedacht haben mag. Es ist

wahrscheinlich falsch, den Namen Poimandres von griechisch ποιμήν (Hirt) und ἀνήρ (Mann) abzuleiten. Eher ist es eine griechische Form des koptischen *II-EIME-N-PH*, „die Erkenntnis des (Sonnen-)Gottes". Zu einem solchen Namenstypus vgl. *Manda dHaijê*, „die Erkenntnis des Lebens" (d. i. Erlösung), den Namen, den die Mandäer ihrem Erlöser und Offenbarer gaben (s. u. *122–123*).

10 *das Seiende kennenlernen ... Gott erkennen.* Kürzer und klarer kann man das Ziel, das die Hermetiker erstrebten und in gewissem Maße schon erreicht zu haben glaubten, schwerlich definieren. Erkenntnis Gottes bedeutete schlechthin alles; „dies alles bringt dem Menschen Erlösung: die Erkenntnis Gottes (ἡ γνῶσις τοῦ θεοῦ)" (*Corp. Herm.* X 15). Vgl. *Poimandres* 26.

**113** *Corpus Hermeticum I. Poimandres 4–6. 9.* Kosmogonie.

4. Nach diesen Worten veränderte sich sein Aussehen; sogleich und in einem Augenblick war mir alles geöffnet, und ich schaute eine grenzenlose Vision. Alles war helles und heiteres Licht geworden, und ich verlangte heftig danach, als ich es sah. Nach einer Weile aber trat an
5 einer Stelle eine furchtbare, entsetzliche Finsternis auf und zog sich herunter, spiralenförmig geringelt, so daß es mir wie eine Schlange erschien. Dann verwandelte sich das Finstere in etwas Feuchtes, das unsagbar verworren war und Rauch von sich gab wie von Feuer und einen unbeschreiblich klagenden Laut ausstieß. Danach entsandte es
10 einen unartikulierten Schrei, der Stimme des Feuers vergleichbar.
5. Aus dem Licht aber ... kam ein heiliges Wort über die Natur, und ein unvermischtes Feuer schoß aus der feuchten Natur nach oben in die Höhe; das war leicht und scharf und zugleich wirkungskräftig, und die Luft, die leicht war, folgte dem Feueratem (πνεῦμα); sie stieg von
15 der Erde und dem Wasser bis zum Feuer auf, so daß sie von ihm herabzuhängen schien. Erde und Wasser aber blieben an ihrer Stelle, miteinander vermischt, so daß man die Erde nicht vom Wasser unterscheiden konnte. Sie wurden bewegt durch das glutatmende Wort, das hörbar darauf lag.
20 6. Poimandres sprach zu mir: „Hast du verstanden, was diese Vision bedeutet?" „Ich werde es erkennen", antwortete ich. „Jenes Licht", entgegnete er, „bin ich, Geist, dein Gott, der vor dem Feuchten war, das aus der Finsternis erschien. Das lichthafte Wort aus dem Geist ist Gottes Sohn." „Was nun?", fragte ich. „Erkenne folgendermaßen: Was
25 in dir sieht und hört, ist das Wort des Herrn, der Geist aber ist der Vatergott. Denn sie trennen sich nicht voneinander; in ihrer Vereinigung besteht das Leben." „Ich danke dir", sprach ich. „Nun aber denke das Licht und erkenne es! ..."
9. Doch der Gott Geist, der mannweiblich, Leben und Licht ist,
30 brachte durch ein Wort einen weiteren Geist als Weltschöpfer hervor, welcher Gott des Feuers und (seines) Geistatems (πνεῦμα) ist und sieben Verwalter schuf, die in Kreisen den wahrnehmbaren Kosmos umfangen. Ihre Verwaltungstätigkeit heißt „Schicksal".

3 u. 5 *alles war helles ... Finsternis ... zog sich herunter.* Der Dualismus wird natürlich in den Begriffen Licht und Finsternis ausgedrückt. Es liegt eine Anspielung auf Gen 1 vor, aber hier wird das Licht, nicht die Finsternis zuerst genannt, weil, wie es etwas später heißt, das Licht mit dem Gott identisch ist. Finsternis und Licht sind anfangs voneinander getrennt. Der Ursprung des empirischen Alls und der empirischen Menschheit liegt in ihrer Vermischung.

11 *kam ein heiliges Wort* (λόγος) *über die Natur* (φύσις). Wie in der biblischen Erzählung bringt das göttliche Wort in der feuchten Natur oder dem Chaos eine zusammenhängende Bewegung hervor.

18 *sie wurden bewegt ... darauf lag.* Hier ist die Abhängigkeit des Hermetikers von der Genesis (1, 2) besonders deutlich, sowohl in der Sprache wie im Inhalt. Nach der Genesis „lag der Geist Gottes auf dem Wasser" (πνεῦμα θεοῦ ἐπεφέρετο ἐπάνω τοῦ ὕδατος). In den Hermetica hat πνεῦμα nicht dieselbe Bedeutung wie in der Bibel; es ist ein warmer Dunst oder Atem. Entsprechend haben wir hier zur Verdeutlichung das „geistatmende Wort, das darauf lag" (τὸν ἐπιφερόμενον πνευματικὸν λόγον) und die noch nicht getrennte Erde und Wasser in Bewegung hält. Hier, wie in der Genesis, ist es das allmächtige Wort Gottes, das schafft; doch das Wort ist offensichtlich nicht einfach das biblische „es werde". Aber es waren wiederum jüdische Denker, die auch die Tätigkeit der Weisheit oder Tora als selbständige Schöpfungsmittlerin zuerst konzipierten.

21 *jenes Licht bin ich, Geist* (νοῦς), *dein Gott.* Hier ist die Formulierung verschwommen: Vorher schien es, als sei Poimandres der Geist des obersten Gottes; hier sind Geist und oberster Gott identisch.

23 *das lichthafte Wort aus dem Geist ist Gottes Sohn.* Der Sinn wird durch eine Analogie deutlich gemacht. Im Menschen korrespondiert der Geist dem Vatergott, der Vorgang des Sehens und Hörens dem Wort (λόγος). Im göttlichen wie im menschlichen Leben geht das eine dem anderen vorauf, aber beide sind doch untrennbar.

29 *Doch ...* In *Poimandres* 7 f steht, daß das Licht, welches göttlicher Geist und Urbild der Welt ist, sich in unzählige göttliche Kräfte teilte. Die niedere Welt, beseelt vom göttlichen Wort, bildete das Urbild nach. So trat die unendliche Zahl der Seelen ins Dasein.
*mannweiblich, Leben und Licht.* Die Idee der Zweigeschlechtlichkeit Gottes und der Gebrauch der Begriffe Leben und Licht sind in der Literatur der gnostischen Frömmigkeit – die Hermetica sind nur ein Beispiel dafür – weitverbreitet. Leben und Licht sind auch biblische Begriffe (z. B. Joh 1, 3 f); in jüdischer Spekulation heißt es gelegentlich im Anschluß an Gen 1, 27, der Protoplast sei mannweiblich gewesen.

30 *einen weiteren Geist als Weltschöpfer.* Der Urgott, der jenseits aller Berührung mit Materie und Zeit steht, muß einen zweiten Geist hervorbringen, um den Schöpfungsvorgang einzuleiten.

32 *sieben Verwalter ... Schicksal.* Die sieben Verwalter entsprechen genau den sieben Planeten, die in ihren sieben Sphären herrschen, welche zwischen dem Menschen und Gott gelegen sind. Auch die Genesis (1, 14–18) berichtet die Erschaffung himmlischer Körper, die zum Leuchten und zum Herrschen dienen sollen. Schicksal (εἱμαρμένη) ist ein stoischer Begriff; er ist hier und öfter mit astrologischen Ideen verbunden. – In § 10 f wird die Entstehung des tierischen Lebens beschrieben.

**114** *Corpus Hermeticum I. Poimandres 12–15.* Der Urmensch und sein Fall.

12. Der Geist aber, der Licht und Leben ist, der Vater von Allem, zeugte einen ihm gleichen Menschen, den er liebte als seinen eigenen Sohn; denn er war sehr schön, da er das Abbild des Vaters hatte, so daß Gott seine eigene Gestalt liebte. Ihm übergab er seine ganze Schöp-
5 fung.
13. Als er nun die Schöpfung betrachtete, die der Weltschöpfer im Feuer hervorgebracht hatte, wollte er selbst auch Weltschöpfer sein und erhielt auch die Erlaubnis dazu vom Vater. Als er in der Sphäre des Weltschöpfers ankam, wo er die ganze Macht innehaben sollte,
10 betrachtete er die Schöpfungswerke des Bruders; die (Verwalter) aber liebten ihn, und jeder gab ihm Teil an seiner eigenen Stellung. Als er ihr Wesen kennengelernt und von ihrer Natur einen Teil erhalten hatte, wollte er die Grenze der Kreise durchbrechen und die Stärke des (Firmaments), das über dem Feuer liegt, kennenlernen.
15 14. Und er, der alle Gewalt hatte über die Welt der sterblichen Wesen und der vernunftlosen Tiere, beugte sich nieder durch die Harmonie (der Sphären), durchbrach ihre Umschließung und zeigte der unteren Natur Gottes schöne Gestalt. Als sie ihn sah, der unendli-che Schönheit, alle Gewalt der Verwalter und die Gestalt des Gottes in
20 sich hatte, lächelte sie in Liebe, weil sie des Menschen überaus schöne Gestalt im Spiegelbild im Wasser und im Schatten auf der Erde erblickte. Als er die ihm gleiche, in der (unteren) Natur befindliche Gestalt in dem Wasser erblickte, liebte auch er und wollte dort woh-nen. Zugleich aber mit seinem Willen entstand die Durchführung, und
25 so bewohnte er die vernunftlose Gestalt. Die Natur aber empfing (damit) den Geliebten und umschlang ihn ganz, und sie vereinigten sich; denn sie liebten einander.
15. Deswegen ist der Mensch im Gegensatz zu allen Lebewesen auf der Erde ein Doppelwesen, zwar sterblich durch den Körper, aber
30 unsterblich durch den wesenhaften Menschen. Obwohl er unsterblich und mit Gewalt über alles versehen ist, erduldet er Sterbliches und unterliegt dem Schicksal. Obwohl er über die Harmonie (der Sphären) gestellt ist, wurde er Sklave innerhalb dieser Harmonie. Obwohl er mannweiblich ist, weil er von einem mannweiblichen Vater stammt,
35 und obwohl er schlaflos ist, weil er von einem Schlaflosen herkommt, wird er (von Liebes- und Schlafsucht) beherrscht.

2 *einen ihm gleichen Menschen.* Wir stehen noch nicht bei der Schöpfung des empirischen Menschen. Der oberste Gott kann nur vollkommene Kreaturen schaffen, den Geist und den Urmenschen. Der Urmensch war das Abbild Gottes (vgl. Gen 1, 26f) und konnte so mit Recht vom gnostischen Gott geliebt werden, da dieser in ihm seine eigene Vollkommenheit liebte.

10 *die Schöpfungswerke des Bruders,* d.h. die vom zweiten Geist erschaffenen Dinge; dieser war ja die erste, der Urmensch die zweite Schöpfung des obersten Gottes.

15 *er, der alle Gewalt hatte,* nämlich der Urmensch. Wir stehen nun am Anfang der Stufenfolge im Mythus. Die Schwierigkeit für jedes gnostische System war, das Vorhandensein des Bösen in der Welt zu erklären; da ein vollkommener Gott nur Gutes schaffen kann, wie kommt das Böse in die Schöpfung? Irgendein unglücklicher Zwischenfall mußte sich ereignet haben. So ist es hier.

26 *sie vereinigten sich.* Eine mythische Hochzeit zwischen der Natur und dem Urmenschen, der vollkommenen Schöpfung des obersten Gottes, gibt den Grund für die Doppelnatur des Menschen an. Man beachte, daß die Natur den Urmenschen liebt, der ihr das schöne Abbild Gottes zeigt, der Urmensch hingegen sein eigenes Abbild liebt, das sich im Urwasser spiegelt. Wie der oberste Gott kann er nur sich selber lieben.

28 *der Mensch ... ein Doppelwesen*, aus dem angegebenen Grunde. Er ist sterblich, weil er zum Teil aus verderbbarer Natur besteht; er ist dem Schicksal unterworfen, weil der Urmensch durch die sieben Sphären der Verwalter hinabgestiegen ist. Aber im gleichen Maße wie die Natur war der eigentliche, wesenhafte, der Urmensch Partner der Vereinigung, und deshalb verliert der empirische Mensch seine Unsterblichkeit nicht ganz und gar.

36 *wird er ... beherrscht.* Im Text scheint etwas zu fehlen; Ergänzung im Sinne der meisten Erklärer, siehe Nock z. St. und Latte (*Die Religion der Römer und der Synkretismus der Kaiserzeit,* S. 73). – In § 16 und 17, hier ausgelassen, erfahren wir, daß aus der mythischen Hochzeit sieben mannweibliche Menschen nach der Natur der sieben Verwalter hervorgehen.

**115** *Corpus Hermeticum I. Poimandres 27–29.* Die Sendung des Propheten.

27. Als der Poimandres das gesagt hatte, verschmolz er vor mir mit den Kräften. Ich aber dankte und lobte den Vater für alles; dann wurde ich, mit Kräften versehen und über die Natur des Alls sowie die höchste Vision belehrt, vom Poimandres entlassen. Nun begann ich,
5 den Menschen die Schönheit der Frömmigkeit und der Erkenntnis zu predigen: „Ihr Leute, erdgeborene Menschen, die ihr euch der Trunkenheit, dem Schlafe und der Nichterkenntnis Gottes ergeben habt, werdet nüchtern, hört auf zu schwelgen, behext, wie ihr seid, von unvernünftigem Schlaf!"
10 28. Als sie gehört hatten, kamen sie einmütig zu mir. Ich sprach: „Warum, ihr erdgeborenen Menschen, habt ihr euch selbst dem Tode überantwortet, wo ihr doch Macht hattet, der Unsterblichkeit teilhaftig zu werden? Tut Buße, die ihr mit dem Irrtum zusammengegangen seid und mit der Unwissenheit Gemeinschaft gehalten habt! Macht
15 euch frei von dem finsteren Licht, werdet der Unsterblichkeit teilhaftig, verlaßt die Verderbnis!"

29. Die einen von ihnen machten sich lustig über mich, gingen weg und hatten sich damit dem Wege des Todes ausgeliefert; die anderen warfen sich mir zu Füßen und baten um Belehrung. Ich ließ sie
20 aufstehen und wurde zum Führer des Menschengeschlechtes, indem ich ihnen die Lehre mitteilte, wie und auf welche Weise sie erlöst

werden könnten. Ich säte die Worte der Weisheit in sie, und sie
wurden vom ambrosischen Wasser genährt. Als es Abend geworden
war und der Schein der Sonne daran war, ganz unterzugehen, hieß ich
25 sie Gott danken. Und als sie ihr Dankgebet vollbracht hatten, ging
jeder heim in sein Bett.

4 *begann ich, den Menschen die Schönheit der Frömmigkeit und der Erkenntnis zu predigen.* Der Traktat bedient sich hier keiner Fiktion. Zweifellos
verkündigten hermetische Philosophen ihr Evangelium auch anderen und
fanden unter ihnen sowohl Anhänger als auch Gegner. Ammonius Sakkas
z.B. muß eine der Hermetik sehr ähnliche Lehre vertreten haben, und in
dieser fand dann wieder Plotin nach langem Suchen die Erfüllung seiner
metaphysischen Sehnsucht.

12 *Macht ... der Unsterblichkeit teilhaftig zu werden.* Vgl. Joh 1, 12.

13 *Tut Buße* (μετανοήσατε). Vgl. Mk 1, 15 und das NT *passim.*

17 *die einen ... die anderen.* Eine ebenso geteilte Aufnahme fand auch die
christliche Predigt; vgl. z.B. 1 Kor 1, 18.

22 *ich säte ... in sie.* Zur Metapher, die auch sonst vorkommt, vgl. Mk 4, 14; 1
Joh 3, 9.

23 *ambrosisches Wasser,* das Wasser der Unsterblichkeit. Vgl. Joh 4, 10.

**116** *Corpus Hermeticum I. Poimandres 30–32.* Das Opfer des Lobes
und der Danksagung.

30. Ich aber schrieb die Wohltat des Poimandres für mich (oder: in
meinem Inneren) nieder, und als ich so mit allem angefüllt war,
dessen ich begehrt hatte, wurde ich über die Maßen froh. Denn der
Schlaf meines Körpers war (wache) Nüchternheit der Seele geworden,
5 die Blindheit meiner Augen ein wahrhaftes Sehen, meine Stummheit
trächtig von Gutem, der Ausdruck meiner Rede die Früchte des Guten. Dieses ereignete sich mit mir, als ich vom meinem Geist empfangen hatte, das ist: vom Poimandres, dem Wort der höchsten Macht. So
bin ich gekommen, von Gott mit dem Geist der Wahrheit versehen.
10 Deshalb widme ich Gott, dem Vater, aus ganzem Herzen (ψυχή) und
aller Kraft diesen Lobpreis.
  31. Heilig ist Gott, der Vater aller Dinge.
Heilig ist Gott, dessen Wille durch seine eigenen Kräfte ausgeführt
wird.
15 Heilig ist Gott, der will, daß man ihn erkennt, und der den Seinen
bekannt ist.
Heilig bist du, der du durch das Wort alles, was ist, eingerichtet hast.
Heilig bist du, von dem die ganze Natur ein Abbild hervorbrachte (=
ist).
20 Heilig bist du, dem die Natur keine Gestalt gegeben hat.
Heilig bist du, der du stärker bist als jede Kraft.
Heilig bist du, der du größer bist als alles Hervorragende.
Heilig bist du, der du über alles Lob erhaben bist.
Nimm die vernünftigen, reinen Opfer von einer Seele und einem

25 Herzen, das dir entgegengestreckt ist, Unsagbarer, Unaussprechlicher, nur im Schweigen zu Nennender.

    32. Erzeige Gewährung mir, der ich bitte, nicht um die unserem
Wesen entsprechende Erkenntnis betrogen zu werden, und gib mir
Kraft: Dann will ich mit dieser Gnade alle diejenigen aus dem Men-
30 schengeschlecht erleuchten, die noch in der Unwissenheit sind, meine
Brüder, deine Söhne. Deshalb habe ich Glauben und gebe Zeugnis: Ich
gehe ins Leben und ins Licht ein. Gelobt seist du, o Vater. Dein Mensch
will mit von deiner Heiligkeit sein, so wie du ihm alle Gewalt gegeben
hast.

15 *der will, daß man ihn erkennt, und der den Seinen bekannt ist* (τοῖς ἰδίοις;
vgl. Joh 1, 11). Es gehört zum Wesen des obersten Gottes, die Erkenntnis
seiner selbst zu vermitteln; er ist es, der im Erlösungsvorgang den Anfang
macht. Aber nicht alle Menschen empfangen die Erkenntnis.

17 *der du durch das Wort alles, was ist, eingerichtet hast.* Für „Wort" (λόγος)
müßte vielleicht „Rede" eingesetzt werden. Gott sprach, und es geschah. Der
Verfasser denkt an Gen 1.

18 *Von dem die ganze Natur ein Abbild ist,* nämlich weil die Natur den Urmenschen in sich aufgenommen hat, der das Ebenbild Gottes ist.

24 *vernünftige, reine Opfer.* In NT vgl. Röm 12, 1; 1 Pt 2, 2. 5; Hebr 13, 15. Wie
andere Philosophen und einige jüdische und christliche Missionare wollten
die Hermetiker nichts mit materiellen Opfern zu tun haben. Das ist ganz
folgerichtig, denn ein Gott, der nicht vom Materiellen befleckt werden darf,
kann nicht durch Tieropfer geehrt werden.

31 *Deshalb habe ich Glauben und gebe Zeugnis: Ich gehe ins Leben und ins
Licht ein.* Diese christlichen (genauer: johanneischen) Worte sind auffal-
lend. Jedoch besteht kein Grund, christlichen Einfluß anzunehmen. Gott ist
Leben und Licht; der Mystiker geht in Gott und damit ins Leben und ins
Licht ein. Die Betonung seiner Zeugenschaft ist wichtig.

32 *Dein Mensch will mit von deiner Heiligkeit sein.* Die Worte συναγιάζειν σοι
βούλεται sind schwierig zu übersetzen; vielleicht „will sich mit dir in das
Werk der Heiligung teilen".

33 *so wie du ihm alle Gewalt gegeben hast* (τὴν πᾶσαν ἐξουσίαν). Vgl. Mt 11, 27
par. Lk 10, 22; Mt 28, 18; Joh 5, 20. 27 und *passim.* Der oberste Gott hatte
vorher dem Urmenschen Gewalt gegeben (§ 13), ebenso Macht über alle
Kreaturen und Freiheit zu schaffen. Offenbar hat der Mystiker hier die
Stellung des Urmenschen erreicht: Er ist nach dem Bilde Gottes gemacht.


**117**  *Corpus Hermeticum IV. Der Mischkrug 3–7.*

Die Vernunft (*Logos*) nun, o Tat, hat er auf alle Menschen verteilt, den
Geist (*Nus*) aber nicht auch noch; nicht aus Neid irgendjemandem
gegenüber, denn der Neid kommt nicht von dort (oben), hier unten
entsteht er in den Seelen der Menschen, die den Geist nicht haben.
5     Warum nun, o Vater, hat Gott nicht allen den Geist zugeteilt?
    Er wollte, mein Kind, daß dieser sich mitten unter den Seelen
niederlasse wie ein Kampfpreis (den es zu gewinnen gilt).
    Und wo hat er ihn hingesetzt?

Er füllte einen großen Mischkrug damit und sandte ihn hinab (auf
10 die Erde), ernannte einen Herold und befahl ihm, den Herzen der
Menschen folgendes zu verkünden: „Tauche dich, du (Herz), das du
dazu imstande bist, in diesen Krug hier ein, du, das du glaubst, daß du
hinaufsteigen wirst zu dem, der den Krug hinabgesandt hat, du, das
du erkennst, wozu du entstanden bist." Die den Heroldsruf beachtet
15 und sich der Geistestaufe unterzogen haben, haben teil an der Erkenntnis (*Gnosis*) und sind vollkommene Menschen geworden, weil sie
den Geist aufgenommen haben; die aber den Heroldsruf mißachtet
haben, sind die (nur) mit Vernunft Begabten (*Logikoi*), die sich nicht
zusätzlich den Geist erworben haben und in Unkenntnis darüber sind,
20 wozu und wodurch sie entstanden sind. Deren Sinne ähneln denen der
vernunftlosen Lebewesen, und da sie ein leidenschaftliches und zorni-
ges Temperament haben, bewundern sie nicht das Betrachtenswerte,
sondern halten sich an die fleischlichen Genüsse und Begierden und
glauben, daß der Mensch deswegen entstanden sei. Die aber einen
25 Anteil an Gottes Gabe bekommen haben, o Tat, sie sind, vergleicht
man (ihre) Werke (mit denen der anderen), unsterblich statt sterblich,
weil sie mit ihrem eigenen Geist alles umfassen, was auf Erden, was
im Himmel und was etwa jenseits des Himmels ist. Wenn sie sich so
weit erhoben haben, haben sie das Gute gesehen, und wenn sie es
30 gesehen haben, so kommen sie zu der Ansicht, daß der Aufenthalt hier
(unten) ein Unglück ist. Sie verachten alles, was leiblich und was nicht
leiblich ist, und streben nach dem Einen und Einzigen. Dies, o Tat, ist
das Wissen über den Geist, ⟨ein Überfluß (?)⟩ am Göttlichen, und das
Begreifen Gottes, da der Krug göttlich ist.
35 Auch ich will getauft werden, Vater.
Wenn du nicht zuerst deinen Leib haßt, mein Kind, kannst du dich
nicht lieben. Wenn du dich aber liebst, wirst du (den) Geist haben, und
wenn du den Geist hast, wirst du auch am Wissen Anteil bekommen.
Wie meinst du das, Vater?
40 Es ist unmöglich, Kind, sich beidem anzunähern, dem Sterblichen
und dem Göttlichen. Denn da das Seiende aus zweierlei besteht, aus
Körper und aus Unkörperlichem, zu denen das Sterbliche und das
Göttliche gehören, so bleibt für den, der wählen will, (nur) die Wahl für
das eine oder das andere. Denn es gibt nicht ⟨beides zugleich, unter
45 dem die Wahl offenbleiben kann⟩; wird das eine vermindert, so offenbart es die Wirksamkeit des anderen. Die ⟨...⟩ Wahl des Besseren
erweist sich nun nicht nur für den Wählenden als die beste, (nämlich)
den Menschen zu vergöttlichen, sondern zeigt auch die Frömmigkeit
gegenüber Gott auf; die (Wahl) des Geringeren aber hat den Menschen
50 zugrunde gerichtet, hat sich aber durchaus nicht an Gott vergangen,
sondern (?) nur diesen (Fehler gemacht): Wie die Triumphzüge mitten
(durch die Menge) hindurchziehen und dabei selbst nichts bewirken
können, (nur) andere behindern, auf dieselbe Weise nehmen auch
diese (Menschen) an einem Triumphzug durch die Welt teil, in dem sie
55 von ihren fleischlichen Genüssen mitaufgeführt werden.

1 Dieser Traktat unterscheidet zwischen Vernunft (λόγος), die nur wenig
mehr als das Sprachvermögen zu sein scheint, und Geist (νοῦς), ein höheres
Vermögen, das Gott nur den Wenigen verliehen hat.

9 *einen großen Mischkrug*, daher der Titel des Traktats.

15 *sich der Geistestaufe unterzogen haben*. Die mediale Form des Verbs macht
deutlich, daß es um eine eigene Entscheidung geht. Das Wort selbst mag
zum Teil christlichem Vorbild verpflichtet sein.

27 *mit ihrem eigenen Geist*. Der νοῦς, den Gott ihnen gegeben hat, geht in
gewisser Hinsicht in ihren Besitz über.

## 118 *Corpus Hermeticum XIII. Über die Wiedergeburt 1–2.*

Vgl. W. C. Grese, *Corpus Hermeticum XIII and Early Christian Literature*,
Leiden 1979.

In den *Genikoi*, Vater, machtest du bei der Unterredung über die
Göttlichkeit rätselhaft und nicht einleuchtend deine Ausführungen.
Es war keine Offenbarung (für mich), als du behauptetest, daß niemand vor der Wiedergeburt gerettet werden könne. Ich flehte dich bei
5 unserem Herabstieg von dem Wüstenberg an, nachdem du dich mit
mir unterredet hattest, fragte dich nach der Lehre der Wiedergeburt,
daß ich sie lerne, weil ich diese allein im Gegensatz zu allen anderen
Dingen nicht kenne, und da sagtest du: „Wenn du dich der Welt
entfremdest", (dann) übergäbest du sie mir. Nun bin ich bereit und
10 habe mein Denken von dem Trug der Welt (abgewendet und) gestärkt.
Du aber fülle auch meine (Erkenntnis-)Lücken damit, womit du mir,
wie du sagtest, die (Lehre der) Wiedergeburt übergäbest in sprachlicher oder geheimer Darlegung. Trismegistos, ich weiß nicht, aus welchem Mutterschoß der Mensch geboren wurde, aus welchem Samen.
15   (Die Mutter,) Kind, ist die Weisheit, die geistig ist im Schweigen,
und der Same ist das wahrhaft Gute.

Wer ist der, der sät, Vater? Das Ganze versetzt mich nämlich in
Ratlosigkeit.

Der Wille Gottes, Kind.
20   Und wie ist der Gezeugte beschaffen, Vater? Denn er ist doch wohl
unteilhaftig meiner Substanz, auch meiner noetischen.

Ein anderer wird der Gezeugte sein: Gott, Gottes Kind, das All im
All, aus allen Mächten bestehend.

Ein Rätsel sagst du mir, Vater, und nicht wie ein Vater sprichst du
25 zu deinem Sohn.

Dieses Geschlecht ist keine Sache der Lehre, Kind, sondern man
wird von Gott, wenn er es will, daran erinnert.

1 Der volle Titel des Traktats lautet: „Hermes Trismegistos an seinen Sohn
Tat, geheime Rede auf einem Wüstenberg über die Wiedergeburt und die
Bekanntgabe des Schweigens."
*Die Genikoi*, vielleicht ‚allgemeine Reden', waren ebenfalls an Tat gerichtet
und werden noch in *Corpus Hermeticum* X 1 erwähnt.

4 Neutestamentliche Parallelen sind offensichtlich.

15 *Weisheit ... Schweigen ... das wahrhaft Gute* sind göttliche Mächte, die
mehr oder weniger als Personen vorgestellt sind.

26 Gnosis ist eine Art Erinnerung an ein Wissen, das den Menschen bereits
eingepflanzt ist.

## B. Koptische gnostische Texte aus Nag Hammadi

Im Jahr 1945 wurde in Nag Hammadi in Ägypten eine Bibliothek
gnostischer Texte in koptischer Sprache gefunden. Sie müssen
einer christlich-gnostischen Sekte gehört haben; denn die meisten
von ihnen haben einen christlichen Einschlag, manche sind sogar
deutlich christlich. Die Texte bezeugen aber zugleich eine gnostische Bewegung, die, wenn überhaupt, jedenfalls nicht rein christlicher Herkunft war. Durch den Fund ist es uns möglich, die
christlich-gnostischen Häresien viel besser zu verstehen, als das
zuvor möglich war; wir kennen sie nun aus erster Hand und nicht
nur aus den Worten ihrer Gegner. Die Texte werfen auch ein Licht
auf die Ursprünge der gnostischen Bewegung insgesamt. Literatur zu den Texten von Nag Hammadi ist bequem zu finden dank
der Bibliographie von D. M. Scholer (*Nag-Hammadi-Bibliogra-
phy. 1948–1969*, NHS I, Leiden 1971), die in den *Bibliographica
Gnostica. Supplementa* I ff in der Zeitschrift *Novum Testamentum*
(seit XIII, 1971) laufend fortgeschrieben wird.

**119** *Nag Hammadi Codex III 70–90/V 1–17: Der Eugnostosbrief*
(Auswahl).

Der Brief zeigt keine christlichen Einflüsse. Es gibt eine Parallelversion, die
*Sophia Jesu Christi* (in: *Die gnostischen Schriften des koptischen Papyrus
Berolinensis 8502*, hg., übersetzt und bearbeitet von W. C. Till, in 2. Aufl.
bearb. von H.-M. Schenke, TU 60, Berlin 1972, S. 194–295), die eine christliche Bearbeitung des Eugnostosbriefes darstellt.

(III 70, 1) Der selige Eugnostos an die Seinigen: „Freut euch in diesen,
daß ihr wißt, daß alle Menschen, die gezeugt wurden seit dem Anfang
(5) der Welt bis jetzt, Staub sind, wobei sie nach Gott fragen, wer er ist
oder von welcher Art er ist. Sie haben ihn nicht gefunden. Die Weise-
5 sten unter ihnen (10) orakelten aufgrund der Einrichtung der Welt
über die Wahrheit. Und die Vermutung hat die Wahrheit nicht getroffen; denn über die Einrichtung werden von allen Philosophen drei
Aussagen gemacht. (15) Daher stimmen sie nicht überein. Einige
nämlich von ihnen sagen von der Welt, sie werde durch sich selbst
10 gelenkt, (20) andere, daß es eine Vorsehung sei, und andere, daß es
etwas sei, was zu geschehen bestimmt sei. Und es ist nicht eine von
diesen. Keine von den drei Aussagen nun, die ich schon genannt habe,

(71, 1) zählt zur Wahrheit. Was nämlich aus sich selbst ist, führt ein
eitles Leben. Die Vorsehung ist eine Torheit, (und) das, was angeord-
15 net ist, (5) ist etwas, was nicht erkennt. Wer nun imstande ist, zur
Auflösung dieser drei Aussagen, die ich schon genannt habe, zu gelangen und durch eine andere Aussage hineinzukommen und den (10)
Gott der Wahrheit zu offenbaren und mit allen darin übereinzustimmen, dieser ist unsterblich, während er inmitten der Menschen ist, die
20 zu sterben pflegen.

Der, welcher existiert, ist unbeschreiblich, keine (15) Archê (–
Kraft) hat ihn erkannt, keine Macht, keine Unterordnung, nicht irgendeine Kreatur, seit dem Anfang der Welt, außer er allein. Jener
nämlich ist unsterblich, ewig (20) und geburtslos. Jeder nämlich, der
25 eine Geburt hat, wird zugrunde gehen. (Er) ist ungezeugt und hat
keinen Anfang. Jeder nämlich, der einen Anfang hat, hat ein Ende.
Keiner herrscht (72, 1) über ihn, er hat keinen Namen. Wer nämlich
einen Namen hat, ist das Geschöpf eines anderen. (Er) ist namenlos,
hat keine Menschengestalt. Wer (5) nämlich eine Menschengestalt
30 hat, ist das Geschöpf eines anderen. (Er) hat ein ihm eigenes Aussehen, nicht von der Art des Aussehens, das wir erhalten oder das wir
gesehen haben, sondern es ist ein fremdes Aussehen (10), das jede
Sache weit übertrifft, das kostbarer als die Ganzheiten ist. Er sieht
nach allen Seiten, indem er sich allein erblickt durch sich selbst. (Er)
35 ist unendlich, unfaßbar, (15) einer, der dauernd unvergänglich ist,
einer, der nicht seinesgleichen hat. (Er) ist unwandelbar gut, ohne
Mangel, einer, der dauernd besteht. (Er) ist selig, (20) unerkennbar,
der sich selbst zu erkennen pflegt. (Er) ist unermeßlich, unergründlich
(?), vollkommen, indem er keinen Mangel hat. (73, 1) (Er) ist unver-
40 gänglich, selig. Man nennt ihn „den Vater des Alls". Bevor irgend
etwas von den Geoffenbarten in Erscheinung tritt, (5) sind die Größe
und die Gewalten in ihm, indem er die Ganzheiten beherrscht und
keiner ihn beherrscht. Jener nämlich ist ganz Nus, Gedanke (10) und
Überlegung, Klugheit, Vernunft und Kraft. Sie alle sind Gleichkräfte,
45 Quellen der Ganzheiten. Und ihre ganze Art bis zu ihrem Ende (15) ist
in der Ersten Erkenntnis des Ungezeugten. Bevor sie nämlich zum
Geoffenbarten kamen, bestand aber ein Unterschied zwischen den
unvergänglichen Äonen. (20) Laßt uns also folgendermaßen bedenken: Jede Sache, die aus dem Untergang entstanden ist, wird zugrun-
50 de gehen, weil sie aus dem Untergang entstanden ist. Was (74, 1) aus
der Unvergänglichkeit entstanden ist, wird nicht zugrunde gehen,
sondern unvergänglich bleiben, weil es aus der Unvergänglichkeit
entstanden ist. Daher (5) irrte eine Menge Menschen, weil sie diesen
Unterschied nicht kannten, das heißt, sie starben. Und bis hierher
55 mag es genug sein, da es niemandem möglich ist, der natürlichen
Beschaffenheit der Worte (10) entgegenzutreten, die ich eben über den
seligen, unvergänglichen, wahren Gott gesagt habe. Wenn nun einer
da ist, der an die dargelegten Worte glauben will, möge er forschen (15)
vom Verborgenen bis zum Ende des Geoffenbarten. Und dieser Gedan-

60 ke wird ihn belehren, wie man den Glauben an das, was nicht offenbar
ist, in dem, was offenbar ist, gefunden hat.

Ein (20) Wissensanfang ist das. Den Herrn des Alls nennt man
wahrheitsgemäß nicht ‚Vater‘, sondern ‚Vorvater‘; denn der Vater ist
der Ursprung dessen, (75, 1) was offenbar ist. Jener nämlich, der
65 anfangslose Vorvater, sieht sich selbst in sich wie (in) ein(em) (5)
Spiegel, als er in Erscheinung trat in seiner Autopator-Gestalt – das
ist der Autogenetor – als Antopos vor dem Angesicht des ungezeugten
Präexistenten. (Er) ist zwar (10) gleichaltrig mit dem, der vor ihm ist,
aber nicht ebenbürtig an Kraft. Nach ihm ließ er eine Menge von
70 selbstentstandenen, (15) gleichaltrigen und gleichmächtigen Antopoi
in Erscheinung treten, die glanzvoll und zahllos sind und die man ‚das
Geschlecht, über dem keine Herrschaft in den eingesetzten Herrschaften ist‘ nennt. (20) Die ganze Menge aber des Ortes, über dem keine
Herrschaft ist, nennt sie ‚die Kinder des ungezeugten Vaters‘. Er aber,
75 der Unerkennbare, (76, 1) [bleibt] allzeit unvergänglich [in] unbeschreiblicher Freude. Sie alle ruhen in ihm, indem sie sich dauernd (5)
in unbeschreiblicher Freude über die unwandelbare Herrlichkeit und
den unermeßlichen Jubel freuen, den man noch niemals gehört und
auch nicht wahrgenommen hat in allen Äonen (10) und ihren Welten.
80 Und bis hierher mag es genug sein, damit wir nicht aus dem Unendli-
chen herauskommen.

Ein weiterer Wissensanfang ist dies. Durch den Ungezeugten, den
Ersten, (15) der in Erscheinung trat vor dem All im Grenzenlosen –
(er) ist ein selbstgewordener, selbstgeschaffener Vater, er ist vollkom-
85 men im unbeschreiblichen Lichte, das leuchtet – dieser erkannte (20)
die Archê, so daß sein Aussehen eine große Kraft wurde. Sofort offenbarte die Archê jenes Lichtes einen unsterblichen, mannweiblichen
Menschen. Seinen (77, 1) männlichen Namen nennt man ‚den vollkommenen [Nus]‘, seinen weiblichen Namen aber ‚Pânsophos Sophia,
90 die Mutter‘. Man (5) sagt über sie auch, daß sie ihren Bruder und
ihrem Paargenossen gleicht, eine Wahrheit, gegen die man nicht zu
streiten pflegt; gegen die untere Wahrheit nämlich kämpft der Irrtum,
der mit ihr ist. (10) Durch den unsterblichen Menschen trat eine
Benennung ‚Göttlichkeit und Herrschaft‘ zuerst in Erscheinung. Der
95 Vater nämlich, den man ‚den Selbstvater-Mensch‘ zu nennen pflegt,
(15) ließ diesen in Erscheinung treten. Er schuf ihm (oder: sich) einen
großen Äon entsprechend seiner Größe. Er gab ihm eine große Macht.
Er herrschte über alle Geschöpfe. Er schuf (20) sich Götter, Erzengel
und Engel, Zehntausende ohne Zahl zu seinem Dienst. Durch jenen
100 Menschen nämlich begann die (78, 1) Göttlichkeit [und die Herr-
schaft]. Daher nannte man ihn ‚den Gott [der Götter], den König der
Könige‘. Der erste Mensch ist die Pistis für die, die (5) nach diesen
entstehen werden. Er hat in sich einen eigenen Nus, einen Gedanken,
so wie er ist, eine Überlegung und eine Klugheit, eine Vernunft und
105 eine Kraft. Alle Glieder, die (10) existieren, sind vollkommen und
unsterblich. In bezug auf die Unvergänglichkeit sind sie zwar eben-

bürtig, in bezug auf die Kraft besteht ein Unterschied wie die Verschiedenheit eines Vaters zu einem Sohn und eines Sohnes zu einem
Gedanken (15) und dem Gedanken zum Übrigen . . .

110 (V 8, 19) Der unsterbliche Mensch aber ist voll (20) jeder unvergänglichen Herrlichkeit und unaussprechlicher Freude, wobei sein ganzes
Reich in ewigem Jubel jubelt. Diese, die man noch nie gehört und auch
nicht (25) gekannt hat in allen Äonen, [die] nach [ihm] entstanden
[waren . . .].

115 Nach ihm entstand die [. . .] aus dem unsterblichen Menschen [. . .],
den man ‚Sohn [des Menschen]‘ zu nennen pflegt [Zeile 30–33 und 9, 1
sind nicht erhalten]. [Seinen männlichen Namen] nennt man ‚[. . .]
erstgeborene[en . . .]‘. Seinen weiblichen (5) [Namen . . . ‚die erst]gebore-
ne Sophia, [die Mutter des Alls]‘, die eini[ge zu nennen pflegen]: ‚die

120 Liebe‘. [Er aber, der] Erstgeborene, hat [die M]acht von (10) [seinem
Vater]. (III 81, 1) Er schuf [sich] Engel, Zehntausende [ohne] Zahl zu
einer Dienstleistung. Die ganze Menge jener Engel nennt man (5): ‚die
Kirche der heiligen, schattenlosen Lichter‘. Wenn sich jene nun küssen, wird ihr Kuß zu Engeln, die ihnen (10) gleichen. Den Protogene-

125 tor-Vater nennt man ‚Adam, den des Lichtes‘. Das Reich des Menschensohnes aber ist voll von unbeschreiblicher Freude (15) und un-
wandelbarem Jubel. Sie ergötzen sich fortwährend in unbeschreiblicher Freude an ihrer unvergänglichen Herrlichkeit, von der sie (oder:
man) noch nie gehört hatten und die auch nicht (20) allen Äonen

130 erschienen war, die entstanden waren, und ihren Welten. Der Sohn
des Menschen nun stimmte mit Sophia, seiner Paargenossin, überein.
Er ließ ein großes, mannweibliches Licht in Erscheinung treten. (82, 1)
Seinen männlichen Namen nennt man ‚Heiland, den Schöpfer aller
Dinge‘, seinen weiblichen Namen nennt man: (5) ‚Sophia, Pângenetira

135 (= Allesschöpferin)‘. Manche nennen sie ‚Pistis‘. Der Heiland nun
stimmte mit seiner Paargenossin, der Pistis Sophia, überein. Er ließ
sechs (10) mannweibliche pneumatische (Wesen) nach dem Vorbild
derer, die vor ihnen sind, in Erscheinung treten . . .
Der erste (85, 10) Äon ist der des unsterblichen Menschen, der

140 zweite Äon ist der des Menschensohnes, den sie ‚Erst-Schöpfer‘ zu
nennen pflegen, den sie ‚Heiland‘ zu rufen pflegen. (15) Derjenige, der
diese beherrscht, ist der, über den es keine Herrschaft gibt, beim
göttlichen, grenzenlosen Ewigen, dem Äon der Äonen, bei den Unsterblichen, die in ihm sind, die Oberseite der Achtheit, (20) die aus

145 dem Chaos in Erscheinung trat . . .
Aus seinem (87, 10) guten Willen und seinem Gedanken traten die
Kräfte in Erscheinung, die man ‚Götter‘ benannte. Die Götter ließen
aus ihrer Klugheit (pl.) Götter in Erscheinung treten. (15) Die Götter
aber ließen aus ihrer Klugheit (pl.) Herren in Erscheinung treten. Die

150 Herren aber der Herren ließen aus ihren Worten Herren in Erschei-
nung treten. Die Herren aber ließen aus (20) ihren Kräften Erzengel in
Erscheinung treten. Die Erzengel ließen (aus ihren Worten) Engel in
Erscheinung treten. Aus dieser trat das Bild in Erscheinung (88, 1)

und Ge[stalt und Form], um [alle] Äonen [und] alle ihre unsterblichen
155 Welten zu benennen, die ich schon genannt habe, indem sie die (5)
ganze Macht besitzen aus der Kraft des unsterblichen Menschen und
der Sophia, seiner Paargenossin, die man ‚Schweigen‘ nannte. Man
nannte sie ‚Schweigen‘, weil sie aus einer Überlegung (10) ohne Worte
ihre Unvergänglichkeits-Größe vollendete. Da sie die Gewalt hatten,
160 schuf sich jeder einzelne von ihnen große Reiche in allen (15) unsterblichen Himmeln und ihren Firmamenten, Throne und Tempel nach
ihrer Größe; einige nun Wohnplätze und herrliche, unbeschreibliche
Wagen, (20) die man nicht beschreiben kann, in jeder Beschaffenheit.
Sie schufen sich Engelheere, zahllose Zehntausende zur Dienstlei-
165 stung (89, 1) und Verherrlichung, ferner unbeschreibliche, jungfräuliche Lichtgeister. Es gibt bei ihnen keine Plage und Schwäche, sondern
es ist (5) nur ein Wunsch, (und) sogleich wird er so (verwirklicht). Es
vollendeten sich die Äonen, ihre Himmel, die Firmamente der Herrlichkeit des unsterblichen Menschen und der Sophia, seiner Paarge-
170 nossin, (10) der Ort, wo alle Äonen und ihre Welten und die, die nach
diesen entstanden ⟨...⟩, damit sie die Abbilder jenes Ortes schüfen,
ihre Abbilder in den Himmeln des Chaos und (15) ihren Welten. Die
ganze Beschaffenheit aber aus dem Unsterblichen vom Ungezeugten
bis zur Offenbarung des Chaos im leuchtenden, schattenlosen Licht
190 und unbeschreiblicher Freude (20) und unaussprechlichem Jubel, sie
ergötzen sich fortwährend an ihrer unwandelbaren Herrlichkeit und
ihrer unermeßlichen Ruhe, die man nicht beschreiben kann (90, 1)
und die man auch nicht wird begreifen können in allen Äonen, die
entstanden sind, mit ihren Kräften.
175 Und bis hierher mag es genügen. Diese alle aber, (5) die ich dir schon
gesagt habe, habe ich gesagt so, wie du es wirst ertragen können, bis
das Unlehrbare in dir in Erscheinung tritt. Und all das wird es (10) dir
in Freude und einem reinen Wissen sagen.“

Der selige Eugnostos.

3 *nach Gott fragen.* Diesen Fragen wendet sich die Gnosis zu. Der gnostische
Offenbarer kann das mitteilen, was sonst unbekannt ist.

37 *unerkennbar.* Die meisten Aussagen über Gott, die hier gemacht werden,
sind negativ; einige positive Feststellungen folgen später.

43 Gott ist *Nus* (Einsicht, Verstand) und Vernunft, aber er kann durch das
menschliche Denken nicht erfaßt werden.

87 Die Hauptschwierigkeit der Gnosis bestand nicht in der Entwicklung einer
Erlösungslehre, sondern darin, eine Erklärung zu finden, wie die Schöpfung stattgefunden haben kann. Wenn das Geistige (die Gottheit, Unsterblichkeit) in schlechthinnigem Gegensatz zur Materie steht und beide
nichts miteinander zu tun haben können, wie konnte es sie dann hervorbringen? Wie konnte insbesondere der Prozeß sexueller Zeugung in Gang
gebracht werden? Etliche gnostische Systeme akzeptierten die Theorie, die
dieser Traktat darlegt: Ursprünglich bisexuelle Wesen lassen andere in
Erscheinung treten (‚offenbaren‘); am Ende steht dann die vorfindliche
Menschheit mit Frauen und Männern.

125 Der Ausdruck *Menschensohn* ist in einem nicht-christlichen Werk überraschend. Der Ausdruck könnte aus dem Judentum genommen sein; vielleicht hat aber die Annahme, daß hier ausnahmsweise ein christliches Element in den ansonsten nichtchristlichen Eugnostosbrief eingedrungen ist, mehr Wahrscheinlichkeit für sich.

## 120 *Nag Hammadi Codex I: Das Evangelium der Wahrheit 34–41.*

Ein Buch mit diesem Titel wird von Irenäus erwähnt (*Adversus haereses* III 11, 9). Es scheint valentinianischer Herkunft zu sein; manche glauben sogar, Valentin selbst habe es geschrieben. Es handelt sich um ein christlich-gnostisches Werk, vermutlich sogar um ein sehr frühes. Es zeigt uns eine Form der Gnosis, die zur Herausbildung des christlichen Gnostizismus beitrug. Eine Bibliographie zu dieser Schrift findet sich bei: H. A. Attridge (Hg.), *Nag Hammadi Codex I (The Jung Codex),* Bd. I, NHS XXII, Leiden 1985, S. 55–59.

Das ist das Wort des Evangeliums des Findens des Pleromas für die, die warten auf (35, 1) die Rettung, die von oben kommt. Es harrt ihre Hoffnung auf die, die warten, deren Erscheinung (5) das Licht ist, in dem kein Schatten ist. Wenn zu jener Zeit sich das Pleroma zu kom-
5 men anschickt, ist der Mangel der Materie nicht aus (10) der Grenzenlosigkeit des Vaters entstanden, der zur Zeit des Mangels gekommen ist, obgleich niemand sagen konnte, daß der Unvergängliche so kommen würde. Aber (15) die Tiefe des Vaters nahm zu, und das Denken der Planê (= des Irrtums) war nicht bei ihm. Eine schwache (?) Sache
10 ist es, eine ruhende Sache ist es, die sich (20) aufrichtet beim Finden dessen, der zu dem gekommen ist, den er zurückführen will. Die Rückkehr nämlich wird Buße genannt. Deshalb (25) hauchte die Unvergänglichkeit aus. Sie folgte dem, der gesündigt hat, damit er Ruhe finde. Die Vergebung nämlich ist der Rest für das Licht im Mangel, das
15 Wort des Pleromas. (30) Denn der Arzt eilt zu dem Ort, an dem ein Kranker ist, weil es der Wille ist, der in ihm ist. Wer also an etwas Mangel leidet, verbirgt es nicht, denn er hat das, was (35) ihm fehlt. So füllt das Pleroma, das an nichts Mangel leidet, den Mangel, das er (36, 1) von sich gegeben hat, um das zu füllen, was ihm mangelt, damit er
20 also Gnade empfängt; denn zur Zeit, als er Mangel litt, hatte er (5) die Gnade nicht. Daher war Minderwertigkeit an dem Ort, an dem die Gnade nicht war. Sobald man dieses Kleine empfing, woran er Mangel litt, (10) ließ er es als Pleroma erscheinen – das ist das Finden des Lichtes der Wahrheit, das ihm schien, da es unveränderlich ist. –
25 Deshalb sprachen sie zu Christus in ihrer (15) Mitte, damit die, die verwirrt waren, eine Rückkehr erhielten, und er sie mit der Salbe salbte.

Die Salbe ist das Erbarmen des Vaters, der sich ihrer erbarmen wird. Die er aber gesalbt hat, (20) sind die, die vollendet wurden. Die
30 vollen Gefäße nämlich sind es, die man zu salben (= verschmieren) pflegt. Wenn aber die Salbe (= Dichtung) eines (Gefäßes) sich ablöst, fließt es aus. Und die Ursache, (25) daß es schadhaft wird, ist die Sache

(= Stelle), von der ihre Salbung abgehen wird. Zu jenem Zeitpunkt
nämlich zieht ein Wind es an sich, einer aus der Kraft dessen, der mit
35 ihm ist. Aber (30) bei dem Makellosen löst man kein Siegel an ihm,
noch gießt man irgend etwas aus, sondern der vollkommene Vater
füllt es wieder mit dem, woran es Mangel leidet.

(35) Er (= der Vater) ist gut. Er kennt seine Pflanzungen, denn er ist
es, der sie in seinem Paradies gesät hat. Sein Paradies aber ist sein
40 Ruheplatz.

Das (37, 1) ist die Vollendung aus dem Denken des Vaters, und das
sind die Worte seines Überlegens. Jedes einzelne seiner Worte (5) ist
das Werk seines einzigen Willens durch die Offenbarung seines Wortes. Seit sie Tiefe seines Denkens sind, hat das „Wort", das zuerst
45 hervorkam, (10) sie und einen Nus offenbart, indem er sprach. Das
Wort ist eines in einer Gnade, welche schweigt. Sie nannten ihn: „das
Denken", da sie in ihr waren, bevor sie in Erscheinung traten. (15) Es
geschah aber, daß es zuerst in Erscheinung trat, zu dem Zeitpunkt, als
es dem Willen dessen, der gewollt hatte, gefiel. Der Wille aber ist es, in
50 dem der (20) Vater ruht und der ihm gefällt. Nichts entsteht ohne ihn,
und nichts entsteht ohne den Willen des Vaters. Aber (25) sein Wille
ist unfaßbar. Seine Fußspur ist der Wille, und niemand wird ihn
erkennen, noch existiert er, daß man seine Aufmerksamkeit auf ihn
richtet, um ihn zu erfassen. Sondern (30) zu dem Zeitpunkt, da er will,
55 ist das, was er will, (da), selbst wenn ihnen der Anblick nicht gefällt.
Nichts sind sie bei Gott, dem Willen. Der Vater nämlich kennt ihrer
(35) aller Anfang und Ende. An ihrem Ende nämlich wird er sie fragen,
was sie getan haben. Das Ende aber ist das Erkenntnis-Empfangen
über das, was verborgen ist. Das aber ist der Vater, (38, 1) von dem der
60 Anfang ausgegangen ist, der, zu dem alle, die von ihm ausgegangen
sind, zurückkehren werden. Sie traten aber in Erscheinung (5) zur
Ehre und Freude seines Namens. Der Name des Vaters aber ist der
Sohn. Er ist es, der zuerst den benannte, der aus ihm hervorgegangen
war, der er selbst war, (10) und er brachte ihn als Sohn hervor. Er gab
65 ihm seinen Namen, den er hatte, weil er es ist, der alle Dinge besitzt,
da sie bei ihm, dem Vater, sind. Er hat den Namen, (15) er hat den
Sohn. Es ist möglich, ihn zu sehen, der Name aber ist unsichtbar, weil
er allein das Geheimnis des Unsichtbaren ist, (20) das zu Ohren
gelangt, die von ihm ganz voll sind, denn den Namen des Vaters
70 spricht man nicht aus. Er ist aber in einem Sohne offenbar. So ist also
der Name groß. (25) Wer also wird ihn benennen können, den großen
Namen, außer ihm allein, dem der Name gehört, und den Söhnen des
Namens, die, (30) in denen sich der Name des Vaters zur Ruhe niederließ und die sich wiederum auch in seinem Namen zur Ruhe niederlie-
75 ßen?

Da der Vater ungeworden ist, ist er allein es, der ihn sich als Namen
hervorgebracht hat, (35) bevor er die Äonen in Ordnung brachte,
damit der Name des Vaters über ihrem Haupte sei, indem er Herr ist –
das ist der (39, 1) wahre Name –, der gesichert ist durch seinen Befehl,

80 durch die vollkommene Kraft; denn der Name ist nicht eines von den
Wörtern, und ⟨nicht⟩ (5) Benennungen sind sein Name, sondern er ist
unsichtbar. Er (= der Vater) benannte ihn (= den Sohn) allein, weil er
(= der Sohn) ihn (= den Vater) allein sieht. Er (= der Vater) allein ist es,
der (10) ihn (= den Sohn) benennen kann, denn, wer nicht existiert, hat
85 keinen Namen. Welchen Namen nämlich soll man ihm geben, dem,
der nicht existiert? (15) Dieser aber, der existiert, existiert auch mit
seinem Namen, und er (= der Sohn) kennt ihn (= den Vater) allein und
um ihn (= den Sohn) allein zu benennen, der Vater ist es (vgl. Mt 11,
27). Der Sohn (20) ist sein (= des Vaters) Name. Er (= der Vater) hat
90 ihn also nicht in der Sache verborgen, sondern er (= der Name) war da.
Den Sohn allein benannte er. Der Name ist also der des Vaters, (25) so,
wie der Name des Vaters der Sohn ist, das Erbarmen. Wo soll er daher
einen Namen finden außer beim Vater? Aber gewiß wird einer (30) zu
seinem Freunde sagen: „Wer wird diesen benennen, der zuerst war,
95 vor ihm?", als ob (40, 1) die Kinder den Namen nicht von denen
empfingen, die sie gezeugt haben.

Zuerst ziemt es sich für uns, die Sache zu erkennen, was (5) der
Name ist, daß er (= der Name) der wahre Name ist. Er ist also der
Name aus dem Vater, denn er ist der Namensherr (oder: eigentliche
100 Name). Er (= der Sohn) hat also den Namen (10) nicht als Darlehen
erhalten wie andere, wie jeder einzelne mit ihm versehen wird. Dieser
aber ist der Namensherr (oder: eigentliche Name). (15) Es gibt keinen
anderen, der ihn ihm gegeben hätte, sondern er ist unbenennbar,
unaussprechbar bis zu dem Zeitpunkt aber, da dieser Vollkommene
105 ihn (20) allein aussprach. Und er (= der Sohn) ist es, der seinen (= des
Vaters) Namen zu sagen und ihn (= den Vater) zu sehen vermag. Als es
ihm (= dem Vater) nun gefiel, daß sein Name, den (25) man ausspricht,
sein Sohn ist und er (= der Vater), der aus der Tiefe gekommen ist, den
Namen gegeben hat, sprach er (= der Sohn) über seine verborgenen
110 Dinge, da er wußte, daß der Vater ohne (alles) Schlechte ist.

(30) Deshalb hat er ja diesen (= den Sohn) hervorgebracht, damit er
über den Ort und seinen (= des Vaters) Ruheplatz, aus dem er (= der
Sohn) gekommen ist, spreche (41, 1) und er das Pleroma, die Größe
seines (= des Vaters) Namens und die Süßigkeit des Vaters preise. (5)
115 Er (= der Sohn) wird über den Ort sprechen, aus dem jeder einzelne
gekommen ist, und er wird zu dem Teil laufen, von dem er seine
Aufstellung erhalten hat, um wieder zurückzukehren und aus jenem
Ort, dem Ort, (10) in dem er gestanden hatte, weggebracht zu werden,
da er von jenem Ort gekostet und Nahrung und Wachstum erhalten
120 hatte. Und sein eigener Ruheort ist sein Pleroma. Alle Emanationen
(15) des Vaters sind Pleromata, und in allen seinen Emanationen ist
ihre Wurzel in dem, der sie alle aus sich hat wachsen lassen. Er gab
ihnen (20) ihre Grenze. Jede einzelne ist nun in Erscheinung getreten,
damit sie aus ihrem eigenen Denken ⟨vollendet würden⟩. Der Ort
125 nämlich, zu dem sie ihr Denken senden, (25) jener Ort ist ihre Wurzel,
die sie hinauf in alle Höhen zum Vater erhebt. Sie haben sein Haupt,

das für sie Ruhe ist, (30) und sie halten sich an ihn, indem sie ihm nahe sind, so daß sie sagen, sie erhielten durch die Begrüßungen (Anteil) an seinem Anblick.

130 Sie sind aber nicht offenbar, (42, 1) die von dieser Art, denn sie haben (sich) nicht über sich selbst erhoben. Weder hatten sie Mangel am Lob des Vaters, noch dachten sie über ihn (5) wie über einen Kleinen (= geringschätzig), noch, daß er bitter ist, noch, daß er zornig ist, sondern er ist ohne (alles) Schlechte, unerschütterlich, süß; er 135 kennt alle Räume, bevor sie entstanden sind, und (10) hat es nicht nötig, daß man ihn belehrt. Das ist die Art derer, die an der Höhe teilhaben durch die unermeßliche Größe, (15) indem sie auf den einen allein und den Vollkommenen warten, der für sie da ist. Sie gehen nicht in die Unterwelt hinab, noch haben sie Neid noch (20) Seufzen, 140 noch ist Tod in (oder: unter) ihnen (vgl. Apk 21, 4), sondern sie ruhen in dem, der ruht, wobei sie nicht geplagt werden noch verwickelt sind in das Suchen (25) der Wahrheit, vielmehr sind sie selbst die Wahrheit. Und der Vater ist in ihnen und sie sind im Vater (vgl. Joh 14, 10f), indem sie vollkommen und untrennbar in (30) dem wahrhaft Guten 145 sind, indem sie nicht an irgend etwas Mangel leiden, sondern indem sie Ruhe geben, indem sie frisch im Geiste sind. Und sie werden auf ihre Wurzel hören, sie werden Muße für sich haben, (35) die, in denen er seine Wurzel finden wird, indem er seiner Seele keinen Schaden tun wird (vgl. Mt 16, 26). Das ist der Ort der Seligen, das ist ihr Ort. Die 150 anderen nun mögen (40) an ihren Orten wissen, daß es sich für mich (43, 1) nicht ziemt, nachdem ich an dem Ruheort gewesen bin, über etwas anderes zu sprechen, sondern er ist es, in dem ich sein werde, und, um alle Zeit für den Vater des (5) Alls Muße zu haben und die wahren Brüder, über die sich die Liebe des Vaters ergießt (vgl. Röm 5, 155 5), und in deren Mitte kein Mangel an ihm ist. Sie sind es, die (10) wahrhaftig offenbar werden, die im wahren und ewigen Leben sind und über das vollkommene Licht sprechen, das voll ist vom Samen des Vaters (vgl. 1 Joh 3, 9) und (15) das in seinem Herzen und im Pleroma ist, während sein Geist in ihm jubelt und den preist, in dem er war; 160 denn er ist gut, und (20) seine Kinder sind vollkommen und seines Namens würdig; denn er, der Vater, liebt solche Kinder.

1 *Pleroma*. Das Wort erscheint auch im NT (siehe v. a. Kol 1, 19; 2, 9); in der gnostischen Literatur ist es sehr verbreitet. Es bedeutet ‚Fülle', den vollen Gehalt eines jeden geistigen Wesens, besonders des obersten Gottes. Ihn stellte man sich so vor, daß er die verschiedenen Emanationen, aus denen die Schöpfung hervorging und durch die die Erlösung stattfindet, in sich beschloß.

12 *Buße,* auch *Vergebung* (Z. 14). Im Evangelium der Wahrheit besteht Erlösung nicht einfach in der Mitteilung der Wahrheit; auch moralische Werte gehören dazu.

15 *Der Arzt.* Im Evangelium der Wahrheit findet sich kein wörtliches Zitat aus dem NT, aber an einigen Stellen sind Anspielungen wahrscheinlich, hier offenbar auf Mk 2, 17 (oder eine Parallele).

25 *Christus.* An dieser Stelle bedient sich die Schrift unverkennbar christlicher Ausdrucksweise. Ungeachtet der breiten Verwendung gnostischer Terminologie darf das Evangelium der Wahrheit als ein im Grunde christliches Werk gelten.

38 *Pflanzungen.* Vgl. Mt 15, 13.

58 *Das Ende aber ist das Erkenntnis-Empfangen über das, was verborgen ist.* Das gnostische Verständnis vom Ziel menschlichen Daseins könnte nicht klarer ausgedrückt werden.

62 *Der Name des Vaters aber ist der Sohn.* Vgl. Joh 17, 26: „Ich habe ihnen deinen Namen kundgetan und werde ihn kundtun." Im Gebrauch des *Namens* besteht eine beachtenswerte Verwandtschaft zwischen dem Evangelium der Wahrheit und johanneischem Denken.

97 Zu diesem Abschnitt vgl. Mt 11, 27; Lk 10, 22.

154 *Die wahren Brüder.* Johannes, so wird manchmal behauptet, enge den Liebesgedanken ein, indem er ihn zu Lasten der unbegrenzten Feindesliebe auf die christliche Geschwisterliebe einschränkt. Gegen das Evangelium der Wahrheit könnte ein solcher Vorwurf vielleicht in noch stärkerem Maße erhoben werden.

**121** *Nag Hammadi Codex II. Thomasevangelium 1–7. 24–27. 112–114.*

Im Unterschied zum Evangelium der Wahrheit hat das Thomasevangelium große Ähnlichkeit mit den neutestamentlichen Evangelien, obwohl es ausschließlich aus Spruchgut besteht. Manche Forscher sind der Auffassung, es sei ebenso alt wie die neutestamentlichen Evangelien und ihnen historisch gleichwertig. Mehr Wahrscheinlichkeit hat die Auffassung für sich, daß der Autor des Thomasevangeliums die kanonischen Evangelien oder deren Quellen oder andere alte Evangelienschriften voraussetzt und seine Vorlagen im Licht gnostischer Glaubensüberzeugungen neu bearbeitete. Zur Literatur s. die Bibliographie von Scholer (s. o. S. 134).

Dies sind die geheimen Worte, die Jesus, der Lebendige, sagte und die Didymus Judas Thomas aufgeschrieben hat.

Und er sagte: Wer die Interpretation dieser Worte findet, wird den Tod nicht schmecken.

5 Jesus sagte: Wer sucht, soll nicht aufhören zu suchen, bis er findet; und wenn er findet, wird er bestürzt sein; und wenn er bestürzt ist, wird er verwundert sein, und er wird über das All herrschen.

Jesus sagte: Wenn die, die euch führen, euch sagen: ‚Seht, das Königreich ist im Himmel', so werden euch die Vögel des Himmels 10 vorangehen; wenn sie euch sagen: ‚Es ist am Meer', so werden euch die Fische vorangehen. Aber das Königreich ist in eurem Inneren, und es ist außerhalb von euch. Wenn ihr euch erkennen werdet, dann werdet ihr erkannt, und ihr werdet wissen, daß ihr die Söhne des lebendigen Vaters seid. Aber wenn ihr euch nicht erkennt, dann werdet ihr in der 15 Armut sein, und ihr seid die Armut.

Jesus sagte: Der alte Mensch wird nicht zögern in seinem Alter, ein kleines Kind von sieben Tagen zu befragen über den Ort des Lebens, und er wird leben; denn viele Erste werden die Letzten werden, und sie werden ein einziger werden.

20 Jesus sagte: Erkenne das, was vor dir ist, und das, was vor dir verborgen ist, wird dir enthüllt werden; denn es gibt nichts Verborgenes, was nicht offenbar werden wird.

Seine Jünger fragten ihn (und) sagten zu ihm: Willst du, daß wir fasten? Und wie sollen wir beten (und) Almosen geben? Wie beachten
25 wir die Frage der Speisen? Jesus sagte: Lügt nicht, und was ihr verabscheut, das tut nicht; denn alles ist offenbar im Angesicht des Himmels; denn es gibt nichts Verborgenes, das nicht offenbar werden wird, und es gibt nichts Verhülltes, das bleibt, ohne enthüllt zu werden.

30 Jesus sagte: Selig ist der Löwe, den der Mensch ißt, und der Löwe wird Mensch werden; und verflucht sei der Mensch, den der Löwe frißt, und der Löwe wird Mensch werden ...

Seine Jünger sagten: Belehre uns über den Ort, an dem du bist; denn es ist eine Notwendigkeit für uns, daß wir ihn suchen. Er sagte zu
35 ihnen: Wer Ohren hat, der höre! Es ist Licht im Inneren des Menschen des Lichts, und er erleuchtet die ganze Welt. Wenn er nicht scheint, das ist die Finsternis.

Jesus sagte: Liebe deinen Bruder wie deine Seele; wache über ihn wie über deinen Augapfel.

40 Jesus sagte: Den Splitter, der im Auge deines Bruders ist, siehst du; aber den Balken, der in deinem Auge ist, siehst du nicht. Wenn du den Balken aus deinem Auge gezogen hast, dann wirst du (klar) sehen, um den Splitter aus deines Bruders Auge zu ziehen.

⟨Jesus sagte:⟩ Wenn ihr nicht fastet gegenüber der Welt, werdet ihr
45 das Königreich nicht finden; wenn ihr den Sabbat nicht feiert wie den Sabbat, werdet ihr den Vater nicht sehen ...

Jesus sagte: Wehe dem Fleisch, das von der Seele abhängig ist; wehe der Seele, die vom Fleisch abhängig ist.

Seine Jünger sagten zu ihm: Das Königreich, an welchem Tage wird
50 es kommen? ⟨Jesus sagte:⟩ Es wird nicht kommen, indem man darauf wartet; man wird nicht sagen: Seht, hier ist es, oder: Seht, dort ist es; sondern das Königreich des Vaters ist ausgebreitet über die Erde, und die Menschen sehen es nicht.

Simon Petrus sagte zu ihnen: Mariham soll aus unserer Mitte fort-
55 gehen; denn die Frauen sind des Lebens nicht würdig. Jesus sagte: Seht, ich werde sie ziehen, um sie männlich zu machen, damit auch sie ein lebendiger Geist wird, vergleichbar mit euch Männern. Denn jede Frau, die sich männlich macht, wird in das Himmelreich gelangen.

Das Evangelium nach Thomas.

1 *Jesus, der Lebendige,* ist der auferstandene Jesus. Nach allgemein-gnostischer Vorstellung, die auch im NT zu finden ist, teilte Jesus nach seiner Auferstehung ausgewählten Jüngern spezielle Wahrheiten mit.

3 *Er* kann sich auf Jesus oder auf Thomas, seinen autorisierten Interpreten, beziehen. Zur Verheißung vgl. Joh 8, 52.

5 Vgl. Mt 7, 7; Lk 11, 9f; Mt 6, 33. Zur Verheißung der (Mit-)Herrschaft vgl. Mt 19, 28; Lk 22, 29f.

7 *Das All* ist vermutlich das Universum oder eher noch die Gesamtheit der geistigen Wesen. Vgl. Logion 77, wo Jesus sagt: „Ich bin das All; das All ist aus mir hervorgegangen, und das All ist zu mir gelangt."

8 Es ist ein lachhaftes Unterfangen, das Königreich an einem bestimmten Ort (wie etwa dem Himmel oder dem Meer) zu suchen; es ist *in eurem Inneren* (vgl. Lk 17, 21). Die Fortsetzung ist ein Paradox, wie es die Gnostiker lieben: *und es ist außerhalb von euch*. Gnostisch (und gut griechisch) ist auch die Betonung der Selbsterkenntnis.

17 Kinder spielen in den neutestamentlichen Evangelien eine wichtige Rolle. Der Spruch über die Ersten und die Letzten erscheint auch in Mt 19, 30; 20, 16; Mk 10, 31; Lk 13, 30. Alters- und Geschlechtsunterschiede werden bei den Gnostikern nivelliert (vgl. aber Z. 56).

21 Vgl. Mt 10, 26; Mk 4, 22; Lk 8, 17; 12, 2.

23 *Willst du, daß wir fasten?* Es wird vorausgesetzt, daß die Christen weder fasten noch sonst eine gesetzliche Vorschrift einhalten. Nur gelegentlich finden sich hier Parallelen zur Bergpredigt (Mt 6).

30 *Selig ist der Löwe.* Vielleicht erklärt man diesen schwer verständlichen Spruch am besten so, daß der Löwe die (feindliche) Welt darstellt: Wenn der (gnostische) Mensch ihn ißt, wird die Welt gnostisch und somit selig; wenn aber der (gnostische) Mensch sich von der Welt fressen läßt, ist er verflucht.

33 *Belehre uns über den Ort.* Vgl. Joh 14, 5.

35 *Wer Ohren hat, der höre!* Vgl. Mk 4, 9 parr. Zum *Licht im Inneren des Menschen des Lichts* vgl. Mt 6, 22f; Lk 11, 34−36. Zu den Jüngern als Licht der Welt vgl. Mt 5, 14.

40 Vgl. Mt 7, 3−5; Lk 6, 41f.

47 *Wehe dem Fleisch* ... Das Geistige muß vom Leiblichen streng getrennt werden.

49 *Das Königreich, an welchem Tage wird es kommen?* Da das Königreich keine zukünftige Größe ist, muß man auch nicht darauf warten; es ist bereits *ausgebreitet über die Erde*. Vgl. den ähnlichen Wortlaut in Lk 17, 20f, wo allerdings etwas anderes gemeint ist.

56 ... *um sie männlich zu machen.* Erstaunlicherweise endet das Buch mit einem Vorschlag, der Petrus in den Mund gelegt und von Jesus zurückgewiesen wird, weil zumindest die Schlußfolgerung falsch ist. Es mag sein, so ist der Jesus des Thomasevangeliums zu verstehen, daß Frauen als solche des Lebens nicht würdig sind, aber zumindest einige Frauen werde er „männlich machen". Für die Gnostiker ist die Abschaffung der Geschlechtsunterschiede das erstrebte Ziel des göttlichen Prozesses, aber der Sinn ist ein anderer als das paulinische ‚weder Mann noch Frau' (Gal 3, 28).

## C. Mandäische Literatur

Die Literatur der Mandäer − einer religiösen Gruppe, die noch heute im Irak und im Iran existiert − ist uns nur durch relativ junge Handschriften überliefert. Es ist daher schwierig, die Abfassungszeiten der einzelnen Schriften zu bestimmen; übereinstimmende Ergebnisse sind bisher nicht erzielt worden. Umstritten ist auch, welche Bedeutung diese Texte für die Beschäftigung mit dem Neuen Testament haben. Darauf kann hier nicht näher eingegangen werden. Kurt Rudolph ist der Ansicht, „daß wir in der mandäischen Literatur ein wichtiges Zeugnis der spätantiken Religion der „Gnosis" bzw. des Gnostizismus vor uns haben, das vermutlich bis in die vorchristliche Zeit zurückreicht. Die Mandäer sind also die letzten lebenden Zeugen dieser Religionsform ... Kühne Vermutungen haben sie in ihren Anfängen mit der Geschichte des Urchristentums zusammengebracht und sie als Nachkommen der alten Jüngerschar des Täufers Johannes erklärt. Wenn sich auch diese Hypothesen, die besonders Reitzenstein verfocht, nicht alle halten lassen, so kann doch heute mit Zuversicht gesagt werden, daß uns die mandäische Literatur in ihren ältesten Teilen Zeugnisse aus der orientalischen Umwelt des frühen Christentums erhalten hat, die für die Auslegung gewisser neutestamentlicher Schriften fruchtbar gemacht werden können (besonders für das johanneische Corpus)." (K. Rudolph, in: *Die Gnosis*, Bd. II. Koptische und mandäische Quellen, hg. v. W. Foerster, Zürich/Stuttgart 1971, S. 174).

**122**   *Rechter Ginza (GR) II, 3.*

(64, 10) Im Namen des Großen Lebens!
Als ich kam, ich, der Gesandte (*šliha*) des Lichts,
der König, der ich vom Licht hierher ging,
(da) kam ich, Laufa und Glanz in der Hand,
5  Licht und Lobpreis (oder: Glanz) auf mir,
Pracht und Erleuchtung auf mir.
Ruf (*qala*) und Verkündigung (*kaluza*) auf mir,
das Zeichen auf mir und die Taufe,
und ich mache die finsteren Herzen licht.
10 Mit meinem Ruf und meiner Verkündigung
rief ich einen Ruf in die Welt.
Einen Ruf rief ich in die Welt,
von den Anfängen und den Enden der Welt.
Ich rief einen Ruf in die Welt:
15 Ein jeder gebe auf sich selbst acht.
Ein jeder, der auf sich selbst acht gibt,
wird aus dem fressenden Feuer gerettet werden.
Heil sei den Sklaven der Kušṭa,
den Vollkommenen und Gläubigen.
20 Heil sei den Vollkommenen,
die sich von allem Bösen abkehren.
Der Gesandte des Lichts bin ich,
den der Große in diese Welt geschickt hat.

Der wahrhaftige (*kuštana*) Gesandte bin ich,
25 an dem keine Lüge ist,
der Wahrhaftige (*kuštana*), an dem keine Lüge ist,
und nicht ist bei ihm Mangel und Fehl.
Der Gesandte des Lichts bin ich:
ein jeder, der seinen Duft riecht, wird belebt.
30 Ein jeder, der seine Rede (oder: Lehre) empfängt,
dessen Augen füllen sich mit Licht.
Mit Licht füllen sich seine Augen,
(65) und sein Mund füllt sich mit Lobpreis.
Mit Lobpreis füllt sich sein Mund,
35 und sein Herz füllt sich mit Weisheit.
Die Ehebrecher rochen mich,
(da) ließen sie ihre Ehebrecherei fahren.
Ihre Ehebrecherei ließen sie fahren,
kamen und umgaben sich mit meinem Duft.
40 Sie sprachen:
„Als wir unwissend waren, trieben wir Ehebruch,
jetzt, da wir wissend sind, brechen wir nicht (mehr) die
Ehe."
Der wahrhaftige Gesandte bin ich,
45 an dem keine Lüge ist.
. . .(wie oben)
Die Lügner rochen ihn,
(da) ließen sie ihre Lügnerei fahren.
Sie ließen fahren ihre Lügnerei,
50 kamen und umgaben sich mit meinem Duft.
Sie sprachen:
„Unser Herr! Als wir unwissend waren, redeten wir Lüge,
jetzt, da wir wissend sind, redeten wir nicht (mehr) so."
Der Gesandte des Lebens bin ich,
55 der Wahrhaftige (*kuštana*), an dem keine Lüge ist,
der Wahrhaftige, an dem keine Lüge ist,
und nicht ist bei ihm Mangel und Fehl.
Der Baum des Lobpreises,
von dem jeder, der an ihm riecht, lebendig wird.
60 Ein jeder, der an ihm riecht,
dessen Augen füllen sich mit Licht.
. . .
Die Mörder rochen an ihm,
(da) ließen sie ihre Mörderei fahren.
65 Ihre Mörderei ließen sie fahren,
sie kamen und umgaben sich mit meinem Duft.
Sie sprachen:
„Unser Herr! Als wir unwissend waren, verübten wir Mord,
jetzt, da wir wissend sind, morden wir nicht (mehr)."
70 Die Zauberer rochen ihn,

(da) ließen sie ihre Zauberei fahren.
Ihre Zauberei ließen sie fahren,
sie kamen und umgaben sich mit meinem Duft.
Sie sprachen:
75 „Unser Herr! Als wir unwissend waren, trieben wir Zauberei,
jetzt, da wir wissend sind, treiben wir sie nicht (mehr).“
Ein Weinstock bin ich, ein Weinstock des Lebens,
ein Baum, an dem keine Lüge ist.
Der Baum des Lobpreises,
80 von dem jeder, der an ihm riecht, lebendig wird.
Ein jeder, der seine Rede (oder: Lehre) hört,
dessen Augen füllen sich mit Licht.
Mit Licht füllen sich seine Augen,
sein Mund füllt sich mit Lobpreis.
85 Mit Lobpreis füllt sich sein Mund,
(66) und sein Herz füllt sich mit Kušṭa.
Die Zwinkerer rochen ihn,
(da) ließen sie ihre Zwinkerei fahren.
Ihre Zwinkerei ließen sie fahren,
90 sie kamen und umgaben sich mit meinem Duft.
Sie sprachen:
„Als wir ohne Wissen waren, zwinkerten wir (unkeusch),
jetzt, da wir Wissen haben, zwinkern wir nicht (mehr).“
„Von dem Tage an, da wir dich sahen,
95 und von dem Tage an, da wir deine Rede hörten,
von dem Tage an, da wir dich sahen,
füllte sich unser Herz mit Ruhe.
Wir glaubten an dich, Guter,
wir sahen dein Licht und werden dich nicht vergessen.
100 Wir werden dich all unsere Tage nicht vergessen
und dich nicht eine Stunde aus unserem Herz lassen,
weil unser Herz nicht blind werden soll
und diese Seelen nicht (am Aufstieg) gehindert werden
sollen.“
105 Ich sprach zu ihnen:
„Ein jeder, der bereut,
dessen Seele soll nicht (vom Licht) abgeschnitten werden,
und nicht wird der Herr ihn abschneiden (oder: verdammen).“
Aber die Bösen, sie, die Lügner,
110 schneiden sich selbst (vom Licht) ab,
da man ihnen zeigt, und sie nicht sehen wollen,
und man ihnen zuruft, und sie weder hören noch gläubig
werden wollen.
Die Bösen fallen durch ihren Willen
115 in das große Suf-Meer.
Sie werden in der Finsternis eine Wohnung erhalten,
und der Finsternisberg wird sie aufnehmen,

bis zu dem Tag, dem Gerichtstag,
und bis zu der Stunde, den Stunden der Rettung.
120 Uns, die wir (dich) preisen, unser Herr,
wirst du unsere Sünde und Schuld vergeben.
Gepriesen seist du, König des Lichts,
der du ⟨uns⟩, deinen Geliebten, die Wahrheit (*šrara*)
gesandt hast.
125 Siegreich warst du, Mandā dHaijê,
und du führst alle deine Geliebten zum Sieg.
Und das Leben siegt über alle (bösen) Werke.

4 *Laufā*. „‚Gemeinschaft, Verbindung', besonders mit der Lichtwelt; kultisch realisiert durch Taufe, Kušṭā reichen usw.; bei den Totenmahlen auf die ‚Verbindung' zwischen Abgeschiedenen und Lebenden bezogen" (K. Rudolph, *op. cit.*, S. 202).

8 *Taufe*. Sie spielt in den mandäischen Texten eine wichtige Rolle. Das ist einer der Gründe, warum die Mandäer gelegentlich auf Jünger des Täufers Johannes zurückgeführt wurden.

18 *Kušṭā*. Siehe die Anmerkung zu ZZ. 24. 26.

24, 26 *Der Wahrhaftige*. *Kušṭana* ist mit *Kušṭā* (s. Z. 18) verwandt; dieses bedeutet: „‚Wahrheit, Geradheit'; die personifizierte Heilswahrheit" (K. Rudolph, *op. cit.*, S. 202).

36 *Die Ehebrecher*. Im Unterschied zu manch anderen Gnostikern verfolgen die Mandäer ein deutliches moralisches Interesse.

41 *Als wir unwissend waren*. Für Gnostiker ist die Wurzel allen Übels die Unkenntnis. Die Aufhebung der Unkenntnis durch *Gnosis* ist die Erlösung.

115 *Das große Suf-Meer*. „Ursprünglich das ‚Schilfmeer', umgedeutet zum ‚Meer des Endes' als Bezeichnung für den Ort, in den die ungläubigen und bösen Seelen fallen (wie die Ägypter in der biblischen Erzählung: Der Auszug Israels aus Ägypten wurde offenbar als Auszug der Seele aus dem Körper allegorisch ausgelegt)." (K. Rudolph, *op. cit.*, S. 203).

125 *Mandā dHaijê*. „‚Gnosis (Erkenntnis) des Lebens'. Name des bedeutendsten Lichtboten und Erlösers." (K. Rudolph, *op. cit.*, S. 202).

**123**   *Linker Ginza (GL) III, 19.*

(100, 14) Sie (die Uthras) sprechen zu ihr (der Seele):
„Was sind deine Werke, Seele,
damit wir dich mit uns in unserer Begleitung auf den
Weg führen?"
5 Sie spricht zu ihnen:
„Mein Vater verteilte Brot,
und meine Mutter gab Almosen (*zidqa*).
Meine Brüder trugen Hymnen (*draše*) vor,
und meine Schwestern reichten Kušṭa."
10 Sie sprachen zu ihr:
„Dein Vater, der Brot verteilte,

verteilte es für sich selbst.
Deine Mutter, die Almosen gab,
gab es für ihre (eigene) Seele.
15 Deine Brüder, die Hymnen vortrugen,
werden auf den Pfaden der Kušṭa aufsteigen.
Deinen Schwestern, die Kušṭa reichten,
wird Mandā dHaijê ein Unterstützer sein.
Was sind (aber) deine Werke, die du für dich selbst getan,
20 damit wir dich mit uns in unserer Begleitung führen?"
Sie sprach zu ihnen:
. . .
(101, 3) „Ich habe das Leben geliebt,
und Mandā dHaijê ließ sich in meinem Inneren nieder.
25 Beim Abschied des Samstagsabends
und beim Eintritt des Sonntags zum Guten (?)
steckte ich Almosen in meine Tasche,
nahm ich einen Brotlaib in die Hand.
Ich steckte Almosen in meine Tasche
30 und ging zum Tor des Tempelzeltes (*maškna*).
Das Almosen legte ich zu den (anderen) Almosen
und den Brotlaib zum Gemeinschaftsmahl.
Fand ich eine Waise, so sättigte ich sie,
und ich füllte die Tasche der Witwe.
35 Fand ich einen Nackten,
(so) legte ich ihm ein Gewand um den Nacken.
Fand ich einen Gefangenen,
(so) löste ich ihn aus und sandte ihn in sein Dorf zurück."

1 *die Uthras*. „„Reichtum'; Bezeichnung der (guten) Lichtwesen aller Art, die
das Lichtreich gleich Engeln bevölkern und auch ‚Könige' (*malkê*) genannt
werden." (K. Rudolph, *op. cit.*, S. 204)

9 *Kušṭā*. Vgl. die Anm. zu *122*, ZZ. 24. 26. *Kušṭā reichen* scheint ein kultischer
Akt zu sein.

18 *Mandā dHaijê*, Vgl. die Anm. zu *122*, Z. 125.

# VI. Die Mysterienreligionen

Die Zeugnisse, auf die sich unsere Kenntnis der sogenannten Mysterienreligionen stützt, sind großenteils bruchstückhaft und keineswegs leicht zu deuten. Sie bestehen weitgehend nur aus (1) kurzen Abschnitten und flüchtigen Hinweisen bei antiken Autoren (von denen viele gegenüber ihrem Thema entweder zur Geheimhaltung verpflichtet oder von Widerwillen erfüllt waren), (2) oft unvollständigen Inschriften und (3) archäologischem und ähnlichem Material. Eine kleine Auswahl dieser Dokumente wäre bedeutungslos oder sogar irreführend, eine große Sammlung dagegen würde dieses Kapitel zu mehreren Bänden anschwellen lassen. Es ist deshalb unmöglich, hier eine ernsthafte Darstellung auch nur eines Mysterienkultes zu geben; stattdessen wurden einige der ausführlichsten und deutlichsten Texte ausgewählt und in der Weise zusammengestellt, daß die den verschiedenen Kulten mehr oder weniger gemeinsamen Züge sichtbar werden.

Ziel der Mysterienkulte war es, den Menschen das Heil zu sichern, Menschen, die unter moralischen oder körperlichen Übeln zu leiden hatten, vom Schicksal beherrscht und unfähig waren, sich vor der Verdorbenheit, die ihre Natur befallen hatte, zu retten (vgl. S. 124 f und *31*). Rettung hieß also Rettung vor dem Schicksal, Befreiung von der Verderbtheit und Erlangung eines erneuerten, sittlichen Lebens. Die Mittel, durch die das erreicht wurde, muß man im ganzen sakramental nennen. Durch die Teilnahme an vorgeschriebenen Riten wurde der Gläubige mit dem Gott vereinigt, konnte er schon in diesem Leben eine mystische Gemeinschaft mit ihm eingehen und sicherte er sich schließlich die Unsterblichkeit nach dem Tode. Dieses kultische Geschehen vollzieht das Erleben (im allgemeinen Tod und Wiederauferstehung) eines Erlösergottes, des Herrn (χύριος) seiner Gläubigen, nach. Der Mythus, der wohl oft kultisch dargestellt worden ist, beruhte in vielen dieser Religionen auf dem urgegebenen Jahreszyklus der Vegetation; aber Riten, die in früheren Zeiten wahrscheinlich die Ertragsfähigkeit von Land und Herden sichern sollten, erhielten jetzt eine individuelle Anwendung und Wirkung. Im folgenden werden einige Grundzüge der Mysterienreligionen dargestellt.

## A. Der Mythus

Der heilbringende Kreislauf in den Erlebnissen des Gottes wurde in einer Geschichte wiedererzählt, die man gewöhnlich als Mythus bezeichnet. Die Beispiele stammen aus zwei Kulten, dem der Isis, der in der Religion des alten Ägypten wurzelte, dann aber hellenisiert wurde und Ähnlichkeiten mit der Religion des Dionysos erhielt, und dem der Kybele, der großen Mutter, der während des zweiten Punischen Krieges 205 v. Chr. von Pessinus nach Rom gebracht wurde (Livius XXIX 10 und 14).

**124** *Plutarch, Isis und Osiris 12–19.*

12. „Rhea, erzählt man, begattete sich heimlich mit Kronos; das habe Helios bemerkt und sie verflucht, daß sie in keinem Monat noch Jahr gebären solle. Aber (auch) Hermes liebte die Göttin und wohnte ihr bei. Als er hierauf mit der Mondgöttin (Selene) Brett spielte und ihr
5 den siebzigsten Teil jedes Tages abgewonnen hatte, faßte er alle diese Teile zu fünf Tagen zusammen und schaltete sie hinter die 360 Tage (des Jahres), die die Ägypter (deshalb noch) jetzt „die Darangefügten" (ἐπαγομένας) nennen und als Geburtstage der Götter feiern.

Am ersten Tage sei (so) Osiris geboren worden, und zugleich mit
10 seiner Geburt habe sich eine Stimme hören lassen, daß der Allherr an das Licht trete ... Am zweiten Tage wurde Harueris (Ἀρούηρις) geboren, den sie Apollo und manche den älteren Horus nennen, und am dritten Tage Typhon, doch nicht zur richtigen Zeit und nicht aus dem gehörigen Orte, sondern er sei herausgesprungen, indem er durch
15 eine Wunde die Weiche (seiner Mutter) aufriß. Am vierten Tage ward Isis im Ganzfeuchten geboren und am fünften Tage Nephthys, die man auch Teleute und Aphrodite nennt, einige auch Nike. Osiris und Harueris stammten von Helios, Isis von Hermes, und Typhon und Nephthys von Kronos ... Den Typhon heiratete Nephthys. Isis und Osiris
20 aber liebten einander schon vor ihrer Geburt und wohnten einander im Mutterleibe in der Finsternis bei. Einige behaupten, auf diese Weise sei Harueris gezeugt worden.

13. Osiris habe als König die Ägypter sogleich von ihrer ärmlichen und rohen Lebensweise abgebracht, indem er ihnen den Anbau der
25 Feldfrüchte zeigte, Gesetze gab und sie die Götter zu verehren lehrte. Später habe er alles Land durchzogen, es entwildernd, wobei er am wenigsten der Waffen bedurfte; denn er gewann die meisten, indem er durch Überredung und Belehrung, zugleich mit jeder Art von Gesang und Musik bezauberte. Deshalb scheine er den Griechen mit Dionysos
30 identisch zu sein.

Typhon habe während seiner Abwesenheit keine Unruhe gestiftet, weil Isis gar sehr auf der Hut war und kräftig den Widerpart hielt. Doch als Osiris heimgekehrt war, setzte er eine Hinterlist ins Werk;

dabei hatte er 72 Männer zu Mitverschworenen und eine aus Äthio-
35 pien anwesende Königin, die die Ägypter Aso nennen, zur Helferin:
Typhon habe nämlich des Osiris Leib heimlich ausgemessen und nach
seiner Größe eine schöne, reichgeschmückte Lade hergestellt und zum
Gelage mitgebracht. Als sich nun alle an dem Anblick erfreuten und
die Lade bewunderten, habe Typhon im Scherz versprochen, sie dem
40 zum Geschenk zu geben, der darin liegend sie völlig ausfüllen würde.
Als dies alle der Reihe nach versuchten, aber keiner hineinpaßte, stieg
auch Osiris hinein und legt sich nieder. Da liefen die Verschwörer
herbei, warfen den Deckel darauf, verschlossen die Lade von außen
mit Nägeln und gossen heißes Blei darüber; dann trugen sie sie zum
45 Flusse hinaus und entsendeten sie durch die tanische Mündung ins
Meer ...

14. ... Als Isis davon erfuhr, schnitt sie sich dort eine ihrer Locken ab
und legte Trauerkleidung an, woher die Stadt noch jetzt Koptos heiße;
50 andere aber meinen, daß der Name „Beraubung" bedeute, denn berauben heißt (griechisch) *koptein*. Überall umherirrend und ratlos, sei sie
an niemandem vorbeigegangen, ohne ihn anzureden, ja sogar auch
Kinder, auf die sie traf, habe sie über die Lade befragt; die aber hätten
sie zufällig gesehen und hätten ihr die Mündung genannt, durch die die
55 Freunde Typhons den Behälter in das Meer gestoßen hatten ...

15. Hierauf habe Isis über die Lade erfahren, daß die Brandung sie,
von den Meereswogen im Gebiet von Byblos an das Land geworfen,
sanft an einer Ereike abgesetzt habe; diese, in kurzer Zeit zum herr-
lichsten und größten Jungbaum aufgeschossen, habe die Lade rings
60 umfangen, sei um sie herumgewachsen und habe sie (so) in sich
verborgen. Der König (von Byblos) bewunderte nun die Größe des
Baumes, schnitt den Stamm, der die nicht sichtbare Lade umgab, ab
und stellte ihn als Stütze unter sein Dach. Das habe Isis, erzählt man,
durch das dämonisch-göttliche Wehen des Gerüchtes erfahren, sei
65 nach Byblos gekommen, habe sich ärmlich und verweint an eine Quelle gesetzt und mit niemandem gesprochen, nur den Dienerinnen der
Königin begegnete sie freundlich und liebreich ...

16. ... Jetzt habe die Göttin, da sie offenbar geworden war, die
Säule des Daches verlangt, habe den Ereikestamm ganz leicht darun-
70 ter weggezogen und ringsumher weggeschnitten, ihn mit Linnen umhüllt, Salbe darauf gegossen und dem Königspaar ausgehändigt. Und
noch heute verehren die Byblier dieses Holz, das im Tempel der Isis
liege. Dann aber warf sie sich über den Sarg und jammerte so heftig,
daß der jüngere Sohn des Königs starb; den älteren nahm sie dann mit
75 sich, legte den Sarg in ein Fahrzeug und fuhr davon ... 17. ... Sobald
sie in die Einsamkeit gelangt und mit sich allein war, öffnete sie den
Sarg, legte ihr Angesicht an das der Leiche, küßte sie und weinte. Als
nun das Knäblein stillschweigend von rückwärts dazukam und dies
wahrnahm, merkte sie es, wandte sich um und warf ihm aus Zorn
80 einen furchtbaren Blick zu; das Kind aber vermochte den Schreck
nicht zu ertragen, sondern starb ...

18. ... Als Isis (dann) zu ihrem Sohne Horus reiste, der in Buto erzogen wurde, und den Sarg beiseite gesetzt hatte, sei Typhon, während er bei Nacht im Mondschein jagte, auf ihn gestoßen, habe den
85 Leichnam erkannt, in vierzehn Teile zerrissen und umhergestreut; doch Isis habe das erfahren und, auf einem Papyrusboote die Sümpfe durchfahrend, die Teile wieder zusammengesucht ... Aus diesem Grunde nenne man auch (so) viele Gräber des Osiris in Ägypten, da Isis dort, wo sie jedes einzelne Glied fand, ein Grab errichtete ...

90 19. Dann sei Osiris aus der Unterwelt zu Horus gekommen, habe ihn für die Schlacht gerüstet und eingeübt und ihn hierauf gefragt, was er für das Schönste halte; als er nun antwortete: „Vater und Mutter, denen Böses widerfuhr, zu rächen", habe Osiris ihn zum zweiten gefragt, welches Tier er für die zum Kampfe Ausziehenden als
95 das nützlichste betrachte. Als nun Horus antwortete: „das Pferd", habe er darüber gestaunt und gefragt, warum er nicht den Löwen, sondern das Pferd genannt habe; doch Horus habe gesagt, der Löwe sei für den nützlich, der der Hilfe bedürfe, das Pferd dagegen für die Zerstreuung der Flüchtenden und die völlige Vernichtung des Fein-
100 des. Osiris habe sich, da er dies hörte, gefreut, als sei Isis genügend vorbereitet. Ferner wird erzählt, daß, als immer viele zu Horus abfielen, auch Thueris, das Kebsweib des Typhon, zu ihm kam, daß aber eine Schlange, die sie verfolgte, von den Leuten um Horus in Stücke gehauen wurde; deshalb wirft man auch heute noch einen Strick hin
105 und zerhaut ihn.

Die Schlacht habe (dann) viele Tage gedauert, und Horus sei Sieger geworden, Isis aber habe den gefesselten Typhon zwar in Empfang genommen, aber nicht getötet, sondern gelöst und freigelassen. Das ertrug nun Horus nicht mit Gleichmut, sondern er habe an seine
110 Mutter Hand angelegt und ihr die Krone vom Haupte gerissen. Doch Hermes setzte ihr (dafür) einen kuhköpfigen Helm auf. Als Typhon den Horus wegen unehelicher Geburt verklagte, sei dieser mit Hilfe des Hermes von den Göttern für echt erklärt, Typhon aber in zwei weiteren Schlachten niedergekämpft worden. Isis indes habe von Osi-
115 ris, der ihr noch nach seinem Tode beiwohnte, den Harpokrates als Frühgeburt und an den unteren Gliedmaßen zu schwach zur Welt gebracht.

16 *Ganzfeuchten*. Isis war die Göttin des Nils und des Meeres; aber es ist nicht sicher, ob die Anspielung darauf geht.

29 *Dionysos*. Diese mythologische Beziehung entspricht einer faktischen Verbindung zwischen dem Isis-Osiris- und dem Dionysoskult.

45 *Fluß*, der Nil.

50 *Koptein*. Das griechische Verb κόπτειν bedeutet im Aktiv „schlagen", „mit einer scharfen Kante schlagen", davon „abschlagen" und im Medium „sich selbst schlagen", „sich an die Brust schlagen", „wehklagen".

90 *sei Osiris aus der Unterwelt zu Horus gekommen*. In Osiris' Rückkehr zum Leben lag die Hoffnung seiner Gläubigen.

**125**  *Plutarch, Isis und Osiris 27.*

Dieser Abschnitt zeigt bereits die Beziehung zwischen Mythos und Kult. Vgl.
ferner *126.*

Solches und Ähnliches, so sagt man, wird auch über Typhon erzählt:
wie er, von Neid und Feindseligkeit getrieben, schreckliche Dinge
getan und, nachdem er alles in Verwirrung gestürzt, die ganze Erde
sowie auch das Meer mit Übeln erfüllt habe, dann aber bestraft wurde.
5 Nachdem die Rächerin, die Schwester und Frau des Osiris, den
Wahnsinn und die Raserei Typhons erstickt und beendet hatte, sah sie
nicht über die Anstrengungen und Kämpfe, die sie durchgemacht
hatte, und über ihre eigenen Irrfahrten und zahlreichen Taten der
Weisheit und Tapferkeit hinweg, wollte sie auch nicht in Vergessen-
10 heit und Schweigen geraten lassen; vielmehr vermengte sie mit den
heiligsten Riten Bilder, Andeutungen und Darstellungen ihrer damaligen Leiden und heiligte sie als eine Lehre in Frömmigkeit und einen
Trost für Männer und Frauen, die von einem ähnlichen Mißgeschick
verfolgt werden. Sie selbst und Osiris, um (ihrer) Tugend willen aus
15 guten Dämonen in Götter sich wandelnd wie später Herakles und
Dionysos, genießen dementsprechend gemischte Ehren, die von Göttern und die von Dämonen; überall üben sie Macht aus, am meisten
jedoch in den Gebieten über der Erde und unter der Erde. Es heißt,
Sarapis sei kein anderer als Pluto, und Isis soll Persephone sein, wie
20 Archemachos aus Euböa sagt und Herakleides Ponticus, der das Orakel in Kanopus für ein Pluto-Orakel hält.

1 Plutarch hatte Beispiele dafür angeführt, daß Dämonen nicht immer gut
sind; das Wort ‚Daimon' kann für gute und böse Wesen gebraucht werden.

6 *Typhon*, ein Ungetüm, das Zeus Widerstand leistete, zuletzt aber besiegt
und unter dem Ätna begraben wurde.

14 *um (ihrer) Tugend willen*, δι' ἀρετήν; eine andere Lesart lautet δι' ἀρετῆς,
vermittelst (ihrer) Tugend.

15 *Herakles und Dionysos.* Vgl. Plutarch, *de Herodoti malignitate* 13 (= *Moralia* 857 C–D).

18 *über der Erde und*; diese Worte sind vielleicht zu streichen.

**126**  *Euseb, Praeparatio Evangelica II, II 41–45* (Bd. I S. 74 f Mras).

Die Phrygier erzählen, daß Meon, König von Phrygien, eine Tochter
namens Kybele zeugte, die als erste eine Flöte erfand und Mutter des
Gebirges genannt wurde. Und Marsyas, der Phrygier, der für sie
Freundschaft empfand, war der erste, der Flöten zusammenfügte, und
5 er lebte in Keuschheit bis an das Ende seines Lebens.
Aber Kybele lebte mit Attis zusammen und wurde schwanger, und
als dieses bekannt wurde, tötete ihr Vater den Attis und die Ammen;
und Kybele wurde irrsinnig und lief hinaus in das Land und schrie
immerfort und schlug eine Trommel.
10 Sie wurde begleitet von Marsyas, der in einen musischen Wettstreit

mit Apollo trat und geschlagen wurde, und Apollo zog ihm bei lebendigem Körper die Haut ab.

Und Apollo wurde von Liebe zu Kybele erfaßt und begleitete sie auf ihren Wanderungen bis zu den Hyperboreern und befahl, daß der
15 Leichnam des Attis begraben und Kybele als Göttin verehrt würde.

Deshalb erhalten die Phrygier diesen Brauch bis zum heutigen Tage aufrecht, beklagen den Tod des Jünglings und errichten Altäre und ehren Attis und Kybele mit Opfern.

Später aber bauten sie in Pessinus in Phrygien einen kostbaren
20 Tempel und richteten die allerherrlichsten Opferdienste ein.

9 *schrie immerfort und schlug eine Trommel.* Dies Gebaren wurde in den Kult der Großen Mutter aufgenommen. Mythus und Ritual konnten auf verschiedenste Weise verstanden werden – und wurden es auch –: als magische Steigerung der Fruchtbarkeit oder als eine Allegorie der nach Gott suchenden Seele.

20 *Pessinus.* S. oben S. 152.


## B. Einweihung

Einweihungsriten öffneten den Weg zur Mitgliedschaft in den Kulten. Sie scheinen hauptsächlich aus Zeremonien bestanden zu haben, durch die der Initiand in die göttliche Handlung des Mythus einbezogen wurde und so kraft der Wiederauferstehung der Götter zum Leben gelangte. Von den folgenden Auszügen beschreibt der erste den Ritus des *taurobolium*, in dem der Gläubige mit dem Blut eines Stieres besprengt wurde. Man wird feststellen, daß das von Prudentius beschriebene *taurobolium* nicht als eigentliche Einweihung durchgeführt wurde, sondern um einen Priester (der Großen Mutter) zu weihen. Zu diesem Kult gehörte der Ritus ursprünglich, doch wurde er dann anscheinend zu einer Einrichtung des Mithraskultes. Im zweiten Text wird die Einweihung des Apuleius in die Isisreligion erzählt; er ist in Einzelheiten weniger ausführlich, aber so eindringlich, daß man an der Wirklichkeit und Aufrichtigkeit der Bekehrung des Apuleius unmöglich zweifeln kann. Vgl. auch *132*.


**127** *Prudentius, Peristephanon X 1011–1050.*

Der Hohepriester wird tatsächlich bei der Weihung in ein tief gegrabenes Loch gelegt, mit einem Stirnband herrlich geschmückt, die festlichen Schläfen mit Binden umwunden, sodann das Haar unter einer goldenen Krone zurückgestrichen, und in eine seidene Toga mit gabi-
5 nischer Gürtung gekleidet.

Darüber errichteten sie einen hölzernen Boden aus übereinander-
gelegten Planken, ein loses Gefüge. Dann unterteilen oder durchboh-
ren sie die Fläche und durchlöchern das Holz vielfach mit einem Dorn,
bis sie voller kleiner Löcher erscheint.

10 Darauf wird ein gewaltiger Stier von wildem, zottigem Aussehen
hereingeführt, die Schulter mit Blumengirlanden umschlungen oder
mit umwickelten Hörnern; ja, die Stirn des Opfers funkelt von Gold,
und das Blitzen von Metallplättchen läßt sein Fell aufleuchten.

Dann muß, wie es der Ritus will, das Tier geschlachtet werden, und
15 sie durchstoßen seine Brust mit einem heiligen Speer; aus der klaffen-
den Wunde strömt eine Welle von heißem Blut, und der rauchende
Strom fließt in das darunterliegende Holzwerk und wallt weithin.

Und durch die vielen Rinnen der tausend Löcher in den Sparren
regnet ein fauliger Tau hinab, den der darunter begrabene Priester
20 auffängt, sein schamvolles Haupt unter all die Tropfen legt, die seine
Gewänder und seinen ganzen Körper besudeln.

Er wirft sogar noch seinen Kopf nach hinten und hält seine Wangen
dem Blut entgegen, bietet ihm Ohren, Lippen und Nase dar, ja, seine
Augen wäscht er mit dem Saft, und er verschont nicht seine Kehle,
25 sondern befeuchtet damit seine Zunge, bis er das schwarze Blut gänzlich trinkt.

Danach ziehen die *flamines* das tote Vieh vom Lattenboden hinweg,
blutleer und steif, und der Priester, gräßlich von Aussehen, steigt
darunter hervor und zeigt sein feuchtes Haupt, seinen vom Blut
30 schweren Bart, seine tropfenden Stirnbänder und durchtränkten
Kleider.

Diesen, von solchen Berührungen besudelten und von der Seuche
des frischen Opfers stinkenden Mann begrüßen sie alle und beten ihn
aus der Entfernung an, weil wertloses Blut und ein totes Rind ihn
35 gewaschen haben, während er in einer schmutzigen Höhle begraben
lag.

4 *mit gabinischer Gürtung,* „eine Gürtungsart, bei welcher die Toga aufge-
schürzt, deren Zipfel über die linke Schulter geschlagen und unter dem
rechten Arm herum bis an die Brust gezogen wurden (bes. bei religiösen
Feierlichkeiten üblich)". K. E. Georges, *Lateinisch-deutsches Handwörterbuch*, Hannover – Leipzig [7]1897, s. v. *cinctus*.

12 *umwickelten,* um Schaden zu verhüten (*impeditis*).

33 *begrüßen sie alle und beten ihn ... an.* Wenn der geweihte Priester aus dem
Blutbad mit der Gabe des göttlichen Lebens hervortaucht (die der heilige
Stier verleiht), wird er selbst göttlich und deshalb angebetet. So konnten
auch die, die das Taurobolium empfingen, als „für die Ewigkeit wiedergeboren" beschrieben werden (*renatus in aeternum CIL* VI 510; viele andere
Inschriften beziehen sich auf das Taurobolium und beweisen, daß der Kult
schon im frühen 2. Jahrhundert n. Chr. geübt wurde).

34 *wertloses Blut.* Man muß bedenken, daß Prudentius als Christ schreibt und
daß für ihn das Blut wertlos (*vilis*) und der ganze Kult nicht nur abscheulich,
sondern auch gotteslästerlich war.

**128** *Apuleius, Der Goldene Esel (Metamorphosen) XI 22–26.*

Doch die segenbringende Güte der mächtigen Göttin trog mich nicht
und quälte mich nicht durch einen langwierigen Aufschub, sondern sie
mahnte mich – ihr Geheiß in dunkler Nacht war durchaus nicht
dunkel – ganz offenkundig, gekommen sei der von mir heißersehnte
5 Tag, an dem sie mir den größten Wunsch erfülle, sagte auch, mit
welchem Aufwand ich für die gottesdienstliche Feier Sorge zu tragen
habe; und Mithras selber, ihren Oberpriester, der mir durch eine
geradezu göttliche Übereinstimmung unserer Gestirne, wie sie sagte,
verbunden war, bestimmt sie mir zum Vollzieher der Einweihung. –
10 Durch diese und die sonstigen wohlwollenden Vorschriften der hehren
Göttin im Herzen ermutigt, schüttle ich, kaum daß es heller Tag war,
den Schlaf von mir und eile sofort zur Wohnstätte des Priesters. Ich
treffe ihn, als er eben aus seinem Gemach tritt, und begrüße ihn. Ich
hatte im Sinne, die Einweihung in den heiligen Dienst, dringender als
15 sonst, gleichsam als eine Schuld zu fordern. Doch er sprach zuerst,
sobald er mich erblickte: „Lucius, wie bist du glücklich, wie bist du
selig, daß dich die erhabene Gottheit so sehr ihrer huldvollen Gnade
würdigt!", und er fügte hinzu: „Was stehst du noch müßig und ver-
säumst dich selber? Der Tag ist da, den du in beständigem Gebet
20 herbeigesehnt hast, an dem du auf das göttliche Geheiß der vielnami-
gen Göttin hier durch meine Hände in die frommen Geheimnisse des
heiligen Dienstes eingeweiht werden sollst." Damit legt der freundliche Greis mir die Hand auf und führt mich sofort unmittelbar zu den
Toren des mächtigen Tempels. Nachdem nach feierlichem Brauch der
25 Dienst der Toröffnung erfüllt und das Morgenopfer beendet ist, bringt
er aus dem Geheimgemach des Heiligtums bestimmte Bücher, die mit
unverständlichen Schriftzeichen versehen waren … Daraus verkündete er mir, was ich zum Zwecke der Einweihungsfeier unbedingt
vorzubereiten hätte.
30    Das besorge ich voller Eifer und etwas großzügiger teils selbst, teils
lasse ich es durch meine Gefährten zusammenkaufen. Und schon
verlangte es die Zeit, wie der Priester sagte, daß er mich, umgeben von
der Schar der Frommen, zum nächsten Bad führt, und nachdem ich
zunächst ein gewöhnliches Bad genommen hatte, betet er um der
35 Götter Gnade und reinigt mich dann völlig, mich ringsum mit Wasser
besprengend. Dann geleitet er mich wieder zum Tempel zurück –
schon waren zwei Drittel des Tages vergangen – und stellt mich
unmittelbar der Göttin zu Füßen. Und nachdem er im geheimen mir
gewisse Aufträge gegeben hatte, die zu heilig sind, als daß ich sie
40 sagen dürfte, gebietet er mir dies vor allen Zeugen: Ich solle zehn Tage
hintereinander den Genuß im Essen einschränken, kein Tierfleisch
verzehren und ohne Wein leben. Nachdem ich dies in ehrfurchtsvoller
Enthaltsamkeit richtig eingehalten hatte, war schon der Tag da, der
mir durch den göttlichen Termin bestimmt war, und die Sonne neigte
45 sich und brachte den Abend herbei. Da, schau! strömen von allen

Seiten die Scharen zusammen, nach altem religiösen Brauche mich
einzeln mit mannigfachen Geschenken ehrend. Darauf werden alle
Ungeweihten weit entfernt, ich werde mit einem leinenen, groben
Gewande umhüllt, und der Priester faßt mich bei der Hand und führt
50 mich in das Innere des Heiligtums selber. – Du fragst mich vielleicht
recht voller Spannung, eifriger Leser, was dann gesprochen, was getan wurde. Ich würde es dir sagen, wenn ich es sagen dürfte; du
würdest es erfahren, wenn du's hören dürftest. Aber gleiche Schuld
würden sich die Ohren wie die Zunge zuziehen für diese ruchlose
55 Neugier. Doch will ich dich, der du vielleicht in frommem Verlangen
gespannt bist, nicht durch lange Unruhe quälen. Hör also, aber glaub
mir, was der Wahrheit entspricht. Ich bin an die Grenze des Todes
gekommen und habe die Schwelle der Proserpina betreten, durch alle
Elemente bin ich gefahren und dann zurückgekehrt, um Mitternacht
60 habe ich die Sonne in blendend weißem Lichte leuchten sehen, den
Göttern droben und drunten bin ich von Angesicht zu Angesicht ge-
naht und habe sie aus nächster Nähe angebetet. Damit habe ich dir
berichtet, was du, magst du's auch hören, doch unbedingt nicht verstehen wirst. Also will ich dir berichten, was man allein, ohne eine Sünde
65 zu begehen, den Uneingeweihten zur Kenntnis bringen kann.

   Frühmorgens war es geschehen; da trat ich nach Vollendung der
feierlichen Handlung heraus, geheiligt durch zwölffache Stola, in einem gewiß sehr frommen Aufzug. Aber keine Fessel hindert mich,
darüber frei zu reden, weil ihn ja die vielen Anwesenden damals
70 gesehen haben ... In der rechten Hand trug ich eine vollentflammte
Fackel, und mein Haupt umgab stattlich ein schimmernder Palmen-
kranz, bei dem die Blätter nach Art von Strahlen hervorragten. Nachdem ich so der Sonne gleich geschmückt und wie ein Standbild aufgestellt war, wurde der Vorhang plötzlich fortgezogen, und das Volk
75 wogte heran, mich zu schauen. Dann feierte ich meinen festlichen
Geburtstag als Eingeweihter ... Dann spreche ich zu ihr: „Du heilige,
ständige Retterin des Menschengeschlechtes, die du immer mildtätig
bist, die Sterblichen zu erquicken, die süße Zärtlichkeit einer Mutter
zeigst du den Armen in ihrem Leid. Kein Tag und keine Nachtruhe,
80 nicht einmal ein kurzer Augenblick vergeht ohne deine Wohltaten,
daß du nicht zu Wasser und zu Lande die Menschen beschirmst, die
Stürme des Lebens verscheuchst und deine hilfreiche Hand reichst,
mit der du die unentwirrbar gedrehten Fäden des Verhängnisses
wieder aufdrehst, die Unwetter des Schicksals beschwichtigst und den
85 schädlichen Lauf der Gestirne hemmst. Dich ehren die Himmlischen,
achten die Unterirdischen, du lässest das Himmelsgewölbe kreisen,
die Sonne leuchten, lenkst die Welt und trittst den Tartarus unter
deine Füße. Dir antworten die Gestirne, kehren die Jahreszeiten wieder, jubeln die Götter, dienen die Elemente. Auf deinen Wink blasen
90 die Winde, spenden die Wolken, keimen die Samen, wachsen die
Keime. Vor deiner Allmacht erschauert die Vogelschar, die am Himmel streift, das Wild, das auf den Bergen schweift, die Schlangen, die

sich im Boden bergen, die Tiere, die im Meere schwimmen. Doch ich bin zu schwach an Geist, dein Lob zu singen, und zu gering an Vermö-
95 gen, dir Opfer zu bringen. Mir steht nicht die Fülle der Sprache zur Verfügung, um zu sagen, was ich über deine Herrlichkeit empfinde, auch nicht ein tausendfacher Mund und ebensoviel Zungen, noch ein ewig dauernder Fluß unermüdlicher Rede. Also, was allein ein Frommer, aber im übrigen Armer vermag, will ich mich bemühen zu errei-
100 chen. Dein göttliches Antlitz und deine heilige Majestät werde ich ewig, in dem geheimen Innern meiner Brust geborgen, wahren und mir vor Augen halten." Nachdem ich auf diese Weise zu der erhabenen Gottheit gebetet hatte, umarmte ich den Priester Mithras, nunmehr meinen Vater; an seinem Halse hing ich mit vielen Küssen und bat ihn
105 um Verzeihung, daß ich ihm nicht seinen großen Wohltaten entsprechend lohnen könne.

Lange verweilte ich so in ausgedehntem Gespräch, um Dank zu sagen. Endlich scheide ich und eile, um geradewegs mein väterliches Haus nach beträchtlich langer Zeit wieder aufzusuchen, und wenige
110 Tage später schnüre ich eilends auf Antrieb der mächtigen Göttin mein Bündel, besteige ein Schiff und richte meine Reise nach Rom. Und im Schutz günstiger Fahrwinde lande ich aufs schnellste im Hafen des Augustus, und von dort bin ich auf einem Wagen dahingeflogen und betrete so am Abend vor dem 13. Dezember diese heilige Stadt. Seitdem
115 habe ich keine so vornehmliche Sorge gehabt wie die, täglich die hohe Allmacht der Göttin Isis anzubeten, die nach der Lage ihres Tempels den Namen angenommen hat und als die Isis vom Marsfeld mit höchster Andacht verehrt wird. Ich war schließlich ihr ständiger Verehrer, fremd in dem Heiligtum, aber heimisch in der Religion ...

1 *Göttin* = Isis. Apuleius wollte schon seit einiger Zeit eingeweiht werden.

20 *vielnamig.* S. unten Z. 76 ff.

42 *in ehrfurchtsvoller Enthaltsamkeit.* Man kann nicht behaupten, daß Apuleius sich im früheren Teil dieser Geschichte darin geübt hätte. Diese Bekehrung zur Isisreligion war offensichtlich nicht ohne moralische Konsequenzen.

50 *du fragst mich* ... Apuleius war natürlich verpflichtet, über das Mysterium des Kultes Schweigen zu bewahren.

58 *die Schwelle der Proserpina.* Proserpina (griech. Persephone) war die Tochter der Demeter, die nach ihr suchte, als Pluto sie in den Hades entführt hatte. Die beiden Göttinnen wurden in den Eleusinischen Mysterien verehrt. Apuleius will sagen, daß er an die Schwelle der Unterwelt gebracht worden sei (und wieder zurück).

77 *ständige Retterin* ... Solche Aretalogien, die die Namen (vgl. Z. 20), Tugenden und Kräfte der Göttin aufzählen, sind für die Isisverehrung charakteristisch.

103 *nunmehr meinen Vater.* Über die Beziehung zwischen dem einweihenden Priester und dem Neophyten vgl. im NT 1 Kor 4, 15; Gal 4, 19.

113 *Hafen des Augustus* = Ostia.

114 *diese heilige Stadt.* Rom war für mehr als eine Religion die Heilige Stadt.

## C. Kultus

Einige Riten der Mysterienkulte sind bereits beschrieben worden. Sie waren von fast unendlicher Vielfalt und reichten von Ausschweifung bis zu echter Vergeistigung. Die nun folgende Erzählung über einen skandalösen Vorfall im Isiskult ist freilich weniger ein historischer Tatsachenbericht als vielmehr ein Propagandastück, bei dem Fiktion und Wirklichkeit schwer auseinanderzuhalten sind. Vgl. S. K. Heyob, *The Cult of Isis among Women in the Graeco-Roman World*, Leiden 1975, S. 115–119; W. C. van Unnik, *Flavius Josephus and the Mysteries*, in: Studies in Hellenistic Religions, hg. v. M. J. Vermaseren, Leiden 1979, S. 244–279 (hier 254–258).

**129**  *Josephus, Antiquitates XVIII 66–80.*

Die Römerin Paulina hatte es durch den Ruf ihrer Vorfahren und den Schmuck ihrer Tugend zu großem Ansehen gebracht; auch stand ihr die Macht des Geldes zur Verfügung. Sie war schön von Angesicht und in dem Alter, in dem die Frauen ihren höchsten Reiz besitzen, und
5 dabei war Bescheidenheit das Gesetz ihres Lebens. Sie war mit Saturninus verheiratet, der ihr in jeder Beziehung ebenbürtig war. In diese Frau verliebte sich Decius Mundus, der damals im Ritterstande großes Ansehen genoß. Sie war zu vornehm, als daß er sie mit Geschenken, die er in Fülle sandte, hätte verführen können; jedoch wurde er
10 durch ihre Ablehnung noch mehr entflammt, so daß er sogar 200000 attische Drachmen versprach für eine Nacht. Und als sie auch damit nicht erweicht werden konnte, ertrug er das Unglück in der Liebe nicht länger und glaubte, daß er sich den Tod durch Verhungern geben müsse, um seinen Schmerz zu verwinden. Und so beschloß er es und
15 war von der Ausführung nicht abzubringen. Mundus hatte aber von seinem Vater her eine Freigelassene mit dem Namen Ide, die in vielen schlechten Dingen erfahren war. Diese ward von dem Beschluß des Jünglings zu sterben schwer betroffen (, denn es blieb nicht verborgen, daß er sich dem Tode geweiht hatte). Sie trat zu ihm und machte ihm
20 mit gewinnenden Worten Hoffnungen und Versprechungen, daß sich die Vereinigung Paulinas mit ihm wohl bewerkstelligen ließe. Als er dieses Flehen mit Freuden aufnahm, meinte sie, daß sie lediglich 50000 Drachmen benötige, um das Weib zu gewinnen. Nachdem sie nun den Jüngling so ermutigt hatte und das verlangte Geld empfan-
25 gen, ging sie nicht auf den bisher eingeschlagenen Wegen, da sie einsah, daß das Weib niemals mit Geld zu verführen sei. Dagegen wußte sie, daß sie dem Isisdienst inbrünstig ergeben war, und setzte nun folgendes ins Werk: Sie ging zu einigen Priestern und lockte sie unter gewaltigen Eiden mit Worten, hauptsächlich aber durch die
30 Versprechung von 25000 Drachmen in die Hand und derselben Sum-

me nach glücklicher Ausführung der Sache, in jeder Weise zur Gewinnung dieses Weibes beizutragen, nachdem sie ihnen die Leidenschaft des jungen Mannes entdeckt hatte. Diese entzogen sich nicht der Wirkung des Goldes und sagten zu. Der Älteste von ihnen eilte also zu
35 Paulina und verlangte, nachdem er eingelassen war, sie unter vier Augen zu sprechen. Und als ihm das eingeräumt wurde, erzählte er, er sei von Anubis geschickt; der Gott sei von Liebe zu ihr entbrannt und befehle ihr, sich zu ihm zu begeben. Ihr war diese Botschaft sehr willkommen, und sie brüstete sich vor ihren Freundinnen einer sol-
40 chen Herablassung des Anubis und erzählte ihrem Manne, daß ihr Mahl und Lager des Anubis angekündigt worden seien. Jener ließ es zu, da er die Bescheidenheit seiner Frau kannte. So ging sie nun zum Tempel, und nachdem sie gespeist hatte und es Zeit zum Schlafen war, schloß der Priester die Türen des Tempels, während drinnen die
45 Lichter gelöscht wurden. Dem Mundus – denn er hatte sich vorher dort versteckt – ward ihr Lager nicht länger vorenthalten. Und sie war ihm die ganze Nacht zu Diensten in der Annahme, daß er der Gott sei. Er ging weg, bevor die Priester, die den Plan (v.l.: nicht) kannten, sich rührten, und Paulina kehrte frühmorgens zu ihrem Mann zurück,
50 berichtete von der Epiphanie des Anubis und prahlte auch vor ihren Freundinnen mit Erzählungen davon. Diese glaubten teilweise die Geschichte nicht, als sie ihre Art bedachten. Andererseits waren sie von Staunen erfaßt, da sie nicht wußten, wie sie die Sache als unwahrscheinlich auffassen sollten, wenn sie sich die Bescheidenheit und
55 Würde der Paulina vor Augen hielten. Drei Tage nach diesem Ereignis traf Mundus sie und sagte: „Paulina, du hast mir 200000 Drachmen erspart, die du deinem Hause hättest zukommen lassen können, wenn du mir zu Willen gewesen wärst unter den Bedingungen, die ich dir vorschlug. Was du jedoch gegen Mundus an Spott vorgebracht hast, so
60 liegt mir nichts an den Namen, sondern an der Freude, welche ich aus der Tatsache empfing, daß ich ihm den Namen Anubis gegeben habe." Mit diesen Worten ging er von dannen. Sie aber begann jetzt den Umfang ihres Wagnisses zu erfassen, zerriß sich ihr Gewand und eröffnete ihrem Mann die ganze Größe des Betruges und bat ihn, sie
65 nicht ohne Hilfe zu lassen. Der aber meldete die Angelegenheit dem Kaiser. Als Tiberius durch Verhör der Priester genaue Kunde davon erhielt, ließ er sie ans Kreuz schlagen, desgleichen Ide, die Ursache dieses Verhängnisses, die das Ganze zur Schande dieser Frau angezettelt hatte; den Tempel aber ließ er abreißen und das Bild der Isis in
70 den Tiber werfen. Mundus jedoch bestrafte er mit der Verbannung, wobei ihn an einer schärferen Bestrafung die Meinung hinderte, daß die Verfehlung aus Leidenschaft begangen war.

37 *Anubis* war der Sohn des Osiris und der Nephthys (Schwester der Isis). Wie man sieht, setzt die ganze schmutzige Geschichte, die Josephus erzählt, die Tatsache voraus, daß intelligente und angesehene Leute wie Paulina und Saturninus an die Götter glaubten und überzeugt waren, daß eine „heilige Hochzeit" stattfinden könne.

**130** M. J. Vermaseren, *Corpus inscriptionum et monumentorum religionis Mithricae*, Bd. I, Den Haag 1956, *Nr. 423*. Widmung einer Mithraskapelle in Rom.

Hier ist ein gesegneter Ort, heilig, gottgefällig und freundlich.
Mithras hat ihn ausgewählt und zu verstehen gegeben
dem Proficentius, Pater der heiligen Zeremonien,
daß dieser ihm eine Höhle mache und widme.
5 Und eifrig betreibend in rascher Arbeit erfüllt er den erwünschten
Dienst,
den er unter guten Vorzeichen übernommen hat ängstlichen
Herzens,
damit die durch Handschlag Verbundenen fröhlich auf immer ihre
Weihen feiern könnten.
Dies kleine Gedicht stammt von Proficentius, dem hochehrwürdigen
Pater des Mithras.

3 *Pater* (vgl. Z. 9), *terminus technicus* für das geistliche Oberhaupt im Mithraskult.

4 *Höhle*. Die Mithrasmysterien wurden in natürlichen Höhlen oder in künstlichen unterirdischen Grotten gefeiert.

**131** M. J. Vermaseren, *op. cit.*, Bd. I, *Nr. 473*. Eine Widmung aus Rom.

Als ein Geschenk für Zeus, den großen Helios, den unbesiegten Mithras, und für die Götter, die bei ihm wohnen, haben Kastus, der Vater, und Kastus, der Sohn, der heilige „Rabe", zwei Bronzelampen mit jeweils sechs Dochten aufgestellt und sie geheiligt. Es assistierten
5 die „Patres" L. Satyrius Sporus und Pactumeius Lausus sowie die „Löwen" Modestus, Paralius, Agathemerus, Felix, Apamenius und Keloed.

3 *Rabe*, Name eines Weihegrades in den Mithrasmysterien.

5 *Pater*, ein weiterer Weihegrad.

6 *Löwe*, ein weiterer Weihegrad.

**132** M. J. Vermaseren, *op. cit.*, Bd. I, *Nr. 523* (= CIL VI 507). Stiftung eines Tauroboliums.

Im 3. Konsulat unserer Herren Konstantin und Maximinus, den Augusti, habe ich, Gaius Magius Donatus Severianus, Senator, Pater der heiligen Zeremonien des unbesiegten Mithras, Hierophant des Paters Liber und der Hekaten, das Taurobolium gemacht am 15. April.

1 *3. Konsulat*: 313 n. Chr.

2 *Senator. Vir clarissimus* ist der geläufige Titel eines Senators; es könnte freilich auch schlicht „einen sehr berühmten Mann" bezeichnen.
*Pater der heiligen Zeremonien*. Vgl. *130* Z. 3.

4 *15. April*, 17 Kal. Maias.

# VII. Die Geschichte der Juden

Die lange und bewegte Geschichte der Juden im neutestamentlichen Zeitraum ist uns glücklicherweise in vielen Einzelheiten überliefert. Eine auch nur halbwegs vollständige Dokumentation hierherzusetzen, ist weder möglich noch erforderlich; dafür wollen wir einige besonders wichtige Punkte herausstellen.

## A. Die Zeit der Makkabäer

In der ersten Hälfte des 2. Jahrhunderts v. Chr. tritt uns das jüdische Volk wieder in deutlichen Konturen entgegen, nachdem die vorangegangene Epoche weitgehend im dunklen geblieben war (vgl. dazu allerdings M. Hengel, *Judentum und Hellenismus*, Tübingen ³1988). Zehn Jahre siegreicher Feldzüge Alexanders des Großen hatten im Nahen Osten tiefergreifende Veränderungen geschaffen als viele voraufgehende Jahrhunderte; Alexandria und Antiochia (um nur diese zu nennen) wurden zu Zentren mächtiger hellenistischer Staatenbildungen; Palästina hatte als Pufferstaat zwischen den Ptolemäern und den Seleukiden viel zu leiden. Die Juden fanden sich von einer starken, ja unwiderstehlichen Sphäre hellenistischer Kultur umgeben, die bereits ihr eigenes Leben zu beeinflussen begonnen hatte; sie hätte sich auch noch weiter durchgesetzt, wenn nicht Antiochus IV. Epiphanes (von Syrien, 176–164 v. Chr.) das jüdische Bewußtsein dadurch wachgerufen hätte, daß er diesen Prozeß zu beschleunigen suchte. Er erweckte damit leidenschaftlichen und entschiedenen Widerstand, welcher der Geschichte der folgenden 300 Jahre Richtung und Triebkraft gab. Über die von der Makkabäerdynastie beherrschte Periode gibt das erste Makkabäerbuch, das im ganzen wohl dieser Zeit angehört, einen nüchternen und weitgehend zuverlässigen Bericht; es sind jedoch nicht alle seine Quellen von gleichem Wert.

**133** *1. Makkabäer 1, 5–15.*

Danach aber fiel er aufs Krankenlager, und als er nun merkte, daß er sterben müsse, berief er seine vornehmsten Diener, die von Jugend auf mit ihm auferzogen waren, und verteilte noch bei Lebzeiten sein Reich unter sie. Alexander starb nach zwölfjähriger Regierung, und es
5 herrschten nun seine Diener, ein jeder an seinem Ort. Nach seinem Tode aber setzten sich alle das Diadem auf, und ebenso ihre Söhne nach ihnen viele Jahre lang; und sie verübten viel Böses auf der Erde.

Und aus ihnen ging ein gottloser Sproß hervor, Antiochus Epiphanes, der Sohn des Königs Antiochus. Er war als Geisel in Rom gewesen
10 und wurde König im 137. Jahre der griechischen Herrschaft. In jenen
Tagen gingen aus Israel nichtswürdige Menschen hervor; die überre-
deten viele, indem sie sprachen: Laßt uns doch mit den Völkern, die
rings um uns her sind, uns verbrüdern! Denn seit wir uns von ihnen
abgesondert haben, hat uns viel Unglück betroffen! Solche Rede gefiel
15 ihnen wohl, und etliche aus dem Volk erklärten sich bereit, zum
Könige zu gehen; der gab ihnen Vollmacht, die Sitten der Heiden
einzuführen. So erbauten sie denn in Jerusalem ein Gymnasium nach
dem Brauche der Heiden, stellten sich die Vorhaut wieder her und
wurden (so) abtrünnig von dem heiligen Bund, verbanden sich viel-
20 mehr mit den Heiden und verkauften sich dazu, Böses zu tun.

1 *fiel er aufs Krankenlager.* Alexander der Große, der in der Nacht des 31. Mai
323 v. Chr. erkrankte und elf Tage später starb. Der Verfasser des ersten
Makkabäerbuches ist hier weniger genau als sonst – was nicht unnatürlich
ist, denn er beschreibt Ereignisse, die sich lange vor seiner Zeit zugetragen
haben. Es wurden nicht alle von Alexanders Generälen Könige, und es ist
auch nicht wahrscheinlich, daß er selbst sein Königreich unter sie teilte.

8 *Antiochus Epiphanes.* Sein Vater Antiochus III. wurde von den Römern bei
Magnesia 190 v. Chr. geschlagen, und der Sohn lebte zwölf Jahre als Geisel
in Rom. Zweifellos bekam er durch diese Erfahrungen ein klares Bild von
der wachsenden Macht Roms; das erklärt wohl besser seine herausfordern-
den Taten, die der Verfasser des ersten Makkabäerbuches als die Frucht
ungezügelter Schlechtigkeit und Tollheit ansieht. Antiochus hielt es für
nötig, zur Zahlung der Tributleistungen an Rom und zur Mehrung seiner
Schätze die Tempel zu plündern; davon wurde nicht nur der Tempel in
Jerusalem betroffen. Weiterhin ist er wohl zu der Ansicht gekommen, daß
die östlichen Staaten nur auf der Basis einer „hellenistischen Einheitsfront"
Rom widerstehen könnten, und dem sollten sich Juden nicht weniger als
andere fügen.

10 *im 137. Jahre der griechischen Herrschaft,* d. h. des seleukidischen Königs-
reiches, das 312 v. Chr. gegründet wurde.

11 *gingen aus Israel nichtswürdige Menschen hervor.* Die spontan sich bilden-
de Bewegung zur Hellenisierung (oben S. 164) erhielt einen neuen Impuls.
Weitere Einzelheiten finden sich in 2 Makk 4, wo der Hohepriester Jason als
einer der Hellenisierer erwähnt wird.

**134** *1. Makkabäer 1, 20–24.*

Nachdem er so Ägypten geschlagen hatte, kehrte Antiochus im Jahre
143 um und zog gegen Israel und Jerusalem mit gewaltiger Heeres-
macht. Er drang in seinem Übermut ins Heiligtum ein, nahm den
goldenen Räucheraltar und den Leuchter samt allen seinen Geräten,
5 den Tisch für die Schaubrote, die Kannen und Schalen und die goldenen Räuchergefäße, den Vorhang, die Kränze und den goldenen
Schmuck an der Vorderseite des Tempels und schälte alles Gold ab. Er
nahm das Silber und das Gold und die kostbaren Geräte und was er an

verborgenen Schätzen fand. Und nachdem er alles genommen hatte,
10 zog er ab in sein Land.

1 *Nachdem er so Ägypten geschlagen hatte.* Antiochus' Plünderungen begannen nach seinem ersten ägyptischen Feldzug. Nach seinem zweiten (1 Makk 1, 29f) fuhr er damit fort. Antiochus war beim zweiten Mal sicher, beim ersten Mal wahrscheinlich (s. Josephus, *Ant* XII 244. 246) nicht durch den lokalen Widerstand, sondern durch römische Drohungen aus Ägypten vertrieben worden; diese Drohungen haben zweifellos die oben erwähnten Befürchtungen verstärkt.

**135**   *1. Makkabäer 1, 54–64.*

Am 15. Kislev des Jahres 145 errichtete er einen Greuel der Verödung auf dem (Brandopfer)altar und erbaute ringsum in den Städten Judäas Opferhöhen. Und sie opferten an den Türen der Häuser und auf den Straßen. Die Gesetzbücher, die sie fanden, zerrissen und ver-
5 brannten sie. Und wenn bei jemandem ein Buch des Bundes gefunden wurde und wenn sich jemand nach dem Gesetz richtete, so überlieferte ihn der Erlaß des Königs dem Tode. So verfuhren sie in Ausübung ihrer Macht Monat für Monat in den (einzelnen) Städten mit Israel, mit denen, die betroffen wurden.
10   Am 25. des Monats opferten sie auf dem Altar, der auf dem (Brandopfer)altar stand. Die Frauen, die ihre Kinder hatten beschneiden lassen, töteten sie dem (königlichen) Befehle gemäß – indem sie ihnen (zugleich) die Kinder an den Hals hingen – samt ihren Familien und denen, die sie beschnitten hatten. Aber viele in Israel zeigten sich
15 standhaft und beschlossen fest bei sich, nichts Unreines zu essen, und wollten lieber sterben, um sich nicht durch Speisen zu verunreinigen und den heiligen Bund zu beflecken, und starben auch wirklich. Und ein großer (Gottes)zorn lag überaus schwer auf Israel.

1 *Greuel der Verödung.* Vgl. Dan 11, 31; 12, 11. Dieser Satz spielt auf den Heidenaltar an, den man auf dem großen Altar des Tempels errichtet hatte (s. Z. 10).

10 am *25. des Monats.* An diesem Tage wurde drei Jahre später der Tempel wiedergeweiht, s. *138.*

17 *und starben auch wirklich.* Vielleicht die ersten Märtyrer für eine Religion, s. *278* und S. 344 f.

**136**   *1. Makkabäer 2, 15–28.*

Es kamen aber die Abgesandten des Königs, die zum Abfalle nötigen sollten, nach der Stadt Modin, um sie zum Opfern zu bringen. Und viele von Israel liefen ihnen zu; Mattathias aber und seine Söhne versammelten sich. Da hoben die Abgesandten des Königs an und
5 sprachen zu Mattathias also: Du bist ein Oberster und angesehen und groß in dieser Stadt und stark durch Söhne und Brüder. So tritt nun zuerst heran und tue, was der König befiehlt, wie alle Völker taten und

die Männer von Juda und die in Jerusalem Zurückgebliebenen. So
wirst du und dein Haus zu den Freunden des Königs gehören, und du
10 und deine Söhne werdet mit Silber und Gold und vielen Geschenken
geehrt werden. Mattathias aber antwortete und rief mit lauter
Stimme: Wenn alle Völker, die sich im Bereiche der Herrschaft des
Königs befinden, ihm gehorchen, indem ein jeder der Religion seiner
Väter untreu wird, und sie sich nach seinen Geboten richten, so wollen
15 doch ich und meine Söhne und meine Brüder in dem von Gott mit
unseren Vätern geschlossenen Bunde wandeln. Gott bewahre uns
davor, daß wir vom Gesetz und den Satzungen abtrünnig werden
sollten. Dem Gesetze des Königs werden wir nicht gehorchen, daß wir
von unserer Religion zur Rechten oder Linken abweichen sollten!
20 Als er eben diese Rede beendigt hatte, trat vor aller Augen ein
jüdischer Mann herzu, um auf dem Altar zu Modin dem Befehle des
Königs gemäß zu opfern. Als das Mattathias sah, geriet er in Eifer, und
sein Innerstes erbebte. Und er ließ seinem Zorne freien Lauf, wie es
sich gebührte, lief hin und tötete ihn am Altar. Zugleich aber tötete er
25 auch den königlichen Beamten, der zum Opfer nötigen sollte, zerstörte
den Altar und eiferte (so) für das Gesetz, wie Pinehas gegenüber Simri,
dem Sohne Sauls, tat. Sodann ließ Mattathias in der Stadt den lauten
Ruf erschallen: Jeder, der für das Gesetz eifert und den Bund aufrechterhalten will, ziehe aus, mir nach! So flohen er und seine Söhne
30 ins Gebirge und ließen alle ihre Habe in der Stadt zurück.

3 *Mattathias und seine Söhne.* Mattathias war ein in Modin lebender Priester;
seine Söhne waren Johannes, Simon, Judas (genannt Makkabäus), Eleasar
und Jonathan.

7 *wie alle Völker taten.* Wahrscheinlich wünschte Antiochus die Gleichschal-
tung der Juden nicht so sehr aus Antisemitismus als wegen seiner Pläne, die
hellenistischen Staaten zu einigen (S. *133* Anm. zu Z. 8).

9 *Freunde des Königs.* Offenbar ein offizieller Titel.

**137** *1. Makkabäer 3, 10–26.*

Apollonius aber sammelte die Heiden und ein großes Heer aus Samaria, um gegen Israel zu kämpfen. Als das Judas erfuhr, zog er ihm
entgegen, schlug ihn und tötete ihn, und es fielen zahlreiche Erschla-
gene, und die Übriggebliebenen flohen. Da nahmen sie die Beute von
5 ihnen, und Judas nahm das Schwert des Apollonius und kämpfte
(seitdem) beständig mit ihm.
Als nun Seron, der Befehlshaber über das syrische Heer, vernahm,
daß Judas einen Haufen gesammelt habe und eine Schar von Getreu-
en, die mit ihm in den Kampf zogen, da dachte er: Ich will mir einen
10 berühmten Namen machen und großen Ruhm im Reich erlangen und
will Judas und seine Anhänger und die, die den Befehl des Königs
mißachtet haben, bekämpfen. Und er rückte nochmals an, und mit
ihm zog ein starkes Heer von Gottlosen, um ihm zu helfen, an den
Israeliten die Rache zu vollstrecken.

15 Als er nun bis nahe an die Steige von Beth Horon gelangt war, zog
ihm Judas mit wenigen Leuten entgegen. Als sie aber das Heer erblickten, das ihnen entgegenkam, sprachen sie zu Judas: Wie können
wir in so geringer Anzahl gegen eine so große Menge kämpfen, zumal
wir ermattet sind, da wir heute noch nichts gegessen haben! Judas
20 aber sprach: Es ist wohl möglich, daß viele in die Hände weniger
gegeben werden, und es macht für den Himmel keinen Unterschied,
durch viele oder wenige Hilfe zu schaffen. Denn der Sieg im Kampfe
beruht nicht auf der Größe des Heeres, sondern vom Himmel kommt
die Stärke. Sie kommen zu uns voller Frevel und Gottlosigkeit, um uns
25 und unsere Weiber und unsere Kinder hinwegzuräumen und uns
auszuplündern. Wir aber kämpfen für unser Leben und unsere Satzungen. Und er selbst wird sie vor unserem Angesicht zermalmen; ihr
aber – fürchtet euch nicht vor ihnen!

Als er seine Rede geendet hatte, stürzte er sich plötzlich auf sie, und
30 Seron und sein Heer wurden vor ihm aufgerieben. Und sie verfolgten
sie auf der Steige von Beth Horon bis in die Ebene, und es fielen von
ihnen gegen 800 Mann; die Übriggebliebenen aber flohen ins Phili-
sterland. Da begann die Furcht vor Judas und seinen Brüdern, und
Schrecken überlief die Heiden ringsum. Und sein Name drang bis zum
35 König, und alle Welt erzählte von den Schlachten des Judas.

1 *Apollonius.* Der Name ist ohne Erklärung eingeführt. Ein Vergleich von 1
Makk 1, 29 mit 2 Makk 5, 24 deutet darauf hin, daß Apollonius früher mit
der Plünderung von Jerusalem beauftragt worden war.

2 *Judas.* Sein Vater Mattathias war inzwischen tot (1 Makk 2, 70). Von seinen
Söhnen hatte er Judas als den für die militärische Führung geeignetsten
empfohlen.

15 *die Steige von Beth Horon,* vgl. Z. 31. Diese Höhe beherrschte offensichtlich
die Straße von Jerusalem in die Küstenebene und war mehr als einmal der
Schauplatz erbitterter Kämpfe.

**138**  *1. Makkabäer 4, 36–61.*

Judas aber und seine Brüder sprachen: Wohlan, unsere Feinde sind
aufgerieben; so laßt uns nun hinaufziehen, das Heiligtum zu reinigen
und wiederum einzuweihen. Da versammelte sich das ganze Heer,
und sie zogen hinauf auf den Berg Zion. Als sie nun unser Heiligtum
5 verwüstet sahen, den Altar entweiht, die Tore verbrannt, in den Vor-
höfen Gesträuch, das aufgewachsen war wie in einem Wald oder auf
irgendeinem Berge, und die Zellen zerstört, da zerrissen sie ihre Kleider und stellten eine große Klage an und streuten Asche auf ihr Haupt.
Sie fielen auf ihr Angesicht zur Erde und trompeteten mit den Signal-
10 trompeten und schrien zum Himmel. Alsdann beauftragte Judas (eine
Anzahl) Männer, gegen die Besatzung der Burg zu kämpfen, bis er das
Heiligtum gereinigt haben würde.

Hierauf wählte er Priester aus, die sich durchaus rein erhalten und
das Gesetz treulich beobachtet hatten. Die reinigten das Heiligtum

15 und schafften die greuelhaften Steine an einen unreinen Ort. Alsdann
berieten sie wegen des entweihten Brandopferaltars, wie sie mit ihm
verfahren sollten. Da kam ihnen der gute Gedanke, ihn einzureißen,
damit es ihnen nicht zum Schimpfe gereiche, daß ihn die Heiden
verunreinigt hatten. So rissen sie denn den Altar ein und legten die
20 Steine auf dem Tempelberg an einem geeigneten Ort nieder, bis ein
Prophet erstehen würde, der ihnen Bescheid gäbe, was damit geschehen solle. Sodann nahmen sie unbehauene Steine, wie das Gesetz
vorschrieb, und erbauten einen neuen Altar nach dem Muster des
früheren. Hierauf stellten sie das Heiligtum und das Innere des Tem-
25 pels wieder her und weihten die Vorhöfe. Sie erneuerten die heiligen
Geräte und brachten den Leuchter und den Altar für die Brandopfer
und das Räucherwerk und den Tisch (für die Schaubrote) hinein in den
Tempel. Alsdann räucherten sie auf dem Altar und zündeten die
Lampen auf dem Leuchter an, daß sie im Tempelraum leuchteten. Sie
30 legten Brote auf den Tisch und hingen die Vorhänge auf.

Als sie nun alle die Arbeiten vollendet hatten, die sie in Angriff
genommen hatten, brachten sie in der Morgenfrühe des 25. (Tages)
des 9. Monats – das war der Monat Kislev des Jahres 148 – auf dem
neuen Brandopferaltar, den sie errichtet hatten, ein Opfer, wie das
35 Gesetz vorschrieb. Um dieselbe (Jahres)zeit, an demselben Tag, an
welchem ihn die Heiden verunreinigt hatten, an dem wurde er wieder
eingeweiht mit Lobgesängen und Zithern und Harfen und Cymbeln.
Und das ganze Volk fiel aufs Angesicht, und sie beteten an und priesen
zum Himmel (gewendet) den, der ihnen Gelingen gegeben hatte. Und
40 sie feierten die Einweihung des Altars acht Tage lang und brachten
Brandopfer mit Freuden und opferten Dank- und Lobopfer. Sie
schmückten die Vorderseite des Tempels mit goldenen Kränzen und
mit Schildchen, stellten die Tore und Zellen wieder her und versahen
sie mit Türen. Und es herrschte sehr große Freude im Volk, daß die
45 Beschimpfung durch die Heiden abgewendet war. Judas aber und
seine Brüder und die ganze Gemeinde Israel setzten fest, daß die Tage
der Altarweihe Jahr für Jahr zu ihrer Zeit – vom 25. des Monats Kislev
an – acht Tage lang mit Freude und Frohlocken gefeiert werden
sollten.

50 Ferner befestigten sie zu jener Zeit den Berg Zion ringsum mit
hohen Mauern und starken Türmen, damit nicht die Heiden kämen
und sie niederträten, wie sie zuvor getan hatten. Sie legten (auch) eine
Besatzung hinein, um ihn zu bewachen, und befestigten Beth Sura,
damit das Volk ein Bollwerk gegenüber Idumäa hätte.

1 *Unsere Feinde sind aufgerieben.* Nach dem Angriff des Seron (s. *137*) hatten
die Juden Gorgias und Lysias geschlagen.

11 *der Burg.* Schon zu Beginn seines Vorgehens gegen die Juden hatte Antiochus „die Burg Davids" befestigt, nämlich den südlichen, unteren Teil des
Tempelberges. Diese wurde „zu einem Hinterhalt für das Heiligtum und zu
einem schlimmen Widersacher für Israel allezeit" (1 Makk 1, 36). Sie blieb
im Besitz der Syrer bis zur Zeit des Simon (1 Makk 13, 50).

15 *die greuelhaften Steine*, die Steine, aus denen der Heidenaltar (der „Greuel der Verödung", s. *135*) errichtet worden war.

16 *Brandopferaltar*, der jüdische Altar, der durch den Aufsatz eines Heidenaltars entweiht worden war.

45 *Judas und seine Brüder ... setzten fest*. Das war der Ursprung des Chanukkafestes (חנכה; griech. ἐγκαίνια, Joh 10, 22), auch das „Fest der Lichter" genannt. (Eine andere Theorie seines Ursprungs und seiner Bedeutung vertritt O. S. Rankin, *The Origins of the Festival of Hanukkah*, Edinburgh 1930). Es wurde in gewisser Weise ähnlich wie das Laubhüttenfest (s. *199*) gefeiert und zuweilen auch das „Laubhüttenfest im Monat Kislev" genannt.

**139**  *1. Makkabäer 8, 17–32.*

Da erwählte Judas den Eupolemus, den Sohn des Johannes, des Sohnes Akkos', und Jason, den Sohn Eleasars, und sandte sie nach Rom, um mit ihnen in Freundschaft und Bundesgenossenschaft zu treten, und damit sie ihnen das Joch abnähmen, wenn sie sähen, daß das

5 Reich der Hellenen Israel knechte. So reisten sie denn nach Rom – es war das eine sehr lange Reise! –, begaben sich in die Ratsversammlung und hoben an: Judas, der auch Makkabäus heißt, seine Brüder und das ganze Volk der Juden sandten uns zu euch, um mit euch in Bundesgenossenschaft und Friedensbund zu treten, und damit wir als

10 eure Bundesgenossen und Freunde aufgeschrieben würden!

Diese Rede fand ihren Beifall, und dies ist die Abschrift der Urkunde, die sie auf eherne Tafeln aufzeichneten und nach Jerusalem sandten, damit sie dort bei ihnen als ein Denkmal des Friedensbundes und der Bundesgenossenschaft diene: Möge es den Römern und dem Volke

15 der Juden zu Wasser und zu Lande immerdar wohl gehen und Schwert und Feind ihnen fern bleiben! Wenn aber zuerst Rom oder irgendeinem seiner Bundesgenossen im ganzen Bereiche ihrer Herrschaft ein Krieg drohen sollte, so soll das Volk der Juden mit willigem Herzen Hilfe leisten, wie es die Umstände von ihnen fordern. Doch werden sie

20 den Kämpfenden Lebensmittel, Waffen, Geld und Schiffe weder geben noch verschaffen, soweit es Rom nicht von selbst gut dünkt; vielmehr werden sie ihren Verpflichtungen nachkommen, ohne etwas (dafür) zu nehmen. Ebenso werden aber auch die Römer, wenn zuerst dem Volke der Juden ein Krieg drohen sollte, willig Hilfe leisten, wie es die

25 Umstände von ihnen fordern. Doch sollen den Hilfstruppen Lebensmittel, Waffen (und) Geld nicht gegeben werden, soweit es Rom nicht von selbst gut dünkt. Und sie werden diesen Verpflichtungen nachkommen ohne Hinterlist.

Aufgrund dieser Bestimmungen also schlossen die Römer einen

30 Vertrag mit dem Volk der Juden. Falls aber die einen oder die andern nachträglich wünschen sollten, etwas beizufügen oder wegzulassen, so mögen sie es nach ihrem Belieben tun, und was sie beifügen oder weglassen, soll gültig sein. In betreff der Schädigung aber, die der König Demetrius zufügen könnte, haben wir ihm Folgendes geschrie-

35 ben: Warum hast du unseren Freunden, den Juden, unseren Bundes-

genossen, ein so schweres Joch auferlegt? Werden sie also noch weiter
über dich Klage führen, so werden wir ihnen zu ihrem Rechte verhelfen und dich zu Wasser und zu Lande bekriegen.

1 *Judas ... sandte sie nach Rom.* Man beachte einerseits die Geschicklichkeit
der jüdischen Führer dieses Zeitabschnitts, die Siegermächte in auswärtige
Streitigkeiten hineinzuziehen, und andererseits das römische Prinzip des
*divide et impera* – die Juden zuerst gegen das syrische Königreich zu benutzen und sie daraufhin selbst in Muße zu unterwerfen.

21 *soweit es Rom nicht von selbst gut dünkt.* Vgl. Z. 26. Der im Vertrag den
Römern eingeräumte Vorteil ist offensichtlich.

31 *etwas beizufügen oder wegzulassen.* Vgl. dagegen Verordnung des Q. Ver-
anius, des ersten Statthalters der Provinz Lykien-Pamphylien (43–48
n. Chr.): In einer Inschrift aus Myra erklärt er jeden Rechtsakt für ungültig,
der Zusätze oder Rasuren aufweist oder auf Palimpsest geschrieben wurde
(Text und Übers. von M. Wörrle in: *Myra*, hg. v. J. Borchhardt, Berlin 1975,
S. 255 ff).

34 *Demetrius.* Demetrius I., König von Antiochia.

## 140 1. Makkabäer 11, 54–62.

Darnach aber kehrten Tryphon und Antiochus, ein noch sehr junger
Knabe, zurück, und (letzter)er trat als König auf und setzte sich die
Krone auf. Da versammelten sich zu ihm alle die Truppen, die Demetrius abgedankt hatte, und kämpften gegen diesen; und er ergriff die
5 Flucht und wurde geschlagen. Tryphon aber bekam die Elefanten in
seine Gewalt und bemächtigte sich Antiochias. An Jonathan schrieb
der junge Antiochus folgendes: Ich bestätige dir das Hohepriestertum
und bestimme, daß du über die vier Gebiete herrschest und zu den
Freunden des Königs gehörest. Zugleich sandte er ihm goldenes Tafel-
10 geschirr und gab ihm Erlaubnis, aus goldenen Bechern zu trinken,
sich in Purpur zu kleiden und eine goldene Spange zu tragen. Seinen
Bruder Simon aber bestellte er zum Heerführer (für das Gebiet) von
der Tyrischen Leiter bis zur ägyptischen Grenze.

Da rückte Jonathan aus und durchzog das Gebiet diesseits des
15 (Euphrat)stroms und die Städte, und es versammelten sich zu ihm alle
syrischen Truppen, um ihm Hilfe zu leisten. Und als er nach Askalon
kam, huldigten ihm die Bewohner der Stadt mit Gepränge. Von dort
zog er nach Gaza; die Bewohner von Gaza verschlossen ihm jedoch die
Tore. Da belagerte er die Stadt, steckte ihre Umgebung in Brand und
20 plünderte sie. Da baten die Bewohner von Gaza Jonathan um Frieden,
und er bewilligte ihn ihnen, nahm die Söhne ihrer Vornehmsten als
Geiseln und schickte sie nach Jerusalem. Sodann durchzog er das
Land bis Damaskus.

1 *Tryphon* spielte eine mächtige Rolle in der komplizierten Politik dieses
Zeitraums. Er widersetzte sich König Demetrius II. und war dafür verant-
wortlich, Antiochus VI. an dessen Stelle gebracht zu haben.
*Antiochus ein sehr junger Knabe*, der Sohn von Alexander Balas, der in der

Obhut des Arabers Jamliku (s. Kautzsch Bd. I zu 1 Makk 11, 39) gelebt hatte. Tryphon hoffte zweifellos, daß der jugendliche König ein Spielzeug in seiner Hand sein werde, während er selbst die eigentliche Macht behielt.

3 *Demetrius*, Demetrius II., Sohn des obenerwähnten Demetrius (*139*).

7 *Ich bestätige dir das Hohepriestertum.* Jonathan war von Alexander Balas zum Hohenpriester bestellt worden (1 Makk 10, 20), nachdem sein Bruder Judas tot war; möglicherweise ist er der „Frevelpriester" der Qumrantexte (s. *241* Z. 131 u. ö. und *233*). Die Familie des Mattathias war eine Priesterfamilie und deshalb wählbar für das Amt, welches von den späteren Führern der Juden regelmäßig eingenommen wurde (s. *141–143*).

8 *vier Gebiete.* Die Präfekturen von Aphärema, Lydda und Ramathaim; als viertes entweder Judäa (was wahrscheinlich jedoch als selbstverständlich galt, so daß es zu den anderen vier Gebieten noch hinzugenommen werden muß) oder Ptolemais oder Ekron.

9 *goldenes Tafelgeschirr*, usw. Zeichen der königlichen Würde. Dieser Satz weist auf den Wohlstand der Juden in dieser Zeit hin.

## B. Die Hohenpriester

Die Regierung des Jonathan kann als ein Übergang zu der Zeit gelten, in der eine Reihe von Hohenpriestern nacheinander sowohl die religiöse als auch die zivile Macht in Jerusalem ausübten. Die ersten gehörten weiterhin der Familie der Makkabäer oder Hasmonäer an. Die politische Geschichte dieses Abschnittes ist sehr verwickelt, und man sollte deshalb keine vereinfachten Schlußfolgerungen aus den abgedruckten Texten ziehen.

**141** *1. Makkabäer 14, 25–49.*

Als aber das Volk diese Begebenheiten vernahm, sprachen sie: Welchen Dank sollen wir Simon und seinen Söhnen abstatten? Denn er und seine Brüder und seine väterliche Familie haben sich tapfer erzeigt und die Feinde Israels von ihnen abgewehrt und ihnen Freiheit
5 geschafft! So zeichneten sie (es) denn auf eherne Tafeln auf und befestigten (diese) an einer Säule auf dem Berge Zion. Und dies ist die Abschrift der Urkunde: Am 18. Elul des Jahres 172 – das ist das dritte Jahr unter dem Hohenpriester Simon, dem Fürsten des Volkes Gottes – wurde uns in einer großen Versammlung der Priester und des Volks
10 und der Obersten des Volks und der Vornehmsten des Landes (folgendes) kundgetan: Da oft Kriege im Land ausbrachen, haben sich Simon, der Sohn des Mattathias, der Abkömmling der Söhne Jojaribs, und seine Brüder der Gefahr preisgegeben und den Feinden ihres Volks Widerstand geleistet, damit ihr Heiligtum und das Gesetz erhalten
15 bliebe, und erwarben ihrem Volke hohen Ruhm. Und als Jonathan ihr Volk vereinigt hatte und ihr Hohepriester geworden und zu seinem

Volk versammelt worden war, da beschlossen ihre Feinde, in ihr Land
einzudringen, um ihr Land zu verheeren und Hand an ihr Heiligtum
zu legen. Damals trat Simon auf und kämpfte für sein Volk. Er wende-
20 te viel von seinem eigenen Vermögen auf, versah die Krieger seines
Volks mit Waffen und gab ihnen Sold. Er befestigte die Städte Judäas
und Beth Sura an der Grenze Judäas, das zuvor ein Waffenplatz der
Feinde gewesen war, und legte Judäer als Besatzung hinein. Auch
Joppe, das am Meere liegt, befestigte er, sowie Gazera, das an das
25 Gebiet von Azotus angrenzt, woselbst sich zuvor die Feinde festgesetzt
hatten. Er siedelte dort Judäer an, und was irgend zu ihrem Unterhalt
erforderlich war, tat er hinein. Als aber das Volk die Treue Simons sah
und den Ruhm, den er seinem Volke zu verschaffen suchte, machten
sie ihn zu ihrem Anführer und Hohepriester, weil er alles dieses
30 ausgeführt hatte und wegen der Gerechtigkeit und Treue, die er seinem Volke bewahrte, und weil er sein Volk auf jede Weise zu heben
trachtete. In seiner Zeit gelang es durch seine Hände, daß die Heiden
aus ihrem Lande weggeschafft wurden und (ebenso) die in der Stadt
Davids, in Jerusalem, die sich eine Burg errichtet hatten, aus der sie
35 Ausfälle machten und (alles) rings um das Heiligtum her verunreinig-
ten und die Heiligkeit (des Tempels) arg schädigten. Und er siedelte
Judäer in ihr an und befestigte sie zur Sicherung des Landes und der
Stadt und erhöhte die Mauern Jerusalems. Der König Demetrius aber
bestätigte ihn demgemäß als Hohepriester und zählte ihn unter seine
40 Freunde und erwies ihm große Ehre. Denn er hatte gehört, daß die
Judäer von den Römern für ihre Freunde und Bundesgenossen und
Brüder erklärt würden und daß sie die Abgesandten Simons ehrenvoll
empfangen hatten. So beschlossen denn die Judäer und die Priester,
daß Simon für immer ihr Anführer und Hohepriester sein solle, bis ein
45 glaubhafter Prophet erstehen würde, und daß er ihr Feldherr sein und
ihm die Sorge für das Heiligtum obliegen solle, damit durch ihn (Leute) bestellt würden über ihre (öffentlichen) Arbeiten und über das
Land und die Waffen und die Festungen; daß ihm die Sorge für das
Heiligtum obliegen und ihm von allen gehorcht werden solle; daß in
50 seinem Namen alle Urkunden im Land abgefaßt werden sollten und
daß er sich in Purpur kleiden und goldenen Schmuck tragen solle. Und
es ist niemandem von dem Volk und den Priestern gestattet, eine
dieser Bestimmungen aufzuheben oder dem von ihm Angeordneten zu
widersprechen oder ohne seine Zustimmung Volksversammlungen im
55 Lande zu veranstalten oder sich in Purpur zu kleiden und mit einer
goldenen Spange zu schmücken. Wer aber dagegen handeln oder eine
dieser Bestimmungen aufheben sollte, der wird straffällig sein. Und
das ganze Volk beschloß, zugunsten Simons zu verfügen, daß dementsprechend verfahren werde. Simon aber nahm es an und willigte ein,
60 das Hohepriesteramt zu bekleiden und Feldherr und Volksfürst der
Juden und Priester zu sein und allem vorzustehen. Und diese Urkunde ließen sie auf ehernen Tafeln anbringen und diese an der Mauer des
Heiligtums an einem (allen) sichtbaren Ort aufstellen. Eine Abschrift

davon aber ließen sie in der Schatzkammer niederlegen, damit Simon
65 und seine Söhne sie besäßen.

1 *Welchen Dank sollen wir Simon ... abstatten?* Tryphon, der nicht länger
damit zufrieden war, die Macht hinter Antiochus' Thron zu sein, beschloß,
sich der Monarchie selbst zu bemächtigen; aus Furcht, Jonathan könne zu
Antiochus halten, ließ er ihn fangen und meuchlings töten. Simon folgte auf
seinen Bruder, schlug Tryphon, schloß einen Vertrag mit Demetrius II.,
nahm Gazera und die Burg von Jerusalem ein (s. o. *138*) und erneuerte den
Vertrag mit Rom. Sein Sohn Johannes wurde sein Feldherr.

8 *Hohepriester, Fürst des Volkes Gottes.* Im Griechischen heißt es „Hoheprie-
ster in Asaramel" (oder Saramel). Wahrscheinlich handelt es sich um die
Korruptele eines ursprünglich hebräischen שׂר עם אל (*sar ʿam ʾel*) „Fürst des
Volkes Gottes" oder vielleicht eines שׂר ישׂראל (*sar yisraʾel*) „Fürst Israels".
Jedenfalls ist klar (Z. 59 ff), daß Simon das militärische und politische Ober-
haupt seines Volkes und auch Hoherpriester war.

44 *für immer,* das heißt, das Amt sollte in der Familie erblich sein. Die Hasmonäer waren in der Tat sowohl Könige als auch Hohepriester.

**142** *Josephus, Antiquitates XIII 372–376.*

Was den Alexander angeht, so erhob sich das Volk gegen ihn und
bewarf ihn während einer Festfeier, als er am Altare stand und opfern
wollte, mit Zitronen. Es ist nämlich bei den Juden Brauch, daß am
Laubhüttenfest jedermann Palm- und Zitronenzweige mitbringt, wie
5 ich bereits an anderer Stelle erwähnt habe. Auch schmähten sie ihn, er
sei der Sohn einer Gefangenen und des Hohepriestertums wie der
Ehre, Opfer darzubringen, nicht wert. Hierüber ergrimmt, ließ Alexander gegen sechstausend von ihnen niedermetzeln. Dann ließ er
rings um den Altar und den Tempel hölzerne Schranken errichten bis
10 an den Raum, den nur die Priester betreten durften, und verwehrte so
dem Volk den Zutritt. Er hielt auch fremde Söldner, Pisider und
Kilikier, doch keine Syrer, weil er mit diesen verfeindet war, unter-
jochte dann die Moabiter und die Galaditer, arabische Völkerschaften,
machte sie tributpflichtig und zerstörte auch die Stadt Amathus, ohne
15 daß Theodor ihm Widerstand geleistet hätte. Als er nun aber dem
Araberkönig Obedas entgegentrat, fiel er in einer zerklüfteten und
schwer zugänglichen Gegend in einen Hinterhalt, wurde bei dem
gaulanitischen Dorfe Gadara von der Menge der Kamele in eine tiefe
Schlucht gedrängt und entkam nur mit genauer Not. Von hier floh er
20 dann nach Jerusalem, und da nun auch noch das Volk sich gegen ihn
empörte, führte er sechs Jahre lang gegen dasselbe Krieg, in welchem
er nicht weniger als 50000 Juden umbrachte. Und obwohl er sie
beständig ermahnte, von ihrer Feindseligkeit abzulassen, haßten sie
ihn doch immer mehr. Da er sie nun endlich fragen ließ, was sie denn
25 eigentlich verlangten, schrien sie: seinen Tod. Dann schickten sie zu
Demetrius Eukairos und ließen ihn zu Hilfe rufen.

1 *Alexander,* Alexander Jannäus, der von 104–78 v. Chr. regierte. Seine Münzen mit der zweisprachigen Aufschrift יהונתן המלך (König Jonathan), ΒΑΣΙ-

ΛΕΩΣ ΑΛΕΞΑΝΔΡΟΥ (König Alexander) zeigen, daß er auf den Königstitel Anspruch erhob. Beim Volk unbeliebt, unter dem die Pharisäer an Ansehen gewannen (s. *152*, Z. 60 ff), war er jedoch ein energischer und recht erfolgreicher Soldat.

6 *der Sohn einer Gefangenen.* Diese Verleumdung wurde gegen Johannes Hyrkan, den Vater von Alexander, ausgesprochen (*Ant* XIII 292; vgl. Lev 21, 14).

15 *Theodor* ... Amathus befand sich auf arabischem Boden (östlich des Jordan), und Theodor war wahrscheinlich ein arabischer Scheich. Er hatte 10 000 Juden gemordet und den Troß Alexanders geplündert (*Ant* XIII 356).

18 *gaulanitisch.* So ist gegen die Hss („galaditisch" o. ä.) wegen der Parallele *Bell* I 90 zu lesen.

26 *Demetrius Eukairos*, Demetrius III., König von Syrien. Er schlug Alexander, aber die Wende seines Glückes brachte viele Juden wieder auf Alexanders Seite, so daß dieser in der Lage war, seine Position wiederherzustellen.

**143** *Josephus, Antiquitates XIV 69a. 70–79.*

Nachdem nun der größte der Türme unter den Stößen der herbeigeschafften Maschinen gefallen war und so eine Bresche sich gebildet hatte, drangen die Feinde ein ... Das Blutbad wurde darauf ein allgemeines. Die Juden wurden teils von den Römern, teils von ihren
5 eigenen Landsleuten niedergehauen, teils stürzten sie sich in die Schluchten oder verbrannten sich in ihren Häusern, weil sie das, was kommen mußte, nicht ertragen wollten. So fielen gegen 12 000 Juden, von den Römern dagegen nur sehr wenige. Absalom, Aristobuls Oheim und Schwiegervater, geriet in Gefangenschaft. Der Tempel aber, des-
10 sen Inneres sonst unzugänglich und keinem Auge sichtbar war, wurde schwer geschändet. Denn Pompeius drang mit einer Anzahl seiner Begleiter in das Innere ein und sah, was kein Sterblicher außer dem Hohenpriester erblicken durfte. Obwohl ihm aber der goldene Tisch, der heilige Leuchter, die Opferschalen, eine Menge Räucherwerk und
15 außerdem im Tempelschatz gegen 2000 Talente Geld zu Gesicht kamen, rührte er aus Frömmigkeit nichts davon an, sondern benahm sich, wie man von seiner Tugend erwarten konnte. Am folgenden Tage befahl er den Tempeldienern, das Heiligtum zu reinigen, und ließ Gott die vom Gesetze vorgeschriebenen Opfer darbringen. Dann ernannte
20 er den Hyrkan zum Hohenpriester, einmal weil er ihm sonst wichtige Dienste geleistet, dann aber auch, weil er die im Lande wohnenden Juden abgehalten hatte, dem Aristobul Hilfe zu gewähren. Die Urheber des Krieges ließ Pompeius mit dem Beile hinrichten; hierauf verteilte er an Faustus und die übrigen, welche zuerst die Mauer
25 erstiegen hatten, die verdienten Belohnungen. Jerusalem aber machte er den Römern zinspflichtig, entzog die Städte in Coelesyrien, welche der Hauptstadt Judäas unterworfen waren, dieser Botmäßigkeit, stellte dieselben unter einen römischen Prätor und wies das ganze, sonst so mächtige Volk auf enge Grenzen an. Gadara, welches

30 kurz vorher zerstört worden war, ließ er dem Gadarener Demetrius,
seinem Freigelassenen, zu Gefallen wieder aufbauen, und die Städte
Hippos, Skythopolis, Pella, Dion, Samaria, Marissa, Azot, Jamnia und
Arethusa gab er ihren früheren Bewohnern zurück. Diese im Binnen-
land gelegenen Plätze mit Ausnahme der zerstörten sowie die am
35 Meer gelegenen Städte Gaza, Joppe, Dora und Stratonsturm, welch
letzteres von Herodes prächtig ausgebaut, mit Hafenanlagen und
Tempeln versehen wurde und jetzt Cäsarea heißt, erklärte Pompeius
für selbständig und teilte sie der Provinz Syrien zu.
  An diesem Unglück Jerusalems trug nur der Streit zwischen Hyr-
40 kan und Aristobul die Schuld. Dadurch wurde uns die Freiheit entris-
sen: Wir kamen unter die Botmäßigkeit der Römer und mußten das
Land, welches wir den Syrern mit Waffengewalt abgenommen, denselben wieder zurückgeben. Außerdem brandschatzten uns die Römer
in kurzer Zeit um mehr als 10000 Talente und ließen die Königswür-
45 de, die früher dem hohepriesterlichen Geschlecht allein zukam, an
Männer aus dem niederen Volke gelangen. Darüber werde ich noch
später reden. Pompeius übergab nun Coelesyrien bis zum Euphrat
und bis nach Ägypten hin dem Scaurus, stellte zwei römische Legionen unter dessen Befehl und trat den Marsch nach Kilikien an, um
50 möglichst bald nach Rom zu kommen. Dorthin nahm er auch den
Aristobul und dessen Kinder als Kriegsgefangene mit. Letztere waren
zwei Töchter und ebensoviele Söhne, von denen der eine, Alexander,
entfloh, der jüngere, Antigonus, aber mit seinen Schwestern nach
Rom gebracht wurde.

1 *nun*, 63 v.Chr. Damals wie später (s. *155–161*) bewirkten Parteiungen den
Niedergang des jüdischen Staates. Alexander Jannäus wurde von seiner
Witwe Alexandra abgelöst, die ihren ältesten Sohn Hyrkan zum Hoheprie-
ster machte und ihn als ihren Nachfolger sehen wollte; doch bei ihrem Tode
ergriff Aristobul die Macht. Es folgte ein Bürgerkrieg. Pompeius befand sich
zu der Zeit auf einem Feldzug im Osten, und beide Parteien baten um seine
Hilfe. Nach komplizierten politischen Manövern kam es dazu, daß er die
Anhänger Aristobuls in Jerusalem belagerte.

4 *von ihren Landsleuten*. Innerhalb Jerusalems gab es auch Anhänger des
Hyrkan, die bereit waren, Pompeius die Tore zu öffnen.

10 *dessen Inneres sonst unzugänglich und keinem Auge sichtbar*, außer für die
Hohenpriester.

28 *unter einen römischen Prätor*, nämlich den der Provinz Syrien, Scaurus; s.
Z.48.

33 *gab er ihren früheren Bewohnern zurück*. Die Städte waren von den Juden
früher den heidnischen Einwohnern weggenommen worden. Josephus' Aufzählung ist unvollständig; andere Städte in demselben Gebiet beginnen ihre
Zeitrechnung mit der Befreiung durch Pompeius.

46 *noch später,* im nächsten Buch, *Ant* XV.

50 *möglichst bald*. Dessenungeachtet überwinterte er in Kleinasien.

## C. Herodes der Große

Durch eine der merkwürdigsten Epochen in der jüdischen Geschichte werden wir an die Schwelle des neutestamentlichen Zeitalters geführt. Der idumäische Abenteurer Antipater und sein
Sohn Herodes der Große, die beide kühn, schlau, fähig und vom
Glück begünstigt waren, wurden Herrscher eines jüdischen Königreichs und gründeten eine Dynastie, die ein und ein halbes
Jahrhundert andauerte, eine lange Zeit in jenen bewegten Tagen.
Antipater war bereits vor Pompeius' Intervention auf dem Plane
erschienen, wie aus dem ersten Text zu ersehen ist.

**144** *Josephus, Bellum Judaicum I 123–126.*

Als nun Aristobul so unverhofft auf den Thron gelangt war, beschlich
auch seine übrigen Gegner bange Furcht, darunter ganz besonders
den Antipater, der ihm schon längst ein Dorn im Auge war. Von
Geburt Idumäer, war er infolge seiner Abstammung, seines Reich-
5 tums und seiner sonstigen Macht der Bedeutendste seines Volkes.
Dieser Antipater nun beredete einerseits den Hyrkan, zu dem Araberkönig Aretas zu fliehen, um sich die Königswürde wieder zu erringen,
andererseits den Aretas, Hyrkan aufzunehmen und ihn auf seinen
Thron zurückzuführen. Und um Aretas zur Gewährung von Gast-
10 freundschaft besonders geneigt zu machen, schmähte er den Charakter des Aristobul ebenso sehr, wie er den des Hyrkan lobte, fügte auch
hinzu, es stehe dem Beherrscher eines so glänzenden Reiches wohl an,
seine schützende Hand über den zu halten, dem Unrecht widerfahren
sei. Unrecht aber sei Hyrkan in der Tat geschehen, da er des Thrones
15 beraubt worden sei, der ihm seines höheren Alters wegen zukomme.
   Nachdem er in dieser Weise auf beide eingewirkt hatte, verließ er
bei Nacht in Begleitung des Hyrkan die Stadt und gelangte in eiliger
Flucht wohlbehalten nach Petra, der Hauptstadt Arabiens. Hier übergab er den Hyrkan dem Aretas, suchte diesen mit einem Schwall von
20 Worten und durch reiche Geschenke zu ködern und brachte ihn
schließlich dahin, daß er seinem Schützling ein Heer zur Verfügung
stellte, um ihn in seine Herrschaft wieder einzusetzen. Dieser Trup-
penmacht, fünfzigtausend Mann zu Fuß und zu Pferde, vermochte
Aristobul nicht standzuhalten, sondern er wurde gleich beim ersten
25 Zusammenstoß geschlagen und nach Jerusalem gedrängt.

1 u. 6 *Aristobul ... Hyrkan.* S. o. *143* mit Anm. zu Z. 1.

16 *Nachdem er in dieser Weise auf beide eingewirkt hatte.* Die hier beschriebenen Methoden sind für Antipater und seinen Sohn charakteristisch.

**145** *Josephus, Bellum Judaicum I 199–207.*

Kaum hatte Cäsar das vernommen, so erklärte er den Hyrkan für
besonders wert, Hohepriester zu sein; dem Antipater aber ließ er die

Wahl eines einflußreichen Postens frei. Als letzterer nun das Maß der
Ehrung dem Spender derselben anheimgab, wurde er zum Landpfleger von ganz Judäa ernannt und erhielt außerdem noch die Erlaubnis,
die zerstörten Mauern seiner Vaterstadt wieder aufbauen zu lassen.
Die Urkunde über diese Vergünstigungen sandte Cäsar nach Rom,
damit sie dort auf eherne Tafeln eingraviert und als Denkmal seiner
Gerechtigkeit und der Verdienste Antipaters auf dem Kapitol aufgestellt werde.

Antipater gab hierauf dem Cäsar bis zur Grenze Syriens das Geleit
und kehrte dann nach Judäa zurück. Hier stellte er zunächst die von
Pompeius zerstörten Mauern Jerusalems wieder her und bereiste
sodann das Land, um den Unruhen ein Ende zu machen, wobei er es
weder an Drohungen noch an guten Ratschlägen fehlen ließ. Jeder,
der dem Hyrkan wohlgesinnt sei, so erklärt er, solle sich eines glücklichen und ruhigen Lebens erfreuen, sein Eigentum geschützt sehen
und vom allgemeinen Frieden Nutzen ziehen. Wer dagegen von den
eitlen Spiegelfechtereien der Empörer sich blenden lasse, die nur auf
ihren persönlichen Vorteil bedacht seien, der werde an ihm statt eines
fürsorglichen Beraters einen strengen Herrn, an Hyrkan statt eines
milden Regenten einen Tyrannen, an den Römern und an Cäsar statt
Führern und Freunden bittere Feinde haben. Denn die letzteren würden natürlich nie den Sturz eines Mannes zulassen, den sie selbst
eingesetzt hätten. Während er so seine Meinung kundgab, ordnete er
zugleich nach eigenem Ermessen die Angelegenheiten des Landes;
denn Hyrkan, das sah er wohl ein, war nicht nur zu träge, sondern
auch viel zu energielos, um seine Herrscherpflichten erfüllen zu können. Er ernannte also seinen ältesten Sohn Phasaël zum Befehlshaber
von Jerusalem und Umgegend, den nächstfolgenden aber, Herodes,
der noch sehr jung war, sandte er in derselben Eigenschaft nach
Galiläa.

Herodes nun, ein entschlossener Charakter, fand in seinem Wir-
kungskreise alsbald Gelegenheit, seine Tatkraft zu beweisen. Er setzte nämlich den Räuberhauptmann Ezechias, der mit einer starken
Bande die Grenzgegenden Syriens unsicher machte, gefangen und
ließ ihn nebst vielen seiner Spießgesellen hinrichten, wodurch er sich
die Syrer zu ganz besonderem Dank verpflichtete, so daß man ihn in
Dörfern und Städten als Bringer des Friedens und Retter des Eigen-
tums feierte. Hierdurch wurde er auch dem Sextus Cäsar, der ein
Verwandter des großen Cäsar und Statthalter von Syrien war, bekannt. Phasaël seinerseits mochte hinter seinem berühmten Bruder
an Edelmut nicht zurückstehen und legte es daher besonders darauf
an, sich die Einwohner Jerusalems geneigt zu machen, indem er,
obwohl unabhängiger Herr der Stadt, sich jedes anstößigen und übermütigen Auftretens enthielt. So kam es, daß Antipater vom Volke wie
ein König geachtet und von jedermann als wirkliches Staatsoberhaupt
geehrt wurde. Doch änderte er selbst seine Ergebenheit und Treue
gegen Hyrkan nicht im mindesten.

1 *Cäsar*, Iulius Cäsar. Pompeius war inzwischen tot, und Antipater hatte sich
sofort dem neuen Herrscher der römischen Welt verschworen.
*das vernommen*, nämlich die gegenseitigen Anklagen Antipaters und Antigonus', Sohn des Aristobul.

4 *Landpfleger*, Prokurator (ἐπίτροπος).

31 *der noch sehr jung war*. Nach *Ant* XIV 158 zählte Herodes damals 15 Jahre.

**146**    *Josephus, Bellum Judaicum I 386f. 392b–393a. 394. 396. 400.*

Gleich darauf aber ward Herodes mit banger Sorge um seine Herrschaft erfüllt, und zwar wegen seiner freundschaftlichen Beziehungen
zu Antonius; denn soeben hatte der Cäsar bei Aktium gesiegt. Seine
Angst war indes größer, als die wirkliche Sachlage berechtigt erschei-
5 nen ließ. Cäsar nämlich hielt den Antonius noch nicht für überwunden, solange Herodes demselben treu blieb. Der König faßte nun den
Entschluß, der Gefahr mutig ins Auge zu schauen. Er schiffte sich
daher nach Rhodus ein, wo Oktavian sich damals aufhielt, und erschien vor ihm ohne Diadem, in Kleidung und Gebaren ein einfacher
10 Privatmann, doch an Gesinnung ein echter König. Ohne also seine
wahren Gedanken zu verheimlichen, sprach er voller Freimut ... (Der
Cäsar erwiderte):
„... Ich will dich daher durch förmlichen Beschluß in deiner Königswürde bestätigen und dir auch weiterhin meine Gunst zu beweisen
15 suchen, damit du den Antonius nicht vermissest."
Nach diesen freundlichen Worten setzte Oktavian dem Könige das
Diadem auf und machte die ihm erwiesene Gunstbezeugung durch
einen Erlaß bekannt, in welchem er hochherzigerweise das Lob des
Herodes laut verkündete ...
20 Später empfing Herodes den Cäsar, als derselbe durch Syrien nach
Ägypten marschierte, mit dem ganzen Gepränge, das einem König zu
Gebote steht, ritt, als er bei Ptolemaïs Heerschau hielt, zum erstenmal
an seiner Seite, gab ihm wie seinen sämtlichen Freunden ein Festmahl und ließ auch dem Heere alles, was zu einem Schmause gehört,
25 verabreichen ...
Sobald daher Oktavian nach Ägypten gekommen war – wo er übrigens Kleopatra und Antonius bereits nicht mehr am Leben fand –,
verlieh er ihm nicht nur eine Reihe weiterer Auszeichnungen, sondern
vergrößerte auch sein Königreich, indem er das ihm von Kleopatra
30 früher entrissene Gebiet und außerdem Gadara, Hippos, Samaria,
sowie die Küstenstädte Gaza, Anthedon, Joppe und Stratonsturm
hinzufügte ...
Nach dem Tode des Zenodorus belehnte der Cäsar ihn dann auch
noch mit dem ganzen Gebiet zwischen Trachon und Galiläa. Größeren
35 Wert indes als alle diese Vergünstigungen hatte für Herodes der
Umstand, daß er dem Cäsar nach Agrippa und dem Agrippa nach dem
Cäsar der liebste Freund war. Nachdem er so den Gipfel äußeren
Glückes erklommen hatte, gab er auch seinem Geiste höheren
Schwung und verlegte sich vorzugsweise auf Werke der Frömmigkeit.

1 *Gleich darauf*, nach einem Angriff der Araber.

3 *der Cäsar*, Oktavian, später Augustus.

11 *sprach er voller Freimut*. Nach Buch I 388–90 behauptet Herodes, daß sein dem Antonius erwiesener Dienst ihn gezeigt habe als einen treuen Freund derer, die seine Freunde sind; Antonius' Niederlage sei die Folge seiner großen Liebe zu Kleopatra gewesen. Der Cäsar lobt ihn für seine Treue.

31 *Stratonsturm*. S. u. *147* Z. 22 ff.

33 *Zenodorus*, der in der Trachonitis regiert hatte.

36 *Agrippa* war der Beistand und Vertraute des Augustus bis zu seinem Tode 12 n. Chr.

**147**  *Josephus, Bellum Judaicum I 401 ff. 408. 417. 422.*

Im fünfzehnten Jahr seiner Regierung nämlich ließ er den Tempel umbauen, den Tempelbezirk um das doppelte erweitern und eine feste Mauer ringsum aufführen, alles mit unermeßlichen Kosten und unübertrefflichem Prachtaufwand. Davon zeugten insbesondere die gro
5 ßen, den Tempel umgebenden Säulenhallen und die im Norden an denselben stoßende Burg. Die Hallen richtete er von Grund auf neu auf, die Burg aber baute er mit großen Kosten um, so daß sie einem Königsschloß in nichts nachstand, und nannte sie dem Antonius zu Ehren Antonia. Seinen eigenen Königspalast legte er in der oberen
10 Stadt an und benannte die zwei größten und schönsten Flügel desselben, mit denen nicht einmal der Tempel den Vergleich aushielt, nach seinen hohen Freunden Cäsareum und Agrippeum. Doch nicht bloß einzelne Gebäude weihte er dem Gedächtnis und Namen dieser Männer, sondern er ging noch weiter und tat, um sie zu ehren, dasselbe mit
15 ganzen Städten. So umgab er in Samaria eine Stadt mit einer hervorragend schönen Mauer im Umfang von beiläufig zwanzig Stadien, versetzte 6000 Einwohner dahin, wies denselben die fruchtbarsten Ländereien an, erbaute mitten in der neugegründeten Stadt einen gewaltigen Tempel mit einem freien Platze von anderthalb Stadien zu
20 Ehren des Cäsar und nannte die Stadt Sebaste. Ihren Bewohnern aber gab er eine ausgezeichnete Gemeindeverfassung...

So erschien ihm auch eine Stadt an der Meeresküste mit Namen Stratonsturm, die damals im Verfall begriffen war, wegen der Schönheit des Geländes so recht geeignet zur Betätigung seines Vorhabens,
25 den Cäsar zu ehren. Er baute sie daher ganz aus weißen Steinen wieder auf, schmückte sie mit prächtigen Palästen und zeigte hier in besonders hohem Maße seinen angeborenen Sinn für großartige Unternehmungen...

Auch in kindlicher Liebe ließ er sich von niemandem übertreffen. So
30 gründete er zum Andenken an seinen Vater in der schönsten Ebene seines Reiches, die gut bewässert war und Überfluß an Bäumen hatte, eine Stadt, die er Antipatris nannte. Seiner Mutter aber weihte er ein von ihm neu befestigtes, überaus starkes und schönes Kastell oberhalb Jericho, indem er ihm den Namen Kypron gab...

35 Als er diese großartigen Bauwerke vollendet hatte, bewies er auch
einer Anzahl auswärtiger Städte seine fürstliche Freigebigkeit. So
versah er Tripolis, Damaskus und Ptolemaïs mit Gymnasien, Byblus
mit einer Stadtmauer, Berytus und Tyrus mit Säulengängen, Hallen,
Tempeln und Märkten, Sidon und Damaskus mit Theatern, die See-
40 stadt Laodizea mit einer Wasserleitung, Askalon mit prachtvollen
Bädern und Brunnen und außerdem noch mit Säulenhallen von stau-
nenswerter Größe und Arbeit. Anderen Städten schenkte er Haine
und Wiesen.

20 *Sebaste,* der griechische Name für Augusta.

23 *Stratonsturm.* Die neue Stadt wurde Cäsarea genannt.

36 *einer Anzahl auswärtiger Städte.* Neben den im Text zitierten besonders
Athen und Antiochia.

**148** *Josephus, Bellum Judaicum I 429–433.*

Den geistigen Vorzügen des Herodes entsprach sein Körper. Von jeher
war er ein vortrefflicher Jäger, wobei ihm seine Geschicklichkeit im
Reiten besonders zu statten kam. So erlegte er einst an einem Tage
vierzig Stück Wild. Das dortige Land nährt nämlich auch Wildschwei-
5 ne; reicher jedoch ist es an Hirschen und wilden Eseln. Als Krieger war
Herodes unwiderstehlich, und auch bei den gymnastischen Übungen
fürchteten sich gar viele vor ihm, da sie sahen, wie gerade er die Lanze
warf und wie sicher er mit dem Bogen schoß. Bei allen diesen geistigen
und körperlichen Vorzügen war er auch noch vom Glück begünstigt.
10 Denn selten stieß ihm im Kriege ein Unfall zu, und wenn er einmal
einen solchen erlitt, war nicht er selbst, sondern irgendein Verräter
oder die Unbesonnenheit seiner Soldaten daran schuld.

Sein äußeres Glück indes verleidete ihm das Schicksal durch häusli-
che Widerwärtigkeiten, und zwar ward eben das Weib, das er so innig
15 liebte, die Ursache seines Unglücks. Nachdem er nämlich zur Regierung gelangt war, hatte er die Gattin, die er als Privatmann geheiratet
hatte, eine Jerusalemerin mit Namen Doris, entlassen und Mariam-
ne, die Tochter von Aristobuls Sohn Alexander, zur Frau genommen.
Schon früher war zwar diese Verbindung für ihn die Quelle häuslicher
20 Zwistigkeiten geworden; als er aber nun von Rom zurückgekehrt war,
wurde sie dies mehr denn je. Zunächst verwies er um der Söhne
Mariamnes willen seinen eigenen Sohn Antipater, den er von der
Doris erhalten hatte, aus der Stadt und erlaubte ihm das Betreten
derselben nur an Festtagen. Sodann räumte er den Großvater seiner
25 Gattin, Hyrkan, der aus Parthien zu ihm gekommen war, aus dem
Wege, weil er ihn im Verdacht einer Verschwörung hatte.

18 *Aristobul ... Alexander.* S. oben 144.

24 *räumte er ... Hyrkan ... aus dem Wege.* Es folgte eine Reihe weiterer
Exekutionen und Ermordungen. Selbst seine Frauen und Söhne wurden
nicht verschont, so daß es hieß, es sei sicherer, Herodes' Schwein zu sein
(Herodes befolgte das jüdische Gesetz) als sein Sohn.

**149** *Tacitus, Historien V 4f. 8f: Eindrücke eines Heiden.*

Zum ganzen Abschnitt *Historien* V 1–13 vgl. die Erläuterungen und Literaturhinweise bei M. Stern, Hg., *Greek and Latin Authors on Jews and Judaism, Bd. II. From Tacitus to Simplicius,* Jerusalem 1980, S. 31–63.

Um sich des Volkes für die Zukunft zu versichern, führte Mose neue religiöse Bräuche ein, die mit den sonst auf der Welt üblichen im Widerspruch standen. Dort bei den Juden ist alles unheilig, was bei uns heilig ist; andererseits ist bei ihnen gestattet, was wir als Greuel
5 betrachten. Im Allerheiligsten stellten sie das Weihebild eines der Tiere auf, die ihnen den erlösenden Weg aus Irrsal und Verschmachtung gewiesen hatten; dabei wurde wie zum Hohn auf Hammon ein Widder geschlachtet. Auch Stieropfer bringen sie dar, da ja die Ägypter den Apis verehren. Des Genusses von Schweinefleisch enthalten
10 sich die Juden in Erinnerung an die einstige Heimsuchung; war doch über sie selbst seinerzeit der schreckliche Aussatz gekommen, von dem dieses Tier befallen zu werden pflegt. Zeugnis von ihrer einstigen langen Hungersnot gibt noch jetzt ihr häufiges Fasten, und zum Beweis dafür, daß sie einmal Feldfrüchte rauben mußten, hält man am
15 Genuß des ohne Sauerteig bereiteten jüdischen Brotes fest. Jeweils den siebten Tag zur Ruhe zu bestimmen, sagte ihnen angeblich deshalb zu, weil dieser Tag das Ende ihrer Mühsal gebracht habe. Daß sie weiterhin auch jedes siebte Jahr dem Müßiggang weihten, soll von ihrer Freude am Nichtstun herrühren. Nach anderer Ansicht wird
20 damit dem Saturn eine Ehre erwiesen, sei es, weil die Idäer, die der Überlieferung zufolge zu der gleichen Zeit wie Saturn vertrieben wurden und die Stammväter des (jüdischen) Volkes sind, die Anfänge seines Kultes lehrten, vielleicht auch, weil von den sieben Gestirnen, von denen die Menschen gelenkt werden, der Saturnstern sich im
25 höchsten Kreis und mit vorzüglichem Einfluß bewegt; überdies sei es ja den meisten Himmelskörpern eigen, sich in der Vollendung ihrer Laufbahn nach der Siebenzahl zu richten.

Die erwähnten Gebräuche, woher sie auch immer stammen mögen, rechtfertigt ihr hohes Alter; die übrigen Einrichtungen, verwerflich
30 und abscheulich, wie sie sind, setzten sich eben wegen ihrer Verkehrtheit durch. Gerade die schlechtesten Elemente waren es nämlich, die ihren heimischen Glauben schmählich aufgaben und Tempelsteuern sowie sonstige Spenden dort anhäuften, wodurch sich die Macht der Juden gewaltig hob. Das kam auch daher, weil in den Kreisen der
35 Juden unerschütterlich treuer Zusammenhalt und hilfsbereites Mitleid herrschen, während allen anderen Menschen gegenüber feindseliger Haß hervortritt. Beim Essen, beim Schlafen halten sie auf strenge Trennung und kennen trotz der starken Neigung der Volksart zur Sinnlichkeit keinen Geschlechtsverkehr mit Frauen anderer Rassen;
40 unter ihnen selbst ist nichts verboten. Die Beschneidung haben sie als ein besonderes Unterscheidungsmerkmal bei sich eingeführt. Wer zu ihrem Kult übertritt, hält sich auch an diesen Brauch; auch wird den

Proselyten zuallererst das Gebot beigebracht, die Götter zu verachten,
das Vaterland zu verleugnen, ihre Eltern, Kinder und Geschwister
45 geringzuschätzen. Doch ist den Juden sehr an Bevölkerungszuwachs
gelegen; selbst von den nachgeborenen Kindern eines zu töten, ist in
ihren Augen eine Sünde. Und sie halten die Seelen der im Kampf oder
durch Hinrichtung Umgekommenen für unsterblich; daher rühren
ihre Liebe zur Fortpflanzung und gleichzeitig ihre Todesverachtung.
50 Nach der Sitte der Ägypter setzen sie die Leichen lieber bei, als daß sie
sie verbrennen, und sie haben so mit jenen denselben Totenkult und
dieselbe Auffassung von der Unterwelt, während sie sich in ihren
Vorstellungen über Himmlisches wesentlich von ihnen unterscheiden. Die Ägypter verehren eine ganze Menge von Tieren, auch zusam-
55 mengesetzte Gestalten, die Juden aber haben einen rein geistigen
Gottesbegriff und kennen nur ein einziges göttliches Wesen. Als gottlos betrachten sie jeden, der nach menschlichem Gleichnis Götterbilder aus irdischem Stoff gestaltet; das ihnen vorschwebende höchste,
die Zeiten überdauernde Wesen ist nach ihrer Ansicht nicht darstell-
60 bar, auch keinem Untergang verfallen. Daher stellen sie in ihren
Städten keine Götterbilder auf, erst recht nicht in ihren Tempeln.
Eine solche Huldigung wird keinem König zuteil, kein Cäsar wird so
geehrt. Weil aber ihre Priester gelegentlich mit Flöten und Pauken
Musik machten, sich mit Efeu bekränzten, auch ein goldener Rebstock
65 sich im Tempel fand, so glaubten einige an eine Verehrung des Pater
Liber, des Bezwingers des Morgenlandes. Dazu aber wollen die Bräuche nicht passen; denn die von dem Gott Liber eingeführten Zeremonien sind festlich und fröhlich, die Art der Juden aber abgeschmackt
und schäbig...
70 Ein großer Teil Judäas ist wie übersät mit Dörfern. Es gibt auch
Städte. Die Landeshauptstadt ist Jerusalem. Dort ist ein unermeßlich
reicher Tempel. Ringförmig schließen sich Befestigungswerke außen
um die Stadt, weiter innen um die Königsburg, ganz innen um den
Tempel. Nur bis an die Pforten des Tempels durfte seinerzeit ein Jude
75 herangehen, über die Schwelle zu treten war, abgesehen von den
Priestern, niemandem erlaubt. Solange das Morgenland unter der
Gewalt der Assyrer, Meder und Perser stand, waren die Juden der
mißachtetste Teil der Knechtsvölker. Als die Mazedonier das Überge-
wicht bekamen, bemühte sich König Antiochus, den Juden ihren Aber-
80 glauben zu nehmen und griechische Sitten bei ihnen einzuführen,
wurde aber durch den Partherkrieg, d.h. den damaligen Abfall des
Arsaces, verhindert, bei dem an abstoßenden Zügen so reichen (jüdischen) Volk eine Besserung zu erreichen. Während nun die Mazedonier geschwächt, die Parther noch nicht genügend erstarkt waren –
85 die Römer aber waren ja vorläufig weit weg –, gaben die Juden sich
selbst Könige. Diese wurden zwar von der wankelmütigen Masse des
Volkes vertrieben, gewannen aber durch Waffengewalt die Herrschaft
wieder, worauf sie es wagten, Mitbürger zu verbannen, Städte zu
zerstören, Geschwister, Gattinnen, Eltern umbringen zu lassen, und

90 was sonst noch alles unter einem Despotenregime vorkommt. Auch begünstigten sie den jüdischen Aberglauben, da die hohepriesterliche Würde, die sie an sich zu reißen wußten, zur Festigung ihrer eigenen Herrschaft diente.

Als erster Römer bezwang die Juden Gnaeus Pompeius, der nach
95 Siegerrecht auch den Tempel betrat. Seitdem verbreitete sich die Kunde, daß kein Götterbild drinnen war, daß es sich also um einen leeren Raum und um eine Geheimnistuerei handelte, hinter der nichts weiter stecke. Die Mauern Jerusalems wurden damals geschleift, das Heiligtum blieb erhalten. Als in der Folge, während bei uns Bürger-
100 krieg war, die morgenländischen Provinzen in die Gewalt des Marcus Antonius gekommen waren, bemächtigte sich der Partherprinz Pacorus Judäas; er wurde jedoch von Publius Ventidius getötet und die Parther über den Euphrat zurückgetrieben. Die Juden unterwarf Gaius Sosius. Die von Antonius dem Herodes übertragene Königs-
105 herrschaft erweiterte der siegreiche Augustus.

5 *Eines der Tiere*, nämlich ein Esel (*Hist* V 3, 2; vgl. etwa Plutarch, *Quaestiones Convivales* IV 5, 2 = *Moralia* 670 D und unten *268*). Es ist interessant und lehrreich, wie in diesem Bericht ein Körnchen Wahrheit mit einer Vielzahl wirrer Fehler verbunden ist.

19 *Freude am Nichtstun*. Im allgemeinen hielten die Heiden das für den Grund, warum die Juden den Sabbat einhielten.

29 *Rechtfertigt, ‚defenduntur'*. Normalerweise waren die Römer bereit, Bräuche zu respektieren und zu tolerieren, für die ein hohes Alter beansprucht werden konnte; Neuerungen mißtrauten sie.

31 *Die schlechtesten Elemente*, nämlich die Proselyten; die Römer mochten und unterstützten sie nicht.

65 *Pater Liber*, vgl. *132*.

79 *König Antiochus*, vgl. *134*.

94 *Gnaeus Pompeius*, vgl. *143*.

104 *Herodes*, vgl. *145–148*.

# D. Die Prokuratoren

Nach dem Tod des Herodes (4 v. Chr.) wurde sein Königreich unter seinen übriggebliebenen Söhnen aufgeteilt; doch diese Ordnung sollte nicht lange dauern: Nach einer kurzen Periode unzulänglicher Regierung durch Archelaus, einen Sohn Herodes' des Großen, wurde Judäa eine untergeordnete römische Provinz. Ihre Verwalter – unter ihnen Pontius Pilatus, Felix und Festus – werden oft als Prokuratoren („Landpfleger") bezeichnet; dieser Titel, der seit der Zeit des Kaisers Claudius für dieses Amt Verwendung fand, ersetzte den früheren, stärker militärischen Ausdruck *Präfekt*. Das beweist die folgende, in Cäsarea gefundene Inschrift (vgl.

dazu J.-P. Lémonon, *Pilate et le gouvernement de la Judée*, Paris 1981, S. 23–32. 43–58):

...]S TIBERIEUM
PO]NTIUS PILATUS
PRAE]FECTUS IUDA[EA]E
[DEDICAVIT (?)]

Später wurden Teile des Herrschaftsgebiets Herodes' des Großen von seinem Enkel Herodes Agrippa I. (vgl. Apg 12, 1) und dessen Sohn Herodes Agrippa II. regiert (vgl. Apg 25, 23).

**150** *Josephus, Bellum Judaicum II 111 ff. 117.*

Als Archelaus nun seine Ethnarchie angetreten hatte, behandelte er im Andenken an die frühere Empörung nicht nur die Juden, sondern auch die Samaritaner so grausam, daß er von Abordnungen beider Völkerschaften beim Cäsar verklagt und im neunten Jahre seiner
5 Regierung nach Vienna, einer Stadt Galliens, verbannt wurde. Sein Vermögen ward dem Besitztum des Cäsar einverleibt. Bevor er übrigens zu dem Cäsar beschieden wurde, soll er im Traum neun volle und reife Ähren gesehen haben, die von Ochsen abgefressen wurden. Er ließ hierauf die Wahrsager und einige Chaldäer rufen und fragte sie,
10 was der Traum wohl bedeuten könne. Die einen legten ihn auf diese, die anderen auf jene Weise aus; ein gewisser Simon indes, der zum Orden der Essener gehörte, hielt dafür, die Ähren bedeuteten Jahre, die Ochsen aber einen Wechsel der Verhältnisse, weil sie beim Pflügen das Land veränderten. Archelaus werde daher so viele Jahre regieren,
15 als die Zahl der Ähren anzeige, und endlich nach mannigfachem Schicksalswechsel sein Leben beschließen. Fünf Tage, nachdem er diese Traumdeutung vernommen hatte, ward Archelaus (nach Rom) gerufen, um sich (daselbst) zu verantworten ...
Des Archelaus Gebiet ward nun in eine Provinz verwandelt und als
20 Landpfleger ein Römer von ritterlichem Stande, Coponius, dorthin gesandt, dem der Cäsar Gewalt über Leben und Tod verlieh.

4 *im neunten Jahre seiner Regierung.* Nach *Ant* XVII 342 im zehnten, nämlich 6 n. Chr.
12 *die Essener*, s. *152*.

**151** *Josephus, Bellum Judaicum II 169–177.*

Nach Judäa aber sandte Tiberius den Pilatus als Landpfleger (ἐπίτρο-πος). Einst nun ließ dieser eine Anzahl verhüllter Bildnisse (κεκαλυμ-μένας εἰκόνας) des Cäsar, welche Feldzeichen genannt werden, zur Nachtzeit nach Jerusalem bringen. Kaum aber graute der Tag, als
5 eine hochgradige Aufregung sich der Stadt bemächtigte. Denn was in die Nähe kam, entsetzte sich über den Anblick wie über eine schwere Verhöhnung des Gesetzes, das den Juden die Aufstellung jedweden

Bildwerkes in der Stadt untersagte. Allmählich zog die Erbitterung
der Stadtbewohner auch das Landvolk in großen Scharen herbei, und
10 alle machten sich auf den Weg nach Cäsarea zu Pilatus, den sie
flehentlich baten, die Feldzeichen aus Jerusalem entfernen und an
ihren althergebrachten religiösen Satzungen nicht rütteln zu wollen.
Da Pilatus aber die Bitte abschlug, warfen sie sich zu Boden und
blieben fünf Tage und ebenso viele Nächte liegen, ohne sich zu rühren.
15 Am folgenden sechsten Tag nahm Pilatus in der großen Rennbahn
auf einer Tribüne Platz und ließ das Volk herbeirufen, als wolle er ihm
Bescheid erteilen, gab aber dann den Soldaten, die vorher verständigt
waren, ein Zeichen, die Juden mit den Waffen in der Hand zu umzin-
geln. So von einer dreifachen Reihe Bewaffneter eingeschlossen, gerie-
20 ten die Juden über den unerwarteten Anblick zunächst in gewaltige
Bestürzung. Als aber Pilatus drohte, er werde sie niedermetzeln lassen, wenn sie die Bildnisse des Cäsar nicht bei sich aufnähmen, und
den Soldaten einen Wink gab, ihre Schwerter zu entblößen, (174)
fielen die Juden wie auf Verabredung sämtlich nieder, boten den
25 Nacken dar und erklärten mit lauter Stimme, sie wollten sich lieber
umbringen lassen als das Gesetz übertreten. Über dieses heldenmüti-
ge Eintreten des Volkes für seine Religion erstaunte Pilatus und gab
Befehl, die Feldzeichen sofort aus Jerusalem wegzubringen.
(175) Später rief er neue Unruhen dadurch hervor, daß er den
30 Tempelschatz, Korban genannt, zur Anlage einer Wasserleitung verwendete, die vierhundert Stadien lang werden sollte. Hierüber entrü-
stete sich das Volk, und als Pilatus eines Tages nach Jerusalem kam,
umringte es lärmend seinen Richterstuhl. Er aber hatte von dem
beabsichtigten Auflauf zuvor Kunde erhalten und bewaffnete Solda-
35 ten in bürgerlicher Kleidung heimlich unter der Menge verteilt mit
dem Befehl, gegen die Schreier nicht das Schwert zu gebrauchen, aber
mit Knitteln auf sie einzuhauen. Als er nun vom Richterstuhl herab
das Zeichen gab, kamen viele Juden teils unter den Schlägen der
Soldaten, teils dadurch um, daß sie von ihren eigenen Landsleuten auf
40 der Flucht zertreten wurden. Der Schrecken über das traurige Schicksal der Getöteten aber brachte das Volk alsbald zum Stillschweigen.

1 *Pilatus*, Pontius, Prokurator von 26–36 n.Chr., war nicht der schlimmste
Statthalter Judäas. Als er sah, wie sehr sich die Juden die Angelegenheit
mit den Feldzeichen zu Herzen nahmen, gab er nach; seine Wasserleitung
betrachtete er wahrscheinlich als einen großen Nutzen für Jerusalem. Sicher waren seine Nachfolger bedeutend unangenehmer. S. *155–157*.

3 *Feldzeichen* (σημαῖαι, entspr. lat. *signa*). Josephus drückt sich in *Ant* XVIII
55 genauer aus. Er spricht dort von den Bildern des Cäsar (προτομὰς Καίσα-
ρος), die auf den Feldzeichen angebracht sind.

# E. Pharisäer, Sadduzäer und Essener

Zwei dieser jüdischen Parteien nehmen im NT einen bedeutenden Platz ein. Die Sadduzäer waren zu eng in das politische Leben ihres Volkes verstrickt, um den Zusammensturz von 70 n. Chr. zu überleben; die rabbinische Literatur, die nach diesem Datum niedergeschrieben wurde, gibt einheitlich die Anschauung der Pharisäer wieder. Dennoch wird dort gelegentlich eine Gruppe von „Sadduzäern" erwähnt, deren Identität allerdings unklar ist (vgl. *177*). Die Essener, obwohl im NT nicht erwähnt, waren sicherlich eine nicht unbedeutende Sekte; über die unten zitierten Josephus- und Philotexte hinaus vgl. Kapitel IX über Qumran. Ob die Qumransekte, in deren Schriften der Name „Essener" nicht erscheint, mit den unten erwähnten Essenern identisch ist, ist umstritten und muß hier offenbleiben.

**152** *Josephus, Bellum Judaicum II 119f. 122. 137–142. 152f. 162–166.*

Es gibt nämlich bei den Juden drei Arten von philosophischen Schulen; die eine bilden die Pharisäer, die andere die Sadduzäer, die dritte, welche nach besonders strengen Regeln lebt, die sogenannten Essener. Die letzteren sind ebenfalls geborene Juden, aber untereinander
5 noch mehr als die anderen durch Liebe verbunden. Die sinnlichen Freuden meiden sie wie die Sünde, und die Tugend erblicken sie in Enthaltsamkeit und Beherrschung der Leidenschaften. Über die Ehe denken sie gering, dagegen nehmen sie fremde Kinder auf; solange dieselben noch in zartem Alter stehen und bildungsfähig sind, halten
10 sie sie wie ihre Angehörigen und prägen ihnen ihre Sitten ein...
Den Reichtum verachten sie, und bewundernswert ist bei ihnen die Gemeinschaft der Güter, so daß man niemand unter ihnen findet, der mehr besäße als die anderen. Es besteht nämlich die Vorschrift, daß jeder, der der Sekte beitreten will, sein Vermögen der Gesamtheit
15 abtreten muß, und so bemerkt man durchgehend weder niedrige Armut noch übermäßigen Reichtum, sondern alle verfügen wie Brüder über das aus dem Besitztum der einzelnen Ordensmitglieder gebildete Gesamtvermögen...
Wer in die Sekte aufgenommen sein will, erhält nicht sogleich Zu-
20 tritt, sondern er muß zunächst außerhalb des Ordens ein Jahr lang derselben Lebensweise wie die Mitglieder sich unterziehen, nachdem man ihm vorher eine kleine Axt, das oben erwähnte Lendentuch und ein weißes Gewand gegeben hat. Hat er in diesem Zeitraum die Mäßigkeitsprobe bestanden, so tritt er der Genossenschaft um einen Schritt
25 näher; er nimmt an der reinigenden Wasserweihe teil, wird jedoch zu den gemeinsamen Mahlen noch nicht zugelassen. Nachdem er näm-

lich seine Standhaftigkeit dargetan hat, wird nun in zwei weiteren
Jahren auch sein Charakter geprüft, und erst wenn er in dieser Beziehung gleichfalls würdig erscheint, wird er förmlich in den Orden
30 aufgenommen. Bevor er indes bei dem gemeinsamen Mahl erscheinen
darf, muß er den Ordensangehörigen einen furchtbaren Eid schwören,
daß er die Gottheit ehren, seine Pflichten gegen die Menschen erfüllen, niemandem aus eigenem Antrieb oder auf Befehl Schaden zufügen, stets die Ungerechten hassen und den Gerechten beistehen, so-
35 wie daß er Treue gegen jedermann und besonders gegen die Obrigkeit
üben wolle, weil niemand Gewalt habe, ohne daß sie ihm von Gott
verliehen sei. Ferner muß er schwören, falls er selbst einmal zu befehlen habe, nie ob seiner Macht sich brüsten und weder in Kleidung noch
in sonstigem Schmuck es seinen Untergebenen zuvortun zu wollen.
40 Des weiteren verpflichtet er sich, stets die Wahrheit zu lieben und die
Lüge zuschanden zu machen, seine Hände von Diebstahl und seine
Seele von dem Makel unrechten Gewinnes rein zu halten, den Ordens-
brüdern nichts zu verheimlichen, anderen dagegen keines ihrer Geheimnisse zu offenbaren, und wollte man ihn auch bis zum Tode
45 martern; endlich, die Lehrsätze des Ordens niemandem auf anderem
Wege mitzuteilen, als er sie selbst kennengelernt, den Straßenraub zu
verabscheuen, die Bücher der Sekte und die Namen der Engel geheim
zu halten. Durch solche Eidschwüre versichern sich die Essener der
neu Aufzunehmenden...
50 Diese ihre Gesinnung trat so recht im Kriege gegen die Römer
zutage. Auf die Folter wurden sie gespannt, ihre Glieder gereckt,
verbrannt, zerbrochen; mit allen erdenklichen Marterwerkzeugen
quälte man sie, um sie zur Lästerung des Gesetzgebers oder zum
Genuß einer ihnen verbotenen Speise zu zwingen – aber weder das
55 eine noch das andere vermochte man durchzusetzen. Kein bittendes
Wort an ihre Peiniger kam über ihre Lippen, und ihre Augen blieben
tränenleer. Lächelnd unter Schmerzen spotteten sie ihrer Henker,
und freudig gaben sie ihre Seelen dahin in der sicheren Hoffnung, sie
einst wiederzuerhalten...
60 Was nun die beiden zuerst genannten Sekten betrifft, so ist die der
Pharisäer die älteste unter allen dreien. Sie gelten für besonders
kundige Erklärer des Gesetzes, machen alles von Gott und dem
Schicksal abhängig und lehren, daß Recht- und Unrechttun zwar
größtenteils den Menschen freistehe, daß aber bei jeder Handlung
65 auch eine Mitwirkung des Schicksals stattfinde. Die Seelen sind nach
ihrer Ansicht alle unsterblich, aber nur die der Guten gehen nach dem
Tode in einen anderen Leib über, währen die der Bösen ewiger Strafe
anheimfallen. Die Sadduzäer hingegen, die zweite der obengenannten
Sekten, leugnen das Schicksal völlig und behaupten, Gott habe mit
70 dem Tun und Lassen der Menschen gar nichts zu schaffen; vielmehr
seien gute wie böse Handlungen gänzlich dem freien Willen anheim-
gestellt, und nach eigenem Gutdünken trete ein jeder auf die eine oder
andere Seite. Weiterhin leugnen sie auch die Fortdauer der Seele

sowie die Strafen und Belohnungen in der Unterwelt. Während aber
75 die Pharisäer sich eng aneinander anschließen und zum Wohle der
Gesamtheit die Eintracht hochhalten, ist das Benehmen der Sadduzäer gegen ihresgleichen weit unfreundlicher, so daß sie mit ihren Gesinnungsgenossen so abstoßend wie mit Fremden verkehren. Das ist es,
was ich über die philosophischen Schulen der Juden bemerken wollte.

1 *philosophische Schulen* ist eine sehr unangemessene Bezeichnung für das,
was Josephus beschreibt. Es geht ihm darum, sich seinen hellenistischen
Lesern verständlich zu machen.

3 *die Essener.* Die Herkunft dieses Namens ist unbekannt. Keine der vorge-
schlagenen Erklärungen ist ganz überzeugend.

7 *über die Ehe denken sie gering,* καὶ γάμου μὲν παρ' αὐτοῖς ὑπεροψία. Josephus beschreibt in II 160f eine Gruppe von Essenern, die die Ehe zuließen.

22 *eine kleine Axt,* um die Exkremente zu vergraben. Vgl. Dtn 23, 12ff.
*das oben erwähnte Lendentuch,* in Buch II 129. Es wurde während des Bades
getragen, um die völlige Nacktheit zu vermeiden.

25 *reinigende Wasserweihe.* Häufige zeremonielle Waschungen waren ein
wichtiger Bestandteil des essenischen Rituals.

26 *gemeinsames Mahl.* Die Essener nahmen zweimal täglich schweigend ihr
Mahl in einem Refektorium ein.

47 *die Bücher der Sekte.* Es ist nicht bekannt, welche Bücher die Essener neben
denen des AT gebrauchten. Sie hielten Mose in besonderer Verehrung, doch
Josephus sagt (II 136): „Mit Vorliebe widmen sie sich dem Studium von
Schriften der Alten ... Aus diesen Schriften suchen sie Wurzeln zur Ban-
nung von Krankheiten und die Eigenschaften der Steine kennenzulernen."
Offenbar wurden heilige Bücher auch gebraucht, um die Zukunft vorauszusagen (II 159). Es ist möglich, daß die seit 1947 in Palästina gefundenen Hss
in irgendeiner Weise mit den Essener- (oder ähnlichen) Gemeinden zusammenhängen. S. Kap. IX.
*die Namen der Engel.* Auch hier kann man nur vermuten, was gemeint ist.

59 *sie einst wiederzuerhalten.* Josephus erzählt weiter vom Glauben der Essener, daß der Körper verderblich sei, die Seele aber unsterblich und unvergänglich. Auch sie glaubten, sagt er, „wie die Söhne Griechenlands", daß es
für tugendhafte Seelen einen „Ort hinter dem Ozean" gibt.

62 *machen alles von Gott und dem Schicksal abhängig.* Vgl. *174.* Josephus
„hellenisiert".

**153** *Philo, Quod omnis probus liber sit 75–80.*

Vgl. R. Ohle, *Die pseudophilonischen Essäer und die Therapeuten,* 1988.

Es ist aber auch das palästinische Syrien nicht unfruchtbar an sittlicher Vortrefflichkeit. In diesem Land wohnt ein nicht geringer Teil des
sehr menschenreichen jüdischen Volkes. Einige unter ihnen werden
Essener ('Εσσαῖοι) genannt, über viertausend an Zahl. Ihr Name ist
5 meiner Meinung nach – mit einer ungenauen Wortprägung der griechischen Sprache – von ὁσιότης (Heiligkeit) abgeleitet, da sie im höchsten Maße zu Dienern Gottes wurden, nicht durch Tieropfer, sondern
dadurch, daß sie es für ihre Pflicht halten, ihren Geist zu heiligen. Das

erste, was an ihnen hervorsticht, ist, daß sie in Dörfern wohnen und
10 vermeiden, in Städte zu kommen wegen der Ruchlosigkeit, die den
Bewohnern der Städte zur Gewohnheit wurde. Sie wissen nämlich,
daß der Umgang mit Ruchlosen die Seelen unheilbar infiziert wie eine
Krankheit, die durch todbringende Luft hervorgerufen wird. Einige
von ihnen bearbeiten das Land, andere befassen sich mit Künsten,
15 welche den Frieden fördern, und so bringen sie sich selbst und ihrer
Umgebung Nutzen. Sie verwahren weder Silber und Gold in der
Schatzkammer noch erwerben sie große Ländereien aus Gier nach
Einkünften, sondern beschaffen sich lediglich, was zum notwendigen
Lebensbedarf gehört. Sie sind fast die einzigen von allen Menschen,
20 die nicht aus Mangel an Glücksgütern, sondern vielmehr mit Absicht
weder Geld noch Land besitzen und dabei doch für sehr reich gehalten
werden, weil sie es als ein Übermaß an Reichtum – was es ja auch ist –
betrachten, wenig zu bedürfen und genügsam zu sein. Man kann bei
ihnen niemanden finden, der Pfeile, Speere, Dolche, Helme, Brustpan-
25 zer oder Schilde herstellt, sowie überhaupt keinen Waffenschmied,
Kriegsmaschinenbauer oder sonst jemanden, der Dinge anfertigt, die
im Krieg gebraucht werden. Sie betreiben aber auch nichts, was zwar
dem Frieden dient, jedoch leicht zur Bosheit verleiten kann. Denn
Großhandel, Krämerei und Reederbetrieb kennen sie nicht einmal im
30 Traum, da sie alles verabscheuen, was Anlaß zur Habsucht geben
kann. Sklaven gibt es bei ihnen überhaupt nicht, sondern alle sind frei
und leisten einander Gegendienste. Herren, die Sklaven haben, beurteilen sie geringschätzig nicht nur als ungerecht, weil sie die Gleichheit verletzen, sondern auch als gottlos, weil sie die Satzung der Natur
35 zerstören, die alle in gleicher Weise gebar und nährte wie eine Mutter
und sie zu wirklichen Brüdern machte, und das nicht nur dem Namen
nach, sondern tatsächlich. Diese Verwandtschaft wurde durch die
immer mehr sich ausbreitende gefährliche Habsucht erschüttert, welche anstelle freundschaftlicher Vertrautheit Entfremdung und an-
40 stelle der Freundschaft Feindschaft herbeiführte. Aus dem Bereich
der Philosophie überlassen sie die Logik denen, die nach Worten
jagen, weil sie ihrer Ansicht nach nichts zum Erwerb der Tüchtigkeit
beiträgt, und die Naturphilosophie solchen, die von hohen Dingen
schwätzen, weil sie glauben, daß sie über die Kräfte der menschlichen
45 Natur hinausgeht. Ausgenommen hiervon ist lediglich der Teil, in
welchem die Existenz Gottes und die Entstehung des Alls philosophisch behandelt wird. Mit dem Studium der Ethik jedoch befassen
sie sich sehr, wobei sie als Lehrmeister ihre väterlichen Gesetze verwenden, welche die menschliche Seele ohne göttliche Inspiration nicht
50 ersonnen haben kann.

6 *Heiligkeit*. Philos Etymologien sind in der Regel eher erbaulich als wissen-
schaftlich überzeugend. Vgl. *252*.

**154** *Philo, de vita contemplativa 1–3.*

Die Echtheit dieses Traktats ist umstritten. Zu den Therapeuten vgl. R. Ohle, *Die pseudophilonischen Essäer und die Therapeuten*, 1988.

Nachdem ich über die Essener gesprochen habe, welche dem tätigen Leben nacheiferten und sich seiner befleißigten und sich dabei in allen oder – um es bescheidener auszudrücken – in den meisten Bereichen auszeichneten, will ich jetzt, dem Gang meiner Erörterung folgend,
5 das Erforderliche über diejenigen sagen, welche sich dem betrachtenden Leben widmen. Hierbei will ich nichts von mir aus hinzufügen, um etwas schöner darzustellen, als es ist. Das pflegen Dichter und Prosaschriftsteller insgesamt zu tun, weil es ihnen an Beispielen sittlicher Vortrefflichkeit mangelt. Ich dagegen will mich ganz und gar an die
10 Wahrheit selbst halten, der gegenüber freilich, wie ich weiß, auch der größte Redner versagen wird. Dennoch aber darf man in seinem Bemühen nicht aufgeben. Denn die Größe der Tüchtigkeit, welche diese Männer besitzen, darf diejenigen nicht verstummen lassen, welche es für recht erachten, nichts Vortreffliches schweigend zu übergehen.
15 Das Prinzip, von welchem diese Philosophen sich leiten lassen, wird durch den Namen, den man ihnen gab, ohne weiteres kenntlich. Man nennt sie nämlich in der wahren Bedeutung des Wortes Therapeutai und Therapeutrides, entweder insofern sie eine Heilkunst ausüben, welche besser ist als die in den Staaten gebräuchliche – diese behan-
20 delt nämlich nur Körper, jene aber auch Seelen, die in der Gewalt schlimmer und hartnäckiger Krankheiten sind, welche Lust, Begierde, Trauer, Furcht, Habgier, Unvernunft, Ungerechtigkeit und die zahllose Menge der übrigen Affekte und Laster in ihnen entstehen ließen –, oder insofern sie von der Natur und den heiligen Gesetzen
25 gelehrt wurden, das Seiende zu verehren, das noch besser als das Gute, reiner als die Eins und ursprünglicher als die Einheit ist. Welche von denen, die die Frömmigkeit als ihre wichtigste Aufgabe angeben, kann man zu Recht mit ihnen vergleichen?

17 *Therapeutai.* Diesmal ist Philos Etymologie besser, sicher deshalb, weil der Name aus dem Griechischen kommt. Im Gegensatz zu den palästinischen Essenern bildeten die Therapeuten eine Gemeinschaft, die in Ägypten lebte. Anders als bei den Essenern, wie Philo sie beschrieb, gab es unter den Therapeuten auch weibliche Mitglieder. Wiederum im Gegensatz zu den Essenern handelt es sich bei den Therapeuten um einen rein kontemplativen Orden.

## F. Der Jüdische Krieg von 66–70 n. Chr.

Die starre Strenge und Bestechlichkeit der Prokuratoren zusammen mit der Engstirnigkeit und den Ausschreitungen der revolutionären Minderheit der Juden trieben das Land mit wachsender Schnelligkeit dem Kriege zu. Die Geschichte kann hier nicht erzählt, aber einige hervorstechende Punkte sollen erwähnt werden. Zu Vorfällen im Anfangsstadium des Krieges s. *261–262*.

**155** *Josephus, Bellum Judaicum II 254–256a. 258–260.*

Nachdem das Land auf diese Weise gesäubert war, machte sich in Jerusalem eine andere Art von Banditen bemerklich, die man Sikarier nannte. Sie begingen am hellen Tage und mitten in der Stadt Mordtaten, mischten sich besonders an Festtagen unter das Volk und ersta-
5 chen ihre Gegner mit kleinen Dolchen, die sie unter ihrer Kleidung versteckt trugen. Stürzten ihre Opfer zu Boden, so beteiligten sich die Mörder an den Kundgebungen des Unwillens und waren um dieses ihres unbefangenen Benehmens willen gar nicht zu fassen. Der erste, der von ihnen erdolcht wurde, war der Hohepriester Jonathan, und in
10 der Folgezeit häuften sich die Mordtaten von Tag zu Tag ...
   Gleichzeitig mit diesen Elenden kam eine andere Rotte von Bösewichten auf, deren Hände zwar reiner, deren Gesinnungen aber noch ruchloser waren (als die der Sikarier) und die nicht weniger als diese das Glück der Stadt untergraben halfen. Es waren dies Verführer und
15 Betrüger, die unter dem Vorwand göttlicher Sendung auf Umwälzung und Aufruhr hinarbeiteten und das Volk zu religiöser Schwärmerei hinzureißen suchten, indem sie es in die Wüste lockten, als ob Gott ihnen dort durch Wunderzeichen ihre Befreiung ankündigen würde. Felix, der in diesen Vorgängen den Keim der Empörung erkannte, ließ
20 Reiterei und Fußvolk gegen die Menge ausrücken und viele niedermetzeln.

1 *gesäubert* von Räubern, die Felix ausgerottet hatte.

5 *Dolche*. Die *Sikarier* hatten ihren Namen wahrscheinlich von dem lateinischen *sica*, Dolch.

**156** *Josephus, Bellum Judaicum II 271–278a.*

Festus, der nun das Landpflegeramt erhielt, schritt sogleich nachdrücklich gegen die allgemeine Landplage ein, indem er die meisten Räuber aufgreifen und eine beträchtliche Anzahl derselben hinrichten ließ. Sein Nachfolger Albinus aber führte die Verwaltung in ganz
5 anderem Geiste als er; denn keine Schändlichkeit gab es, die er nicht verübt hätte. Nicht genug, daß er die öffentlichen Kassen bestahl, eine Menge Privatleute ihres Vermögens beraubte und das ganze Volk mit Abgaben belastete – er gab auch noch die, welche von ihrer Obrigkeit oder den früheren Landpflegern wegen Räubereien eingekerkert wor-
10 den waren, ihren Verwandten gegen Lösegeld frei, und nur wer nicht zahlen konnte, blieb als Übeltäter im Gefängnis. Jetzt wuchs auch den Umstürzlern in Jerusalem wieder der Mut: Die Reichen brachten den Albinus durch Bestechung auf ihre Seite, so daß sie, unbehelligt von ihm, den Aufruhr schüren konnten, und das niedere Volk, dem die

15 Ruhe nicht gefiel, hielt sich zu denen, die mit Albinus gemeinsame
Sache gemacht hatten. Jeder Bösewicht hatte bald eine eigene Rotte
um sich gesammelt, während Albinus unter allen wie ein Räuberhauptmann oder Tyrann hervorragte und mit Hilfe seiner Anhänger
die friedliebenden Bürger brandschatzte. Ja, es kam so weit, daß die
20 Geplünderten, anstatt, wie es richtig gewesen wäre, ihrer Entrüstung
Ausdruck zu geben, nicht den Mund aufzutun wagten und daß die,
welche bislang verschont geblieben waren, aus Furcht vor ähnlicher
Mißhandlung dem Unhold sogar noch schmeichelten. Ein freies Wort
zu sprechen, getraute sich überhaupt niemand mehr, und die Herr-
25 schaft nicht eines einzigen, sondern einer ganzen Menge Tyrannen
ließ man sich ruhig gefallen. Damals wurde der Same ausgestreut, aus
dem das Verderben der Stadt in Bälde erwachsen sollte.

Gleichwohl erschien Albinus noch als ein Muster an Rechtschaffenheit im Vergleich zu seinem Nachfolger Gessius Florus. Während
30 nämlich der erstere die meisten seiner Schandtaten wenigstens noch
im geheimen und mit einer gewissen Vorsicht verübte, trug Gessius
seine Frevel gegen das Volk prahlerisch zur Schau und schreckte, wie
wenn er als Henker zur Bestrafung Verurteilter gesandt worden wäre,
vor keiner Art von Raub und Mißhandlung zurück. In seiner Grau-
35 samkeit kannte er kein Mitleid, in seiner Ruchlosigkeit keine Scham,
und noch nie hat jemand so wie er die Wahrheit in Lug und Trug
verkehrt oder schlauere Mittel zur Erreichung seiner verbrecheri-
schen Absichten zu ersinnen gewußt.

1 *Landpflegeramt.* Nach der Herrschaft von Herodes Agrippa I. fiel die Regierung von Judäa an die römischen Landpfleger zurück. Felix regierte vielleicht von 52–55 n. Chr., Festus vielleicht von 55/56–62, Albinus von 62–64,
Gessius Florus von 64–66.

**157** *Josephus, Bellum Judaicum II 285–296.*

Die Größe der Leiden freilich, die aus ihm entsprangen, stand zu der
näheren Veranlassung in gar keinem Verhältnis. Die Juden von Cäsarea nämlich hatten eine Synagoge auf einem Platz, der einem griechischen Einwohner der Stadt gehörte. Zu wiederholten Malen hatten sie
5 versucht, den Platz käuflich zu erwerben, und einen Preis dafür geboten, der den wahren Wert sehr überstieg. Der Eigentümer indes küm-
merte sich nicht um ihr Anliegen, errichtete vielmehr, um sie zu
ärgern, auf dem Platze Baulichkeiten, in denen er Werkstätten unter-
brachte, so daß für die Juden nur ein enger, höchst unbequemer
10 Eingang übrig blieb. Zuerst machten einige jugendliche Hitzköpfe
Anstalt, den Bau zu hindern; als aber Florus ihrem Ungestüm Einhalt
tat, wußten die vermögenderen Juden, denen auch der Zollpächter
Johannes sich anschloß, keinen anderen Rat, als dem Florus acht
Talente anzubieten, damit er den Bau untersage. Florus versprach,
15 um das Geld zu bekommen, alles tun zu wollen; kaum aber hatte er es
in Händen, als er von Cäsarea nach Sebaste reiste und die Streitenden

ihre Sache allein ausmachen ließ, als wenn er den Juden die Erlaubnis, zu den Waffen zu greifen, verkauft hätte.

20 Am folgenden Tage, einem Sabbat, stellte, während die Juden in der Synagoge versammelt waren, ein händelsüchtiger Einwohner von Cäsarea einen umgekehrten Topf vor den Eingang der Synagoge und opferte Vögel. Das versetzte die Juden in gewaltige Wut; denn in dieser Handlungsweise lag ebensowohl eine Verhöhnung ihrer Gesetze als eine Verunreinigung des Ortes. Während nun die ruhigeren und
25 die besonneneren Juden der Meinung waren, man solle sich noch einmal an die Behörden wenden, vermochten die leidenschaftlichen und heißblütigen jungen Leute ihre Streitlust nicht mehr zu unterdrücken. Die Händelsüchtigen von der Gegenpartei standen übrigens auch schon kampfgerüstet da, denn sie hatten das Opfer absichtlich
30 veranstalten lassen. So kam es denn alsbald zum Handgemenge. Der römische Reiteroberst Jucundus, der den Auftrag hatte, die Ruhe wiederherzustellen, nahm den Topf weg und versuchte, dem Streit ein Ende zu machen. Da er aber gegen die Cäsareer nichts ausrichtete, holten die Juden eiligst ihre Gesetzbücher und zogen sich nach Narba-
35 ta, einem jüdischen, sechzig Stadien von Cäsarea entfernten Orte zurück. Nun begaben sich Johannes und zwölf der vornehmsten Juden nach Sebaste zu Florus, drückten ihr Bedauern über das Vorgefallene aus und baten ihn um seinen Beistand, indem sie ihn so nebenbei an die acht Talente erinnerten. Er aber ließ die Abgeordneten ins Gefäng-
40 nis werfen, weil sie – das sollte ihr Vergehen sein – die Gesetzbücher aus Cäsarea mitgenommen hätten.

Diese Vorgänge versetzten die Bewohner Jerusalems in gewaltige Erbitterung; doch hielten sie ihren Zorn einstweilen noch zurück. Florus aber fachte, wie wenn er sich dazu verdungen hätte, die Kriegs-
45 flamme absichtlich an. Er schickte nämlich nach dem Tempelschatz und ließ siebzehn Talente daraus entnehmen unter dem Vorwand, der Cäsar habe das Geld nötig. Darob allgemeine Bestürzung im Volke: Alsbald strömte es unter durchdringendem Geschrei in den Tempel, rief den Namen des Cäsar an und flehte um Befreiung von der Tyran-
50 nei des Florus. Einige aus der Menge stießen die ärgsten Schmähungen gegen letzteren aus, gingen mit einem Gefäß umher und bettelten um Almosen „für den armen, unglücklichen Florus". Das alles aber, weit entfernt, seiner Geldgier ein Ziel zu setzen, reizte ihn nur noch zu weiteren Erpressungen. Anstatt nämlich nach Cäsarea zu eilen, das
55 dort ausbrechende Kriegsfeuer zu löschen und die Ursache der Streitigkeiten hinwegzuräumen, wofür er ja auch bezahlt worden war, brach er mit Reiterei und Fußvolk nach Jerusalem auf, um seinen Forderungen durch die Waffen der Römer Nachdruck zu geben und die Stadt durch Drohungen in Schrecken zu jagen.


Der auf diese Weise hervorgerufene Krieg begann günstig für die Juden und zog sich zunächst ohne Entscheidung hin. Schließlich

gelang es Vespasian, der mit dem Feldzug beauftragt worden war
(zusammen mit seinem Sohn Titus; zu beiden s. *15*), langsam, aber
systematisch die jüdischen Kräfte in Jerusalem einzuschließen, wo
sie ebensosehr durch Hungersnot und durch innere Streitigkeiten
wie durch die römischen Waffen besiegt wurden. Josephus wurde
gefangengenommen (s. *262*), doch nicht einmal seine Überredungs-
kunst konnte seine Landsleute zur Übergabe bewegen.

**158** *Josephus, Bellum Judaicum V 362–374.*

Josephus umging die Mauer, suchte einen Ort auf, wo er außer Schuß-
weite und doch deutlich vernehmbar war, und legte ihnen dringend
ans Herz, sie möchten doch ihrer selbst und des Volkes wie auch der
Vaterstadt und des Tempels schonen und gegen dies alles nicht gleich-
5 gültiger sein als die Fremden. Während die Römer, die doch anderen
Glaubens seien, die Heiligtümer ihrer Feinde achteten und bis jetzt
ihre Hände davon zurückgehalten hätten, setzten diejenigen, welche
unter dem Schutze dieser Heiligtümer aufgewachsen seien und im
Falle ihrer Erhaltung die alleinigen Besitzer derselben bleiben wür-
10 den, alles daran, sie zugrundezurichten. Wie sie sähen, seien die
stärksten Mauern bereits gefallen, und übrig sei nur noch eine, deren
Schwäche im Vergleich zu den schon eroberten sich nicht leugnen
lasse. Auch kennten sie ja die Macht der Römer als unwiderstehlich,
und römische Oberherrschaft sei ihnen ebenfalls nichts Neues. Wenn
15 ein Befreiungskrieg ein ruhmvolles Unternehmen sei, so hätten sie
denselben gleich anfangs führen sollen; wenn sie aber, nachdem sie
einmal unterworfen seien und die Fremdherrschaft sich so lange hätten gefallen lassen, noch das Joch abschütteln wollten, so heiße das
nicht nach Freiheit, sondern nach schmählichem Untergang verlan-
20 gen. Unbedeutenderen Oberherren könne man allenfalls die Huldigung verweigern, nicht aber denen, die den Erdkreis in ihrer Gewalt
hätten. Denn was für Länder seien es, die noch nicht unter der Botmäßigkeit der Römer ständen? Doch nur die, welche wegen ihrer Hitze
oder Kälte keinen Wert für sie haben könnten. Überall sei das Glück
25 ihr Begleiter gewesen, und Gott, der die Weltherrschaft bei den einzelnen Nationen umgehen lasse, sei nun einmal auf Italiens Seite. Übrigens gelte ein schon bei den Tieren feststehendes Gesetz auch für die
Menschen, daß man nämlich dem Stärkeren nachgeben müsse und
daß diejenigen Sieger seien, die die kräftigsten Waffen besäßen. Des-
30 halb hätten auch die Vorfahren der Juden, die an Körperkraft, Seelen-
stärke und sonstigen Verteidigungsmitteln ihren Nachkommen weit
überlegen gewesen seien, den Römern sich gefügt, was sie gewiß nicht
über sich gebracht haben würden, wenn sie nicht eingesehen hätten,
daß Gott mit denselben gewesen sei. Was ihnen, den Belagerten, denn
35 den Mut zum Widerstand gebe? Der größte Teil der Stadt sei doch
schon erobert, und sie da drinnen würden, auch wenn die Mauern

stehen blieben, schlimmer dran sein als Kriegsgefangene. Zudem sei die in der Stadt herrschende Hungersnot, die vorderhand noch erst das Volk bedränge, in kurzem aber auch die streitbare Mannschaft
40 aufreiben werde, den Römern kein Geheimnis mehr. Wenn diese also auch von der Belagerung Abstand nähmen und aufhörten, mit dem Schwert in der Hand in die Stadt einzudringen, so sitze doch ein unbezwingbarer innerer Feind den Juden auf dem Nacken, der mit jeder Stunde an Stärke gewinne, denn gegen den Hunger könnten sie
45 sich doch wohl nicht mit den Waffen wehren. Oder seien sie vielleicht die einzigen, die auf solche Weise dieser Plage beizukommen verständen? Sie täten daher, fuhr Josephus fort, wohl daran, ihren Sinn zu ändern, ehe der Schaden unheilbar werde, und auf ihre Rettung bedacht zu sein, so lange es noch Zeit sei. Die Römer würden ihnen das
50 Geschehene sicher nicht nachtragen, wenn sie ihren Starrsinn nur nicht aufs äußerste trieben; es liege nämlich in deren Art, als Sieger Milde zu beweisen und ihren Vorteil höher anzuschlagen als die Befreiung ihrer Rache. Diesen Vorteil wahrten sie aber nicht, wenn sie eine menschenleere Stadt, auch nicht, wenn sie ein entvölkertes Land
55 in Besitz nähmen. Darum lasse der Cäsar auch jetzt noch den Belagerten seine Gnade anbieten. Müsse er aber die Stadt mit Gewalt einnehmen, nachdem sie in der äußersten Not seinen gütlichen Vorstellungen kein Gehör geschenkt habe, so werde er niemanden verschonen. Daß übrigens bald auch die dritte Mauer fallen werde, dafür bürge die
60 Erstürmung der beiden ersten, und selbst wenn dieses Bollwerk uneinnehmbar wäre, so müsse doch der Hunger gegen die Juden und für die Römer streiten.

6 *Heiligtümer ihrer Feinde achteten.* Laut Josephus versuchte Titus sogar noch am Schluß, ohne Erfolg, den Tempel zu retten.

51 *als Sieger Milde beweisen.* Vgl. Horaz, *Carmen Saeculare* 51 f (s. 3) und Vergil, *Äneis* VI 851 ff:
„Du Römer, bedenke, daß du die Völker mit deinem Befehl regieren sollst; das sollen deine Fertigkeiten sein, dem Frieden Gesittung zu geben, die Unterworfenen zu schonen und die Übermütigen niederzukämpfen."

55 *Cäsar,* der Kaiser Vespasian.

Im September 70 n. Chr. schließlich fiel die Stadt nach entsetzlicher Hungersnot und Blutvergießen.

**159**  *Josephus, Bellum Judaicum VI 392–394. 399–403a. 404–408.*

Als nun nach achtzehntägiger Arbeit am siebenten des Monats Gorpiaios die Wälle vollendet waren, rückten die Römer mit den Maschinen heran. Viele der Empörer gaben jetzt die Stadt verloren und zogen sich an der Mauer in die Akra zurück; andere schlüpften in die unterir-
5 dischen Gänge; eine beträchtliche Schar aber verteilte sich auf der Mauer und suchte die mit den Sturmböcken sich nähernden Feinde abzuwehren. Doch auch mit ihnen wurden die Römer infolge ihrer

Überzahl und Kraft, zumeist aber weil sie mit frischem Mut gegen
Verzagte und Erschöpfte kämpften, gar bald fertig. Kaum nämlich
10 war ein Stück der Mauer eingestoßen und ein Teil der Türme durch die
Gewalt der Sturmböcke zum Wanken gebracht, als ihre Verteidiger
sich spornstreichs davonmachten. Auch der Tyrannen bemächtigte
sich jetzt eine Angst, die zu der Gefahr in gar keinem Verhältnis
stand...
15 Jetzt offenbarte sich so recht die Macht Gottes über die Ruchlosen
und das Glück der Römer. Die Tyrannen nämlich vergaßen ihre Sicherheit und stiegen von den Türmen herab, wo sie niemals durch
Gewalt, sondern nur durch Hunger hätten bezwungen werden können; die Römer aber, denen die schwächeren Mauern so viel zu schaf-
20 fen gemacht hatten, gewannen die, gegen welche kein Belagerungs-
werkzeug etwas ausgerichtet hätte, durch die Gunst des Glückes;
denn die oben beschriebenen drei Türme würden jeder Maschine ge-
trotzt haben. Nachdem die Empörer diese Türme verlassen hatten
oder vielmehr von Gott daraus vertrieben waren, flohen sie schleu-
25 nigst in die Schlucht unterhalb des Siloahkanals und warfen sich, als
sie von ihrem Schrecken sich ein wenig erholt hatten, gegen den
dortigen Teil der Ringmauer. Ihre Kühnheit aber hielt mit der Not
schon nicht mehr gleichen Schritt; denn Angst und Elend hatten ihre
Kraft gebrochen. So wurden sie denn von den Wachen alsbald zurück-
30 geschlagen, stoben auseinander und versteckten sich in den unterirdischen Gängen. Unterdessen hatten die Römer die Mauern besetzt, die
Feldzeichen auf den Türmen aufgepflanzt und unter freudigem Hän-
deklatschen den Siegesgesang angestimmt...
Mit gezücktem Schwert strömten sie nun in die Gassen, stießen
35 jeden nieder, der ihnen in den Weg kam, und verbrannten die Häuser,
in welche sich Juden geflüchtet hatten, samt allem, was darin war. Sie
plünderten viel; oft aber, wenn sie der Beute wegen in ein Haus
eingedrungen waren, fanden sie ganze Familien tot und die Dächer
mit Leichen von Verhungerten gefüllt – ein Anblick, über den sie sich
40 derart entsetzten, daß sie mit leeren Händen wieder herauskamen. So
tiefes Mitleid sie übrigens mit den also Umgekommenen empfanden,
so erstreckte sich dasselbe doch nicht auf die Lebenden: Niedersto-
ßend, was ihnen in den Weg kam, versperrten sie die engen Gassen
mit lauter Toten und überschwemmten die Stadt mit Strömen von
45 Blut, so daß manche Feuersbrunst durch Blut gelöscht ward. Gegen
Abend stellten sie das Morden ein; der Brand aber wütete die ganze
Nacht hindurch fort. Am achten Gorpiaios ging die Sonne über den
rauchenden Trümmern Jerusalems auf, einer Stadt, die während
ihrer Belagerung von so vielen Drangsalen heimgesucht wurde, daß
50 sie, hätte sie seit ihrer Gründung ebensoviel Glück genossen, in der
Tat beneidenswert gewesen wäre; aber durch nichts anderes hatte sie
so großes Unglück verdient, als dadurch, daß sie ein Geschlecht er-
zeugte wie das, welches sie ins Verderben stürzte.

1 *am siebenten des Monats Gorpiaios.* Ungefähr 25. September 70 n. Chr.

Die Schlußszene des Krieges fand in der Festung von Masada statt. Der Widerstand der Garnison wurde in den vergangenen Jahren durch archäologische Funde bestätigt. Nur der Tod konnte dem ein Ende setzen: ein Zeugnis des Mutes und patriotischer sowie religiöser Hingabe.

**160**  *Josephus, Bellum Judaicum VII 280–285. 295 f. 299. 315 f. 320 f. 333–336. 391–394. 400 f.*

Einen Felsen von bedeutendem Umfang und beträchtlicher Höhe umgeben auf allen Seiten unabsehbar tiefe, abschüssige und für Menschen wie Tiere unzugängliche Schluchten, und nur an zwei Stellen gestattet der Fels einen schwierigen Zugang von unten her. Der eine
5 dieser Pfade kommt vom Asphaltsee im Osten, der andere, leichter zu begehende, vom Westen. Den ersteren nennt man wegen seiner Enge und vielfachen Windungen den Schlangenpfad. Er führt nämlich um die Vorsprünge des Abhangs, kehrt wiederholt gegen sich selbst zurück und streckt sich dann wieder in die Länge, so daß er sich nur
10 langsam dem Ziele nähert. Beschreitet man diesen Weg, muß man sich abwechselnd mit jedem Fuß fest anstemmen; denn gleitet man aus, ist man unrettbar verloren, da zu beiden Seiten tiefe Abgründe gähnen, deren furchtbarer Anblick auch den Beherztesten zaghaft machen kann. Ist man auf diesem Pfade dreißig Stadien weit hinauf-
15 gestiegen, hat man den Gipfel vor sich, der jedoch nicht in eine schlanke Spitze ausläuft, sondern eine ebene Fläche bildet. Auf ihr hatte zuerst der Hohepriester Jonathan eine Festung angelegt, die er Masada nannte. Später gab der König Herodes sich viel Mühe, sie in guten Stand zu setzen ...
20 Noch größere Bewunderung mußte die reiche Fülle der im Innern aufgespeicherten Vorräte erregen sowie die lange Zeitdauer, während der sie sich gehalten hatten. Es lagen dort Massen von Getreide, die auf Jahre hinaus reichen konnten, desgleichen war ein bedeutender Vorrat an Wein, Öl, Datteln und allerlei Hülsenfrüchten in der Fe-
25 stung aufgehäuft ...
Weiter fand sich eine Menge von Herodes dort aufgestapelter Waffen aller Art vor, die für 10 000 Mann ausreichten, sowie unbearbeitetes Eisen, Erz und Blei. Diese Zurüstungen hatten übrigens ihre guten Gründe ...
30 Als Silva dies bemerkte, glaubte er, die Schanze leichter durch Feuer zerstören zu können, und befahl den Soldaten, brennende Fakkeln dagegenzuschleudern. Wirklich fing die Mauer, die ja größtenteils aus Holz bestand, bald Feuer und loderte, infolge ihrer lockeren Bauart durch und durch entzündet, in hellen Flammen auf ...
35 An Flucht jedoch dachte Eleazar nicht, wie er sie auch keinem anderen gestattet haben würde. Vielmehr überlegte er, da er die Mauer vom Feuer zerstört sah und kein weiteres Mittel zur Rettung

oder Verteidigung ausfindig machen konnte, wie die Römer die Frauen und Kinder behandeln würden, wenn sie in ihre Hände fielen, und
40 kam zu dem Entschluß, daß alle in den Tod gehen müßten...

„... Die Strafe dafür wollen wir aber nicht von unseren Todfeinden, den Römern, sondern von Gott durch unsere eigene Hand erleiden; sie wird milder sein als die andere. Ungeschändet sollen unsere Frauen sterben, und unsere Kinder, ohne die Sklaverei zu kennen. Und sind
45 sie vorangegangen, wollen wir selbst einander den Liebesdienst erweisen und uns die Freiheit als Leichentuch bewahren! Zuvor aber wollen wir unsere Kostbarkeiten und die Burg durch Feuer vernichten; denn ich bin sicher, daß die Römer sich ärgern werden, wenn sie weder uns noch die Beute bekommen. Nur die Nahrungsmittel wollen wir übrig-
50 lassen, damit sie nach unserm Tod zum Zeugnis dienen, daß nicht der Hunger uns bezwang, sondern daß wir, wie von Anfang an, so auch jetzt noch, entschlossen waren, den Tod der Sklaverei vorzuziehen."
...

So setzten sie, indem sie ihre Frauen liebevoll umarmten, ihre
55 Kinder herzten und sie unter Tränen zum letzten Mal küßten, ihren Entschluß ins Werk, als stünde ihnen eine fremde Hand zu Gebot; Trost fanden sie dafür, daß sie zum Morden gezwungen wurden, in dem Gedanken an die Mißhandlungen, die ihre Angehörigen erdulden müßten, wenn sie in Feindeshand fallen würden. Schließlich erwies
60 sich keiner als zu schwach für das grausige Werk, sondern alle erfüllten die Aufgabe an ihren Nächsten. Opfer der Not, die es den Unglücklichen als das kleinste Übel erscheinen ließ, mit eigener Hand Frauen und Kinder hinzuschlachten! Unfähig, den Schmerz über ihre Tat zu ertragen, und in dem Gefühl, ein Unrecht an den Toten zu begehen,
65 wenn sie diese auch nur eine kurze Zeit überlebten, schleppten sie eiligst alles Wertvolle auf einen Haufen zusammen und steckten es in Brand...

Die Zahl der Toten, Frauen und Kinder eingerechnet, belief sich auf 960. Diese Schreckenstat geschah am fünfzehnten des Monats Xanthi-
70 kos.

17 *Jonathan*, Bruder und Nachfolger des Judas Makkabäus. Vgl. *136–140*.

30 *Silva*, der römische Befehlshaber.

35 *Eleazar*, der jüdische Befehlshaber. Durch die Zerstörung der Mauer war die Festung nicht mehr zu halten.

41 In seiner ersten Rede konnte Eleazar seine Männer nicht davon überzeugen, daß ein Massenselbstmord der einzige Ausweg war; seine zweite Rede war erfolgreich.

67 Der nächste Schritt war die Auslosung von zehn Männern; diese töteten die übrigen. Von den Zehn wurde einer ausgelost, der die neun anderen und zuletzt sich selbst tötete.

69 *Am fünfzehnten des Monats Xanthikos*, im April 74; zum Datum vgl. H. M. Cotton, *The Date of the Fall of Masada: The Evidence of the Masada Papyri*, ZPE 78, 1989, S. *157–162*.

**161**  *Josephus, Bellum Judaicum VII 216ff.*

Um diese Zeit schickte der Cäsar an Bassus und an Laberius Maximus, der damals Landpfleger war, den schriftlichen Befehl, das gesamte Land der Juden zu verkaufen. Eine neue Stadt nämlich wollte er daselbst nicht gründen; doch behielt er sich das Ackerland als sein
5 persönliches Eigentum vor. Nur achthundert ausgedienten Soldaten wies er im Bezirk von Emmaus, welches dreißig Stadien von Jerusalem entfernt liegt, Ländereien an. Allen Juden aber, wo sie auch wohnen mochten, legte er eine jährliche Kopfsteuer von zwei Drachmen auf, die sie für das Kapitol, wie früher für den Tempel zu Jerusa-
10 lem, entrichten sollten. So traurig stand es damals um die jüdische Nation.

1 *der Cäsar*, Vespasian.
  *Bassus,* Gesandter in Judäa.

6 *Emmaus*, vielleicht das Emmaus aus Lk 24, 13, obwohl die von Lukas
  gegebenen Entfernungen mit denen bei Josephus nicht übereinstimmen.

8 *zwei Drachmen.* Vgl. Mt 17, 24, wo die Tempelsteuer als δίδραχμα bezeichnet ist.

## G.  Der Aufstand von 132–135 n. Chr.

Nach den schrecklichen Ereignissen des Jahres 70 n. Chr. blieb Palästina im ganzen ruhig, obwohl jüdische und antijüdische Erhebungen in anderen Teilen des Imperiums stattfanden. Der neue Aufstand im Heiligen Land selbst scheint durch ein Gesetz veranlaßt worden zu sein, das die Beschneidung verbot, ferner durch Hadrians Beschluß, einen heidnischen Tempel auf dem Gelände des früheren jüdischen Tempels in Jerusalem zu bauen (zu dem Gesetz s. Spartian, *Hadrian* 4; zu dem Beschluß vgl. Cassius Dio, der unten angeführt wird, *162*). Unsere Kenntnis über den Verlauf der Rebellion und den darauf folgenden Krieg ist leider äußerst beschränkt. Der jüdische Anführer, von R. ʿAqiva (s. *174* mit Anm. zu Z. 1) als Messias begrüßt, war ein gewisser Bar Koseba oder Bar Kokhba (auch Simon genannt, wie auf einigen Münzen zu lesen ist). Es besteht kein Zweifel, daß es ein ernstzunehmender Krieg war, der sich längere Zeit hinzog, und daß die Christen in Palästina (wie auch andere) unter seinen Auswirkungen erheblich zu leiden hatten.

**162**  *Cassius Dio, Römische Geschichte LXIX 12–14.*

Vgl. dazu die Anmm. von M. Stern (Hg.), *Greek and Latin Authors on Jews and Judaism,* Bd. II, S. 393–405.

Daß er (Hadrian) aber an die Stelle der zerstörten Stadt Jerusalem eine andere aufbauen ließ, die er Aelia Capitolina nannte, und an der Stelle, wo der Tempel des Gottes stand, einen anderen Tempel für den Jupiter aufführen, erregte einen ebenso gefährlichen wie langwieri-
5 gen Krieg. Die Juden nämlich hielten es für einen Greuel, daß Auslän-der ihre Stadt bewohnen und ein fremder Gottesdienst daselbst einge-führt werden sollte. Sie hielten sich zwar ruhig, solange sich Hadrian in Ägypten und dann zum zweitenmal in Syrien befand, nur fertigten sie die Waffen, die sie als Tribut liefern mußten, absichtlich minder
10 brauchbar, damit sie sich ihrer, wenn sie von den Römern als untaug-lich verworfen würden, selbst bedienen könnten. Sobald er sich ent-fernt hatte, fingen sie eine offene Empörung an. Sie wagten es zwar nicht, sich mit den Römern in förmlicher Feldschlacht zu messen, besetzten aber geeignete Punkte, wo sie sich durch unterirdische
15 Gänge und Verschanzungen zu sichern suchten, um, wenn sie be-drängt würden, darin eine Zuflucht zu finden, und unbemerkt mitein-ander verkehren zu können; oben gruben sie Öffnungen hinein, um Luft und Licht zu erhalten.

Zuerst nahmen die Römer keine Notiz von ihnen; als aber ganz
20 Judäa in Aufruhr war und die Juden überall Unruhen anfingen und zusammenströmten, auch den Römern teils geheim, teils ganz offen vielfachen Schaden taten, und viele andere in Hoffnung auf Gewinn sich ihnen anschlossen, so daß fast das ganze Römische Reich in Bewegung geriet, schickte Hadrian seine besten Feldherren gegen sie
25 und übergab den Oberbefehl dem Julius Severus, den er von Britan-nien, wo er Prokonsul war, dahin beordert hatte. Dieser wagte nun nicht, sich mit den Feinden in eine förmliche Schlacht einzulassen, weil er ihre Menge und ihren verzweifelten Mut kannte, ließ aber einzelne Haufen derselben durch seine Unterbefehlshaber angreifen,
30 schnitt sie von der Lebensmittelzufuhr ab und schloß sie ein. So gelang es ihm endlich, zwar langsam, aber desto sicherer, sie zu schwächen, aufzureiben und auszurotten.

Nur wenige kamen davon. 50 ihrer festesten Plätze, 985 ihrer be-deutendsten Ortschaften wurden zerstört. 580000 kamen in den Aus-
35 fällen und Schlachten um (die große Zahl der durch Hunger und Seuchen Umgekommenen läßt sich nicht angeben), so daß beinahe ganz Judäa zur Einöde wurde. Schon vor Beginn des Krieges waren sie durch Vorzeichen gewarnt worden. Das Grabmal des Salomon, der bei ihnen hochverehrt wird, fiel von selbst zusammen; Wölfe und Hyänen
40 drangen in Menge heulend in ihre Städte ein. Aber auch die Römer hatten in diesem Kriege bedeutende Verluste, weshalb auch Hadrian in seinem Berichte an den Senat nicht die sonst bei Feldherrn gewöhn-lichen Eingangsworte vorsetzte: „Wenn ihr und eure Kinder euch wohl befindet, freut es mich; ich befinde mich wohl mit dem Heere."

**163**  *Euseb, Kirchengeschichte IV, VI 1–4.*

Als sich die Abfallsbewegung der Juden von neuem gewaltig ausdehn-
te, trat Rufus, der Statthalter von Judäa, nachdem ihm der Kaiser
militärische Verstärkung geschickt hatte, in rücksichtsloser Ausnut-
zung ihres törichten Gebarens dagegen auf, indem er auf einmal
5 Tausende von Männern, Kindern und Frauen vernichtete und ihren
Grundbesitz nach dem Kriegsrecht einzog. Führer der Juden war ein
Mann namens Bar Kokhba, was „Stern" bedeutet. Er war zwar eine
Mörder- und Räubernatur, aber durch die Kraft seines Namens beherrschte er die Juden wie Sklaven; denn er gab vor, in ihm wäre das
10 himmlische Licht gekommen, das den Bedrängten Erleuchtung bräch-
te. Als im 18. Jahre der kaiserlichen Regierung der Kampf gegen Beth
Thera, eine kleine, stark befestigte, nicht weit von Jerusalem entfernte Stadt, seinen Höhepunkt erreicht, sich die Belagerung immer mehr
in die Länge gezogen, Hunger und Durst die Aufständischen in äußer-
15 ste Not gebracht hatte und der Urheber des Wahnsinns in verdienter
Weise bestraft worden war, wurde durch Gesetzesbestimmung und
durch Verordnungen Hadrians dem gesamten Volke verboten, das
Gebiet um Jerusalem von nun an überhaupt noch zu betreten. Nach
der Weisung Hadrians sollten die Juden den heimatlichen Boden
20 nicht einmal mehr aus der Ferne sehen. So berichtet Aristo von Pella.
Nachdem auf solche Weise die Stadt vom jüdischen Volke entblößt und
der alten Einwohner vollständig beraubt worden war und Fremde sie
bevölkert hatten, änderte die nun erstandene römische Stadt ihren
Namen und nannte sich zu Ehren des Kaisers Aelius Hadrianus Aelia
25 (sc. Capitolina).

8 *durch die Kraft seines Namens.* Wahrscheinlich wurde ihm messianische
Bedeutung zugeschrieben. Vgl. Num 24, 17 und R. 'Aqiva's Anerkennung
des Bar Kokhba als Messias.

20 *Aristo von Pella.* Wir wissen praktisch nichts von diesem Autor, auch nicht,
wieviel von Euseb's Erzählung des Aufstandes aus ihm geschöpft ist.

**164**  *Euseb, Kirchengeschichte IV, VIII 4.*

Justin erwähnt auch den damaligen jüdischen Krieg. Er schreibt
darüber: „Während des zu unserer Zeit entbrannten jüdischen Krieges ließ nämlich Bar Kokhba, der Führer der jüdischen Abfallsbewegung, nur gegen die Christen vorgehen, welchen er schwere Strafen
5 auferlegte, wenn sie nicht Jesus Christus verleugneten und schmähten."

1 *Justin,* Justinus Martyr, der ca. 165 n. Chr. in Rom starb.

4 *Christen.* Natürlich konnten selbst jüdische Christen Bar Kokhba nicht als
Messias anerkennen; folglich konnten sie auch der Abfallsbewegung nicht
beitreten und mußten ihren Landsleuten als Verräter erscheinen.

**165** *Zwei Briefe des Bar-Kokhba.*

Insgesamt wurden bislang in der Umgebung von Engedi, am Westufer des Toten Meeres, 17 Briefe aus der Endphase des Krieges (134–135 n.Chr.) unter dem Namen des Simon bar Kosiba gefunden. Sie wurden teils auf aramäisch, teils auf hebräisch und teils auf griechisch verfaßt; zumindest einige von ihnen wurden nicht von Simon selbst diktiert, auch ist jeder von einer anderen Hand geschrieben. Die beiden hier zitierten Briefe finden sich in Text und Übers. bei K. Beyer, *Die aramäischen Texte vom Toten Meer,* Göttingen 1984, S. 351 f (Nr. 1 und 15).

a) Simon, der Sohn des Kosiba, der Fürst über Israel, an Jonatan und Masabbala. Heil! (Hiermit wird euch mitgeteilt), daß ihr nachforschen sollt und den Weizen, der sich im Besitz des Tahnun, des Sohnes des Ismael, befindet, wegnehmen und ihn unter Bewachung (hier) ablie-
5 fern sollt. Und für den Fall, daß ihr das nicht tut, (wird euch hiermit mitgeteilt), daß ihr bestraft werdet ... Und verhaftet Jesus, den Sohn des Palmyreners, und schickt ihn mir unter Bewachung! Aber haltet es nicht für überflüssig, ihm das Schwert abzunehmen, das er trägt! Samuel, der Sohn des Ammi.

10 b) Simon an Juda, den Sohn des Manasse, nach Qaryat ʿArabayya. Hiermit schicke ich dir zwei Esel. Mit denen sollst du zwei Mann zu Jonatan, dem Sohn des Baʿiyan, und zu Masabbala (nach ʿEngedi) schicken. Diese sollen Palmzweige zusammenbinden und Zitronen einpacken und (sie) dir (nach Qaryat ʿArabayya) in das Lager schik-
15 ken. Und schicke du von dir noch andere aus, damit sie dir Myrten- und Pappelweidenzweige bringen. Dann verzehnte sie (nur die Zitronen) und schicke sie (mir) in das Lager; denn die Zahl der Leute (hier) ist groß. Lebe wohl!

1 *Fürst über Israel.* Dieser Titel erscheint auch auf den Münzen aus dem Bar-Kokhba-Krieg (z.B.: „Simon, Fürst Israels. Jahr 1 der Erlösung Israels"), verschwindet dort aber mit dem 2. Kriegsjahr wieder (vgl. L. Mildenberg, *The Coinage of the Bar Kokhba War,* Aarau u.a. 1984).

*Jonatan und Masabbala,* Ortskommandanten in ʿEngedi, dem Hauptnachschubhafen der Rebellen.

9 *Samuel, der Sohn des Ammi.* Die Unterschrift stammt von anderer Hand; Samuel hat den Brief offenbar im Auftrag des Simon diktiert.

10 *Qaryat ʿArabayya,* wörtlich „Stadt der Pappelweiden".

13 *Palmzweige ... Zitronen ... Myrten- und Pappelweidenzweige.* Der Brief regelt den Bedarf zur Feier des Laubhüttenfestes im Oktober 134 n.Chr.; vgl. Lev 23, 40; Neh 8, 15 und *199.*

# H. Die Zerstreuung

Schon sehr früh fanden die Juden ihren Weg in die verschiedenen Teile der Mittelmeerwelt und der sich östlich anschließenden Länder. Ihre Anwesenheit dort läßt sich nicht nur aus vielen literarischen Quellen beweisen, sondern auch aus Inschriften und (für Ägypten) aus Papyri (s. *30* und *52*). Sie gründeten Synagogen (über Synagogen in Korinth, Rom und Pantikapaion s. *55–57*), und überall begegnet man Spuren ihres Gemeindelebens und ihrer Beziehungen zu Jerusalem. Für die Juden in der Diaspora war es nicht immer einfach, mit ihren Nachbarn friedlich auszukommen.

Wir sind besonders gut informiert über die Juden in Alexandria und ihre Auseinandersetzungen mit den Alexandrinern. Der Brief des Claudius (s. *52*) regelte diese Zwistigkeiten; davor hatten sowohl die jüdischen als auch die alexandrinischen Bürger Botschafter an ihn und an Caligula gesandt. Diese Vorgänge werden zum Teil mit großer Ausführlichkeit von Philo, *In Flaccum* und *Legatio ad Gaium* (= Caligula), beschrieben.

**166** *Josephus, Antiquitates XIV 110–118.*

Daß sich ein solcher Reichtum in unserm Tempel befand, wird niemanden wundern, wenn man bedenkt, daß alle Juden in der Welt und alle Verehrer unseres Gottes, sowohl in Asien als in Europa, seit sehr langer Zeit ihre Gaben hingebracht hatten. Übrigens ist die Menge des
5 angegebenen Goldes nicht unbezeugt und nicht etwa durch Ruhmsucht oder Übertreibung von unserer Seite so groß angegeben. Unter vielen andern Geschichtsschreibern stimmt Strabo von Kappadokien mit uns überein, indem er folgendes angibt: „Mithridates schickte nach Kos und ließ dort das Gold, welches die Königin Kleopatra da-
10 selbst niedergelegt hatte, nebst den achthundert Talenten der Juden wegnehmen." Nun haben wir keine andern öffentlichen Gelder als die, welche dem Herrn gehören, und es ist offenbar, daß die Juden in Kleinasien dieses Geld aus Furcht vor Mithridates nach Kos gebracht hatten; denn man kann nicht denken, warum die Bewohner von Ju-
15 däa, die eine so feste Stadt und einen solchen Tempel hatten, Geld nach Kos geschickt haben sollten. Von den Juden in Alexandria ist dies ebensowenig anzunehmen, da sie Mithridates nicht zu fürchten brauchten. An einer anderen Stelle bezeugt auch Strabo selbst, daß Sulla zu der Zeit, als er nach Griechenland übersetzte, um Mithridates
20 zu bekriegen, den Lukull ausgeschickt habe, um den Aufstand unserer Landsleute in Kyrene zu dämpfen, von dem die ganze Welt voll war. Er sagt nämlich: „In der Stadt Kyrene gab es vier Klassen von Bewohnern: Bürger, Ackerbauern, Beisassen und Juden. Diese letzteren sind jetzt schon in jeder Stadt verbreitet, und man kann nicht leicht
25 einen Ort in der Welt finden, welcher dieses Volk nicht beherbergt und nicht in seiner Gewalt ist. So kommt es, daß Ägypten und Kyrenäa, die in ihre Hände gefallen sind, und viele andere Städte die Sitten derselben nachahmen, der großen Schar der Juden auf ganz besondere

Weise zugetan sind und mit ihnen mächtig werden, indem sie nach
30 den altherkömmlichen Sitten der Juden leben. In Ägypten haben sie
Bürgerrechte, und ein großer Teil von Alexandria ist sogar diesem
Volke besonders eingeräumt; sie haben auch einen eigenen Vorsteher,
der ihre Angelegenheiten besorgt, ihre Händel schlichtet und ihre
Kontakte und Verträge bekräftigt, als wenn er ein selbständiger Herr-
35 scher wäre. In Ägypten nun hat dieses Volk deswegen eine solche
Macht, weil die Juden ihrem Ursprung nach Ägypter sind und nach
ihrer Sonderung von denselben doch in ihrer Nähe geblieben sind;
nach Kyrenäa aber ist es gezogen, weil auch dies an Ägypten ebenso
grenzt wie Judäa, das indes vielmehr ehedem ein Teil des ägyptischen
40 Reiches war." Soweit Strabo.

3 *Verehrer unseres Gottes*, οἱ σεβόμενοι τὸν θεόν. Derselbe Ausdruck wird im
NT gebraucht, um Heiden zu kennzeichnen, die von der Theologie, Ethik
und Gottesverehrung der Synagoge zwar angezogen wurden, sich aber doch
nicht voll bekehren ließen. Vgl. S. 241 f und *64*.

7 *Strabo von Kappadokien*, uns in erster Linie als Geograph bekannt, der zur
Zeit des Augustus schrieb. Er verfaßte außerdem ein umfangreiches Ge-
schichtswerk.

8 *Mithridates*. König von Pontus, schlug die Römer 88 v. Chr.

23 *Beisassen,* griech. μέτοικοι. Ein technischer Ausdruck für diese Klasse,
häufig in den Papyri und anderswo.

32 *ein Vorsteher*, Ethnarch, vgl. Philo, *In Flaccum* 74 (unten *167*); Augustus
ersetzte den Ethnarchen offenbar durch einen Senat.

36 *Juden ihrem Ursprung nach Ägypter*. Eine allgemeine Überzeugung, die
Josephus selbst an anderer Stelle zurückweist.

**167** *Philo, In Flaccum 73–75.*

Nachdem Flaccus überall eingedrungen und eingebrochen war und
keinen Teil des jüdischen Lebens von Nachstellungen der übelsten Art
unberührt gelassen hatte, sann er auf Maßnahmen zu einer neuarti-
gen, ungeheuerlichen Bedrückung, dieser Verbrecher und Erfinder
5 neuer Untaten. Augustus, der Retter und Wohltäter, hatte nach dem
Tode des Stammesoberhauptes unseren Rat der Alten ausgewählt,
damit er sich um die jüdischen Angelegenheiten kümmere, und hatte
dazu Auftrag an Magius Maximus erteilt, der gerade zum zweitenmal
die Verwaltung von Alexandria und dem Hinterland übernahm; aus
10 diesem Rat nun ließ Flaccus achtunddreißig Mitglieder, die in ihren
Häusern angetroffen wurden, verhaften und sogleich in Fesseln legen.
Er ließ die alten Männer mit auf den Rücken gefesselten Händen, die
einen mit Seilen, die anderen mit eisernen Ketten, in großer Prozession mitten über den Markt bis in das Theater führen, ein erschüttern-
15 der und unziemlicher Anblick. Und als sie ihren vor ihnen sitzenden
Feinden gegenüberstanden, befahl er, sie alle zur Demonstration ihrer Schande zu entkleiden und auszupeitschen, so wie man sonst nur
die übelsten Verbrecher zu behandeln pflegt. Die einen mußten wegen

der Schläge herausgetragen werden und starben bald darauf, während die anderen, für lange Zeit krank, an ihrer Heilung verzweifelten.

> 1 *Flaccus*, Statthalter der Provinz Ägypten. Nach Jahren guter Verwaltung unter dem Kaiser Tiberius begann er, die Juden zu verfolgen, offenbar um in Caligulas Gunst zu steigen, als dieser Kaiser wurde. Der hier erzählte Vorfall ist noch lange nicht der schlimmste Teil aus Philos Bericht.

Schließlich mag es interessant sein zu sehen, wie ein frommer Römer – Juvenal war möglicherweise Priester des Vespasiankultes – über Juden und Judentum dachte.

### 168 *Juvenal, 3. Satire 10–16.*

> Vgl. die Anmerkungen von M. Stern (Hg.), *Greek and Latin Authors on Jews and Judaism*, Bd. II, Jerusalem 1980, S. 97 f.

Jedenfalls hat sein ganzer Hausstand in einem Reisewagen Platz gefunden, und er ließ am alten Torbogen des wasserberieselten Capena-Tors haltmachen. Dort, wo Numa einst sein nächtliches Stelldichein mit seiner Freundin hatte, hat man jetzt den Hain der heiligen Quelle und den Tempel an die Juden vermietet, deren einziges Mobiliar ein Korb mit Heu ist; denn jeder Baum muß jetzt diesem Volk einen Preis einbringen, und es bettelt der Hain, aus dem die Musen vertrieben.

> 1 Die Rede ist von einem Freund Juvenals, der sich entschlossen hat, der hektischen Großstadt zu entfliehen und aufs Land zu ziehen.
>
> 2 *am alten Torbogen des wasserberieselten Capena-Tors*. Das Capena-Tor lag an der Via Appia im Süden Roms. Über das Tor führte der Aquädukt Aqua Marcia.
>
> 3 *Numa*, der sagenumwobene zweite römische König, soll ein Verhältnis mit der Göttin Egeria gehabt haben.
>
> 6 *ein Korb mit Heu*, um am Sabbat, an dem das Kochen verboten ist, die Speisen warmzuhalten.

### 169 *Juvenal, 6. Satire 153–160. 542–547.*

> Vgl. M. Stern (Hg.), *op. cit.*, Bd. II, S. 100 f.

Im Winter aber, wenn der Importeur Jason seinen Laden schon geschlossen hat und eine Bude aus weißer Leinwand seine gewaffneten Matrosen verdeckt, dann nimmt man in die Hand oder kauft große Gefäße aus reinstem Glas, auch gewaltige Porzellangeräte, sodann einen hochberühmten Diamanten, noch wertvoller deshalb, weil Berenike ihn am Finger trug; einst gab ihn der Barbar Agrippa seiner Schwester, mit der er in Blutschande lebte, dort, wo Könige mit bloßen Füßen den Sabbat feiern und von alters her greise Schweine verschont werden ...

10 Hat jener das Haus geräumt, so kommt das Judenweib; ihren Korb
mit Heu hat sie verlassen, und vor Alter zitternd murmelt sie Bettelei
ins geheimnisempfängliche Ohr. Ausdeuterin des Gesetzes von Jerusalem ist sie, Hohepriesterin des Hains und verläßliche Botin aus
Himmelshöhen. Auch ihre Hand füllt sie, doch sparsamer: Für etwas
15 Kleingeld verkaufen die Juden Traumdeutungen jeglicher Art.

> 1 *Importeur Jason.* Gemeint ist der Führer der Argonauten, der die Schwarz-
> meerroute erschlossen haben soll. Im *Porticus Neptuni*, wo am 21. 12. der
> Sigillenmarkt stattfand, befand sich ein Fresko Jasons und der Argonauten,
> das durch die Marktstände verdeckt wurde.
>
> 5 *Berenike.* Vgl. Apg 25, 23.
>
> 10 *Jener*, der ägyptische Priester in Gestalt des Gottes Anubis.

## 170 *Juvenal, 14. Satire 96–106.*

> Vgl. M. Stern (Hg.), *op. cit.,* Bd. II, S. 103–107.

Manchen aber beschied das Schicksal einen Vater, der den Sabbat
verehrt – die beten nichts an außer den Wolken und einer Himmels-
gottheit und glauben, daß Schweinefleisch, dessen sich der Vater
enthielt, sich nicht von Menschenfleisch unterscheide. Bald lassen sie
5 sich auch beschneiden; dann, gewohnt, Roms Gesetze zu verachten,
studieren und beobachten und fürchten sie das jüdische Gesetz, wie
Mose es in geheimem Buche weitergab: Nicht einmal den Weg zeigen
sie einem, der nicht denselben Ritus zelebriert. Zur Quelle, die sie
suchen, leiten sie nur die Beschnittenen. Doch ist daran ihr Vater
10 schuld, dem jeder siebte Tag der Faulheit gewidmet war und außerhalb der Geschäfte des Lebens stand.

> 2 *einer Himmelsgottheit (caeli numen).* Nach Juvenals Auffassung wird im
> Judentum nicht der Himmel angebetet, sondern nur das *numen* des Him-
> mels, keine konkrete Gottheit also, sondern ein abstrakter Geist. Dasselbe
> meint Tacitus (*Historien* V 5, 4; s. o. *149*), wenn er von den Juden sagt, sie
> hätten einen rein geistigen Gottesbegriff und kennen nur ein einziges göttli-
> ches Wesen (*numen*).
>
> 4 Juvenal hat sicherlich recht mit der Beobachtung, daß die Bekehrung zum
> Judentum sich oft über mehrere Generationen hinzog.
>
> 10 *Faulheit.* Vgl. Tacitus, *Historien* V 4, 2 (s. o. *149* Z. 19).

# VIII.  Die rabbinische Literatur und das rabbinische Judentum

## A.  Die Rabbinen

Obwohl das rabbinische Judentum den Anspruch erhob, direkt von Mose herzukommen, hat es doch wohl erst mit Esra und seinen Zeitgenossen begonnen; der Ertrag seiner Lehre wurde von einer Generation zur anderen überliefert und weiterentwickelt. In dieser Gestalt wurde es die offizielle Religion im Palästina der Zeit Jesu. Die folgenden Auszüge sollen a) den streng traditionsgebundenen Charakter des rabbinischen Judentums zeigen, b) die Namen einer Anzahl bedeutender Rabbinen bekannt machen.

**171**  *Mischna Avot 1, 1–3.*

Mose empfing das Gesetz vom Sinai und überlieferte es dem Josua, Josua den Ältesten und die Ältesten den Propheten, und die Propheten überlieferten es den Männern der Großen Synagoge. Diese sagten dreierlei: Seid vorsichtig beim Richten! Stellt viele Schüler heraus!
5  Macht einen Zaun um das Gesetz!
  Simeon der Gerechte gehörte zu den Überresten der Großen Synagoge. Er pflegte zu sagen: Auf drei Dingen ruht die Welt: auf dem Gesetz, auf dem Gottesdienst und auf der Liebestätigkeit.
  Antigonos von Sokho empfing (das Gesetz) von Simeon dem Gerech-
10 ten. Er pflegte zu sagen: Seid nicht den Knechten gleich, die dem Herrn dienen unter der Bedingung, daß sie Lohn empfangen, sondern seid den Knechten gleich, die dem Herrn dienen unter der Bedingung, daß sie keinen Lohn empfangen, und die Furcht des Himmels sei über euch.

1 *das Gesetz* (תורה, *tora*). Hier ist das mündlich gegebene Gesetz gemeint. Es war ein Corpus von Texten, das in Wirklichkeit als Erklärung und Erweiterung des geschriebenen Gesetzes des AT herangewachsen war. Die Rabbinen jedoch erachteten es als ebenso alt und bedeutsam wie das geschriebene Gesetz. Mose hatte beide von (Gott auf) dem Sinai erhalten, aber nur das letztere wurde sofort zur Aufzeichnung weitergegeben.

2 *die Ältesten.* Vgl. Jos 24, 31.

3 *der Großen Synagoge.* Sie wurde gewöhnlich als ein Gremium von 120 Männern, Propheten und Lehrern der Zeit Esras, gedeutet; aber der Hinweis auf Simeon legt die Vermutung nahe, daß die Mischna sich hier auf eine Reihe von Lehrern bezog, von denen er einer der Spätesten war. Daß dieser Bericht von einer Institution, über die wir keine historischen Zeugnisse besitzen, recht ungenau ist, braucht uns nicht zu überraschen.

5 *Macht einen Zaun um das Gesetz!* D.h. stellt zusätzliche Gebote auf, um die

ursprünglichen zu sichern! Z. B. bestimmte Handlungen sollten schon Freitags gegen Abend vermieden werden, damit sie niemand aus Vergeßlichkeit und unbeabsichtigt auch noch am Sabbat fortsetze.

6 *Simeon der Gerechte.* Siehe Josephus, *Ant* XII 43. 157. 224. Man kann nicht sicher bestimmen, ob dieser Simeon, der Hoherpriester war, zu Beginn oder am Ende des 3. Jh.s v. Chr. lebte. Der ihm zugeschriebene Ausspruch ist charakteristisch für die rabbinische Religion. Die drei Säulen, auf denen die Welt ruht, sind 1. Gottes Offenbarung seiner selbst und seines Willens im geschriebenen und ungeschriebenen Gesetz – ferner, daß der Mensch diese Offenbarung studiere und ihr gehorche (denn auch das bedeutet das Wort *tora*); 2. der kultische, im Tempel ausgeführte Gottesdienst (*'avoda*) und 3. Taten der Liebe (*g<sup>e</sup>millut ḥ<sup>a</sup>sadim*) – Taten, die im Gesetz nicht besonders angeordnet sind, aber aus Erbarmen und Güte verrichtet werden. Wahrheit, Gottesdienst und Liebe erhalten die Welt.

9 *Antigonos von Sokho.* Es gibt kein verläßliches Zeugnis über Antigonos. Man beachte seinen griechischen Namen. Die Überlieferung machte ihn zu einem der Begründer des Sadduzäismus. Der ihm zugeschriebene Ausspruch ist wichtig; die Stellung des Judentums zum Lohn ist nicht so einfach, wie nur zu oft angenommen wird.

**172** *Mischna Avot 1, 12–15.*

Hillel und Schammai empfingen (das Gesetz) von ihnen. Hillel sagte: Sei einer von den Schülern Aarons, den Frieden liebend und dem Frieden nachjagend, die Geschöpfe liebend und sie zum Gesetz hinführend. Er pflegte zu sagen: Ein Name, der sich ausbreitet, ist ein
5 Name, der untergeht; wer nicht hinzufügt, nimmt ab; wer nicht lernt, ist des Todes schuldig; wer sich der Krone bedient, schwindet dahin. Er pflegte zu sagen: Wenn ich nicht für mich bin, wer ist dann für mich? Und wenn ich für mich bin, was bin ich dann? Und wenn nicht jetzt, wann denn sonst?
10 Schammai sprach: Mache für dein (Studium des) Gesetz(es) eine Festsetzung (von Stunden); sage wenig, aber tue viel; empfange alle Menschen mit freundlichem Gesicht.

1 Hillel und Schammai stehen hier in einer Reihe von Namen-„Paaren" (*zugot*), die man zuweilen für die der ersten und zweiten Vorsitzenden des Synhedriums (*Sanhedrin*) gehalten hat. Das kann jedoch nicht so gewesen sein, da vor der Zerstörung des Tempels der Vorsitzende immer der Hohepriester war. Hillel und Schammai wären zudem recht ungleiche Kollegen im Vorsitz gewesen, da man viele verschiedene und sogar einander widersprechende Auslegungen und Anweisungen auf sie zurückführte und sie die Häupter zweier rivalisierender Schulen oder Richtungen wurden (Bet Hillel, Bet Schammai). Beide wirkten zu Beginn der christlichen Ära; im allgemeinen verfocht die Schule Hillels die mildere und konziliantere, die Schammais die strengere Behandlung jedwedes diskutierten Gegenstandes. Diese allgemeine Regel wird in *mEduyot* 4 f durch eine Reihe von Ausnahmen „bestätigt", in denen „die Schule Schammais erleichternd und die Schule Hillels erschwerend ist", z. B.: „Ein Ei, das an einem Festtag gelegt ist, darf nach der Schule Schammais (am Fest) gegessen werden; nach der Schule Hillels darf es nicht gegessen werden" (*mEduyot* 4, 1). Zur

Illustration vgl. *mGiṭṭin* 9, 10: „Die Schule Schammais sagt: Ein Mann darf sich von seiner Frau nur scheiden lassen, wenn er an ihr etwas Schändliches gefunden hat, denn es heißt (Dtn 24, 1): weil er an ihr etwas *Schändliches* fand. Die Schule Hillels sagt: Schon wenn sie ihm das Essen hat anbrennen lassen, (darf er sich scheiden lassen), denn es heißt (Dtn 24, 1): weil er an ihr *etwas* Schändliches fand."

*von ihnen*, d. h. von Sch<sup>e</sup>ma'ja und Abhṭaljon.

3 *die Geschöpfe* wird hier, wie der nächste Satz zeigt, von den Heiden gebraucht. Hillel plädiert dafür, Proselyten zu machen (s. u. *215–216*).

4 *Ein Name, der sich ausbreitet* ... Wer sich selbst erhöht, soll erniedrigt werden.

5 *Wer nicht hinzufügt, nimmt ab.* Dieses Wort ist wahrscheinlich vom nächsten Satz her zu deuten. Wer dem allgemeinen Vorrat des Wissens und Lernens nichts hinzufügt, ist wie einer, der ihn vermindert.

6 *die Krone* ist die Krone des Gesetzes, das Vorrecht, es zu kennen, zu lehren und zu tun. Der Spruch wird erklärt in *mAvot* 4, 5: „Folglich: Jeder, der aus den Worten des Gesetzes Nutzen ziehen will, nimmt sein Leben fort aus der Welt." Es gibt parallele Aussagen, z. B. *bNedarim* 62a: „Wer sich der Krone der Tora bedient, wird aus der Welt gerissen ... Tue die Dinge um ihres Schöpfers willen und rede davon ihrethalben; mache sie nicht zur Krone, damit zu prunken, und benutze sie nicht als Axt, damit zu hacken" (übers. von L. Goldschmidt Bd. V S. 489 f).

7 *Wenn ich nicht für mich bin* ... Für diesen sehr dunklen Spruch sind drei Auslegungen möglich. a) Hillel spricht vom Menschen schlechthin. Wenn ein Mensch seine Verantwortung nicht auf sich nimmt und seine Pflicht nicht erfüllt, wer wird es dann für ihn tun? Aber wenn er es für sich allein tut, ohne die Hilfe Gottes, was kann er dann erreichen? Und wenn er seinem Gott nicht jetzt in diesem Leben gehorcht und dient, wann wird er wieder Gelegenheit haben, es zu tun? b) Statt dieser individualistischen Deutung können wir auch annehmen, daß „Ich" für „Israel" steht. c) Das „Ich" (אני, *"ni*) kann als verborgene Anspielung auf Gott genommen werden (אדני, *"donai*), der einzig und ewig ist. Diese letzte Interpretation scheint weithergeholt, jedoch vgl. *bSukka* 53a (= Bd. III S. 403 Goldschmidt) und *Leviticus Rabba* 35, 1 zu 26, 3 (Aug. Wünsche, *Der Midrasch Wajikra Rabba*, Leipzig 1884, S. 247 ff).

**173**   *Mischna Avot 2, 8f.*

Rabban Jochanan b. Zakkai empfing (das Gesetz) von Hillel und von Schammai. Er pflegte zu sagen: Wenn du das Gesetz in reichem Maße befolgt hast, so rechne es dir nicht als Verdienst an; denn dazu bist du geschaffen. Fünf Schüler hatte Rabban Jochanan b. Zakkai, und das
5 sind folgende: Rabbi Elieser b. Hyrkanus, Rabbi Josua b. Chananja, Rabbi Jose der Priester, Rabbi Simeon b. Nathaniel, Rabbi Eleasar b. 'Arakh. Folgendermaßen lobte er sie: Elieser b. Hyrkanus ist eine ausgekalkte Zisterne, die keinen Tropfen verlorengehen läßt; Josua b. Chananja – heil der, die ihn gebar! Jose der Priester ist ein Frommer
10 (*ḥasid*); Simeon b. Nathaniel fürchtet sich vor der Sünde; Eleasar b. 'Arakh ist eine Quelle, die immer stärker sprudelt. Er pflegte zu sagen: Wenn alle Weisen Israels in der einen Wagschale wären und Elieser b.

Hyrkanus in der anderen, so würde er doch gegen sie alle die Wagschale sinken machen. Abba Saul sagte in seinem Namen: Wenn alle
15 Weisen Israels in der einen Wagschale wären und Elieser b. Hyrkanus zusammen mit ihnen, aber Eleasar b. 'Arakh in der andern, so würde er gegen sie alle die Wagschale sinken machen.

Er sprach zu ihnen: Geht aus und seht, welches der gute Weg ist, an dem der Mensch haften soll. Rabbi Elieser sprach: Ein gütiges Auge.
20 Rabbi Josua sprach: Ein guter Gefährte. Rabbi Jose sprach: Ein guter Nachbar. Rabbi Simeon sprach: Einer, der sieht, was sich ereignen wird. Rabbi Eleasar sprach: Ein gutes Herz. Da sagte (Jochanan) zu ihnen: Ich erkenne die Worte des Eleasar b. 'Arakh vor euren Worten an, weil seine Worte eure Worte einschließen. Er sprach zu ihnen:
25 Geht aus und seht, welches der böse Weg ist, von dem der Mensch sich fernhalten soll. Rabbi Elieser sprach: Ein böses Auge. Rabbi Josua sprach: Ein böser Gefährte. Rabbi Jose sprach: Ein böser Nachbar. Rabbi Simeon sprach: Einer, der borgt und nicht zurückgibt. Einer, der von Menschen borgt, ist wie einer, der von Gott (wörtlich: vom Ort)
30 – gesegnet sei er! – borgt; denn es heißt (Ps 37, 21): Der Gottlose borgt und gibt nicht zurück, der Gerechte aber ist milde und gibt. Rabbi Eleasar sprach: Ein böses Herz. Da sagte (Jochanan) zu ihnen: Ich erkenne die Worte des Eleasar b. 'Arakh vor euren Worten an, weil seine Worte eure Worte einschließen.

1 *Rabban Jochanan b. Zakkai* war einer der bedeutendsten unter allen Rabbinen. Nach der Zerstörung des Tempels im Jahre 70 n. Chr. richtete er das Sanhedrin in Jabne (Jamnia) wieder ein und half dadurch mit, das Judentum für die Zukunft zu erhalten. Er starb um 80 n. Chr., nachdem er die Gesetzesauslegung an zahlreichen, bedeutsamen Stellen modifiziert hatte. Das war dadurch nötig geworden, daß der Tempel nicht mehr bestand, z. B. *mSukka* 3, 12: „Anfangs wurde der Lulav (s. u. *199*) im Tempel sieben Tage, aber auf dem Lande nur einen Tag getragen. Als der Tempel zerstört war, ordnete Rabban Jochanan b. Zakkai an, daß er (künftig) auf dem Lande zur Erinnerung an den Tempel sieben Tage getragen werde."

**174** *Mischna Avot 3, 13–16.*

R. 'Aqiva sprach: Lachen und Leichtsinn sind der Anfang dessen, was zu Unzucht verleitet. Er pflegte zu sagen: Die Überlieferung ist ein Zaun um das Gesetz, (Glosse: Zehnten sind ein Zaun um den Reichtum), Gelübde sind ein Zaun um die Enthaltsamkeit, ein Zaun um die
5 Weisheit ist Schweigen.

Er pflegte zu sagen: Geliebt ist der Mensch; denn nach dem Bilde (Gottes) wurde er geschaffen. Noch größere Liebe ist, daß ihm kundgetan wurde, daß er nach dem Bilde geschaffen sei; denn es heißt (Gen 9, 6): Nach dem Bilde Gottes schuf er den Menschen.
10 Geliebt sind die Israeliten; denn sie wurden Söhne Gottes (wörtlich: des Ortes) genannt. Noch größere Liebe ist, daß ihnen kundgetan wurde, daß sie Söhne Gottes genannt wurden; denn es heißt (Dtn 14, 1): Ihr seid die Söhne Jahwes eures Gottes! – Geliebt sind die Israeli-

ten; denn ihnen wurde das Instrument gegeben, mit dem die Welt
15 geschaffen wurde. Noch größere Liebe ist, daß ihnen kundgetan wurde, daß ihnen das Instrument gegeben wurde, mit dem die Welt geschaffen wurde; denn es heißt (Prov 4, 2): Denn eine gute Lehre habe
ich euch gegeben; gebt mein Gesetz nicht preis!

Alles ist vorausgesehen, und doch ist Vollmacht (zu freiem Handeln)
20 gegeben; mit Gnade wird die Welt gerichtet, und doch hängt alles von
der Menge der Taten ab.

Er pflegte zu sagen: Alles wird gegen Pfand gegeben und das Netz
über alle Lebenden gestreift. Der Laden ist geöffnet, und der Krämer
gibt Kredit, die Schreibtafel ist aufgeschlagen, und die Hand schreibt,
25 und jeder, der borgen will, kommt und borgt; die Einnehmer gehen
beständig an jedem Tag herum und treiben (ihre Forderungen) von
den Menschen ein mit ihrem Wissen und ohne ihr Wissen, denn sie
haben (Belege), worauf sie sich stützen (können); das Gericht ist ein
Gericht der Wahrheit, und alles ist zum Mahle bereitet.

1 *R. 'Aqiva* b. Joseph wurde 50 n. Chr. geboren und starb als Märtyrer im Bar-
Kokhba-Aufstand (s. *162–165* und S. 200) im Jahre 135 n. Chr. Er gehörte
nicht aufgrund seiner Herkunft zu den rabbinischen Kreisen, sondern war
als *'am ha-'aræṣ* (s. *213*) geboren und wurde erst in seinen späteren Lebens-
jahren Rabbi. Vgl. *bPesaḥim* 49b: „R. 'Aqiva erzählte: Als ich noch ein Mann
aus dem gemeinen Volke (*'am ha-'aræṣ*) war, sprach ich: Wer gibt mir einen
Schriftgelehrten, ich würde ihn wie ein Esel beißen. Seine Schüler sprachen
zu ihm: Meister, sage doch: wie ein Hund. Dieser erwiderte: Jener beißt und
zerbricht auch den Knochen, dieser beißt und zerbricht den Knochen nicht"
(Goldschmidt Bd. II S. 454). Er lehrte in Bᵉne Bᵉraq, auch in Lydda und
Jabne. Als der Aufstand ausbrach, zeigte er sich als Mann der Tat genauso-
gut wie als Gelehrter und begrüßte Bar Kokhba als den Messias. Seine große
literarische Leistung war die erste Redaktion des mündlich überlieferten
Gesetzes in systematisch geordneter Niederschrift. Seine „Mischna" wurde
von R. Meïr weiterentwickelt und schließlich von R. Juda selbst (s. *176*)
mitbenutzt.

3 *ein Zaun*. S. o. *171* zu *mAvot* 1, 1.

7 *noch größere Liebe* ... Einige Zeugen lassen diesen Satz aus. Er betont (wie
später ähnliche Sätze) den überwältigenden Wert der Israel gewährten
Offenbarung und die Freundlichkeit Gottes, der sie gibt.

14 *das Instrument*. Gemeint ist das Gesetz. In Prov 8 wird die Weisheit (*ḥokh-
ma*) als zusammen mit Gott am Werk der Schöpfung tätig dargestellt. Die
Weisheit wurde mit dem Gesetz gleichgesetzt, und so wurden auch dem
Gesetz kosmologische Funktionen zugeschrieben.

19 *Alles ist vorausgesehen* ... Nach Josephus (*Bell* II 162f) „schreiben die
Pharisäer ... alles dem Schicksal (εἱμαρμένη) und Gott zu; sie sind der
Ansicht, daß richtig oder sonstwie handeln zwar in erster Linie vom Menschen abhängt, aber daß bei jeder Handlung das Schicksal mitwirkt." Diese
entschlossene Feststellung des Widerspruches zwischen der Bestimmtheit
und der Freiheit des Willens ohne einen Versuch, ihn zu erklären, ist
charakteristisch für den unphilosophischen Stil des rabbinischen Denkens.

22 *Alles wird gegen Pfand gegeben*. Dieser lange und scheinbar komplizierte

Vergleich ist in Wirklichkeit ganz einfach. Gott ist ein Kreditgeber, dem die Menschen verpflichtet sind; sie schulden ihm Gehorsam und gute Werke.

28 *worauf sie sich stützen* entspricht der Aufzeichnung der Schulden des Menschen, die im Himmel aufbewahrt wird.

29 *zum Mahl.* Das Fest des kommenden Äons, des Königreiches Gottes, das messianische Mahl.

**175** *Mischna Avot 4, 1.*

Bæn Zoma sprach: Wer ist weise? Der von jedermann lernt, denn es heißt (Ps 119, 99): Von allen meinen Lehrern bin ich verständig geworden. – Wer ist stark? Der seinen Trieb unterdrückt, denn es heißt (Prov 16, 32): Besser ein Langmütiger als ein Kriegsheld, und (besser)
5 einer, der sich selbst beherrscht, als ein Städteeroberer. – Wer ist reich? Der sich an seinem Teil freut, denn es heißt (Ps 128, 2): Deiner Hände Ertrag wirst du essen, Heil dir, du hast es gut! Heil dir – in dieser Welt; du hast es gut – in der zukünftigen Welt. – Wer ist geehrt? Der die Menschen ehrt, denn es heißt (1 Sam 2, 30): Wer mich ehrt, den
10 ehre ich, aber wer mich gering schätzt, der soll verachtet sein.

1 *Bæn Zoma*, ein jüngerer Zeitgenosse des R. ʿAqiva, stand als Ausleger in hohem Ansehen: „Mit dem Tode des Bæn Zoma hörten die Schriftausleger auf" (*mSoṭa* 9, 15). Aber er „ging ins Paradies ein" (d.h. ließ sich auf mystische Exegese und theosophische Spekulation ein, s. *301)* und zog Verdacht auf sich. Man beachte, daß er nicht als „Rabbi" tituliert wird.

2 *Von allen meinen Lehrern*, eine geläufige rabbinische Wiedergabe dieses Verses; er bedeutet eigentlich: Verständiger bin ich als alle meine Lehrer.

3 *seinen Trieb,* sein *yeṣær* (יצר). Dieses Wort (vgl. im AT Gen 6, 5; 8, 21; Dtn 31, 21; Jes 26, 3; 1 Chr 28, 9; 29, 18) wird gebraucht, um die Neigung im Menschen zu beschreiben, die ihn zur Sünde tendieren läßt, eine eingeborene Quelle der Versuchung. Sie war an sich nicht völlig schlecht, da sie von Gott geschaffen war und auch für gute Zwecke genutzt werden konnte (z.B. wird sie von den Rabbinen sehr oft mit sexueller Leidenschaft und Versuchung verbunden; aber sie können auch sagen: „Ist denn der böse Trieb sehr gut? Ja, denn wenn er nicht wäre, würde kein Mensch ein Haus bauen, heiraten, Kinder zeugen und Verkehr treiben (eig. nehmen und geben)" (*Genesis Rabba* 9, 7 zu 1, 31, nach Aug. Wünsche, *Der Midrasch Bereschit Rabba*, Leipzig 1881, S. 38). Die Neigung kann durch Buße und Gesetzesstudium gezügelt werden. Die früheren Quellen scheinen nur von einer (bösen) Neigung gesprochen zu haben, die späteren von zweien, einer guten und einer bösen, die miteinander im Kampf liegen; siehe z.B. *mBerakhot* 9, 5: „Denn es heißt (Dtn 6, 5): Du sollst lieben Jeja (Jahwe), deinen Gott, mit deinem ganzen Herzen, mit deiner ganzen Seele und mit all deiner Kraft. Mit deinem ganzen Herzen (bedeutet): Mit deinen beiden Trieben, mit dem guten Trieb und mit dem bösen Trieb." Näheres bei Billerbeck Bd. IV S. 466–483.

8 *in dieser Welt ... in der zukünftigen Welt.* Zu diesem Gegensatz s. *290–291.*

**176** *Mischna Avot 2, 1.*

Rabbi sprach: Welches ist der gerade Weg, den sich der Mensch erwählen soll? Jeder, der eine Auszeichnung ist für den, der ihn geht, und ihm Auszeichnung (einbringt) von den Menschen. – Sei bei einem leichten Gebot genauso sorgsam wie bei einem schweren; denn du
5 weißt nicht, was für ein Lohn für die (Befolgung der) Gebote gegeben wird. Zieh in Berechnung den Verlust von einem Gebote gegenüber dem Lohn dafür und den Lohn für eine Übertretung gegenüber dem Verlust davon. – Beachte drei Dinge, dann wirst du keiner Übertretung anheimfallen. Wisse, was über dir ist: ein sehendes Auge, ein
10 hörendes Ohr und alle deine in das Buch eingeschriebenen Taten.

1 *Rabbi* bezieht sich auf Rabbi Juda den Fürsten (oder Patriarchen; נשיא *nasi'*), der unter Verwendung früherer Sammlungen die Mischna zusammenstellte (s. unten S. 215). Er wurde 135 n. Chr. geboren und lebte wahrscheinlich bis nach 200. Es ist bemerkenswert, daß er zusätzlich zu den normalen rabbinischen Studien das Griechische lernte und schätzte. Er soll der Freund eines römischen Kaisers gewesen sein, aber das muß man für ganz unsicher halten.

3 *Sei bei einem leichten Gebot genauso sorgsam* ... Eine charakteristische Einschärfung. Es wurde als gefährlich und deshalb nicht wünschenswert betrachtet, Vorschriften nach dem Grade ihrer Wichtigkeit zu ordnen; das hätte leicht zur Vernachlässigung der für weniger wichtig gehaltenen Gebote führen können.

**177** *Mischna Yadayim 4, 6–7.*

Die Sadduzäer sprachen: Wir beanstanden an euch, Pharisäer, daß ihr sagt, die heiligen Schriften machten die Hände unrein, die Bücher Meron dagegen machten die Hände nicht unrein.

Rabban Yoḥanan ben Zakkai erwiderte: Kann man uns (im Streit)
5 gegen die Pharisäer ausgerechnet nur damit kommen? Seht, sie sagen auch: Die Gebeine eines Esels sind rein, die Gebeine Yoḥanans, des Hohepriesters, aber sind unrein.

Sie entgegneten ihm: (Gerade) aus ihrer Verehrung (folgt) ihre Unreinheit, damit nicht (etwa) jemand aus den Gebeinen seines Va-
10 ters oder seiner Mutter Löffel verfertige.

Er sprach zu ihnen: Auch bei den heiligen Schriften (folgt) aus ihrer Verehrung ihre Unreinheit. Die Bücher Meron dagegen, die nicht verehrt werden, machen die Hände nicht unrein.

Die Sadduzäer sprachen: Wir beanstanden an euch, Pharisäer, daß
15 ihr den Strahl (einer reinen Flüssigkeit, die in unreine gegossen wird,) für rein erklärt.

Die Pharisäer entgegneten: Wir beanstanden (in diesem Fall) an euch, Sadduzäer, daß ihr (mit uns) den Wasserarm, der aus einem Gräberfeld kommt, für rein erklärt.

20 Die Sadduzäer sprachen: Wir beanstanden an euch, Pharisäer, (folgendes): Wenn ich für mein Rind und meinen Esel, für die ich hinsicht-

lich der Gebote nicht hafte, doch hinsichtlich des von ihnen (angerichteten) Schadens hafte, so sollte ich für meinen Knecht und meine Magd, für die ich hinsichtlich der Gebote haftbar bin, nicht (auch)
25 hinsichtlich des von ihnen (angerichteten) Schadens haften?
Sie erwiderten ihnen: Nein. Wenn ihr über mein Rind oder meinen Esel, die ohne Vernunft sind, (etwas) aussagt, wollt ihr (das auch) über meinen Knecht und meine Magd, die Vernunft haben, aussagen? Denn wenn ich ihn erzürnt habe, könnte er hingehen und irgendeines
30 Schober in Brand stecken, und ich wäre dann ersatzpflichtig.

1 *Die Sadduzäer ... Pharisäer.* Es ist unklar, ob hier von den historischen Sadduzäern und Pharisäern die Rede ist (zum Bericht des Josephus über sie s. *152*) oder von sektiererischen Gruppen; E. Qimron und J. Strugnell kamen u. a. aufgrund ihrer Kenntnis des unveröffentlichten Briefes des Lehrers der Gerechtigkeit (s. *233*) zu dem Ergebnis, daß sich der Name Sadduzäer in den talmudischen Quellen durchweg auf extremistische Sekten wie z. B. die Qumransekte bezieht (*An Unpublished Halakhic Letter from Qumran*, The Israel Museum Journal IV, 1985, S. 10 f).

2 *die Bücher Meron* (oder *Hamiram* und andere Varianten). Der genaue Sinn ist dunkel. Möglicherweise könnten die Bücher Homers oder der Häretiker (*Minim*) gemeint sein.

4 *Rabban Yoḥanan ben Zakkai.* Vgl. *173.*

# B. Die Literatur

Die Grundlage des orthodoxen Judentums war das biblische Gesetz. Dieses wurde jedoch durch eine Tradition (im NT und bei Josephus: παράδοσις) ergänzt, die zuerst mündlich weitergegeben, später aber aufgezeichnet wurde. Von diesem mündlichen Gesetz (תורה שבעל פה) nahm man an, daß es ebenso wie das von Anfang an aufgeschriebene Gesetz von Mose herkomme [s. oben zu *mAvot* 1, 1 (*171*)] und daß ihm infolgedessen auch die gleiche Autorität zukomme. Der Prozeß der Niederschrift des mündlichen Gesetzes, der zunächst mißgünstig angesehen wurde, durchlief im 2. Jahrhundert n. Chr. verschiedene Stadien, bis am Ende des Jahrhunderts unter Verwendung älteren Materials, insbesondere der Mischna des R. Meïr, von R. Juda (s. o. Anm. zu *176* Z. 1) die Mischna zusammengestellt wurde, wie wir sie heute kennen. Im ganzen betrachtet, ist die Mischna eine Systematisierung und auf spätere Verhältnisse bezogene Anwendung der alttestamentlichen Anweisungen für das kultische und tägliche Leben (der Traktat Avot, der im vorigen Abschnitt zitiert wurde und zur Hauptsache aus religiösen und ethischen Maximen besteht, ist eine Ausnahme); sie ist in sechs Ordnungen oder Bücher eingeteilt, die insgesamt 63 Traktate umfassen. Nicht das ganze Corpus der mündlichen Gesetzesüberlieferung ist in die Mischna des R. Juda eingegangen; ein Teil blieb übrig und bildet die *Tosefta*, ein Corpus von Materialien, die in Form und Inhalt Parallelen zur Mischna selbst sind, aber nicht ihre Autorität genießen. Allmählich wurde die Mischna wieder ausgelegt und erweitert, und zu gegebener Zeit wurde das ganze Corpus der Mischna und des dazugehörigen Kommentars als der *Talmud* herausgegeben. Der Kommentar heißt *Gemara* und existiert in zwei Formen, welche jeweils zusammen mit der Mischna die beiden Talmude darstellen, den Babylonischen und den Jerusalemer; sie wurden um 500 n. Chr. in den beiden Hauptzentren rabbinischer Lehrtätigkeit, Babylonien und Palästina, herausgegeben. Inhaltlich ist das meiste des im Talmud gesammelten Materials *Halakha*, d. h. es enthält genaue und autoritative Direktiven für das Leben jüdischer Observanz. (Zusätzlich zu autorisierten *halakhot* enthält es auch viele juristische Meinungen, die letztlich von der Mehrheit der Gelehrten verworfen wurden). Obwohl das Datum der Schlußredaktion, wie gesagt, ziemlich spät liegt, enthalten die beiden Talmude doch vieles, das alt genug ist, um für neutestamentliche Studien wichtig zu sein. Insbesondere enthält die Gemara Aussprüche, die man unter dem Begriff *Baraita* zusammenfaßt. Das sind Aussprüche von *Tannaïm* (*Tannaïten*, Rabbinen aus der vor dem Abschluß der Mischna liegenden Periode), die nicht in die Mischna aufgenommen wurden.

Die Halakha repräsentiert nur die eine Hauptart rabbinischer literarischer Tätigkeit. Die andere war die *Haggada*, eine praktisch-homiletische, oft anschaulich-erfinderische und sogar phantasievolle Auslegung der Schrift. Diese Art der Erklärung ist vor allem in den *Midraschim* zu finden, unter welchen erwähnt werden mögen *Mekhilta* (ein Kommentar zum Buch Exodus), *Sifra* (zu Leviticus), *Sifre* (zu Numeri), *Sifre* (zu Deuteronomium) und der *Midrasch Rabba* (oder *Großer Midrasch*, zum Pentateuch und den fünf *Megillot*). Von weiteren Literaturarten sei noch die liturgische erwähnt. Hier sind die für unsern Zweck wichtigsten Quellen das Buch der täglichen Gebete, das in verschiedenen Formen noch heute im Synagoge in Gebrauch ist, und die Passahaggada, ein Gottesdienstformular zum häuslichen Gebrauch in der Passanacht. Einige Teile des Gebetbuches sind mittelalterlich, einige modern; aber andere sind wieder sehr alt (s. z. B. *205–212*). Ein Vergleich des Passagottesdienstes mit den dieses Fest betreffenden Richtlinien, die die Mischna gibt, zeigt, daß auch ein großer Teil der Passahaggada ursprünglich ist.

Von den Gattungen dieser Literatur illustrieren wir durch Beispiele die Exegese, die Maxime, das Gleichnis und die Erzählung.

*Exegese*

Vieles in der rabbinischen Literatur besteht aus Schriftauslegung. Obwohl diese vielleicht dem modernen Leser oft willkürlich erscheint, ging sie im allgemeinen doch nach bestimmten festgelegten Prinzipien (*middot*) vor sich. Es gibt verschiedene Reihen solcher Prinzipien: die sieben *middot* des Hillel (anschließend zitiert); die dreizehn *middot* des R. Ismael (gest. 135 n. Chr.); die 32 *middot* des R. Elieser, Sohn des R. Jose des Galiläers (Ende des 2. Jahrhunderts n. Chr.).

**178** *Tosefta Sanhedrin 7, 12.*

Vor den Ältesten des Petera-Geschlechtes stellte Hillel der Alte die folgenden sieben Auslegungsregeln auf: (Schluß) *a minori ad maius*, Analogie(schluß), Verallgemeinerung von einer (Schrift)stelle aus, Verallgemeinerung von zwei (Schrift)stellen aus, (Schluß) vom Generellen auf das Spezielle und vom Speziellen auf das Generelle,
5 (Schluß) aus anderen Stellen (der Schrift) und Schluß vom Kontext her. Diese sieben Auslegungsregeln stellte Hillel der Alte gegenüber den Ältesten des Petera-Geschlechtes auf.

2 *a minori ad maius, qal waḥomær,* wörtlich „leicht und schwer". Damit sind Argumente vom Geringeren zum Größeren (‚wenn schon da ..., wie dann erst dort ...') und umgekehrt gemeint, die bei den Rabbinen häufig gebraucht wurden.

3 *Analogie(schluß), gᵉzera shawa,* „a) Schluß aus der zweifellosen Bedeutung eines Ausdrucks an einer Stelle des Gesetzes auf die Bedeutung desselben an einer anderen Stelle, b) Schluß aus feststehenden Bestimmungen eines Gesetzes auf die näheren Bestimmungen eines anderen verwandten Charakters" (G. Dalman, *Aramäisch-neuhebräisches Handwörterbuch*, Göttingen ³1938, S. 75b). Die Durchschlagskraft dieses Schlusses konnte diskutiert werden, wie z. B. in *mBeṣa* 1, 6: „Die Schule Shammais sagte: Man darf die Teighebe und die (anderen Priester-)Abgaben dem Priester nicht an einem Feiertag schicken, einerlei, ob sie am Tag zuvor oder am selben Tag abgesondert worden sind. Die Schule Hillels erlaubte es. Die Schule Shammais erwiderte ihnen: (Es handelt sich um einen) Analogieschluß: Die Teighebe und die Abgaben gehören zu den Gaben des Priesters, und die Abgaben (vom Getreide) gehören auch zu den Gaben des Priesters; wie man ihm die Abgabe (vom Getreide) nicht schicken darf, so darf man ihm auch die (anderen Priester-)Abgaben nicht schicken. Die Schule Hillels erwiderte ihnen: Nein! Wenn ihr dies von der (Getreide-)Abgabe sagt, die man (am Feiertag) abzusondern nicht befugt ist, wollt ihr dies auch von den (Priester-)Abgaben sagen, die (am Feiertag) abzusondern man befugt ist?"

4 *(Schluß) vom Generellen auf das Spezielle und vom Speziellen auf das Generelle.* Diese Regel wurde von R. Yishma'el (s. o.) zu acht Regeln erweitert.

**179** *Sifre Bemidbar, Beha'aloteha §§ 82f* (zu Num 10, 33f).

*Da zogen sie vom Berge des Herrn einen Weg von 3 Tagen ...* (Num 10, 33). Das lehrt, daß die Shekhina an diesem Tage 36 Meilen (vorwärts) ging, damit sie (rasch) in das Land kämen. (Die Gelehrten) haben (dafür) ein Gleichnis gegeben: „Wem gleicht die Sache? Menschen, die
5 zum Kriege ausziehen. Wenn sie abmarschieren, sind sie fröhlich, aber immer, wenn sie anlangen, sind ihre Hände schlaff. Bei den Israeliten aber war es nicht so, sondern immer, wenn sie anlangten, waren sie fröhlich und sprachen: ‚Wir wollen (weiter)gehen und das Land Israel ererben!'" Ein anderer Ausspruch: „(Die Israeliten) spra-
10 chen: ‚Unsere Väter haben gesündigt, und es wurde ihnen das Urteil gesprochen: »In dieser Wüste sollen eure Leiber fallen« (Num 14, 29). Aber wir wollen nicht sündigen und sterben in der Wüste, sondern wollen gehen und das Land Israels ererben!'"

*Und die Lade des Bundes des Herrn zog vor ihnen her.* Von hier
15 haben sie gesagt: „Zwei Laden gab es, eine, die mit ihnen zum Kriege auszog, und eine, die bei ihnen im Lager blieb. In der, die mit ihnen zum Kriege auszog, befand sich das Torabuch. Denn es heißt: (*Und die Lade) des Bundes des Herrn zog vor ihnen her.* In der, die bei ihnen im Lager blieb, befanden sich die Bruchstücke der (Gesetzes)tafeln. Denn
20 es heißt: »Und die Lade des Bundes des Herrn und Mose wichen nicht aus dem Lager« (Num 14, 44)." R. Shim'on ben Yoḥai sagt: „Es heißt nicht: *Und die Lade des Bundes des Herrn zog vor ihnen her,* sondern: *Und die Lade des Bundes des Herrn pflegte vor ihnen herzuziehen.* Ein Gleichnis mit dem kaiserlichen Statthalter (*ante-Caesar*), der seinen
25 Truppen voranzuziehen (und) ihnen einen Ort zu bestimmen pflegt zum Lagern. So pflegte (auch) die Shekhina den Israeliten voranzuziehen und ihnen einen Ort zu bestimmen zum Lagern."

*Um ihnen einen Ruheplatz auszukundschaften* ('auskundschaften': *la-tur*). Welche Belehrung ergibt sich daraus? Weil es heißt: „Als aber
30 die Kanaaniter, der König von Arad, hörten" (Num 21, 1) –: Sowie die Kanaaniter hörten, daß die Kundschafter gestorben waren, sprachen sie: „Ihre Kundschafter sind gestorben! Wir wollen gehen und sie bekriegen!" R. Shim'on ben Yoḥai sagt: „»daß Israel heranzog auf dem Wege der *atarim*« (Num 21, 1). Es heißt nicht: »auf dem Wege der *i-*
35 *tarim* (‚keine Kundschafter')«, sondern: »auf dem Wege der *atarim* (‚Kundschafter')«! Sowie Aaron gestorben war, sprachen (die Kanaaniter): ‚Ihr Hohepriester ist gestorben; ihr großer Kundschafter (*tayyar*) – nämlich die Wolkensäule, die ihnen den Krieg führte – ist fortgegangen. Siehe, die Stunde ist da, wo wir gehen und sie bekriegen können!'"
40 R. Shim'on ben Yoḥai sagt: „Eine große Schande war das für die Israeliten damals, als sie sprachen: ‚Laßt uns Männer vor uns hersenden' (Dtn 1, 22)! Gott sprach zu ihnen: ‚Wenn ich euch (bisher), wo ihr

»in einem Land der Einöde und Schluchten« (Jer 2, 6) wart, ernährt
und unterhalten habe, um wieviel mehr werde ich euch (nun), wo ihr
45 einzieht in »ein gutes und weites Land, ein Land, in dem Milch und
Honig fließt« (Ex 3, 8), ernähren und unterhalten!'"

*Und die Wolke des Herrn stand über ihnen am Tage* (Num 10, 34).
Von hier haben (die Gelehrten) gesagt: „7 Wolken waren es [nämlich
Num 10, 34; 14, 14; 9, 19; Ex 40, 36–38] ...: vier auf ihren vier Seiten
50 und eine oben und eine unten und eine vor ihnen. Sie erniedrigte das
Hohe und erhöhte das Niedrige und erschlug die Schlangen und Skor-
pione und fegte und sprengte vor ihnen." R. Yehuda dagegen sagt:
„Dreizehn (Wolken) waren es: zwei auf jeder (der vier) Seite(n) und
zwei oben und zwei unten und zwei vor ihnen." R. Yoshiyya sagt:
55 „Vier." Rabbi sagt: „Zwei (waren es)."

*Und die Wolke des Herrn stand über ihnen am Tage.* Über den
Lahmen und über den Blinden und über den Flußbehafteten und über
den Aussätzigen.

*Und die Wolke des Herrn stand über ihnen.* Woraus schließt du, daß,
60 wenn einer von den Israeliten sich weg begab aus der Bedeckung mit
den Flügeln der Wolke, (dann) die Wolkensäule sich mit ihm nach
rückwärts begab, so lange, bis er (wieder) zurückkehrte? Da ist es eine
Belehrung, daß es heißt: *Und die Wolke des Herrn stand über ihnen.*
Oder (vielleicht): Wie (die Wolke) Israel beschützte, so beschützte sie
65 auch die Völker der Welt? Da ist es eine Belehrung, daß es heißt: *über
ihnen*; Israel beschützte sie, und nicht die Völker der Welt. Oder
(vielleicht): Wie sie sie beschützte am Tage, so beschützte sie sie (auch)
in der Nacht? Da ist es eine Belehrung, daß es heißt: *am Tage.* ... R.
Shim'on ben 'El'azar sagte: „Woraus schließt du, (daß) die Israeliten
70 jene ganzen 40 Jahre hindurch, die sie in der Wüste waren, keine
Lampe brauchten, sondern (daß) selbst, wenn jemand in eine Kammer, die (noch) innerhalb einer (andern) Kammer lag, hineinging,
(etwas) wie eine Leuchte mit ihm hineinging (und ihm leuchtete), bis
er (wieder) herausging? Da ist es eine Belehrung, daß es heißt: ,Für die
75 Augen des ganzen Hauses Israel, solange sie reisten' (Ex 40, 38). Also
selbst wenn jemand in eine Kammer hineinging, die (noch) innerhalb
einer (andern) Kammer lag, leuchtete die Feuersäule vor ihm her!"

2 *Shekhina*, Gottes irdische Manifestation.

24 *Ante-Caesar*. Das aramäische Wort אנטיקסר steht vermutlich für ein griechisches ἀντίκαισαρ, das jedoch weder im Griechischen noch im Lateinischen
belegt ist (vgl. allerdings ἀνθύπατος/*proconsul*).

34 *i-tarim*. Vgl. *I-kavod* (1 Sam 4, 21), „keine Herrlichkeit".

55 *Rabbi*, R. Yehuda haNasi'.

## Maximen

Vielfach ähnelt die moralische Unterweisung der Rabbinen der
der älteren Weisheitsliteratur darin, daß sie in Gestalt von Maxi-

men übermittelt wird, kurzen sententiösen Äußerungen, oft in epigrammatischer Form. Einige Beispiele haben wir schon gegeben (s. *171–176*), Hunderte könnten wir noch anführen.

## 180  *Mischna Avot 2, 6f.*

Auch sah er einen Schädel auf dem Wasser schwimmen und sprach zu ihm: Weil du ertränkt hast, hat man dich ertränkt, und zuletzt werden deine Ertränker auch ertrinken. Er pflegte zu sagen: Je mehr Fleisch, desto mehr Würmer; je mehr Güter, desto mehr Sorge; je mehr Skla-
5 vinnen, desto mehr Unzucht; je mehr Knechte, desto mehr Gestohlenes; je mehr Frauen, desto mehr Zauberei; je mehr Gesetz(esstudium), desto mehr Leben; je mehr Weisheit, desto mehr Sitzung (eifriger Schüler); (Var.: + je mehr Rat, desto mehr Einsicht); je mehr Gerechtigkeit, desto mehr Heil. Wer einen guten Namen erworben hat, hat
10 (ihn? etwas?) für sich erworben; wer sich Worte des Gesetzes erworben hat, hat sich das Leben der zukünftigen Welt erworben.

1 *er*. Hillel.
7 *desto mehr Leben*. Das Gesetz ist der Weg zum (ewigen) Leben – eine sehr charakteristische Behauptung; vgl. Z. 11.

## 181  *Mischna Avot 3, 5.*

R. Nechonja b. ha-Qana (ca. 70–130 n.Chr.) sprach: Jeder, der das Joch des Gesetzes auf sich nimmt, von dem wird man das Joch der Regierung und das Joch irdischen Wandels wegnehmen; aber jedem, der das Joch des Gesetzes abwirft, dem wird man das Joch der Regie-
5 rung und das Joch irdischen Wandels auflegen.

3 *Regierung*, wörtlich „Königreich"; wenn dieses Wort in rabbinischen Schriften absolut gebraucht wird, bedeutet es gewöhnlich „die Regierung", die weltliche Obrigkeit, oft natürlich das römische Reich. R. Nechonja will sagen, daß der Fromme, der sich ins Gesetz vertieft, keine unangenehmen Händel mit der Obrigkeit haben wird.
*irdischer Wandel*, d. h. weltliche Beschäftigung.

Natürlich wurden ebensogut juristische wie moralische Erklärungen in die Form von Maximen gebracht, so z. B. die Erklärung des R. Meïr zu der Frage, was am Sabbat zu gestatten sei und was nicht.

## 182  *Mischna Shabbat 15, 1.*

Dies sind die Knoten, derentwegen man schuldig wird (,wenn man sie am Sabbat knüpft): der Knoten der Kameltreiber und der Knoten der Schiffer. Wie einer schuldig wird, wenn er sie knüpft, so wird er auch schuldig, wenn er sie löst. R. Meïr sagte: Wegen jeglichen Knotens, den
5 man mit nur einer Hand lösen kann, wird man nicht schuldig.

*Gleichnisse*

Gleichnisse bilden eine weitere, sehr gebräuchliche rabbinische Literaturform. Bei ihrer Erklärung treten kaum Schwierigkeiten auf. Logisch beruhen sie meist auf dem „Leicht- und Schwer"-Argument (s. *178* mit Anm. zu Z. 2), doch einzelnes wird zuweilen auch allegorisiert.

**183** *Mischna Avot 3, 17.*

R. Eleasar b. Asarja (ca. 50–120 n. Chr.) sprach: Ohne Gesetz(esstudium) keine gute Sitte, ohne gute Sitte kein Gesetz(esstudium); ohne Weisheit keine (Gottes)furcht, ohne (Gottes)furcht keine Weisheit; ohne Wissen keine Einsicht, ohne Einsicht kein Wissen; ohne Mehl
5 kein Gesetz, ohne Gesetz kein Mehl. Er pflegte zu sagen: Ein jeder, dessen Weisheit größer ist als seine Werke, womit läßt sich der vergleichen? (Es verhält sich mit ihm wie) mit einem Baume, der viele Zweige, aber wenig Wurzeln hat, und es kommt der Wind, entwurzelt ihn und wirft ihn um. (Var.: + Denn es heißt (Jer 17, 6): Er ist wie ein
10 kahler Baum in der Steppe und erlebt nicht, daß Gutes eintrifft; er wohnt an ausgedörrten Stätten in der Wüste). Und ein jeder, dessen Werke größer sind als seine Weisheit, womit läßt sich der vergleichen? (Es verhält sich mit ihm wie) mit einem Baum, der wenig Zweige, aber viele Wurzeln hat; wenn auch alle Winde in der Welt kommen und ihn
15 anwehen, so rücken sie ihn doch nicht von seiner Stelle. (Var.: + Denn es heißt (Jer 17, 8): Er ist wie ein Baum, der am Wasser gepflanzt ist und seine Wurzeln nach dem Bache hinstreckt, der sich nicht fürchtet, wenn Hitze kommt, dessen Laub frischgrün bleibt, der auch in dürren Jahren unbesorgt ist und nicht abläßt, Früchte zu bringen.)

**184** *Mischna Sukka 2, 9.*

Die ganzen sieben (Fest)tage über macht man seine Laubhütte zum feststehenden, sein Haus zum gelegentlichen (Aufenthaltsort). Gehen Regengüsse nieder, von wann an ist es erlaubt, (die Laubhütte) zu räumen? Von (dem Augenblick an), wo der Brei verdirbt. Man trägt
5 über ihn ein Gleichnis vor: Womit ist das vergleichbar? Mit einem Sklaven, der seinem Herrn eben (einen Becher) einschenken will, da gießt (dies)er ihm den (Wasser)krug ins Gesicht.

1 *Laubhütte (sukka)*. Es wurde von ihm gefordert, daß er während des Laubhüttenfestes (s. *199*) in dieser Hütte wohnte.

7 *ins Gesicht*, „In das des Sklaven. Am Laubhüttenfest ist Regen ein Zeichen göttlichen Zorns (*mTaʻanit* 1, 1). Der Sklave (Israel) konnte seine Pflichten (das Halten der von Gott verordneten Feste und das Wohnen in Hütten) erfüllen, doch sein Herr (Gott) zeigt nur sein Mißfallen." H. Danby, *The Mishnah*, Oxford 1933, z. St.

**185** *Bavli Shabbat 153a.*

R. Elieser sagte: Tue Buße einen Tag vor deinem Tode. Die Schüler
sprachen zu R. Elieser: Weiß denn der Mensch, an welchem Tag er
sterben wird? Dieser erwiderte: Um so mehr muß er heute Buße tun,
vielleicht stirbt er morgen; es ergibt sich also, daß er all seine Tage in
5 Buße verbringt. Ebenso sagte Salomo in seiner Weisheit: Zu jeder Zeit
mögen deine Kleider weiß sein, und deinem Haupte mangele es nie an
Öl (Qoh 9, 8). R. Jochanan b. Zakkai sagte ein Gleichnis: Einst lud ein
König seine Diener zur Mahlzeit ein und setzte ihnen keine Zeit fest.
Die Klugen schmückten sich und setzten sich vor die Tür des Königs,
10 indem sie sprachen: Fehlt denn etwas im Haus des Königs? Die Toren
dagegen gingen zur Arbeit fort, indem sie sprachen: Gibt es denn eine
Mahlzeit ohne Vorbereitung? Als der König plötzlich nach seinen
Dienern verlangte, traten die Klugen geschmückt ein, die Toren dagegen traten in ihrem Schmutze ein. Da freute sich der König über die
15 Klugen und zürnte über die Toren und sprach: Diese da, die sich zur
Mahlzeit geschmückt haben, mögen sich setzen und essen und trinken; jene aber, die sich zur Mahlzeit nicht geschmückt haben, mögen
stehenbleiben und zuschauen. Der Schwiegersohn R. Meïrs sagte im
Namen R. Meïrs: Auch diese könnten noch wie Diensttuende ausse-
20 hen; vielmehr sollen jene und diese sitzen; jene jedoch werden essen,
diese aber hungern, jene werden trinken, diese aber dürsten, wie es
heißt: Siehe, meine Knechte werden essen, ihr aber sollt hungern ...
(Jes 65, 13 f).

*Erzählungen*

Oft benutzen die rabbinischen Bücher die Erzählung als Mittel,
eine Wahrheit auszudrücken. Manchmal handeln diese Erzählungen von ganz normalen Ereignissen, die zu einer juristischen
Frage und ihrer Entscheidung führen; manchmal dienen sie auch
andern Zwecken, z. B. Israel oder einzelnen Juden Ehre zu machen. Auch Wundererzählungen kommen vor, von denen einige
interessante Parallelen zu den Wundern des NT darstellen.

**186** *Mischna Nedarim 9, 5.*

> Diese Erzählung wirft eine Frage auf und führt weiter zu ihrer Entscheidung
> über die Gültigkeit und Widerruflichkeit eines Gelübdes.

Man darf einem einen Ausweg öffnen (durch den Hinweis) auf die
Hochzeitsverschreibung seiner Frau. Es entsagte einmal einer durch
Gelübde seiner Frau; ihre Hochzeitsverschreibung betrug 400 Denare. Als er vor R. 'Aqiva kam und dieser ihn verurteilte, ihr ihre Hoch-
5 zeitsverschreibung zu zahlen, sprach er zu ihm: Meister, 800 Denare
hinterließ mein Vater, 400 erhielt mein Bruder und 400 erhielt ich;
genügt es nicht, daß sie nur 200 erhält und ich 200 behalte? R. 'Aqiva

erwiderte: Selbst wenn du das Haar deines Kopfes verkaufen müßtest,
hast du ihr ihre Hochzeitsverschreibung auszuzahlen. Hierauf sprach
10 jener: Wenn ich gewußt hätte, daß es sich damit so verhält, so hätte ich
kein Gelübde abgelegt. Da entband R. ʿAqiva ihn davon.

2 *Hochzeitsverschreibung, K<sup>e</sup>tubba*, wörtlich: Geschriebenes, dann: Wittum.
Das Wort wird gebraucht a) für das Dokument (vgl. *mKetubbot* 4, 7–12),
worin sich der Bräutigam verpflichtet, der Braut eine bestimmte Summe für
den Fall seines Todes oder seiner Ehescheidung anzuweisen, b) für die in
diesem Dokument ausgesetzte Geldsumme (vgl. *mKetubbot* 5, 1); Danby
a.a.O. S. 794 und Dalman (s. S. 217) S. 211b. Vgl. oben *49–51* und K. Beyer,
*Die aramäischen Texte vom Toten Meer*, S. 611.

8 *Selbst wenn du ... verkaufen müßtest.* Die in der *K<sup>e</sup>tubba* eingegangene
Verpflichtung ist absolut bindend; die geschiedene Frau hätte sonst überhaupt keinen Unterhalt.

11 *entband ... ihn*, ‚eröffnete ihm einen Ausweg' (Z. 1). Dieses Beispiel der
Annullierung eines Gelübdes begegnet unter anderen, in denen es darum
geht, daß ein Mann von seinem Gelübde entbunden werden kann, weil er
seine Implikationen nicht verstand, als er es ablegte.

**187** *Yerushalmi Baba Meṣiʿa' II 8c, 21–34* (ed. Krotoschin 1920).

Simeon b. Schaṭach (um 80 v. Chr.) war mit (der Bereitung von) Flachs
beschäftigt. Da sprachen seine Schüler zu ihm: Rabbi, halt ein! Wir
werden dir einen Esel kaufen, dann hast du nicht (mehr so) viel zu
arbeiten! Sie gingen und kauften einen Esel von einem Sarazenen,
5 und da hing an ihm eine Perle. Sie gingen zu ihm und sagten zu ihm:
Von nun an brauchst du niemals wieder zu arbeiten. Er fragte sie:
Wieso? Sie antworteten ihm: Wir haben dir einen Esel von einem
Sarazenen gekauft, an dem hing eine Perle. Er sprach zu ihnen: Weiß
sein Herr davon? Sie antworteten ihm: Nein. Er gebot ihnen: Geh und
10 gib zurück! (Sie entgegneten): Sagte denn nicht R. Huna ... im Namen
Rav's ...: Selbst wenn, wie er sagte, das geraubte Gut eines Heiden (zu
besitzen) verboten ist, so erkennt doch jedermann an, daß sein verlorener (bzw. gefundener) Gegenstand (zu behalten) erlaubt ist. (Da antwortete er:) Meint ihr etwa, Simeon b. Schaṭach sei ein Barbar? (Viel-
15 mehr) wünscht Simeon b. Schaṭach zu hören (, daß der Sarazene
ausruft): Gepriesen sei der Gott der Juden!, als allen Besitz der Erde
anzuhäufen. – Und eben dies ist es auch, was den R. Chanina bestätigt: Verlorener Besitz ist wiederzuerstatten (Var.: + um der Heiligung des [Gottes]namens willen). (Einige) alte Rabbinen kauften ei-
20 nen Haufen Weizenkörner von einigen Soldaten und fanden darin
einen Beutel mit Denaren; sie gaben ihn ihnen (den Soldaten) zurück,
und diese sprachen: Gepriesen sei der Gott der Juden!

Andere Fassung bei Aug. Wünsche, *Der Jerusalemische Talmud in
seinen haggadischen Bestandteilen zum ersten Mal ins Deutsche übertragen*, Zürich 1880, S. 230 f.

**188** *Mischna Taʻanit 3, 8.*

Einst sprach man zu Choni, dem Kreiszieher: Bete, daß Regengüsse
niedergehen! Er antwortete: Geht und schaffet die Bratöfen für die
Passalämmer (von den Höfen) hinein, damit sie nicht (infolge des
Regens) aufweichen. Dann betete er, aber es fiel kein Regen. Was tat
5 er? Er zog einen Kreis und stellte sich hinein und sprach vor ihm
(Gott): Herr der Welt, deine Kinder haben ihr Angesicht auf mich
gerichtet, weil ich wie ein Kind des Hauses vor dir bin. Ich schwöre bei
deinem großen Namen, daß ich nicht von hier (aus diesem Kreise)
weiche, bis du dich über deine Kinder erbarmst! Da begann der Regen
10 niederzutröpfeln. Er sprach: Nicht um solchen Regen habe ich gebeten, sondern um Regen für Gruben, Zisternen und Höhlen (d.h. mas-
senhaften Regen). Da begann der Regen mit Heftigkeit zu fallen. Er
sprach: Nicht um solchen Regen habe ich gebetet, sondern um Regen
des Wohlgefallens, des Segens und der Ergiebigkeit. Da gingen die
15 Regenwolken ordentlich nieder, bis die Israeliten von Jerusalem zum
Tempelberg der Regengüsse wegen hinaufgingen. Man kam und sagte
zu ihm: Wie du um sie gebetet hast, daß sie niederfallen möchten, so
bete, daß sie aufhören! Er sprach zu ihnen: Geht und seht zu, ob der
Ṭoʻim-Stein sich aufgelöst hat! Da ließ ihm Simeon b. Schaṭach sagen:
20 Wenn du nicht Choni wärest, würde ich den Bann über dich verhängen
(wegen deines ungebührlichen Betens); aber was soll ich dir tun? Du
benimmst dich zutraulich vor Gott, und er tut dir deinen Willen, wie
wenn ein Sohn sich gegen seinen Vater zutraulich benimmt, und er tut
ihm seinen Willen. Und in bezug auf dich hat die Schrift gesagt: Es
25 freue sich dein Vater und deine Mutter, und es frohlocke deine Gebäre-
rin (Prov 23, 25)!

1 *Choni der Kreiszieher* lebte zu Anfang des 1. Jahrhunderts v.Chr. Man
kommt kaum umhin, dieses Kreisziehen mit Magie in Verbindung zu bringen, besonders im Hinblick auf Simeons Rüge (Z. 20). Im *Midrasch zu Ps 77,
1 f* ist mit Bezug auf Hab 2, 1 („Ich will mich auf meine Warte stellen") das
Kreisziehen ein Zeichen von Ungeduld: Habakuk will sich nicht aus seinem
Kreise bewegen, bis Gott seine Frage beantwortet. Doch kann dies auch
sekundäre Deutung eines Brauches sein, dessen Ursprünge weiter zurück-
liegen. Zu einem wichtigen Bericht über Choni vgl. G. Vermes, *Jesus the
Jew,* London 1973, S. 69–72.

2 *Bratöfen für die Passalämmer,* aus Lehm eigens zum Braten der Passa-
Opfertiere hergestellt.

7 *Kind des Hauses* und folglich besonders vertraut mit Gott, in der Lage,
aufdringliche Wünsche zu äußern und das Erbetene zu erreichen.

19 *Ṭoʻim-Stein,* „Stein der Vermissenden (?), ein großer Stein in Jerusalem, bei
welchem gefundene Gegenstände vom Finder öffentlich ausgerufen wurden", Billerbeck z. St.; etwas anders Danby z. St.: Die *Ṭoʻim* sind „Irrende",
d. h. solche, die auf der Suche nach ihrem verlorenen Eigentum sind; vgl.
*mBaba Meṣiʻa* 2, 1–6.
*ob ... sich aufgelöst hat,* d. h. sowenig das möglich ist, sowenig darf darum
gebetet werden, daß der Überfülle des Guten Einhalt geschehe (Billerbeck z.
St.).

*Simeon b. Schaṭach*, s. oben *187*. Offenbar empfand er das Verfahren als unorthodox, doch Chonis offenkundiger Einfluß bei Gott entzog ihn jeder Strafe.

22 *zutraulich*, d.h. vertraulich, leichtfertig, sündig (Billerbeck Bd. II S. 309 und 190).

## C. Das Gesetz

Das Gesetz war nicht nur die Basis der rabbinischen Gelehrsamkeit und Literatur (oben S. 215f), sondern auch die Grundlage des religiösen und sozialen Lebens. Es kam von Gott, gewährte die göttliche Offenbarung der Wahrheit, soweit der Mensch ihrer bedurfte, und wies einen gangbaren Weg zum Heil.

**189** *Shemot Rabba 33, 1* (zu Ex 25,1).

Ein Gleichnis: Gleich einem Könige, welcher nur eine einzige Tochter hatte, um die einer der Könige warb und sie auch nahm. Als er nun nach seinem Lande zurückkehren und sein Weib mitnehmen wollte, da sprach der Vater zu ihm: Meine Tochter, welche ich dir gegeben
5 habe, ist das einzige Kind, das ich habe, ich kann mich nicht von ihr trennen, ich kann aber auch zu dir nicht sagen: Nimm sie nicht auf, denn sie ist doch dein Weib; allein tue mir das zu Gefallen, wohin du mit ihr gehst, bereite mir ein Gemach, daß ich bei euch wohnen kann; denn ich kann nun einmal meine Tochter nicht verlassen. So sprach
10 auch Gott zu Israel: Ich habe euch die Tora gegeben, ich kann mich aber nicht von ihr trennen, ebenso kann ich nicht zu euch sagen: Nehmt sie nicht. Sondern machet mir an jedem Orte, wo ihr hinkommt, ein Haus zurecht, worin ich wohnen kann, wie es heißt: „Machet mir ein Heiligtum" (Ex 25, 8).

10 *Ich habe euch die Tora gegeben.* Aus der verwandtschaftlichen Beziehung Vater-Tochter im Gleichnis darf man nicht auf eine metaphysische Qualifikation des Gesetzes schließen. Solche Gedanken sind dieser Art von Auslegung ganz fremd. Der Ausleger will betonen, daß das Gesetz eine Gnadengabe Gottes an Israel ist, ein Zeichen seiner Huld, und daß sein Besitz Gottes Gegenwart in einer einzigartigen Weise mit sich bringt.

**190** *Sifre Bemidbar, Shelaḥ § 115, 35a.*

Das Gesetz ist eine kostbare Gabe und hat zur Voraussetzung, daß Gott sein Volk losgekauft hat.

Warum erwähnen sie den Auszug aus Ägypten bei jedem einzelnen Gebot? Ein Gleichnis. Womit ist die Sache vergleichbar? Mit einem König, dessen Freundes Sohn gefangengenommen wurde. Und als er ihn loskaufte, kaufte er ihn nicht als Freien los, sondern als Sklaven,
5 um ihm für den Fall, daß er (etwas) befiehlt und jener es nicht auf sich

nehmen will, sagen zu können: „Mein Sklave bist du!" Als (der König dann) in die Stadt kam, sagte er zu jenem: „Zieh mir meine Sandalen an und trage meine Sachen vor mir her zum Badehaus hin!" Da fing dieser Sohn an zu protestieren. (Der König aber) zog den Kaufbrief
10 heraus und sagte zu ihm: „Mein Sklave bist du!" So (auch): Als der Heilige, gepriesen sei er, den Samen Abrahams, seines Freundes, loskaufte, kaufte er sie nicht los als Kinder, sondern als Sklaven, um ihnen für den Fall, daß er (etwas) befiehlt und sie es nicht auf sich nehmen wollen, sagen zu können: „Meine Sklaven seid ihr!" Als sie
15 (aus Ägypten) in die Wüste zogen, fing er an, ihnen einen Teil leichte und einen Teil schwere Gebote zu befehlen, wie z. B. (betr.) des Sabbat und der verbotenen ehelichen Verbindungen, der Troddeln und der Tefillin. Da fingen die Israeliten an zu protestieren. (Gott) aber sagte zu ihnen: „Meine Sklaven seid ihr! Unter der Bedingung habe ich euch
20 losgekauft, daß *ich* befehle und *ihr* erfüllt."

1 *erwähnen sie*, d. h. erwähnt *Gott* in der Schrift. Über dieses „sie" als vorsichtige Redeweise von Gott s. Billerbeck Bd. II S. 221 (Kuhn).

18 *Tefillin*, beim Gebet anzulegende Kapseln mit Gesetzesabschnitten (Dalman s. v.). Näheres bei Billerbeck Bd. IV S. 250–276.


**191** *Bavli Qiddushin 30b.*

Die Tora wird mit einer Mixtur des Lebens verglichen. Gleich einem Menschen, der, nachdem er seinem Sohne einen starken Schlag versetzt hat, ihm ein Pflaster auf die Wunde legt und zu ihm spricht: Mein Sohn, solange das Pflaster auf deiner Wunde ist, iß, was dir schmeckt,
5 trink, was dir schmeckt, bade warm und kalt, und du brauchst nichts zu fürchten; wenn du es aber entfernst, so wächst wildes Fleisch hervor. Ebenso sprach der Heilige – gepriesen sei er – zu Israel: Meine Kinder, ich habe den bösen Trieb erschaffen, und ich habe die Tora als Mittel gegen ihn erschaffen. Wenn ihr euch mit der Tora befasset, so
10 werdet ihr nicht in seine Hand ausgeliefert, wie es heißt (Gen 4, 7): *Wenn du gut handelst, wirst du dich erheben*. Und wenn ihr euch mit der Tora nicht befasset, so werdet ihr in seine Hand ausgeliefert, wie es heißt (Gen 4, 7): *An der Tür lauert die Sünde*. Und nicht nur das, sogar seine ganze Beschäftigung ist nur mit dir, wie es heißt (Gen 4, 7):
15 *Nach dir ist sein Verlangen*. Wenn du aber willst, kannst du über ihn herrschen, wie es heißt (Gen 4, 7): *Du wirst über ihn herrschen*.

3 *ein Pflaster auf die Wunde legt*. Durch ein Wortspiel im Hebräischen aus Dtn 11, 18 abgeleitet.

8 *Trieb, yeṣær*. S. *175* mit Anm. zu Z. 3.

# D. Feste und Festtage

Nächst dem Gesetz selbst erhielt nichts die Einheit und Einzigartigkeit Israels so sehr aufrecht wie die Begehung der im Gesetz vorgeschriebenen Feste. Sie wurden gleichermaßen in Palästina und in der Diaspora beachtet, doch konnten die drei großen Wallfahrtsfeste (Passa, Pfingsten und Laubhütten) nur im Heiligen Land voll eingehalten werden. Umso mehr Bedeutung gewann dadurch der Sabbat, der in aller Welt die Juden von ihren Nachbarn unterschied; gleichwohl strömten die Juden auch in Scharen nach Jerusalem, um an den Wallfahrtsfesten teilzunehmen.

## Sabbat

Wie alle anderen Gesetzesvorschriften wurde auch der Sabbat als eine Gnadengabe Gottes angesehen; für den frommen Israeliten war er keine Last, sondern Grund und Gelegenheit zur Freude. Man ging in seinen besten Kleidern und trug das beste Essen auf. In der Synagoge wurde Gottesdienst gehalten.

**192** *Mekhilta deRabbi Yishmael, Shabbat, § 1* (zu Ex 31, 14).

Ausgabe: J. Z. Lauterbach, Bd. III, Philadelphia 1961, S. 198.

Rabbi Shim'on ben Menasia sagt: „Siehe, es heißt: *Und ihr sollt halten den Sabbat; denn heilig ist er euch* (Ex 31, 14). Euch ist der Sabbat übergeben, und nicht seid ihr dem Sabbat übergeben."

**193** *Mischna Tamid 7, 4.*

(Dies ist) das Lied, das die Leviten im Heiligtum zu singen pflegten. Am 1. Tag (der Woche, dem Sonntag), sangen sie: *(JHW)H gehört die Erde und was sie füllt, der Erdkreis und die darauf wohnen* (Ps 24). Am 2. (Tag) sangen sie: *Groß ist (JHW)H und hoch zu rühmen in der Stadt*
5 *unseres Gottes, seinem heiligen Berg* (Ps 48). Am 3. (Tag) sangen sie: *Gott steht in der Gottesgemeinde, inmitten der Gottwesen richtet er* (Ps 82). Am 4. (Tag) sangen sie: *Gott der Vergeltung, (JHW)H, Gott der Vergeltung, erscheine* usw. (Ps 94). Am 5. (Tag) sangen sie: *Frohlockt Gott, unserer Stärke, jauchzt dem Gott Jakobs* (Ps 81). Am 6. (Tag)
10 sangen sie: *(JHW)H ist König geworden, mit Hoheit hat er sich bekleidet* usw. (Ps 93). Am Sabbat sangen sie: *Ein Psalm, ein Lied für den Sabbattag* (Ps 92) – ein Psalm, ein Lied für die künftige Zeit, für den Tag, der ganz Sabbat ist, ein Ausruhen zum ewigen Leben.

2 *am 1. Tag ... am 2. (Tag)* usw. Vgl. die Überschriften zu den einzelnen Psalmen in der Septuaginta.

12 *für den Tag, der ganz Sabbat ist.* Der Sabbat wurde als eine so köstliche Sache empfunden, daß er als Typus des kommenden Äons angesehen wurde.

**194** *Mischna Shabbat 7, 1f.*

Eine wichtige Grundregel haben sie ausgesprochen in bezug auf den Sabbat: Wer das Grundgesetz des Sabbats vergißt und mehrere (verbotene) Arbeiten an mehreren (aufeinanderfolgenden) Sabbaten verrichtet, ist nur zu einem (einzigen) Sündopfer verpflichtet. Wer das
5 Grundgesetz des Sabbats kennt und mehrere (verbotene) Arbeiten an mehreren (aufeinanderfolgenden) Sabbaten verrichtet, ist (zu einem Sündopfer) verpflichtet für jeden einzelnen Sabbat (, den er entweihte). Wer weiß, daß es Sabbat ist, und mehrere (verbotene) Arbeiten an mehreren (aufeinanderfolgenden) Sabbaten verrichtet, ist (zu einem
10 Sündopfer) verpflichtet für jede Hauptklasse der einzelnen Arbeiten. Wer mehrere (verbotene) Arbeiten verrichtet von der Art einer (einzigen) Arbeit, ist nur zu einem (einzigen) Sündopfer verpflichtet.

(Die) Hauptklassen von (verbotenen) Arbeiten sind vierzig weniger eine: wer sät und wer pflügt und wer erntet und wer Garben bindet;
15 wer drischt und wer worfelt; wer ausliest, wer mahlt und wer siebt und wer knetet und wer bäckt; wer die Wolle schert, wer sie bleicht und wer sie hechelt und wer sie färbt und wer (sie) spinnt und wer webt und wer zwei Maschen macht und wer zwei Fäden webt und wer zwei Fäden spaltet; wer (einen Knoten) knüpft und wer (einen Knoten) löst
20 und wer zwei Stiche näht; wer aufreißt in der Absicht, zwei Stiche zu nähen; wer einen Hirsch jagt, wer ihn schlachtet und wer ihn abhäutet und wer ihn einsalzt und wer sein Fell gerbt und wer es abschabt und wer es schneidet; wer zwei Buchstaben schreibt und wer radiert in der Absicht, zwei Buchstaben zu schreiben; wer baut und wer abreißt; wer
25 (ein Feuer) löscht und wer (es) anzündet; wer mit dem Hammer schlägt; wer (etwas) von einem Gebiet in ein anderes hinausträgt. Siehe, das sind (die) Hauptklassen von (verbotenen) Arbeiten, vierzig weniger eine.

2 *Grundgesetz des Sabbats*. Mit „Grundgesetz" ist עיקר (*'iqqar*), wörtlich „Wurzel", wiedergegeben. Dabei ist an die Sabbatgebote der Tora, insbesondere an Ex 20, 8–11; Dtn 5, 12–15, gedacht. Die Pointe scheint zu sein, daß derjenige, der das fundamentale Prinzip des Sabbatgebots nicht kennt, nur hinsichtlich dieser einen, fundamentalen Unkenntnis oder Vergeßlichkeit schuldig wird. Wer das Gesetz kennt und sich daran erinnert, aber den Sabbattag vergißt und so die Sabbatgesetze bricht, ist für jeden Akt des Vergessens und des daraus resultierenden Gesetzesbruchs verantwortlich. Das Gesetz war etwas Köstliches, aber es mußte auch gehalten werden.

26 *wer (etwas) von einem Gebiet in ein anderes hinausträgt.* S. dazu *195* mit Anm. zu Z. 2.

**195** *Mischna Shabbat 2, 7.*

Drei Dinge muß ein Mann sagen in seinem Haus (am) Vorabend des Sabbat bei (Anbruch der) Dunkelheit: Habt ihr verzehntet? Habt ihr den 'Eruv gemacht? Zündet die (Sabbat-)Lampe an! (Besteht) ein Zweifel (ob) Dunkelheit (herrscht), (besteht) ein Zweifel, (ob) keine

5 Dunkelheit (herrscht), (dann) verzehntet man nicht das (mit) Gewiss-
(heit Unverzehntet)e, und man taucht die Geräte nicht unter, und
man zündet die (Sabbat-)Lampen nicht an; aber man verzehntet das
Zweifelhafte, und man macht den ʿEruv, und man hält das warme
(Essen) warm.

2 *Habt ihr verzehntet?* Speise, die zum Verzehr am Sabbat bestimmt war,
mußte vor Sabbatbeginn verzehntet werden.
*Habt ihr den ʿEruv gemacht?* Die Rabbinen bestanden auf der Einhaltung
des Sabbats, aber alle möglichen Maßregeln wurden ergriffen, um zu ge-
währleisten, daß die Einhaltung auf vernünftige Weise möglich blieb. So
wurde z.B. das Gesetz gegen das „Ausgehen" (gegründet auf Ex 16, 29 und
interpretiert auf das Ausgehen von einem Gebiet, z.B. dem eigenen Grundstück, auf ein anderes; s.o. *194* Z. 26) durch die Anwendung des sog. ʿEruv
(עירוב) gemildert. Dieses Wort bedeutet wörtlich „Verflechtung, Vermen-
gung" und bezeichnet verschiedene Mittel, durch die eine größere Bewe-
gungsfreiheit am Sabbat ermöglicht werden konnte. Die wichtigsten nennt
M. Jastrow (*A Dictionary of the Targumim* etc., New York/Berlin/London
1926, S. 1075f): ʿEruv, eine symbolische Handlung, durch welche die juristisch einwandfreie Fiktion der Übereinstimmung und des Zusammen-
hangs erreicht wird, z.B.: (a) mit Bezug auf die Sabbatbeschränkungen:
Eine Person hinterlegt vor dem Sabbat (oder einem Feiertag) bestimmte
Nahrungsmittel an einem Ort, wo sie den folgenden Tag über verbleiben;
durch diesen Akt wird der Wohnsitz an diesen Ort verlegt, und die Fortbe-
wegungen am Sabbat werden von ihm als Zentrum aus gemessen; (b) mit
Bezug auf Gebäude mit einem gemeinsamen Hof: Alle Bewohner steuern
einen Anteil zu einer Schüssel bei, die in einem der Häuser hingestellt wird;
dadurch werden alle Häuser als Gemeinbesitz aller betrachtet, und das
Tragen von Gegenständen am Sabbat von einem Haus zum andern und über
den Hof ist erlaubt; (c) mit Bezug auf die Bereitung von Mahlzeiten für den
Sabbat, wenn der Freitag zufällig ein Feiertag ist: Eine Person bereitet eine
Schüssel am Donnerstag vor und läßt sie bis zum Ende des Sabbats stehen;
durch diese Fiktion wird alles Kochen für den Sabbat, das an dem Feiertag
(Freitag) erfolgt, eine bloße Fortsetzung der am Donnerstag begonnenen
Vorbereitung.‘

3 *Zündet die (Sabbat-)Lampe an!* Die Sitte, am Vorabend des Sabbats eine
Lampe anzuzünden, ist sehr alt. Sie hatte ihren Ursprung wohl darin, daß es
verboten war, am Sabbat selbst ein Feuer anzuzünden; doch wurde sie dann
lange Zeit als Ausdruck der Sabbatfreude gedeutet.

8 *Zweifelhaftes, dammai,* Erzeugnisse, besonders Früchte, von denen zweifelhaft war, ob der Zehnte gezahlt worden ist, z.B. solche, die von einem *ʿam ha-
ʾaræs* (s. *213*) erworben worden waren.

## Passa

Das alljährliche Passafest führte immer große Scharen von Pil-
gern in Jerusalem zusammen. Es hielt die Erinnerung an die
Befreiung Israels aus Ägypten wach, eine Erinnerung, in welcher
jeder Jude sich an diesem Ereignis persönlich beteiligt fühlen
sollte. Gleichzeitig wies das Fest auf die künftige Befreiungstat

Gottes hin, d. h. es war ebenso eschatologisch, wie es dem Andenken an Vergangenes diente.

**196** *Mischna Pesaḥim 10, 1. 3–5.*

(An den) Vortagen der Passafeste, nahe dem Nachmittag, soll man nicht essen, bis es dunkel wird. Und sogar der Ärmste in Israel soll nicht essen, bis er sich zu Tisch gelegt hat. Und man soll ihm nicht weniger als vier Becher Wein geben, und wenn (es) auch aus der
5 Armenschüssel (wäre)...

Man hat ihm aufgetragen; er nimmt Lattich als Vorspeise, bis er bei der Zukost zum Brot anlangt. Man hat ihm ungesäuertes Brot und Lattich und *ḥaroset* und zwei Gerichte aufgetragen, obwohl *ḥaroset* nicht Gebot ist. Rabbi ʿElazar bar Ṣadoq sagt: (Es ist) Gebot. Und in
10 (der Zeit des Jerusalemer) Heiligtum(s) pflegte man ihm das Passa(opfer) selbst aufzutragen.

Man hat ihm (den) zweiten Becher gemischt, und nun fragt der Sohn seinen Vater. Und wenn der Sohn (noch) kein Verständnis hat, lehrt ihn sein Vater (zu fragen): „Was unterscheidet diese Nacht von allen
15 (anderen) Nächten? Denn in allen (anderen) Nächten pflegen wir gesäuertes und ungesäuertes Brot zu essen, in dieser Nacht (aber) nur ungesäuertes Brot; in allen (anderen) Nächten pflegen wir alle sonstigen Kräuter zu essen, in dieser Nacht (aber nur) Bitterkraut; in allen (anderen) Nächten pflegen wir gebratenes, gedämpftes und gekochtes
20 Fleisch zu essen, in dieser Nacht (aber) nur gebratenes; in allen (anderen) Nächten pflegen wir (nur) einmal (bei der Vorspeise) einzutauchen, in dieser Nacht (aber) zweimal." Und entsprechend dem Verständnis, das der Sohn (hat), belehrt ihn sein Vater. Er setzt ein mit (der) Schmach (der Vorfahren) und endet mit Lobpreis; und er legt
25 dar von (der Stelle an): „Ein umherirrender Aramäer war mein Vater" (Dtn 26, 5), bis er den ganzen Abschnitt (Dtn 26, 5–9) beendet.

Rabban Gamliʾel sagte: „Jeder, der nicht die folgenden drei Worte beim Passa gesagt hat, hat seiner Verpflichtung nicht Genüge getan. Und das sind sie: Passa, ungesäuertes Brot und Bitterkraut. ‚Passa',
30 weil „der Ort" (Gott) an den Häusern unserer Väter in Ägypten vorübergegangen ist; ‚ungesäuertes Brot', weil unsere Väter in Ägypten erlöst worden sind; ‚Bitterkraut', weil die Ägypter das Leben unserer Väter in Ägypten bitter gemacht haben. In jeder Generation ist man verpflichtet, sich selbst (so) zu sehen, als ob man selbst aus Ägypten
35 gezogen wäre; denn es heißt: *und du sollst deinem Sohn an jenem Tag mitteilen: deswegen, weil (JHW)H mir (das) getan hat, als ich aus Ägypten zog* (Ex 13, 8). Deshalb sind wir verpflichtet, zu danken, zu preisen, zu loben, zu verherrlichen, zu erheben, zu rühmen, zu segnen, zu erhöhen und zu besingen denjenigen, der an unseren Vätern und an
40 uns allen diese Wunder getan hat. Er hat uns aus (der) Knechtschaft zu(r) Freiheit geführt, aus (dem) Kummer zu(r) Freude und aus (der) Trauer zu(m) Festtag und aus (dem) Dunkel zu großem Licht und aus

(der) Unterjochung zu(r) Erlösung. So laßt uns vor ihm sagen: „Halleluja."

3 *bis er sich zu Tisch gelegt hat,* wie beim sog. *triclinium,* d. h. mehr liegend als sitzend. Passa war ein Fest der *Freiheit;* zu Tische zu *liegen,* war die Haltung freier Menschen.

5 *Armenschüssel, tamḥuy,* aus der täglich umsonst ausgeteilt wurde. Alle Israeliten, wie arm sie auch immer sein mochten, hatten an Gottes Erlösungstat teil.

7 *Zukost zum Brot, parperet ha-pat,* d. h. die Bitterkräuter. Andere Hss lesen *parper 'et ha-pat,* „Brechen des Brotes". Das letztere würde sich auf die Austeilung des ungesäuerten Brotes beziehen, mit dem das Passalamm gegessen werden mußte, die *parperet* auf die Soße, in die das ungesäuerte Brot getaucht wurde. Der Bedeutungsunterschied hinsichtlich des Verlaufs der Mahlzeit ist also nicht groß.

8 *Ḥaroset,* eine Soße aus Nüssen, Früchten und Essig.

10 *in (der Zeit des Jerusalemer) Heiligtum(s).* Nach der Zerstörung des Tempels im Jahr 70 n. Chr. konnte das Passalamm nicht länger gegessen werden.

23 *Er setzt ein mit (der) Schmach (der Vorfahren) und endet mit Lobpreis,* entsprechend dem Verlauf der Erzählung Dtn 26,5–9. Dieses Thema, dessen Mittelpunkt natürlich die von Gott gewirkte Errettung ist, durchzieht das ganze Passafest.

43 *Halleluja,* d. h. das Hallel (Ps 113–118).

**197** *Mischna Ohalot 18, 7–10.*

Kauft jemand ein Feld in Syrien, das nahe am Israellande liegt, so ist es, wenn er in Reinheit dahin gehen kann, rein und unterliegt der Pflicht der Verzehntung und des Sabbatjahres. Kann er aber nicht in Reinheit dahin gehen, so ist es (zwar) unrein, unterliegt jedoch der
5 Zehnt- und Sabbatjahrespflicht. Die Wohnungen der Nichtjuden sind unrein. Wie lange muß (d)er (Nichtjude) sie bewohnt haben, so daß eine Untersuchung erforderlich ist? Vierzig Tage, auch wenn er keine Frau bei sich hatte. Hat (aber) ein Knecht oder eine Frau (das Haus) beobachtet, so bedarf (es) keine(r) Untersuchung.
10 Was untersucht man? Die tiefen Kanäle und das übelriechende Wasser. Bet Shammai sagt: Auch die Düngergruben und die lockere Erde. Und Bet Hillel sagt: Keine Stelle, wo ein Schwein und ein Wiesel hingehen können, bedarf der Untersuchung.
Die Säulengänge unterliegen nicht der (Verordnung über die) Hei-
15 denwohnung. Rabban Shim'on b. Gamli'el sagt: Eine Stadt (der Heiden), die verwüstet wurde, unterliegt nicht der (Verordnung über die) Heidenwohnung. Die Ostseite von Qesrin und die Westseite von Qesriyon sind Begräbnisplätze. Die Ostseite von Akko ist zweifelhaft; die Gelehrten jedoch erklären sie für rein. Rabbi und sein Gerichtshof
20 haben über Keni abgestimmt und es für rein erklärt.
Zehn Orte unterliegen nicht (der Verordnung) über die Heidenwohnung: die Zelte der Araber, die Feldhütten, die Flechthütten, die

Wärterhäuser, die Sommerhütten, ein Torhaus, ein Hofraum, das Badehaus, ein Pfeilhaus und Truppenunterkünfte.

1 *ist es ... rein*, unter der Voraussetzung nämlich, daß der Besitzer es betreten kann, ohne über heidnisches Land zu gehen.

5 *Die Wohnungen der Nichtjuden sind unrein*. Dieser Abschnitt wurde aufgenommen wegen seiner Bedeutung für Joh 18, 28. Wie der Kontext zeigt, wurden Häuser der Heiden der Unreinheit verdächtigt, weil man annahm, daß ihre Eigentümer Abfälle in den Abfluß warfen.

11 *Bet Shammai ... Bet Hillel*, s. 172.

17 *Qesrin*, früher mit Cäsarea am Meer gleichgesetzt, vermutlich ein Ort 8 km östlich von Gesher bene Yaakov.
*Qesriyon*, Cäsarea Philippi.

## Pfingsten

Das Pfingstfest wird im Deutschen auch nach der wörtlichen Übersetzung (von *ḥag shᵉvuʻot*, z. B. Ex 34, 22) *Wochenfest* genannt. Dieses Fest, das sieben Wochen (fünfzig Tage) nach Passa gefeiert wurde, behielt seinen ursprünglichen Charakter als Erntefest bei. Passa bezeichnete nach seiner Verschmelzung mit dem agrarischen *Maṣṣot*-Fest den Anfang, Pfingsten das Ende der Einbringung der Ernte. Im 2. Jahrhundert wurde Pfingsten als das Fest der Gesetzgebung gedeutet. Nach einigen Traditionen wurde das Gesetz vom Sinai allen Völkern in ihrer eigenen Sprache gegeben. Wenn sich der Ursprung dieser Legende in die erste Hälfte des 1. Jahrhunderts zurückverfolgen ließe, könnte man sie für eine wichtige Quelle der Erzählung in Apg 2 halten; doch ist ein so früher Ursprung unwahrscheinlich.

**198** *Bavli Pesaḥim 68b.*

R. Eleasar sagte: Alle stimmen überein, daß man sich am Wochenfeste auch der eigenen Freude hingeben müsse, weil an diesem Tage die Tora verliehen wurde.

1 *R. Eleasar*, um 270 n. Chr.

## Laubhütten

Wenn „das Fest" (*ḥag*) ohne Hinzufügung eines Namens erwähnt wird, ist im allgemeinen das Laubhüttenfest gemeint. Wie das Passafest zog es große Pilgerscharen nach Jerusalem, doch konnte es auch überall sonst gefeiert werden, wo der fromme Jude in der Lage war, sieben Tage in einer *Sukka* oder Laubhütte zu leben (nach der Vorschrift von Lev 23, 42). Daneben gab es jedoch im Tempel besondere Feierlichkeiten.

**199** *Mischna Sukka 4, 1. 5–7. 9; 5, 1–3.*

Feststrauß und Bachweide (kommen) sechs oder sieben (Tage in Betracht), das Hallel und die (Fest)freude acht, die Laubhütte und die
Wasserspende sieben und die Flöte fünf oder sechs (Tage) ...
Wie (wird) das Gebot der Bachweide (ausgeführt)? Es gibt einen Ort
5 unterhalb von Jerusalem, Moṣa genannt. Dorthin steigt man hinab
und sammelt (von) dort Bachweidenzweige und kommt (wieder herauf) und richtet sie an den Seiten des (Brandopfer)altars auf. Ihre
Spitzen neigen sich über den Altar. Man bläst (dabei) einen gedehnten
und einen schmetternden und (wieder) einen gedehnten Ton. An je-
10 dem (gewöhnlichen Feier)tage umschreitet man den Altar einmal und
spricht (dabei): „Ach, Herr, hilf doch! Ach, so hilf doch!" (Ps 118, 25).
Rabbi Juda sagt: ‚(Sie sprachen:) „Ich und Er, so hilf doch! Ich und Er,
so hilf doch!"' Am (Bachweiden-)Tag selbst umschreitet man den Altar
siebenmal. Wenn sie Abschied (voneinander) nahmen, was sprachen
15 sie? „Schönheit dir, Altar! Schönheit dir, Altar!" Rabbi Elieser sagt:
„Gott und dir, Altar! Gott und dir, Altar!"
Wie das Verfahren damit (sich) an einem Wochentag (gestaltete), so
(gestaltete sich) das Verfahren damit an einem Sabbat (, wenn er auf
den siebenten Tag traf), nur daß man sie schon am Rüsttag des Sab-
20 bats sammelte und sie in goldene Becken stellte, damit sie nicht
verwelkten. Rabbi Jochanan b. Beroqa sagt: „Dattelpalmzweige sammelte man und schlug (damit) auf den Altar. Der (Hauptfeier)tag
selbst wurde (daher) ‚Tag des Zweigeabschlagens' genannt."
Sogleich reißen die Kinder ihre Palmzweige (aus ihren Feststräu-
25 ßen) heraus und verzehren ihre Etrogim ...
Die Wasserspende (kommt) sieben (Tage in Betracht). Wie (wird sie
ausgeführt)? Eine goldene Kanne, die drei Log faßte, wurde aus dem
Siloah gefüllt. Gelangte man an das Wassertor, so blies man einen
gedehnten und einen schmetternden und (wieder) einen gedehnten
30 Ton. (D)er (diensttuende Priester) stieg auf der Rampe (zum Altar)
hinauf und wandte sich (dann) nach seiner Linken zu, und zwei Schalen aus Silber waren dort. Rabbi Juda sagte: „Aus Kalk waren sie, nur
waren sie vom Wein dunkel geworden." Und sie hatten Löcher wie
zwei feine Nasenlöcher, das eine weiter, das andere enger, damit sie
35 beide gleichzeitig zu Ende wären. Die westliche war die für das Wasser, die östliche die für den Wein (bestimmte Schale). Goß er, was in
die Wasserschale gehörte, in die Weinschale oder, was in die Weinschale gehörte, in die Wasserschale, so war er (trotzdem) seiner Pflicht
nachgekommen. Rabbi Juda sagt: „Mit einer (ein) Log (fassenden
40 Kanne) spendete er alle acht (Tage)." Und dem Spendenden ruft man
zu: „Hand hoch!" Denn einmal goß (ein)er (die Wasserspende) auf
seine Füße, und (daraufhin) bewarf ihn das ganze Volk mit ihren
Etrogim ...
Die Flöte (kommt) fünf oder sechs (Tage in Betracht). Damit ist die
45 Flöte der „Stätte des Schöpfens" gemeint, die weder den Sabbat noch

den Feiertag verdrängt. Man sagte: „Wer die Freude der ‚Stätte des Schöpfens' nicht gesehen hat, hat sein Leben lang keine (richtige) Freude gesehen."

Am Ausgang des ersten Feiertages des (Laubhütten)festes steigt
50 man in den Frauenvorhof hinab und setzte dort eine wichtige Verordnung fest. Und goldene Leuchter waren dort und goldene Schalen auf ihren Spitzen und vier Leitern (führten) zu jedem einzelnen Leuchter, und vier junge Leute aus der Jungmannschaft des Priesterstandes (waren für sie da), und in ihren Händen waren Ölkrüge zu 120 Log,
55 und sie gossen (Öl) in jede einzelne Schale.

Aus den abgetragenen Beinkleidern der Priester und aus ihren Gürteln machte man Dochte, und sie verwandte man zum Anzünden. Es gab keinen Hof in Jerusalem, der nicht hell wurde vom Licht der „Stätte des Schöpfens".

1 *Feststrauß, lulav,* korrekterweise ein Palmzweig; aber der Lulav, der bei diesem Fest im Tempel getragen und geschwenkt wurde, bestand aus Palm-, Myrten- und Weidenzweigen.
*Feststrauß und Bachweide,* d. h. die Riten von …

11 *so hilf doch.* Im masoretischen Text heißt es das zweite Mal „laß gelingen", so auch in *mSukka* 3, 8.

12 *Ich und Er.* Für „Ach, Herr" (Z. 11) steht im Hebräischen אנא יהוה (*'anna JHWH*). Um den Gebrauch des Gottesnamens zu vermeiden, wurden dafür verschiedene andere Formen eingesetzt, z. B. אני והו (*[a]ni waho*) oder das von Bornhäuser bevorzugte אני והוא (*[a]ni w[e]hu*) „Ich und Er", das auch mystisch ausgelegt worden ist. Näheres bei Bornhäuser und Billerbeck z. St.

14 ff *Wenn sie … und dir, Altar.* Diese Worte sind an dieser Stelle vielleicht ein Zusatz, enthalten aber alte Tradition.

25 *ihre Etrogim,* Zitronen, die in Befolgung von Lev 23, 40 gebraucht wurden.

27 *drei Log.* Ein Log sind 0,505 Liter.

42 *bewarf ihn das ganze Volk mit Etrogim.* Nach Josephus (*Ant* XIII 372) war Alexander Jannäus (s. o. *142*) der Anstoß erregende Priester, doch wird er dort nur wegen seiner allgemeinen Unbeliebtheit beworfen.

45 „*Stätte des Schöpfens",* בית השואבה *bet ha-sho[a]va* oder *sho'eva.* Diese Bedeutung (von der Wurzel *sh-'-b* „(Wasser) schöpfen") ist die wahrscheinlichste. Dieser Ritus ist von einigen mit Joh 7, 37 f in Verbindung gebracht worden. Daneben findet sich die Schreibung בית השאובה *bet ha-sh[e]'uva,* was sich nicht übersetzen läßt.

50 *eine wichtige Verordnung,* nämlich an den Seiten des Frauenvorhofs Galerien zu errichten.

58 *Licht der „Stätte des Schöpfens."* Dies ist mit dem Ausspruch Joh 8, 12 in Verbindung gebracht worden.

## Versöhnungstag

Der Versöhnungstag ist kein Fest oder Feiertag, sondern ein Fastentag – der einzige im jüdischen Kalender. Er wird vollständig im Mischnatraktat *Yoma* beschrieben, dem die folgenden Stücke

entnommen sind. Die Mischna arbeitet lediglich die alttestamentlichen Anweisungen (Lev 16) für die Zeremonien im Tempel genauer aus.

**200** *Mischna Yoma 3, 8.*

Er ging zu seinem Farren. Der stand zwischen der Vorhalle (des
Tempels) und dem Altar, mit dem Kopf nach Süden und mit dem
Gesicht nach Westen; der Priester aber stand im Osten mit dem
Gesichte nach Westen. Und er stemmte seine beiden Hände auf ihn
5 und sprach das (erste) Sündenbekenntnis also: Ach, Herr, unrecht
gehandelt, gefrevelt, gesündigt habe ich vor dir, ich und mein Haus.
Ach, Herr, schaffe doch Sühnung für die unrechten Handlungen, die
Frevel und die Sünden, welche ich vor dir begangen habe, ich und mein
Haus, wie in der Tora deines Knechtes Mose geschrieben ist: *Denn an*
10 *diesem Tage wird er für euch Sühnung schaffen* usw. *(euch reinigen;*
*von allen euren Sünden sollt ihr vor dem Herrn rein werden*, Lev 16,
30). Sie aber antworteten: Gepriesen sei der Name seines herrlichen
Königreiches für immer und ewig!

1 *Er ging zu seinem Farren.* Der Hohepriester war verpflichtet, zuallererst ein
Opfer für seine eigenen Sünden darzubringen.

**201** *Mischna Yoma 5, 1–3.*

Bevor dieser Abschnitt einsetzt, hat der Priester einen zweiten Farren für die
Sünden des Volkes geopfert.

Man brachte ihm die Kelle und die Schaufel. Er nahm seine beiden
Hände voll und tat es (das Räucherwerk) in die Kelle, der große
entsprechend seiner Größe und der kleine entsprechend seinem kleinen Wuchse, und so war das Maß dafür. Er nahm die Schaufel mit
5 seiner Rechten und die Kelle mit seiner Linken und ging im Tempel,
bis er zwischen die beiden Vorhänge kam, welche zwischen dem Heiligen und dem Allerheiligsten schieden; zwischen denen war eine Elle.
R. Jose (b. Chalaphta) sagte: Dort war nur ein Vorhang, wie es heißt:
*Und eine Scheidung bilde für euch der Vorhang zwischen dem Heiligen*
10 *und dem Allerheiligsten* (Ex 26, 33). Der äußere war von Süden her
aufgeheftet, der innere von Norden her. Er ging zwischen ihnen, bis er
nach Norden kam. War er nach Norden gekommen, so wandte er sein
Gesicht nach Süden und ging, indem der Vorhang zu seiner Linken
war, bis er an die (Stelle der) Lade kam. War er an die Lade gekom-
15 men, so legte er die Schaufel zwischen die (Stelle der) beiden Tragstan-
gen, häufte das Räucherwerk auf die Kohlen, und das (innere) Haus
füllte sich mit Rauch. Er ging hinaus und ging weg in der Weise seines
Eintretens und betete ein kurzes Gebet im äußeren Hause. Er machte
es nicht lang, um die Israeliten nicht zu ängstigen.
20 Seitdem die Lade weggenommen war, war dort ein Stein seit den

Tagen der ersten Propheten; der war Schethija genannt, von der Erde
drei Finger(breiten) hoch; und auf den legte er (die Schaufel).
(Zweites Eintreten in das Allerheiligste, mit dem Blut des Farren.)
Er nahm das Blut von dem, der es umrührte, trat (wieder) zu dem
25 Orte ein, zu dem er eingetreten war (zum Allerheiligsten), und stand
an der Stelle, wo er gestanden hatte (Stelle der Bundeslade), und
spritzte von da aus (das Blut) einmal nach oben und siebenmal nach
unten; aber er gab nicht besonders acht darauf, nach oben oder nach
unten zu spritzen, sondern wie jemand, der zum Schlage ausholt. Und
30 also zählte er: Eins, eins und eins, eins und zwei, eins und drei, eins
und vier, eins und fünf, eins und sechs, eins und sieben. Dann ging er
hinaus und setzte es auf das goldene Gestell, das im Tempel war.

19 *um die Israeliten nicht zu ängstigen.* Sie hätten fürchten können, daß ihm
im Allerheiligsten etwas zugestoßen sei.

20 *Seitdem die Lade weggenommen war,* d. h. nach der babylonischen Gefangenschaft.


**202**  *Mischna Yoma 6, 1 f.*

Vorher beschreibt 5, 4–7 das Opfer des einen der beiden Ziegenböcke.

Für die beiden Böcke des Versöhnungstages gilt das Gebot, daß sie
gleich seien an Aussehen, Wuchs und Preis und daß ihre Anschaffung
zugleich geschehe. Wenn sie auch nicht gleich sind, sind sie doch
tauglich; hat er einen heute gekauft und einen morgen, so sind sie doch
5 tauglich. Ist einer von ihnen gestorben: Wenn er gestorben ist, ehe er
(der Hohepriester) das Los gezogen hat, so muß er einen zum zweiten
passenden anschaffen; wenn er aber gestorben ist, nachdem er das Los
gezogen hat, muß er zwei andere kommen lassen und über sie von
neuem losen. Und er sage, wenn der für den Herrn gestorben ist:
10 „Dieser, auf welchen das Los ‚Für den Herrn' gekommen ist, soll an
seine Stelle treten", und wenn der für ʻAzazel gestorben ist, (sage er):
„Dieser, auf welchen das Los ‚Für ʻAzazel' gekommen ist, soll an seine
Stelle treten." Und der zweite soll weiden, bis er (zu einem Opfer durch
ein Gebrechen) untauglich wird. Dann werde er verkauft und der
15 Preis für ihn für freiwillige Opfer verwendet. Denn ein Gemeinde-
Sündopfer läßt man nicht sterben. R. Juda (b. Elʻaj) sagte: „Man läßt es
sterben." Und weiter hat R. Juda gesagt: „Ist das Blut (des für den
Herrn bestimmten Bockes) vor den Blutsprengungen) fortgegossen
worden, so muß der wegzuschickende (Bock) sterben; ist der wegzu-
20 schickende (vor den Blutsprengungen) gestorben, so muß das Blut
fortgegossen werden."
Er ging zu dem wegzuschickenden Bocke, stemmte seine beiden
Hände auf ihn und sprach das (dritte) Sündenbekenntnis also: „Ach,
Herr, unrecht gehandelt, gefrevelt, gesündigt hat vor dir dein Volk,
25 das Haus Israel. Ach, Herr, schaffe doch Sühnung für die unrechten
Handlungen, die Frevel und die Sünden, welche dein Volk, das Haus

Israel, vor dir begangen hat, wie in der Tora deines Knechtes Mose geschrieben ist: *Denn an diesem Tage wird er für euch Sühnung schaffen, euch zu reinigen; von allen euren Sünden sollt ihr vor dem*
30 *Herrn rein werden* (Lev 16, 30)." Aber die Priester und das Volk, die im Vorhofe standen, sobald sie den Eigennamen, wie er aus dem Munde des Hohenpriesters kam, hörten, sanken auf die Knie und warfen sich nieder und fielen auf ihr Angesicht und sprachen: „Gepriesen sei der Name seines herrlichen Königreichs für immer und ewig!"

31 *den Eigennamen.* Der heilige Gottesname, dessen Konsonanten יהוה (*JHWH*) sind, wurde mit den ursprünglich dazugehörigen Vokalen nur vom Hohenpriester am Versöhnungstag ausgesprochen.

**203** *Mischna Yoma 7, 1.*

Es kam der Hohepriester, um (die Schriftworte für den Versöhnungstag) vorzulesen. Wenn es ihm gefiel, in den Linnenkleidern vorzulesen, pflegte er (so) zu lesen, und wenn nicht, pflegte er in seiner eigenen weißen Festkleidung zu lesen. Der Synagogendiener nahm
5 (dann) eine Torarolle und gab sie dem Synagogenvorsteher, und der Synagogenvorsteher gab sie dem (Priester-)Vorsteher, und der (Priester-)Vorsteher gab sie dem Hohepriester, und der Hohepriester stand und nahm (sie) in Empfang und las (stehend, und er las): *Nach dem Tod* ... (Lev 16) und *Gewiß am 10. Tag* ... (Lev 23, 26–32). Und er
10 rollte die Tora(rolle) zusammen und steckte sie an seine Brust und sagte: „Mehr, als ich euch vorgelesen habe, (steht) hier geschrieben." *Und am zehnten* ..., das im Buch Numeri (29, 7–11) (steht), trug er auswendig vor, und er sprach acht Segenssprüche über sie (die Gemeinde) in bezug auf die Tora und auf den Gottesdienst und auf die
15 Danksagung und auf die Sündenvergebung und auf das Heiligtum in seiner Gegenwart und auf Israel in seiner Gegenwart (und auf Jerusalem in seiner Gegenwart) und auf die Priester in ihrer Gegenwart und auf das übrige Gebet.

6 (*Priester-)Vorsteher,* סגן הכהנים (s<sup>e</sup>gan ha-koh<sup>a</sup>nim), hier einfach Vorsteher genannt; ein hoher Würdenträger, der das Gebäude und den Dienst des Tempels unter sich hatte.

**204** *Mischna Yoma 8, 1.*

Am Versöhnungstag ist es verboten, zu essen, zu trinken, sich zu waschen, sich zu salben, Sandalen anzulegen und ehelich beizuwohnen. Der König und die Neuvermählten dürfen ihr Gesicht waschen, und die Wöchnerin darf Sandalen anlegen. So R. Elieser (b. Hyrka-
5 nus). Die (anderen) Weisen verbieten es.

# E. Die Synagoge

Den Tempel und die Tempelgottesdienste besuchten selbst zu den großen Festen, an denen Jerusalem gedrängt voller Festteilnehmer war, nur verhältnismäßig wenige Juden. Das religiöse Gemeindeleben fand für die meisten Juden in der Synagoge statt, wo das Gesetz und die Propheten gelesen wurden und die Gemeinde zum Gebet zusammenkam. Es folgen einige Auszüge aus dem sog. Achtzehngebet (*Sh<sup>e</sup>monæ 'Æsre*), einem der ältesten Teile des Synagogengottesdienstes. Eine weitere Benediktion wird in *218* zitiert. Wir folgen hier der babylonischen Rezension in der Übersetzung von P. Billerbeck (H. L. Strack/P. Billerbeck, *Kommentar zum Neuen Testament aus Talmud und Midrasch*, Bd. IV, S. 211 ff; Kommentar ebd. S. 208–249 und Bd. I, S. 406–427). Der Text wurde herausgegeben von W. Staerk (*Altjüdische Liturgische Gebete*, Lietzmanns Kleine Texte Nr. 58, ²1930, S. 9–19). Vgl. zum ganzen Gebet J. Heinemann, *Prayer in the Talmud*, Berlin/New York 1977, *passim*.

**205**   *1. Benediktion.*

Gepriesen seist du, Jahwe, unser Gott und Gott unserer Väter, Gott Abrahams, Gott Isaaks und Gott Jakobs, großer, mächtiger und furchtbarer Gott, höchster Gott, Spender guter Gnaden und Schöpfer des Alls, der der Gnaden der Väter gedenkt und über ihre Kinder sich
5 erbarmt und ihren Kindeskindern einen Erlöser bringt um seines Namens willen in Liebe, barmherziger König, Heiland, Helfer und Schild! Gepriesen seist du, Jahwe, Schild Abrahams!

**206**   *2. Benediktion.*

Du bist ein Held in Ewigkeit, Jahwe, der die Toten lebendig macht, du bist mächtig zu helfen, der den Wind läßt wehen und den Regen niederfallen, der die Lebenden versorgt aus Gnade, der die Toten lebendig macht aus großem Erbarmen, der Kranke heilt, Elenden
5 hilft, Fallende stützt, Gebundene löst und seine Treue hält denen, die im Staube schlafen. Wer ist wie du, Vollbringer von Großtaten, und wer ist dir gleich, der da tötet und lebendig macht und Hilfe (Heil) sprossen läßt? Und treu bist du, die Toten lebendig zu machen. Gepriesen seist du, Jahwe, der die Toten lebendig macht!

**207**   *6. Benediktion.*

Vergib uns, unser Vater, denn wir haben gesündigt! Verzeihe uns, unser König, denn wir haben gefehlt, denn ein gütiger und vergebender Gott bist du. Gepriesen seist du, Jahwe, Gnädiger, der viel vergibt!

**208**  *7. Benediktion.*

Sieh an unser Elend und führe unsere Sache und eile, uns zu erlösen!
Denn ein Gott, der König ist, ein starker Erlöser bist du. Gepriesen
seist du, Jahwe, Erlöser Israels!

**209**  *9. Benediktion.*

Segne uns, Jahwe, unser Gott, bei allem Tun unsrer Hände und segne
unsere Jahre und gib Tau und Regen auf den Erdboden und sättige die
ganze Welt aus deinem Guten und labe den Erdkreis aus dem Reichtum der Gaben deiner Hände und hüte es und bewahre es, Jahwe,
5 unser Gott, dieses Jahr, und alle Arten seiner Gewächse vor allen
Arten von Verderben und vor allen Arten von Strafen, und gib ihm
glücklichen Ausgang und Hoffnung und Sättigung wie den guten
Jahren. Gepriesen seist du, Jahwe, der die Jahre segnet!

**210**  *10. Benediktion.*

Stoße in die große Posaune zu unserer Freiheit und erhebe ein Panier,
alle unsere Verbannten zu sammeln von den vier Flügeln der Erde hin
nach unserem Lande. Gepriesen seist du, Jahwe, der die Vertriebenen
seines Volkes Israel sammelt!

**211**  *14. Benediktion.*

Nimm deine Wohnung inmitten Jerusalems, deiner Stadt, in naher
Zeit, wie du geredet hast, und baue es als einen ewigen Bau eilends in
unseren Tagen. Gepriesen seist du, Jahwe, der Jerusalem erbaut!

**212**  *Das Qaddish.*

Das Qaddish ist ein Gebet aus tannaitischer Zeit, das ursprünglich am Ende
einer Predigt gesprochen wurde. Später wurde es auch am Ende des Gottesdienstes und schließlich zum Abschluß jedes wichtigen Synagogengebets
gesprochen und erfuhr dabei zahlreiche Erweiterungen. Wir drucken hier
nur die kürzeste Fassung ab; vgl. dazu J. Heinemann, *Prayer in the Talmud*,
Berlin/New York 1977.

Erhoben und geheiligt werde sein großer Name in der Welt, die er nach
seinem Willen erschaffen hat, und sein Reich erstehe in eurem Leben
und in eurem Tagen und dem Leben des ganzen Hauses Israel schnell
und in naher Zeit. Sprechet: Amen!
5    Sein großer Name sei gepriesen in Ewigkeit und Ewigkeit der
Ewigkeiten!

1 *geheiligt, yitqaddash*, daher der Name des Gebets.

# F. Ḥaver und ʿAm ha-ʾaræṣ

Die sozialen und religiösen Vorschriften, durch welche das geschriebene und das mündliche Gesetz das jüdische Leben regelte, waren so zahlreich und weitreichend, daß sie sogar deutliche soziale Unterschiede zwischen den Gewissenhaften und den Unachtsamen schufen. Diejenigen, die die Reinheits- und Zehntgesetze peinlich genau erfüllten, taten sich selbst zu Gruppen von *ḥᵃverim* (חברים) „Genossen" zusammen. Diese Genossen trafen sich zu religiösen und wohltätigen Zwecken, aber ihr Hauptziel war es, die levitischen Gesetze zu befolgen; nur der wurde zu ihrer Gemeinschaft zugelassen, der dasselbe auf sich nahm. Das andere Extrem bildeten die *ʿamme ha-ʾaræṣ* (עמי הארץ), „Leute des Landes", d.h. diejenigen, die dafür bekannt waren, es mit der Befolgung des Gesetzes nicht genau zu nehmen. Der Verkehr zwischen den beiden Gruppen war beschränkt, aber durchaus nicht unmöglich. Die Gewissenhaften waren darauf aus, die Lässigen zu sich herüberzuziehen; der berühmte R. ʿAqiva z.B. war in seiner Jugend ein *ʿam ha-ʾaræṣ* gewesen (s.o. *174* mit Anm.) Daß es Mißgunst zwischen diesen beiden einander extrem entgegengesetzten religiösen Klassen gab, ist nicht zu leugnen; doch war das wohl von Ort zu Ort und von Zeit zu Zeit verschieden, und manchen rabbinischen Aussprüchen darüber muß man Übertreibung zugute halten.

**213** *Mischna Demai 2, 2–4.*

Der entsprechende Abschnitt in der Tosefta enthält mehr Einzelheiten über die Beziehungen zwischen *ḥᵃverim* und *ʿamme ha-ʾaræṣ*.

Wer es auf sich nimmt, (bezüglich der Beobachtung der Abgabepflicht) beglaubigt zu sein, der muß verzehnten, was er ißt und was er verkauft und was er kauft, und darf bei keinem Gesetzesunkundigen einkehren. Rabbi Juda sagt: Auch wer bei einem Gesetzesunkundigen einkehrt, kann beglaubigt sein. Man entgegnet ihm: In Betreff seiner eigenen Person ist er nicht beglaubigt, wie kann er dann in Betreff anderer beglaubigt sein!

Wer es auf sich nimmt, Genosse zu sein, der darf einem Gesetzesunkundigen weder Frisches noch Trockenes verkaufen und darf von ihm nichts Frisches kaufen und darf bei keinem Gesetzesunkundigen einkehren und darf keinen solchen in seiner Bekleidung bei sich aufnehmen. Rabbi Juda sagt: Er darf auch kein Kleinvieh aufziehen und soll nicht ausarten in Gelübden und im Scherzen und soll sich nicht verunreinigen an den Toten und soll (vielmehr den Gelehrten) Dienste im

15 Lehrhause leisten. Man entgegnete ihm: Das gehört nicht zur (allgemeinen) Regel (über den „Genossen").

Den Bäckern haben die Gelehrten nur die Verpflichtung auferlegt
abzusondern, soviel nötig ist für die Priesterabgabe vom Zehnten und
die Teighebe. Die Krämer sind nicht berechtigt, das Zweifelhafte zu
20 verkaufen. Alle, die reichlich geben mit großem Maß, sind berechtigt,
das Zweifelhafte zu verkaufen. Und die reichlich geben mit großem
Maß, sind z. B. die Getreidehändler und die Kornverkäufer.

1 *Wer es auf sich nimmt, beglaubigt zu sein*, anscheinend noch kein Mitglied
einer Gemeinschaft von *ḥªverim*, sondern erst, ‚einer, auf den man sich in
Sachen des Zehnten und der Priesterabgabe vom Getreide (*tᵉruma*) verlassen kann', Jastrow (s. S. 229) s. v. נאמן.

3 *Gesetzesunkundigen*, d. h. *'am ha-'aræṣ*.

9 *Frisches*. Feuchtigkeit macht rohe Nahrungsmittel anfällig gegen Fäulnis.

12 *R. Juda* verändert durch seine zusätzlichen Anforderungen den Charakter
der „Genossen"schaft; die Mehrheit jedoch besteht darauf, daß dieser weiterhin in erster Linie dem levitischen und dem Zeremonialgesetz entspricht.

17, 19 *den Bäckern ... die Krämer*, sc. die es auf sich nehmen, Genosse zu sein.

18 *abzusondern,* sc. vom Zweifelhaften.

19 *Zweifelhaftes*, hebr. *dammai*, s. *195*.

**214** *Mischna Kelim 1, 1–2.*

Urunreinheiten sind: das (tote) Kriechtier, der Samenerguß, der Lei-
chenunreine, der Aussätzige während seiner Zähltage und das Ent-
sündungswasser, welches nicht das zur Besprengung ausreichende
Quantum hat. Diese (alle) verunreinigen Menschen und Geräte durch
5 Berührung und Tongeräte in einem Hohlraume. Sie verunreinigen
aber nicht (da)durch (, daß sie ge)tragen (werden).

Höher als diese (ist die Unreinheit von) Aas und (von) Entsündungs-
wasser, welches das zur Besprengung ausreichende Quantum hat.
(Denn) diese verunreinigen den Menschen, der (sie) trägt, so daß
10 (dieser auch die) Kleider (, die er berührt,) verunreinigt. Doch (werden
die) Kleider nicht (unrein, wenn er jene beiden Dinge nur) berührt.

1 *Urunreinheiten*, Gegenstände oder Personen, die bei anderen Gegenständen oder Personen Unreinheiten bewirken können. Die Bestimmungen über
Reinheit und Unreinheit sind äußerst kompliziert und schwierig. Um das
kurze Zitat hier vollständig zu erörtern, bedürfte es einigen Raumes.

2 *Zähltage*, s. Lev 14, 8.

## G. Proselyten

Die missionarische Aktivität des Judentums wird in den Evangelien bezeugt (Mt 23, 15), und in der Apostelgeschichte treffen wir
wiederholt nicht nur volle Proselyten (2, 11; 6, 5; 13, 43), sondern

auch jene frommen „Gottesfürchtigen" (σεβόμενοι, 13, 43. 50; 16, 14; 17, 4. 17; 18, 7; vgl. *64; 166*), die von dem Gottesdienst, der Theologie und der Ethik der Synagoge angezogen wurden, aber sich nicht entschließen konnten, den letzten Schritt zu tun und sich beschneiden zu lassen, weil sie dadurch die Verbindung zu ihrem angestammten Land und Volk abgebrochen hätten. Nichtjüdische Autoren und römische Gesetze gegen die Beschneidung bezeugen gleichfalls, daß dieser Brauch mit dem Proselytenmachen verbunden war.

Im allgemeinen – es gibt wenige Ausnahmen – steht die rabbinische Literatur den Proselyten wohlwollend gegenüber, siehe oben *172*. Der Mut und der Glaube, den sie bewiesen, indem sie sich unter die Israeliten einreihten, wurden hoch geachtet.

**215**  *Bemidbar (Numeri) Rabba 8, 2* (zu Num 5, 6).

Gott liebt die Proselyten sehr, womit ist das zu vergleichen? Mit einem König, der Schafe und Ziegen hatte, früh mit ihnen aufs Feld ging und abends wieder mit ihnen nach Hause kam, und so täglich. Einmal gesellte sich ein Hirsch zu der Herde, er ging zu den Ziegen und
5 weidete mit ihnen; ging die Herde in die Hürde, so ging er mit ihr, ging sie wieder hinaus auf die Weide, so ging er mit ihr hinaus. Da sprach man zum König: Dieser Hirsch schließt sich der Herde an und weidet mit ihr jeden Tag; er geht mit ihr hinaus und zieht mit ihr hinein. Der König gewann den Hirsch lieb. Wenn er hinausging aufs Feld, gab er
10 Befehl, daß man ihn nach Belieben weiden lasse und kein Mensch ihn schlage. Und sie (die Diener) hatten Acht auf ihn. Und auch, wenn er mit der Herde zurückkam, befahl er, daß man ihm zu fressen und zu trinken gebe; kurz, er hatte ihn sehr lieb. Seine Diener, die sich über diese Liebe des Königs wunderten, sprachen zu ihm: Mein Herr! Du
15 hast so viele Böcke, Schafe, Ziegen und sagst uns nicht, daß wir auf sie achthaben sollen, aber in bezug auf diesen Hirsch erteilst du uns alle Tage Befehle. Der König antwortete ihnen: Das Kleinvieh will und will auch nicht, es ist seine Art, den ganzen Tag auf dem Felde zu weiden und abends in die Hürde schlafen zu kommen. Die Hirsche dagegen
20 schlafen in der Wüste, es ist nicht ihre Art, heranzukommen und bei den Menschen zu wohnen. Sind wir dem Hirsch nicht verpflichtet, daß er die ganze weite große Wüste, den Ort, wo alle Waldtiere zusammenkommen, verlassen hat und gekommen ist und sich in ein Gehöft hingestellt hat? – Müssen wir nicht ebenso dem Proselyten verpflich-
25 tet sein, daß er seine Familie und sein Vaterhaus und sein Volk, kurz alle Völker der Welt verläßt und zu uns kommt? Darum nimmt ihn Gott besonders in seine Hut, indem er die Israeliten warnt, daß sie auf sie achthaben, damit sie ihnen keinen Schaden zufügen, wie es heißt: Liebet den Proselyten (Dtn 10, 19).

**216** *Bavli Yevamot 47a–b.*

Für die Zulassung eines männlichen Proselyten wurden gefordert: Beschneidung, Taufe und (vor der Zerstörung des Tempels) Opfer.

Die Rabbanan lehrten: Wenn jemand in der Jetztzeit Proselyt werden will, so spreche man zu ihm: Was veranlaßt dich, Proselyt zu werden? Weißt du denn nicht, daß die Israeliten in der Jetztzeit gequält, gestoßen, gedemütigt und gerupft werden und Leiden über sie kommen?
5 Wenn er sagt, er wisse dies und sei dessen gar nicht würdig, so nehme man ihn sofort auf und mache ihn mit manchen der leichteren und manchen der strengeren Gebote bekannt. Ferner erkläre man ihm die Sünde in Betreff der Nachlese, des Vergessenen, der Ackerecke und des Armenzehnten. Auch teile man ihm die Bestrafung wegen (Über-
10 tretung) der Gebote mit und spreche zu ihm: Wisse, daß du bisher Talg gegessen hast, ohne mit dem Ausschluß bestraft zu werden, den Sabbat entweiht hast, ohne mit der Steinigung bestraft zu werden; wenn du aber von jetzt ab Talg ißt, wirst du mit dem Ausschluß bestraft, wenn du den Sabbat entweihst, wirst du mit der Steinigung bestraft.
15 Und wie man ihm die Bestrafung wegen der Gebote mitteilt, so teile man ihm ihre Belohnung mit und spreche zu ihm: Wisse, daß die zukünftige Welt nur für die Frommen erschaffen worden ist. Die Israeliten können in dieser Welt weder übermäßig Güte noch übermäßig Leiden ertragen. Jedoch (rede man) auf ihn nicht zuviel ein und
20 nehme es mit ihm nicht allzu genau. Ist er einverstanden, so beschneide man ihn sofort, bleiben die Beschneidung ungültig machende Fäserchen zurück, so beschneide man ihn nochmals, und sofort nach seiner Genesung lasse man ihn untertauchen. Zwei Schriftgelehrte stehen neben ihm und machen ihn mit manchen der leichteren und
25 manchen der strengeren Gebote bekannt. Nachdem er untergetaucht und heraufgestiegen ist, gilt er in jeder Beziehung als Israelit.

8 *Ackerecke,* die bei der Obst- und Getreideernte nach Lev 19, 9; 23, 22; Dtn 24, 19 den Armen zum Abernten zu überlassen ist.

## H. Häretiker

Das Wort, mit dem gewöhnlich ein Häretiker oder Skeptiker beschrieben wird, ist אפיקורוס (*'appiqoros*). Sein Ursprung ist unsicher, aber selbst wenn es von einer hebräischen Wurzel abgeleitet ist, muß die Übereinstimmung seines Klanges mit dem Namen des griechischen Philosophen Epikuros (s. o. *93–95*) eine nicht geringe Rolle bei der Entwicklung seiner Bedeutung gespielt haben.

**217** *Mischna Sanhedrin 10, 1.*

Ganz Israel hat Anteil an der künftigen Welt; denn es heißt: *Und dein (Zions) Volk, sie alle sind Gerechte, in Ewigkeit werden sie das Land*

*besitzen, den Sproß meiner Pflanzung, das Werk meiner Hände, auf*
*daß ich mich verherrliche* (Jes 60, 21). Und die folgenden sind es, die
5 keinen Anteil an der künftigen Welt haben: Wer sagt: ‚Es gibt keine
Auferstehung der Toten aufgrund der Tora‘, und (wer sagt): ‚Die Tora
ist nicht vom Himmel‘, und ein ’Appiqoros. Rabbi ‘Aqiva sagt: Auch
wer in den Büchern der Häretiker liest oder wer über der Wunde
(magische Sprüche) flüstert und spricht: *Alles Leiden, das ich den*
10 *Ägyptern auferlegt habe, werde ich nicht auf dich legen; denn ich bin*
*der* (Herr), *der dich heilt* (Ex 15, 26). Abba Sha’ul sagt: Auch wer den
(Gottes-)Namen mit seinen Buchstaben ausspricht.

5 *Wer sagt: ‚Es gibt keine Auferstehung ...‘* Vgl. die Auffassung der Sadduzäer
(*152*).

12 *den (Gottes-)Namen*, s. o. *202* mit Anm.

Von besonderem Interesse sind die Personen, die als *minim* beschrieben werden. Zu ihnen gehören auf jeden Fall die Judenchri-
sten, und das Wort mag ursprünglich der Name nur dieser Gruppe
gewesen sein, wobei das entsprechende *nomen abstractum, minut*,
ihren Glauben bezeichnete. Es gibt viele rabbinische Stellen, die
sich auf diese Sektierer beziehen; hier soll nur die 12. Benediktion
des Achtzehngebets (s. o. *205—211*) angeführt werden. Diese wurde gegen Ende des 1. Jh.s n. Chr. zu einer „Testbitte" ausgestaltet:
Kein Häretiker konnte sie aussprechen (vgl. die Anathematismen
am Ende von Glaubensbekenntnissen). Sie bewirkte damit die
Verbannung von Häretikern aus der Synagoge. Die Benediktion
hat unter den Händen christlicher Zensoren des jüdischen Gebetbuches verschiedene Formen angenommen. Die hier folgende ist
die von G. Dalman ermittelte palästinische Rezension in der Übersetzung von P. Billerbeck (H. L. Strack/P. Billerbeck, *Kommentar*
*zum Neuen Testament aus Talmud und Midrasch*, Bd. IV, S. 212 f)
und dürfte dem ursprünglichen Wortlaut sehr nahe kommen.

**218** *12. Benediktion.*

Den Abtrünnigen sei keine Hoffnung, und die freche Regierung mögest du eilends ausrotten in unseren Tagen, und die Nazarener und
die *minim* mögen umkommen in einem Augenblick, ausgelöscht werden aus dem Buch des Lebens und mit den Gerechten nicht aufge-
5 schrieben werden. Gepriesen seist du, Jahwe, der Freche beugt.

1 *die freche Regierung*, vielleicht Rom.

2 *und die Nazarener*, והנוצרים (*weha-noṣrim*), die Christen; gehörte wohl
nicht zum ursprünglichen Text.

# I. Theologie

Theologie und Religion des rabbinischen Judentums lassen sich auf kleinem Raum weder skizzieren noch veranschaulichen. In ihren Grundlagen gingen beide auf das AT zurück; aber ihre eigene Entwicklung nahm durchaus neue Wege, wenn es auch im sonstigen Judentum noch Parallelen dazu gab. Die Bemühung um die Einzelheiten dieser Entwicklung ist eine Lebensaufgabe; hier geben wir nur einige weitere charakteristische Auszüge aus dem Mischnatraktat *(Pirqe) Avot*. S. auch *171–176, 189–191*.

**219**  *Mischna Avot 3, 1.*

'Aqabhja b. Mahalale'el (1. Jahrhundert n. Chr.) sagte: Denke über drei Dinge nach, dann wirst du nicht der Übertretung anheimfallen: Wisse, woher du gekommen bist und wohin du gehst und vor wem du künftig Urteil und Rechenschaft ablegen wirst. „Woher du gekommen
5  bist" – aus einem übelriechenden Tropfen. „Und wohin du gehst" – an einen Ort (Var.: + des Staubes,) der Maden und des Gewürms. „Und vor wem du künftig Urteil und Rechenschaft ablegen wirst" – vor dem König der Könige der Könige, gepriesen sei er!

**220**  *Mischna Avot 4, 2.*

Bæn 'Azzai (1. Hälfte des 2. Jahrhunderts n. Chr.) sagte: Laufe, um ein leichtes Gebot (zu erfüllen, Var.: + ebenso wie ein schweres,) und fliehe die Übertretung; denn ein Gebot zieht ein (anderes) Gebot nach sich, und eine Übertretung zieht eine (andere) Übertretung nach sich;
5  denn der Lohn für ein (erfülltes) Gebot ist ein (neues) Gebot, und der Lohn für eine Übertretung ist eine (weitere) Übertretung.

**221**  *Mischna Avot 4, 16f.*

R. Jakob sagte: Diese Welt ist mit einem Vorzimmer der zukünftigen Welt zu vergleichen. Rüste dich selbst im Vorzimmer, damit du in den Speisesaal hineingehen kannst.
Er pflegte zu sagen: Besser ist eine Stunde mit Buße und guten
5  Werken in dieser Welt als das ganze Leben der zukünftigen Welt, und besser ist eine Stunde der Erquickung in der zukünftigen Welt als das ganze Leben dieser Welt.

1 *R. Jakob*, vielleicht der Lehrer R. Judas des Patriarchen, s. oben S. 214.

**222**  *Mischna Avot 5, 10f.*

Vier Arten gibt es unter den Menschen: Derjenige, welcher sagt: „Was mir gehört, gehört mir, und was dir gehört, gehört dir" – das ist die mittelmäßige Art, und einige sagen, das sei die Art von Sodom; (derje-

nige, welcher sagt:) „Was mir gehört, gehört dir, und was dir gehört,
5 gehört mir" – (das ist) ein '*am ha-'aræṣ*; (derjenige, welcher sagt:) „Was
mir gehört, gehört dir, und was dir gehört, gehört dir" – (das ist) ein
Frommer; (derjenige, welcher sagt:) „Was dir gehört, gehört mir, und
was mir gehört, gehört mir" – (das ist) ein Bösewicht.

Vier Gemütsarten gibt es: Gleich bereit zu zürnen und gleich bereit
10 zu begütigen – sein Gewinn wird aufgehoben durch seinen Verlust;
schwer bereit zu zürnen und schwer bereit zu begütigen – sein Verlust
wird aufgehoben durch seinen Gewinn; schwer bereit zu zürnen und
leicht bereit zu begütigen – ein Frommer; leicht bereit zu zürnen und
schwer bereit zu begütigen – ein Bösewicht.

### 223   *Mischna Avot 5, 16.*

Jede Liebe, die von etwas (Vergänglichem) abhängig gemacht wird:
Verschwindet dieses, so hört auch die Liebe auf, aber die (Liebe), die
nicht von etwas (Vergänglichem) abhängig gemacht wird, wird in
Ewigkeit nicht aufhören. Welche Liebe war das, die von etwas Ver-
5 gänglichem abhing? Das war die Liebe von Amnon und Thamar (2
Sam 13). Und die nicht von etwas Vergänglichem abhing? Das war die
Liebe von David und Jonathan (1 Sam 18, 1 ff; 2 Sam 1, 17 f).

### 224   *Mischna Avot 5, 20.*

Juda b. Tema (Ende des 2. Jahrhunderts n. Chr.) sagte: Sei stark wie
der Panther und leicht wie der Adler, flink wie die Gazelle und tapfer
wie der Löwe, um den Willen deines Vaters im Himmel zu tun. Er
pflegte zu sagen: Wer ein starkes (trotziges) Gesicht hat, ist für die
5 Gehenna, und wer ein schamhaftes Gesicht hat, ist für den Garten
Eden. Möge es dein Wille von jeher sein, Jahwe, unser Gott und Gott
unserer Väter, deine Stadt (Var.: + in Eile) in unseren Tagen zu bauen.
Gib uns auch Anteil an deinem Gesetz zusammen mit denen, die
deinen Willen tun.

## J.  Gerichtsverfahren

Die Gesetzgebung über die Organisation und Tätigkeit der Ge-
richtshöfe, über deren Vorgehen in zivil- und strafrechtlichen Fällen, deren Kompetenz, Autorität und Urteilspraxis, ist detailliert
und recht umfangreich. Hier werden nur einige wenige Vorschriften zur Probe gegeben. Es sei daran erinnert, daß die Verhältnisse
und die Anordnungen nicht statisch waren und daß gelegentlich
auch die besten Regeln vernachlässigt werden konnten. Dem Interesse am NT dient es am meisten, wenn wir einige Verordnungen über die Behandlung von Kapitalverbrechen, das Gesetz über

die Gotteslästerung und das Hinrichtungsverfahren der Steinigung anführen. Doch wird neuerdings mit guten Gründen bestritten, daß diese Bestimmungen zur Zeit Jesu bereits in Geltung waren.

**225** *Mischna Sanhedrin 4, 1. 3–5a; 5, 1.*

Vermögensstreitigkeiten und Kapitalprozesse sind gleich in bezug auf Ausfragung und Nachforschung; denn es heißt: *Einerlei Recht soll euch sein* (Lev 24, 22). Welcher Unterschied ist zwischen Vermögensstreitigkeiten und Kapitalprozessen? Vermögensstreitigkeiten wer-
5 den durch drei (Richter) abgeurteilt, Kapitalprozesse durch dreiundzwanzig. Bei Vermögensstreitigkeiten kann man (die Verhandlung) sowohl (mit Gründen) für die Freisprechung als auch (mit Gründen) für die Schuld beginnen; bei Kapitalprozessen beginnt man (mit Gründen) für die Freisprechung, aber nicht (mit Gründen) für die Schuld.
10 Bei Vermögensstreitigkeiten entscheidet man auf die Stimme Eines sowohl für die Freisprechung als auch für die Schuld; aber bei Kapitalprozessen entscheidet man auf die Stimme Eines für die Freisprechung und auf die Stimme Zweier für die Schuld. Vermögensstreitigkeiten kann man wiederaufnehmen sowohl für die Freisprechung als
15 auch für die Schuld; aber Kapitalprozesse nimmt man wieder auf nur für die Freisprechung, aber nicht für die Schuld. Bei Vermögensstreitigkeiten können alle die Freisprechungen und die Schuld begründen; aber bei Kapitalprozessen können alle die Freisprechung begründen, aber nicht alle die Schuld. Bei Vermögensstreitigkeiten kann, wer die
20 Schuld begründet hatte, (später) die Freisprechung begründen, und wer die Freisprechung begründet hatte, kann (später) die Schuld begründen; bei Kapitalprozessen kann, wer die Schuld begründet hatte, (später) die Freisprechung begründen; aber wer die Freisprechung begründet hatte, darf nicht umgekehrt die Schuld begründen.
25 Vermögensstreitigkeiten kann man am Tage beurteilen und in der Nacht beenden; aber Kapitalprozesse beurteilt man am Tage und beendet man am Tage. Vermögensstreitigkeiten kann man an demselben Tage sowohl zur Freisprechung als auch zur Schuld beenden. Aber Kapitalprozesse kann man an demselben Tage zur Freisprechung
30 beenden, aber erst am folgenden Tage zur Schuld; deshalb beurteilt man sie weder am Rüsttage des Sabbats noch am Rüsttage eines Feiertages...
Das Synhedrium war gleich der Hälfte einer runden Tenne, damit man einander sehen könnte. Und zwei Gerichtsschreiber standen vor
35 ihnen, einer zur Rechten und einer zur Linken, und schrieben die Worte der Freisprechenden und die Worte der Verurteilenden auf. R. Juda (b. El'aj) sagte: Drei waren es; einer schrieb die Worte der Verurteilenden, und einer schrieb die Worte der Freisprechenden, und der dritte schrieb die Worte der Freisprechenden und der Verurteilen-
40 den.

Drei Reihen Weisen-Jünger saßen vor ihnen; jeder einzelne kannte seinen Platz. War man in der Notwendigkeit, (einen weiteren als Richter) zu ordinieren, so ordinierte man aus der ersten Reihe. Einer aus der zweiten Reihe kam dann in die erste und einer aus der dritten
45 kam in die zweite, und man wählte sich noch einen aus der Gemeinde und setzte ihn in die dritte Reihe; er saß aber nicht am Platze des Früheren, sondern er saß an dem ihm gebührenden Platze. –

Wie flößt man Zeugen in Kapitalprozessen Furcht ein? Man führte sie herein und flößte ihnen Furcht ein (mit den Worten): Vielleicht
50 wollt ihr aus Vermutung sprechen oder vom Hörensagen, als Zeuge aus dem Munde eines Zeugen, „aus dem Munde eines zuverlässigen Mannes haben wir es gehört." Oder vielleicht wißt ihr nicht, daß wir am Schluß euch durch Ausfragung und Nachforschung prüfen werden. Wisset, daß nicht wie Vermögensstreitigkeiten Kapitalprozesse
55 sind. Bei Vermögensstreitigkeiten kann ein Mensch Geld geben, und es wird ihm Sühnung; aber bei Kapitalprozessen haftet sein (des Hingerichteten) Blut und das Blut seiner (möglichen) Nachkommen an ihm (dem Zeugen) bis ans Ende der Welt...

Man prüfte sie durch sieben Nachforschungsfragen: In welcher
60 Jahrwoche? In welchem Jahre (der Jahrwoche)? In welchem Monat? Am wievielten des Monats? An welchem Tage (der Woche)? In welcher Stunde? An welchem Orte? R. Jose (b. Chalaphta) sagte: (Man fragte nur:) An welchem Tage? In welcher Stunde? An welchem Orte? – Man fragte ferner: Kennt ihr ihn? Habt ihr ihn gewarnt? Bei jemandem, der
65 Götzendienst trieb (fragte man ferner:) Wem hat er gedient? Und womit hat er gedient?

1 *Vermögensstreitigkeiten*. Dieser Begriff schließt auch alle andern Arten von Beschuldigungen ein, die keine Todesstrafe zur Folge haben können.

17 *können alle ... begründen*, sogar diejenigen, die keine Richter sind. Die allgemeine Absicht dieser Vorschriften ist, den Mann zu begünstigen, der eines Kapitalverbrechens angeklagt war.

30 *deshalb beurteilt man sie ...* Trotzdem gab es Fälle, wo aus besonderen Gründen Gerichtsverhandlungen auch an Feiertagen stattfanden. Vgl. *mSanhedrin* 11, 4.

60 *Jahrwoche*, nämlich der Jobelperiode. Diese hatte sieben Jahrsiebente („Jahrwochen" Dan 9, 24–27) (Strack). Vgl. Lev 25, 8ff.

## 226 *Mischna Sanhedrin 7, 5.*

„Der Lästerer" (s. Lev 24, 14) ist schuldig erst, wenn er den Gottesnamen deutlich ausspricht. R. Josua b. Qarcha hat gesagt: An allen Tagen vernahm man die Zeugen mit einer Umschreibung: „Jose schlage den Jose"; nachdem aber die Verhandlung vollendet war, sprach
5 man das Todesurteil nicht auf die Umschreibung hin, sondern man ließ alle Leute hinausgehn, ließ nur den Größten unter ihnen (den Zeugen) zurück und sagte zu ihm: Sprich, was du gehört hast, deutlich aus. Und er sagte es. Die Richter aber standen und zerrissen (ihre

Kleider) und nähten sie nicht wieder. Und der zweite (Zeuge) sagte:
10 Auch ich (habe gehört) wie dieser. Und der dritte sagte: Auch ich wie
dieser.

1 *Gottesnamen*. S.*202* mit Anm.; *R. Josua*, um 150 n. Chr.

3 *Umschreibung*. Der Name Gottes wurde von den Zeugen bei Wiederholung
der Lästerung nicht ausgesprochen (Strack).

**227** *Mischna Sanhedrin 6, 1–4.*

War das Urteil gefällt, so führte man ihn zum Steinigen hinaus. Der
Steinigungsort aber war außerhalb des Gerichtshauses, wie es heißt:
*Führe den Lästerer (hinaus vor das Lager)* (Lev 24, 14). Und einer
stand an der Tür des Gerichtshauses mit einem Tuche in der Hand
5 und das Pferd (mit einem darauf Sitzenden) so fern von ihm, daß er es
sehen konnte. Hatte einer (im Gerichtshause) gesagt: „Ich kann in
bezug auf ihn Freisprechung begründen", so schwenkte jener mit dem
Tuche, und das Pferd eilte und veranlaßte ihn (den Verurteilten)
stehenzubleiben. Auch wenn er (selbst) gesagt hatte: „Ich kann in
10 bezug auf mich selbst Freisprechung begründen", führte man ihn
zurück, sogar vier und fünf Male; nur daß an seinen Worten etwas
Erhebliches sein mußte. Wenn sie für ihn Freispruch (begründet)
gefunden hatten, entließen sie ihn; wenn nicht, wurde er zur Steinigung hinausgeführt. Und ein Ausrufer ging vor ihm her: „NN, Sohn
15 des NN, wird zur Steinigung hinausgeführt, weil er die und die Übertretung (Sünde) begangen hat. Und NN und NN sind seine Zeugen.
Und jeder, der (einen Grund der) Freisprechung für ihn weiß, komme
und tue es kund."

War er vom Steinigungsorte zehn Ellen entfernt, so sagte man zu
20 ihm: Bekenne (deine Sünden)! Denn also ist es üblich, daß alle, die
hingerichtet werden sollen, bekennen. Denn jeder, der bekennt, hat
Anteil an der zukünftigen Welt. So finden wir bei 'Akhan, daß Josua zu
ihm sagte: *Mein Sohn, gib doch Jahwe, dem Gotte Israels, Ehre und
lege ihm ein Bekenntnis ab* usw. *(und zeige mir an, was du getan hast;*
25 *verhehle es mir nicht.)* Da antwortete 'Akhan dem Josua und sprach:
*Wahrlich, ich habe an Jahwe, dem Gotte Israels gesündigt; und das
und das (habe ich getan)* (Jos 7, 19f). Und woher (wissen wir), daß sein
Bekenntnis ihm Sühnung geschafft hat? Es heißt: *Da sprach Josua:
Wie du uns ins Unglück gestürzt hast, wird Jahwe dich an diesem Tage*
30 *in Unglück stürzen* (Jos 7, 25). „Diesen Tag" wirst du in Unglück
gestürzt; aber nicht wirst du für die zukünftige Welt in Unglück
gestürzt. – Wenn er nicht zu bekennen wußte, sagte man zu ihm:
Sprich: Mein Tod sei Sühnung für alle meine Sünden. R. Juda (b. El'aj)
sagte: Wenn er weiß, daß gegen ihn falsches Zeugnis abgelegt ist, darf
35 er sagen: Mein Tod sei Sühnung für alle meine Sünden außer dieser
Sünde. Da sagten sie (die Weisen) zu ihm: Wenn so (gesagt werden
dürfte), würden alle Menschen so sagen, um sich selbst als unschuldig
hinzustellen.

War er vom Steinigungsorte vier Ellen entfernt, so zog man ihm
40 seine Kleider aus. Den Mann bedeckt man von vorn, das Weib aber von
vorn und hinten. So R. Juda (b. El'aj). Aber die Weisen sagen: Der
Mann wird nackt gesteinigt, aber das Weib wird nicht nackt gesteinigt.

Der Steinigungsort war zwei (Menschen-)Längen hoch, und einer
45 von den Zeugen stieß ihn (den Verurteilten) auf den unteren Teil des
Rückens, so daß er (von der Anhöhe hinunter) auf das Herz stürzte,
und kehrte ihn dann auf den Rücken um. Wenn er dadurch tot war,
hatte er der Pflicht genügt; wenn nicht, nahm der zweite Zeuge einen
Stein und warf ihn auf sein Herz. Wenn er dadurch tot war, hatte er
50 der Pflicht genügt; wenn nicht, geschah seine Steinigung durch ganz
Israel, wie es heißt: *Die Hand der Zeugen soll zuerst gegen ihn sein, ihn
zu töten, und die Hand des ganzen Volkes hernach* (Dtn 17, 7). Alle
Gesteinigten werden gehängt. So R. Elieser (b. Hyrkanus). Aber die
Weisen sagen: Nur der Lästerer und der Götzendiener werden ge-
55 hängt. Den Mann hängt man mit dem Gesicht gegen das Volk, das
Weib aber mit dem Gesicht gegen das Holz. So R. Elieser (b. Hyrkanus). Die Weisen aber sagten: Der Mann wird gehängt, das Weib aber
wird nicht gehängt. R. Elieser (b. Hyrkanus) hat gesagt: Ein Vorkommnis mit Simeon b. Schaṭach, der Weiber in Askalon hängte. Da
60 sagten sie (die Weisen) zu ihm: Er hängt achtzig Weiber, und man
richtet nicht zwei (Menschen) an einem Tage. – Wie hängte man ihn?
Man senkte einen Balken in die Erde, von dem ein (Quer-)Holz ausging, und er (der Henker) brachte seine Hände (die des Toten) aneinander und hängte ihn (an den Händen auf). R. Jose (b. Chalaphta)
65 sagte: Den Balken lehnt er an die Wand und hängt daran, wie die
Schlächter aufhängen. – Man macht ihn aber sogleich (wieder) los,
und wenn er über Nacht (am Holze) blieb, übertritt man in bezug auf
ihn ein Verbot; denn es heißt: *Sein Leichnam soll nicht über Nacht an
dem Holze bleiben, sondern du sollst ihn an demselben Tage begraben;*
70 *denn ein Gehängter ist ein Fluch Gottes* usw. (Dtn 21, 23). Als ob man
sagte: Weswegen ist dieser gehängt? Weil er dem Namen (Gottes)
geflucht hat. Und dann wäre der Name Gottes entweiht.

12 *Wenn sie für ihn Freisprechung gefunden hatten.* Hier wird wieder Parteilichkeit zugunsten des Angeklagten eingeprägt.

58 *Ein Vorkommnis mit Simeon b. Schaṭach.* Die spätere Tradition rechtfertig-
te Simeons Abweichung vom Gesetz, indem sie sagte: „Die Zeit erforderte
es." Es wäre falsch zu behaupten, daß solch eine Ausflucht oft gebraucht
wurde, um eine ungesetzliche Handlung zu verschleiern; aber es ist zum
mindesten möglich, daß man in andern Fällen (z. B. einigen im NT verzeich-
neten) dem vermeintlichen Geist des Gesetzes eher folgte als dem sichern-
den Buchstaben; zum „Vorkommnis" vgl. M. Hengel, *Rabbinische Legende
und frühpharisäische Geschichte. Schimeon b. Schetach und die achtzig
Hexen von Askalon,* Heidelberg 1984.

# IX. Qumran

Seit 1947 wurden in Qumran und Umgebung, am Westufer des Toten Meeres, Bibelhandschriften, Handschriften mit außerkanonischen jüdischen Texten und vieles anderes, was von archäologischem Interesse ist, entdeckt. Die Fundgeschichte ist inzwischen oft erzählt worden; sie soll hier nicht wiederholt werden. Die gefundenen Texte und Gebrauchsgegenstände ermöglichten eine eingehende Beschäftigung mit der religiösen Gruppe, die sich in dieser Gegend niedergelassen hatte. Man kann allerdings nicht behaupten, daß allgemein anerkannte Ergebnisse erreicht worden wären, was die Geschichte oder auch nur den Namen der Gruppe angeht. Man bezeichnet sie oft als Essener, doch erscheint der Name in den bislang entdeckten und publizierten Texten nicht. Zumindest zum gegenwärtigen Zeitpunkt ist es ratsam, sie nicht von vornherein mit den Essenern, die von Philo und Josephus beschrieben werden (s. o. *152–154*), zu identifizieren, obwohl fraglos eine enge Beziehung zwischen beiden Gruppen besteht. Die Bedeutung der Texte für das Verständnis des Neuen Testaments ist in den Jahren nach ihrer Entdeckung häufig überbewertet worden, doch haben sie zweifellos unsere Kenntnis des Judentums in vorneutestamentlicher und neutestamentlicher Zeit enorm erweitert. Das Judentum war weit weniger einförmig, als mitunter angenommen wurde. Eine genauere Kenntnis des Judentums in seiner Vielfalt und mit seinen Randerscheinungen kann für die Studenten des Neuen Testaments nur hilfreich sein.

Jeder Versuch, auf ein oder zwei Seiten die Geschichte der Qumrangemeinde, ihre Glaubensgrundsätze und ihre Ordenspraxis zu skizzieren, müßte notwendig zu entstellenden Vereinfachungen führen. Einige Ereignisse in der Geschichte der Gemeinde und manche Aspekte ihrer Theologie und Disziplinarordnung werden durch die folgenden Abschnitte illustriert. Eine gute Einleitung in die Qumran-Literatur und das Leben der Gemeinde geben J. Maier und K. Schubert in ihrem Band: *Die Qumran-Essener. Texte der Schriftrollen und Lebensbild der Gemeinde*, UTB 224, München/Basel 1982, wo auch die wichtigsten Texte in deutscher Übersetzung vorliegen; auch einige ältere Werke, wie z. B. die von M. Burrows (*Die Schriftrollen vom Toten Meer,* München 1957; *Mehr Klarheit über die Schriftrollen vom Toten Meer*, München 1958), sind noch immer wertvoll. In dem Sammelband: *Qumran* (hg. v. K. E. Grözinger u. a., WdF 410, Darmstadt 1981) ist eine Reihe von bedeutenden Aufsätzen zusammengestellt. Die Texte der wichtigsten Handschriften aus den Höhlen 1 und 4 sind mitsamt deutscher Übersetzung bei E. Lohse, *Die Texte aus Qumran. Hebräisch und deutsch,* Darmstadt [4]1986, abgedruckt.

## A. Die Gemeinde und ihre Geschichte

Aus archäologischen Gründen ist es wahrscheinlich, daß die Qumrangemeinde irgendwann im 2. Jh. v. Chr. (oder vielleicht zu Beginn des 1. Jh.s) entstand oder sich damals jedenfalls in Qumran niederließ. In der Damaskusschrift findet sich ein Hinweis auf eine Emigration ins „Land Damaskus" (CD VI 5); worauf hier angespielt wird, ist unklar und umstritten. Damaskus könnte ein Symbolname für Qumran sein (vgl. Apk 11, 8); vielleicht wurde dieser Name auch gewählt, weil Qumran zu der Zeit, als die Gemeinde dorthin gelangte, zu demselben Verwaltungsbezirk gehörte wie Damaskus. Für den Auszug aus Jerusalem dürften zwei Gründe geltend zu machen sein: Er erfolgte teilweise aus freien Stücken, er war ein Protest gegen den – in den Augen der Sekte: korrupten – Apparat der religiösen Funktionäre in Jerusalem, dem Herzen des Judentums, und besonders im Tempel. Teilweise mag die Auswanderung aber auch durch repressive Maßnahmen seitens der Behörden erzwungen worden sein. Zwischenzeitlich scheint die Siedlung in Qumran infolge eines Erdbebens verlassen gewesen zu sein.

Ziel der Sekte war vollkommene Reinheit nach ihrem eigenen Verständnis der Tora; ihre Leitung war autoritär, ihre Disziplin streng. Es ist nicht ganz klar, wie ihre Hierarchie aufgebaut war; einige Hinweise werden unten gegeben. Strenge Disziplin wurde durchgesetzt, Ungehorsam wurde bestraft.

**228** *Gemeinderegel (1 QS) V 1–VI 8a.*

1 Und dies ist die Ordnung für die Männer der Gemeinschaft, die sich willig erweisen, umzukehren von allem Bösen und festzuhalten an allem, was er befohlen hat nach seinem Wohlgefallen, daß sie sich scheiden von der Versammlung 2 der Männer des Frevels, daß sie
5 gehören zur Gemeinschaft im Gesetz und im Besitz und verantwortlich sind gegenüber den Söhnen Zadoqs, den Priestern, die den Bund wahren, und gegenüber der Menge der Männer 3 der Gemeinschaft, die am Bund festhalten. Nach ihrer Weisung erfolgt die Bestimmung des Loses bei jeder Angelegenheit betreffs des Gesetzes und des Besitzes und des Rechts, damit sie Treue, Eintracht und Demut üben,
10

4 Gerechtigkeit und Recht und herzliche Liebe und demütigen Wandel auf allen ihren Wegen, aber keiner in der Verstocktheit seines Herzens wandle, in die Irre zu gehen nach seinem Herzen 5 und seinen Augen und dem Sinnen seines Triebes. Sondern sie sollen beschneiden
15 in der Gemeinschaft die Vorhaut des Triebes und die Halsstarrigkeit, um ein Fundament der Wahrheit für Israel zu legen für die Gemeinschaft eines ewigen Bundes, 6 um Sühne zu schaffen für alle, die sich willig erweisen zum Heiligtum in Aaron und dem Hause der Wahrheit in Israel, und für die, die sich ihnen anschließen zur Gemeinschaft und
20 zu Streit und Gericht, 7 um alle zu verdammen, die das Gebot übertreten. Und dies ist die Weisung für ihre Wege betreffs all dieser Gebote, wenn sie versammelt sind zur Gemeinschaft. Jeder, der in den Rat der Gemeinschaft kommt, 8 soll in den Bund Gottes eintreten in Gegenwart aller, die sich willig erwiesen haben. Und er soll sich durch
25 einen bindenden Eid verpflichten, umzukehren zum Gesetz Moses gemäß allem, was er befohlen hat, von ganzem 9 Herzen und ganzer Seele, zu allem, was von ihm offenbart ist den Söhnen Zadoqs, den Priestern, die den Bund wahren und seinen Willen erforschen, und der Menge der Männer ihres Bundes, 10 die sich zusammen willig erwie-
30 sen haben zu seiner Wahrheit und zum Wandel in seinem Willen. Er soll sich durch den Bund(esschluß) binden, sich abzusondern von allen Männern des Frevels, die 11 auf gottlosem Wege wandeln; denn sie werden nicht zu seinem Bund gerechnet; denn sie haben nicht gesucht und nicht geforscht in seinen Geboten, um die verborgenen Dinge zu
35 erkennen, in denen sie in die Irre gingen 12 zur Verschuldung. Und die offenbaren Dinge haben sie mit erhobener Hand getan, so daß sie Zorn erwecken zum Gericht und zur Vollstreckung der Rache durch die Flüche des Bundes, so daß gewaltige Gerichte an ihnen vollstreckt werden 13 zu ewiger Vernichtung ohne Rest. Er soll nicht das Wasser
40 betreten, die Reinheit der Männer der Heiligkeit zu berühren, denn sie können nicht gereinigt werden, 14 wenn sie nicht umgekehrt sind von ihrer Bosheit; denn Unreines ist an allen, die sein Wort übertreten. Niemand darf sich mit ihm zusammentun in seiner Arbeit und in seinem Besitz, damit er ihm nicht 15 schuldhafte Übertretung aufla-
45 de. Sondern er soll sich fernhalten von ihm in jeder Sache; denn so steht geschrieben: *Von jeder betrügerischen Sache sollst du dich fernhalten!* (Ex 23, 7). Und keiner von den Männern der Gemeinschaft darf Antwort geben 16 auf ihre Veranlassung hin betreffs irgendeines Gesetzes oder Gebotes. Und keiner soll etwas essen von ihrem Besitz
50 oder trinken oder etwas aus ihrer Hand empfangen, 17 außer gegen einen Kaufpreis, wie geschrieben steht: *Laßt ab vom Menschen, in dessen Nase nur ein Hauch ist; denn wofür ist er schon zu halten?* (Jes 2, 22). Denn 18 alle, die nicht zu seinem Bund gerechnet werden, die muß man absondern, (sie) und alles, was ihnen gehört. Und kein Mann
55 der Heiligkeit darf sich stützen auf irgendwelche Werke 19 der Eitelkeit; denn eitel sind alle, die seinen Bund nicht kennen. Und alle, die sein Wort mißachten, wird er vernichten aus der Welt, und alle ihre

Werke sind nur Schmutz 20 vor ihm, und Unreinheit haftet an all
ihrem Besitz. Und wenn einer in den Bund eintritt, um nach allen
60 diesen Geboten zu handeln, sich dem Rat der Heiligkeit anzuschließen, so sollen sie 12 ihren Geist in der Gemeinschaft untereinander
erforschen, hinsichtlich seines Verständnisses und seiner Taten im
Gesetz, nach Weisung der Söhne Aarons, die sich willig erwiesen
haben in der Gemeinschaft, um 22 seinen Bund aufzurichten und um
65 auf alle seine Gebote zu achten, die er zu tun befohlen hat, und nach
Weisung der Menge Israels, die sich willig erwiesen haben, umzukehren in der Gemeinschaft zu seinem Bund. 23 Und man soll sie eintra-
gen in die Ordnung, einen vor dem anderen, entsprechend seinem
Verständnis und seinen Taten, damit alle gehorsam sind, einer dem
70 anderen, der Geringere dem Höheren; und man soll 24 ihren Geist
prüfen und ihre Taten Jahr um Jahr, um einen jeden entsprechend
seinem Verständnis und der Vollkommenheit seines Wandels aufrük-
ken zu lassen oder ihn entsprechend seiner Verkehrtheit zurückzuset-
zen; man soll zurechtweisen, 25 ein jeder seinen Nächsten in Wahr-
75 [heit] und Demut und barmherziger Liebe untereinander. Keiner soll
zum anderen sprechen in Zorn oder Murren 26 oder Halsstarrig[keit]
oder im Eifer] gottlosen Geistes. Und er soll ihn nicht hassen in seinem
[unbeschnittenen] Herzen; sondern am selben Tage soll er ihn zurechtweisen, aber nicht VI 1 soll er seinetwegen Schuld auf sich
80 laden. Ferner soll niemand gegen seinen Nächsten eine Sache vor die
Vielen bringen, wenn es nicht vorher zur Zurechtweisung vor Zeugen
gekommen ist. Darin 2 sollen sie wandeln in allen ihren Niederlas-
sungen, jeder, der sich dort mit einem anderen befindet. Und sie sollen
sich gehorsam erweisen, der Geringste dem Höheren, hinsichtlich
85 Arbeit und Besitz. Und gemeinsam sollen sie essen, 3 gemeinsam
Lobsprüche sagen und gemeinsam beraten. Und an jedem Ort, wo
zehn Männer vom Rat der Gemeinschaft sind, darf nicht unter ihnen
ein 4 Priester fehlen. Und sie sollen jeder entsprechend seiner Rangstufe vor ihm sitzen, und so sollen sie um ihren Rat befragt werden in
90 jeder Angelegenheit. Und wenn sie den Tisch richten, um zu essen,
oder den Most, 5 um zu trinken, soll der Priester seine Hand zuerst
ausstrecken, um den Lobspruch zu sagen über dem Erstling des Brotes und des Mostes. 6 Und nicht soll an dem Ort, wo zehn Männer
sind, einer fehlen, der im Gesetz forscht Tag und Nacht, 7 beständig,
95 einer nach dem anderen. Und die Vielen sollen gemeinsam wachen
den dritten Teil aller Nächte des Jahres, um im Buch zu lesen und
nach Recht zu forschen 8 und gemeinsam Lobsprüche zu sagen.

1 *Männer der Gemeinschaft ... umzukehren*. Diese Worte erinnern an einige
   Passagen im NT, v. a. in der Apostelgeschichte. Einige Forscher vergleichen
   Gemeinschaft (*yaḥad*) mit ἐπὶ τὸ αὐτό (z. B. Apg 2, 27) und *umkehren* mit
   ἐπιστρέφειν (z. B. Apg 3, 19).

4 *Männer des Frevels*, die – nach Meinung der Sekte: unrechtmäßigerweise –
   den Tempel kontrollierten.

14 *Sinnen seines Triebes, yeṣær.* Vgl. o. *176.*

23 *Rat der Gemeinschaft.* Vgl. VIII 1 (s. *229* Z. 1 f): Im Rat der Gemeinschaft soll es 12 Männer und 3 Priester geben.

**229**  *Gemeinderegel (1 QS) VIII 1–19.*

1 Im Rat der Gemeinschaft sollen zwölf Männer sein und drei Priester, vollkommen in allem, was offenbart ist aus dem ganzen 2 Gesetz, um Treue zu üben, Gerechtigkeit, Recht, barmherzige Liebe und demütigen Wandel, ein jeder mit seinem Nächsten, 3 Treue zu be-
5 wahren im Lande mit festem Sinn und zerbrochenem Geist, Schuld zu sühnen, indem sie Recht tun 4 und Drangsal der Läuterung (ertragen), um mit allen im Maß der Wahrheit und in der Ordnung der Zeit zu wandeln. Wenn dies in Israel geschieht, 5 dann ist der Rat der Gemeinschaft fest gegründet in der Wahrheit für die ewige Pflanzung,
10 ein heiliges Haus für Israel und eine Gründung des Allerheiligsten 6 für Aaron, Zeugen der Wahrheit für das Gericht und Auserwählte des (göttlichen) Wohlgefallens, um für das Land zu sühnen und 7 den Gottlosen ihre Taten zu vergelten. Dies ist die erprobte Mauer, der köstliche Eckstein, nicht 8 werden seine Fundamente wanken noch
15 von ihrem Platz weichen –, eine Stätte des Allerheiligsten 9 für Aaron mit ewiger Erkenntnis für den Bund der Gerechtigkeit, und um darzubringen einen angenehmen Opfergeruch, und ein Haus der Vollkommenheit und Wahrheit in Israel, 10 um den Bund nach den ewigen Gesetzen aufzurichten. Und sie sollen wohlgefällig sein, zu sühnen für
20 das Land und das Urteil über die Gottlosigkeit zu fällen, so daß kein Frevel mehr sein wird. Wenn man diese (Männer) auf der Grundlage der Gemeinschaft zwei Jahre lang in vollkommenem Wandel gefestigt hat, 11 sollen sie abgesondert werden in Heiligkeit inmitten des Rates der Männer der Gemeinschaft. Und keine Angelegenheit, die ver-
25 borgen war vor Israel, aber gefunden worden ist von dem Mann, 12 der forscht, soll er vor diesen verbergen aus Furcht vor einem abtrünnigen Geist. Wenn dies für die Gemeinschaft in Israel geschieht, 13 so sollen sie entsprechend diesen Festsetzungen ausgesondert werden aus der Mitte des Wohnsitzes der Männer des Frevels,
30 um in die Wüste zu gehen, dort den Weg des „Er" zu bereiten, 14 wie geschrieben steht: *In der Wüste bereitet den Weg des Herrn, macht eben in der Steppe eine Bahn unserem Gott* (Jes 40, 3). 15 Das ist das Studium des Gesetzes, [welches] er durch Mose befohlen hat, zu tun gemäß allem, was geoffenbart ist von Zeit zu Zeit, 16 und wie die
35 Propheten offenbart haben durch seinen heiligen Geist. Und jeder Mann von den Männern der Gemeinschaft, vom Bund 17 der Gemeinschaft, der absichtlich in einem Wort vom ganzen Gebot abweicht, darf nicht die Reinheit der Männer der Heiligkeit berühren, 18 und nicht darf er Kenntnis haben von all ihrem Rat, bis seine Werke gereinigt
40 sind von allem Frevel, so daß er in der Vollkommenheit des Weges wandelt. Dann soll man ihn aufnehmen 19 in den Rat auf Geheiß der

Vielen, und danach soll er in seine Rangstufe eingeschrieben werden. Nach dieser Vorschrift (soll verfahren werden) mit jedem, der sich der Gemeinschaft anschließt.

1 *zwölf Männer ... und drei Priester*. Es ist nicht eindeutig, ob an eine Gesamtzahl von zwölf Männern, darunter drei Priester, oder von fünfzehn Männern gedacht ist.

6, 12 *sühnen ... sühnen*. Im Hebräischen werden jeweils verschiedene Begriffe verwendet (*raṣṣot ... kapper*). Der erstere, der mit dem Wort ‚Wohlgefallen' [‚Auserwählte des (göttlichen) Wohlgefallens'] verwandt ist, macht vermutlich deutlich, in welchem Sinn der letztere verstanden werden muß: ‚besänftigen, versöhnen'.

25 *von dem Mann, der forscht*, dem ‚Ausleger'. Es muß keine bestimmte Person gemeint sein.

31 *den Weg des Herrn*. Der heilige Name Gottes, der nicht ausgesprochen werden durfte, ist in der Handschrift durch vier Punkte bezeichnet.

33 *das Studium des Gesetzes*. Es ist deutlich, welche Auffassung die Sekte von ihrer Pflicht und von Gottes Willen hatte.

38 *... darf nicht die Reinheit der Männer der Heiligkeit berühren*. Vermutlich ist damit der Ausschluß aus der Mahlgemeinschaft gemeint.

**230**  *Damaskusschrift (CD) I 1–II 13.*

I 1 Und nun hört, alle, die ihr um Gerechtigkeit wißt, und achtet auf die Werke 2 Gottes. Denn er streitet mit allem Fleisch und hält Gericht über alle, die ihn verachten. 3 Denn wegen ihres Treubruchs, da sie ihn verließen, hat er sein Angesicht vor Israel und seinem
5 Heiligtum verborgen 4 und sie dem Schwert preisgegeben. Weil er aber des Bundes mit den Vorfahren gedachte, hat er einen Rest übriggelassen 5 in Israel und sie nicht der Vernichtung preisgegeben. Und in der Zeit des Zornes, dreihundert- 6 undneunzig Jahre, nachdem er sie in die Hand Nebukadnezars, des Königs von Babel, gegeben hatte,
10 7 hat er sie heimgesucht. Und er ließ aus Israel und aus Aaron eine Wurzel der Pflanzung sprießen, damit sie in Besitz nehme 8 sein Land und fett würde durch die Güte seines Bodens. Und sie sahen ihr Unrecht ein und erkannten, 9 daß sie schuldige Männer waren. Und sie waren wie Blinde und solche, die nach dem Weg tasten, 10 zwan-
15 zig Jahre lang. Und Gott achtete auf ihre Werke, denn mit vollkommenem Herzen hatten sie ihn gesucht, 11 und erweckte ihnen den Lehrer der Gerechtigkeit, um sie auf den Weg seines Herzens zu führen. Und er machte kund 12 den späteren Geschlechtern, was er im letzten Geschlecht an der Gemeinde der Abtrünnigen tun wird, 13 das
20 sind die, welche vom Wege abgewichen sind. Dies ist die Zeit, von der geschrieben steht: *Wie eine störrische Jungkuh,* 14 *so war Israel störrisch* (Hos 4, 16); als der Mann des Spottes sich erhob, der Israel predigte 15 Wasser der Lüge und sie in die weglose Wüste irreführte, um ewigen Stolz zu erniedrigen und abzuweichen 16 von den Pfaden
25 der Gerechtigkeit und die Grenze zu verändern, die ihre Vorfahren an

ihrem Erbteil gezogen hatten, um 17 ihnen die Flüche seines Bundes anzuheften, sie dem Schwert zu überliefern, das die Rache des Bundes ausübt. 18 Denn sie suchten glatte Dinge und erwählten Täuschungen und spähten aus 19 nach Rissen und erwählten die Schönheit des 30 Halses und sprachen den Gottlosen gerecht, aber erklärten den Gerechten für gottlos. 20 Und sie verursachten Übertretungen des Bundes und brachen die Satzung. Und sie taten sich zusammen gegen das Leben des Gerechten, und alle, die wandeln 21 in Vollkommenheit, verabscheute ihre Seele, und sie verfolgten sie mit dem Schwert und 35 freuten sich am Streit des Volkes. Da entbrannte der Zorn II 1 Gottes gegen ihre Gemeinde, so daß er ihre gesamte Menge verstörte und ihre Werke Unreinheit vor ihm sind. 2 Aber jetzt hört auf mich, alle, die ihr in den Bund eingetreten seid, und ich werde euer Ohr öffnen für die Wege 3 der Gottlosen. Gott liebt Erkenntnis, Weisheit und Einsicht 40 hat er vor sich hingestellt, 4 Klugheit und Erkenntnis sind es, die ihm dienen. Langmut ist bei ihm und reiche Vergebungen, 5 um Sühne zu schaffen für die, die von der Sünde sich abgewandt haben. Aber Macht und Kraft und großer Grimm mit Feuerflammen 6 durch alle Engel des Verderbens gegen die, die dem Wege widerstreben und die Sat- 45 zung verabscheuen, auf daß es keinen Rest 7 und kein Entronnenes für sie gebe. Denn Gott hat sie nicht erwählt von uralter Zeit an; und bevor sie geschaffen wurden, kannte er 8 ihre Werke. Und er verabscheute die Generationen wegen des Blutvergießens und verbarg sein Angesicht vor dem Land, 9 (vor Israel,) bis zu ihrem Ende. Und er 50 kennt die Jahre des Bestehens und die Zahl und Bestimmung ihrer Zeiten für alle 10 ewigen Geschehnisse und ewigen Ereignisse, was in ihren Zeiten kommen wird für alle Jahre der Weltzeit. 11 Und in ihnen allen hat er sich namentlich Genannte erweckt, um Entronnene für das Land übrig zu lassen und 12 die Oberfläche des Erdkreises 55 mit ihrem Samen zu füllen. Und er belehrte sie durch die Gesalbten seines heiligen Geistes und die Seher der 13 Wahrheit. Und mit Genauigkeit legte er ihre Namen fest, aber die, welche er haßt, führte er in die Irre.

8 *dreihundertundneunzig Jahre.* Das würde uns etwa in das Jahr 200 v. Chr. führen. Es dürfte sich allerdings, wie Lohse sagt, eher „um eine apokalyptische Zahl (vgl. Ez. 4, 5)" handeln, aus der „schwerlich der Zeitpunkt errechnet werden (kann), zu dem die Bundesgemeinde gegründet wurde" (*Die Texte aus Qumran*, S. 287).

16 *Lehrer der Gerechtigkeit*, d. h. ein ‚rechter Lehrer', einer, der die Wahrheit lehrte. Das geschah, nachdem Israel zwanzig Jahre lang ‚nach dem Weg getastet' hatte. Der Lehrer muß als der eigentliche Gründer der Sekte angesehen werden. Vgl. *233.*

22 *der Mann des Spottes.* Vgl. u. *241,* wo er als der ‚Mann der Lüge' (oder ‚Lügenmann') bezeichnet wird.

29 *erwählten die Schönheit des Halses.* Das scheint eine Anspielung auf Hos 10, 11 zu sein.

39 *Gott liebt Erkenntnis, da'at (דעת).* Die scheinbare Verwandtschaft zwischen

den Qumrantexten und der Gnosis ist häufig herausgestellt worden. Wie der Kontext freilich zeigt, steht dabei im großen und ganzen alttestamentliches Weisheitsdenken im Hintergrund.

### 231  *Damaskusschrift (CD) IV 2–VI 11.*

IV 2  Die Priester sind die Umkehrenden Israels, 3  die aus dem Lande Juda ausgezogen sind; (und die Leviten sind die,) welche sich ihnen angeschlossen haben. Und die Söhne Zadoqs sind die Erwählten 4  Israels, die bei Namen Gerufenen, die am Ende der Tage auftreten
5 werden. Siehe, das genaue Verzeichnis 5  ihrer Namen nach ihren Geschlechtern und die Zeit ihres Auftretens und die Zahl ihrer Drangsale und die Jahre 6  ihrer Verbannung und die Aufstellung ihrer Werke. [.?.] die früheren heiligen Männer, denen Gott vergeben hat 7  und die den Gerechten für gerecht und den Gottlosen für gottlos
10 erklärt haben; und alle, die nach ihnen eingetreten sind, 8  um nach der genauen Bestimmung des Gesetzes zu handeln, wodurch die Früheren sich weisen ließen, bis zur Vollendung 9  der Zeit dieser Jahre. Gemäß dem Bund, den Gott den Früheren aufgerichtet hat, um zu vergeben 10  ihre Sünden, wird Gott auch ihnen vergeben. Und bei
15 Vollendung der Zeit gemäß der Zahl dieser Jahre 11  wird sich niemand mehr dem Hause Juda anschließen; sondern jeder soll stehen 12  auf seiner Warte. Die Mauer ist erbaut, fern ist die Satzung. Und in allen diesen Jahren wird 13  Belial losgelassen sein gegen Israel, wie Gott durch den Propheten Jesaja, den Sohn 14  des Amos, gespro-
20 chen hat: *Grauen und Grube und Garn über dich, Einwohner des Landes* (Jes 24, 17). Seine Deutung bezieht sich 15  auf die drei Netze Belials, von denen Levi, der Sohn Jakobs, gesprochen hat, 16  daß er damit Israel fängt, und die er vor sie gestellt hat als drei Arten 17  von Recht: Die erste ist die Unzucht, die zweite der Reichtum, die dritte
25 18  die Befleckung des Heiligtums. Wer dem einen entkommt, wird vom anderen gefangen, und wer daraus errettet wird, der wird 19  von diesem gefangen. Die Erbauer der Mauer, das sind die, die hinter „Zaw" hergehen; „Zaw" ist ein Prediger, 20  von dem er gesagt hat: Mögen sie unablässig predigen. Sie sind durch zweierlei gefangen: in
30 der Hurerei, daß sie 21  zwei Weiber zu ihren Lebzeiten nahmen; aber die Grundlage der Schöpfung ist: *Als Mann und Weib hat er sie erschaffen* (Gen 1, 27).

V 1  Und die in die Arche hineingingen, sind je zwei und zwei in die Arche gegangen. Und über den Fürsten steht geschrieben: 2  *Er soll*
35 *sich nicht viele Weiber halten* (Dtn 17, 17). Aber David hatte nicht im versiegelten Buch des Gesetzes gelesen, das 3  in der Lade war; denn es war nicht geöffnet worden in Israel seit dem Tage, da Eleazar starb 4  und Josua und die Ältesten, da man den Astarten diente. Und es war verborgen 5  und wurde nicht enthüllt bis zum Auftreten Zadoqs.
40 Und die Werke Davids wurden aufgehoben (?) mit Ausnahme des Blutes des Uria, 6  und Gott erließ sie ihm. Auch beflecken sie das

Heiligtum, da sie nicht 7 unterscheiden dem Gesetz entsprechend und bei der liegen, die den Blutfluß sieht. Und sie nehmen 8 jeder die Tochter seines Bruders oder die Tochter seiner Schwester. Mose aber 45 hat gesagt: Der 9 Schwester deiner Mutter sollst du dich nicht nahen; denn sie ist Blutsverwandte deiner Mutter. Und das Gesetz über Blutschande ist zwar für Männer 10 aufgeschrieben, aber ebenso für die Frauen (gültig). Und wenn die Tochter des Bruders die Blöße des Bruders 11 ihres Vaters aufdeckt, so ist sie (doch) eine Blutsverwand- 50 te. Und auch ihren heiligen Geist haben sie verunreinigt und mit Lästerzunge 12 den Mund geöffnet gegen die Satzungen des Bundes Gottes und sprechen: Sie stehen nicht fest gegründet! Und Greuel 13 reden sie da gegen sie. Allesamt sind sie Feuerschürer und Brand- stifter; Spinnengewebe 14 sind ihre Gewebe, und Viperneier sind ihre 55 Eier. Wer sich ihnen nähert, 15 bleibt nicht rein; je mehr er es tut, umso mehr soll er als schuldig gelten, es sei denn, er wäre gezwungen worden. Denn schon längst hat 16 Gott ihre Werke heimgesucht, und sein Zorn entbrannte gegen ihre Taten; denn es ist ein uneinsichtiges Volk. 17 Sie sind ein Volk, an dem guter Rat verloren ist, weil es keine 60 Einsicht unter ihnen gibt. Denn einstmals stand 18 Mose auf und Aaron durch den Fürsten der Lichter, aber Belial ließ den Jannes aufstehen und 19 seinen Bruder in seiner Tücke, als Israel zum er- sten Mal gerettet wurde. 20 Und zur Zeit der Verwüstung des Landes sind Leute aufgestanden, die die Grenze verrückten und Israel in die 65 Irre führten; 21 und das Land wurde zur Wüste; denn sie predigten Aufruhr gegen die Gebote Gottes, die (er) durch Mose

VI 1 und durch die heiligen Gesalbten (gegeben hatte), und weis- sagten Lüge, um Israel zum Abfall von Gott zu bringen. 1. Gott aber gedachte des Bundes mit den Vorfahren und erweckte aus Aaron 70 einsichtige Männer und aus Israel 3 Weise. Und er ließ sie hören, und sie gruben den Brunnen, einen Brunnen, den Fürsten gegraben ha- ben, den ausgeschachtet haben 4 die Edlen des Volkes mit dem Stabe (Num 21, 18). Der Brunnen, das ist das Gesetz, und die ihn gegraben haben, 5 das sind die Bekehrten Israels, die aus dem Lande Juda 75 ausgezogen sind und im Lande von Damaskus in der Fremde weilten, 6 die Gott alle Fürsten genannt hat; denn sie haben ihn gesucht, und nicht geschmälert 7 wurde ihr Ruhm durch eines (Menschen) Mund. Und der Stab ist der, der das Gesetz erforscht, von dem 8 Jesaja gesagt hat: *Einer, der ein Werkzeug für sein Tun hervorbringt* (Jes 54, 80 16). Und die Edlen des Volkes sind diejenigen, 9 die gekommen sind, um den Brunnen auszuschachten mit Hilfe der ‚Stäbe‘, die der ‚Stab‘ vorgeschrieben hat, 10 in ihnen zu wandeln während der ganzen Zeit des Frevels. Und ohne sie werden sie nicht erlangen (Belehrung) bis zum Auftreten 11 eines Lehrers der Gerechtigkeit am Ende der Tage.

---

1 *Priester ... Leviten ... Söhne Zadoks.* Der Autor interpretiert Ez 44, 15.

18 *wird Belial losgelassen sein.* Es werden die Ereignisse ‚am Ende der Zeiten‘ beschrieben.

21 *Seine Deutung* (פשרו) Das Wort *pesher* ist außerordentlich charakteristisch für die Qumrantexte.

27–41 Die strikte Ehescheidungs- und Wiederverheiratungslehre in den Qumranrollen erinnert auffallend an die Evangelien. Unkenntnis kann Davids Verhalten teilweise, aber nicht gänzlich entschuldigen.

73 *Der Brunnen, das ist das Gesetz.* Die Art der Auslegung ist erneut bezeichnend.

75 *im Lande von Damaskus.* Vgl. dazu P. R. Davies, *The Birthplace of the Essenes: Where is ‚Damascus‘?,* RdQ 56, 1990, S. 503–520.

84 *eines Lehrers der Gerechtigkeit am Ende der Tage,* wörtlich: ‚eines, der die Gerechtigkeit lehrt am Ende der Tage. Vermutlich ist aber an den ‚Lehrer der Gerechtigkeit‘ gedacht (s. *230* und *233*). Die Sekte glaubte, am (oder unmittelbar vor dem) Ende zu leben, wo die Erfüllung der eschatologischen Hoffnungen und Verheißungen bevorstand.

**232** *Damaskusschrift (CD) X 14–XII 6a.*

X 14 Über den Sa[bb]at, daß man ihn halte entsprechend seiner Anordnung. Niemand soll am 15 sechsten Tage eine Arbeit ausführen von der Zeit an, zu der die Sonnenscheibe 16 von dem Tor um die Länge ihres Durchmessers entfernt ist. Denn das ist es, was er gesagt 5 hat: *Halte* 17 *den Sabbattag, um ihn zu heiligen* (Dtn 5, 12). Und niemand darf am Sabbattag ein 18 törichtes oder eitles Wort sagen. Nicht darf man etwas an seinen Nächsten ausleihen. Nicht soll man über eine Angelegenheit von Besitz und Gewinn richten. 19 Nicht darf man über Fragen der Arbeit sprechen oder das Werk, das am 10 nächsten Tag zu tun ist. 20 Nicht darf man auf das Feld hinausgehen, um eine Arbeit nach seinem Gutdünken zu verrichten 21 am Sabbat. Nicht darf man aus seiner Stadt weiter hinausgehen als tausend Ellen. 22 Niemand soll am Sabbattag etwas essen außer dem, was schon vorbereitet ist, und von dem, was verdirbt 23 auf dem Feld. 15 Man darf nichts essen und nichts trinken außer dem, was sich im Lager befindet.

XI 4 Auf dem Weg, wenn man hinabsteigt, um zu baden, darf man da trinken, wo man steht, aber man darf nicht schöpfen 2 in irgendein Gefäß. Man darf nicht einen Fremden schicken, daß er seinen Wunsch 20 am Sabbattage ausführe. 3 Niemand darf schmutzige Kleider oder in einer Kammer aufbewahrte tragen, ohne daß 4 sie mit Wasser gewaschen oder mit Weihrauch abgerieben worden sind. Niemand darf nach eigenem Gutdünken einen ʿEruv anlegen 5 am Sabbat. Niemand soll hinter dem Vieh hergehen, um es außerhalb der Stadt zu 25 weiden, es 6 sei denn 2000 Ellen weit. Man soll seine Hand nicht heben, um es mit der Faust zu schlagen. Wenn 7 es störrisch ist, soll man es nicht aus dem Haus führen. Niemand darf etwas aus dem Haus 8 nach draußen bringen oder von draußen in das Haus. Und wenn man sich in einer Hütte befindet, soll man nichts aus ihr hinaus-30 bringen 9 und nichts in sie hineinbringen. Nicht darf man ein zugeklebtes Gefäß am Sabbat öffnen. Niemand soll 10 bei sich Medika-

mente tragen, um damit aus- und einzugehen am Sabbat. Man darf nicht in seinem Wohnhaus 11 einen Stein oder Erde aufheben. Ein Pfleger darf nicht den Säugling tragen, um aus- und einzugehen am
35 Sabbat. 12 Niemand darf seinen Knecht oder seine Magd oder seinen Tagelöhner erzürnen am Sabbat. 13 Niemand soll Vieh beim Werfen helfen am Sabbattag. Und wenn es in einen Brunnen fällt 14 oder in eine Grube, so soll er es nicht am Sabbat wieder herausholen. Niemand soll den Sabbat an einem Ort in der Nähe 15 der Heiden ver-
40 bringen. Niemand darf den Sabbat entweihen wegen Besitz oder Gewinn am Sabbat. 16 Einen lebendigen Menschen, der in ein Wasserloch fällt oder sonst in einen Ort, 17 soll niemand heraufholen mit einer Leiter oder einem Strick oder einem (anderen) Gegenstand. Niemand soll am Sabbat etwas auf den Altar bringen 18 außer dem
45 Sabbatbrandopfer; denn so steht geschrieben: *ausgenommen eure Sabbate* (Lev 23, 38). Niemand soll 19 zum Altar ein Brandopfer oder ein Speisopfer oder Räucherwerk oder Holz schicken durch einen Mann, der unrein ist durch eine 20 der Unreinheiten, indem er ihm dadurch gestattet, den Altar zu verunreinigen. Denn es steht geschrie-
50 ben: *Das Schlachtopfer* 21 *der Gottlosen ist ein Greuel, aber das Gebet der Gerechten ist ein wohlgefälliges Speisopfer* (Prov 15, 8). Und keiner, der in 22 ein Bethaus geht, darf im Zustand der Unreinheit, der eine Waschung erfordert, kommen. Und wenn die Trompeten der Gemeindeversammlung blasen, 23 soll er es vorher oder nachher tun,
55 aber nicht soll man den ganzen Gottesdienst aufhalten. [Der Sabba]t
XII 1 ist heilig. Nicht darf ein Mann bei einer Frau liegen in der Stadt des Heiligtums, um nicht 2 die Stadt des Heiligtums durch ihre Unreinheit zu verunreinigen. Jeder Mann, über den die Geister Belials herrschen, 3 so daß er Abfall predigt, soll nach der Satzung für
60 Totenbeschwörer und Wahrsagegeister gerichtet werden. Und jeder, der irregeht, 4 den Sabbat oder die Feste zu entweihen, soll nicht getötet werden; sondern Leuten soll 5 seine Bewachung übertragen werden. Und wenn er davon geheilt ist, soll man ihn sieben Jahre lang überwachen, und dann 6 darf er wieder in die Gemeindeversamm-
65 lung ko[m]men.

12 *tausend Ellen.* Das Gebot ist eng gefaßt; die rabbinische Grenze lag bei 2000 Ellen (*mEruvin* IV 3; *mSoṭa* V 3).

23 *einen 'Eruv anlegen. Vgl. 195* mit Anm. zu Z. 2.

38 *soll er es nicht am Sabbat wieder herausholen.* Auch in diesem Fall wurde die Vorschrift in Qumran strenger ausgelegt, als sie anderwärts befolgt wurde (vgl. Lk 14, 5).

**233** *Aus einem Brief (des Lehrers der Gerechtigkeit?) (4 QMMT).*

In Höhle 4 von Qumran wurden 6 Fragmente eines Briefes gefunden, der möglicherweise mit dem in 4 QpPs 37 IV 6–8 erwähnten Schreiben des „Lehrers der Gerechtigkeit" an den Frevelpriester (vielleicht der Hasmonäerkönig Jonathan [s. *140*]) identisch ist. Der Brief bestand wohl aus vier Teilen: Dem nicht erhaltenen Briefeingang, einem teilweise erhaltenen Kalender, einer Liste von über 20 qumranischen *Halakhot* (s. dazu o. S. 216) und dem Briefschluß. Die Edition dieses außerordentlich wichtigen Textes steht noch aus. Die beiden hier wiedergegebenen Auszüge aus dem Schlußteil des Briefes basieren einerseits auf einem Zitat, andererseits auf einer Fotografie, die E. Qimron und J. Strugnell in einem Vorbericht abgedruckt haben (*An Unpublished Halakhic Letter from Qumran*, The Israel Museum Journal IV, 1985, S. 9–12).

a) Wir haben uns getrennt von der Mehrheit des Vol[kes und] davon, uns in diesen Angelegenheiten zu vermischen und zusammenzukommen mi[t ihnen au]f der Grundlage dieser (Dinge).

b) [...] Sünden. Gedenke [des] David, welcher ein Mann frommer
5 Taten war; [und] auch er wurde [er]rettet aus vielerlei Nöten, und es wurde ihm (von Gott her) Vergebung zuteil. Und auch wir haben Dir geschrieben (einiges) aus der Gesamtheit der Vorschriften der Tora, die wir für wichtig halten, zum Wohl für Dich und Dein Volk. Denn wir haben bei Dir Klugheit und Torakenntnis gesehen. Überprüfe alle
10 diese Angelegenheiten und erbitte von Ihm, daß er Deine Beschlußfassung rechtgeordnet sein lasse (?) und böses Sinnen und das Planen Belials von Dir fernhalte, auf daß Du Dich freuen mögest am Ende der Zeit, indem du (einiges) aus der Gesamtheit unserer Worte als richtig erfindest. Und es möge Dir zur Gerechtigkeit angerechnet werden,
15 wenn Du tust, was recht und gut vor Ihm ist, zum Wohl für Dich und Israel.

1 *Wir haben uns getrennt* (פרשנו). Erstmals wird hier *parash* für die Absonderung von der Volksgemeinschaft gebraucht; das wirft ein Licht auf den Namen *perushim* (Pharisäer).

4 *ein Mann frommer Taten*, oder: *ein Mann (göttlicher) Gnadenerweise.*

6 *Und auch wir haben Dir geschrieben (einiges) aus der Gesamtheit der Vorschriften der Tora*, nämlich im Hauptteil des Briefes. Die Schlußsätze des Briefes lehnen sich in ihren Formulierungen teilweise an Dtn 12, dem Einleitungskapitel der deuteronomischen Gesetzesoffenbarung durch Mose, an.

11 *böses Sinnen und das Planen Belials*. Vgl. Nah 1, 11: „Aus dir (sc. Ninive) ist hervorgegangen, der Böses wider Jahwe sinnt, der Verderben (Belial) plant."

12 *auf daß Du Dich freuen mögest*; vgl. Dtn 12, 12. 18.

14 *Und es möge Dir zur Gerechtigkeit angerechnet werden*; vgl. Gen 15, 6; Ps 106, 31.

15 *wenn Du tust, was recht und gut vor Ihm ist, zum Wohl für Dich und Israel*; die Formulierung lehnt sich eng an Dtn 12, 28 an.


# B. Glaube und Ordenspraxis

Wie oben (S. 252) bereits dargelegt wurde, bestand das Ziel der Sekte darin, ein Leben in vollkommener Reinheit zu erreichen in Übereinstimmung mit den Forderungen der Tora, wie die Gemeinde sie verstand. Dazu wurden den Sektenmitgliedern strikte Verhaltensmaßregeln auferlegt. Es war nicht leicht, zur Gemeinde zugelassen zu werden, und die Probezeit war hart. Die oberen Chargen in der Hierarchie übten die unumschränkte Befehlsgewalt über die unteren Ränge aus. Sie hatten die Macht, ein Mitglied aus der Gemeinde auszuschließen, eine Strafe, die härter war, als es den Anschein haben mag; denn wer ausgeschlossen war, hatte keinen Zugang mehr zu der einzigen Nahrung, die ihm seine Gelübde aufzunehmen erlaubten. Die Gemeinde hatte strenge Regeln, die strikt einzuhalten waren. Dennoch wäre es falsch anzunehmen, daß ihre Religion rein äußerlicher Art war. Wer die Hymnen und viele andere Teile der Qumran-Literatur liest, gewahrt eine warme und echte Frömmigkeit. Die Sektenmitglieder bereuten aufrichtig ihre persönlichen Sünden und die ihres Volkes, an denen sie zwangsläufig teilhatten. Um Vergebung zu erhalten, waren sie völlig abhängig von der Gnade Gottes. Auf sie, das wußten die Gläubigen, konnten sie freilich vertrauen; denn Gott war liebevoll, und außerdem hatten sie teil an dem Bund, den Gott mit den Erzvätern geschlossen hatte und der durch die Gründer und Leiter der Gemeinde erneuert worden war und jährlich erneuert wurde. Sie konnten auch von Gottes Gerechtigkeit und ihrer eigenen Rechtfertigung sprechen; inwieweit ihr Verständnis dieser Begriffe sich mit dem paulinischen Gebrauch deckte, ist strittig. Sie freuten sich darauf, nach dem Tod in der Gegenwart Gottes zu leben, sie freuten sich auch auf eine glorreiche Zukunft für ihr Volk oder zumindest für die Auserwählten und Gerechten darunter. Und sie dankten Gott für seine Gnadenerweise.

**234** *Gemeinderegel (1 QS) XI 2–22.*

Was mich betrifft, so steht meine Gerechtigkeit bei Gott, und in seiner Hand liegt die Vollkommenheit meines Wandels mitsamt der Geradheit meines Herzens, 3 und durch seine Gerechtigkeit wird meine Sünde getilgt. Denn aus der Quelle seiner Erkenntnis hat er sein Licht
5 eröffnet, so daß mein Auge seine Wunder erblickte und das Licht meines Herzens das Geheim[nis] 4 des Gewordenen. Und ewiges Sein ist die Stütze meiner Rechten, auf einem starken Felsen geht der Weg meiner Schritte, der durch nichts wanken wird. Denn Gottes Wahrheit, sie ist 5 der Fels meiner Schritte, und seine Macht ist die Stütze
10 meiner Rechten. Aus dem Quell seiner Gerechtigkeit kommt mein Recht, Licht ist in meinem Herzen aus seinen wunderbaren Geheimnissen. Auf das, was ewig ist, 6 hat mein Auge geblickt, tiefe Einsicht, die Menschen verborgen ist, Wissen und kluge Gedanken (, verborgen) vor den Menschen, eine Quelle der Gerechtigkeit und Hort 7 der Kraft

15 mit der Quelle der Herrlichkeit (, verborgen) vor der Versammlung des
Fleisches. Welche Gott erwählt hat, denen hat er sie zu ewigem Besitz
gegeben, und Anteil hat er ihnen gegeben am Los 8  der Heiligen, und
mit den Söhnen des Himmels hat er ihre Versammlung verbunden zu
einem Rat der Gemeinschaft und Kreis des heiligen Gebäudes, zu
20 ewiger Pflanzung für alle 9  künftigen Zeiten. Doch ich gehöre zur
ruchlosen Menschheit, zur Menge des frevelnden Fleisches. Meine
Sünden, meine Übertretungen, meine Verfehlungen samt der Verderbtheit meines Herzens 10  gehören zur Menge des Gewürms und
derer, die in Finsternis wandeln. Denn (k)ein Mensch (bestimmt)
25 seinen Weg, kein Mensch lenkt seinen Schritt; sondern bei Gott ist die
Gerechtigkeit, und aus seiner Hand 11  (kommt) vollkommener Wandel, und durch sein Wissen ist alles entstanden. Alles, was ist, lenkt er
nach seinem Plan, und ohne ihn geschieht nichts. Ich aber, 12  wenn
ich wanke, so sind Gottes Gnadenerweise meine Hilfe auf ewig. Und
30 wenn ich strauchle durch die Bosheit des Fleisches, so besteht meine
Gerechtigkeit durch die Gerechtigkeit Gottes in Ewigkeit. 13  Und
wenn er meine Bedrängnis löst, so wird er meine Seele aus der Grube
ziehen und meine Schritte auf den Weg lenken. Durch sein Erbarmen
hat er mich nahe gebracht, und durch seine Gnadenerweise kommt
35 14  meine Gerechtigkeit. Durch die Gerechtigkeit seiner Wahrheit hat
er mich gerichtet, und durch den Reichtum seiner Güte sühnt er alle
meine Sünden, und durch seine Gerechtigkeit reinigt er mich von aller
Unreinheit 15  des Menschen und von der Sünde der Menschenkinder, Gott zu loben für seine Gerechtigkeit und den Höchsten für seine
40 Majestät. Gepriesen seist du, mein Gott, der du zur Erkenntnis auf-
tust 16  das Herz deines Knechtes. Leite durch Gerechtigkeit all seine
Werke und richte den Sohn deiner Wahrheit auf, wie du Wohlgefallen
hast an den Auserwählten der Menschheit, daß sie stehen 17  vor dir
auf ewig. Denn ohne dich wird kein Wandel vollkommen, und ohne
45 dein Wohlgefallen geschieht nichts. Du hast 18  alle Erkenntnis gelehrt, und alles, was geschehen ist, geschah durch dein Wohlgefallen.
Kein anderer ist da außer dir, um auf deinen Ratschluß zu antworten
und zu verstehen 19  deinen ganzen heiligen Plan und in die Tiefe
deiner Geheimnisse zu blicken und all deine Wunder zu begreifen
50 samt der Macht 20  deiner Stärke. Wer kann deine Herrlichkeit erfassen? Und was, wahrlich, ist es, das Menschenkind, unter deinen wunderbaren Werken? 21  Und der vom Weib Geborene, was soll er vor dir
erwidern? Er, seine Form ist aus Staub, und Speise des Gewürms ist
seine Wohnung. Und er [. ? .] 22  geformter Lehm, und nach dem Staub
55 steht sein Begehren. Was soll der Lehm erwidern und das von der
Hand Geformte, und deinen Ratschluß, wie soll er ihn verstehen?

1 *Gerechtigkeit*, vielleicht besser ‚Rechtfertigung', die Übersetzung für *mish-
paṭ* (משפט), das auch mit *Urteil* wiedergegeben werden könnte. Insofern an
ein mildes Urteil gedacht ist, käme der Satz paulinischem Gedankengut
nahe; doch wäre in diesem Falle der hier verwendete Ausdruck etwas
unglücklich gewählt.

3 *durch seine Gerechtigkeit* (צדקותו). An dieser Stelle ähnelt die Formulierung schon eher paulinischem Sprachgebrauch. Freilich steht hier der Plural *ṣidqotaw*, vermutlich mit der Bedeutung *gerechte Taten*, in Z. 10 jedoch der Singular.

21 *des frevelnden Fleisches, basar:* möglicherweise eine weitere Berührung mit Paulus.

**235** *Gemeinderegel (1 QS) VI 8b–VII 25.*

VI 8 … Das ist die Ordnung für die Sitzung der Vielen, jeder in seiner Rangstufe: Die Priester sollen an erster Stelle sitzen, und die Ältesten an zweiter, und dann alles übrige 9 Volk, sie sollen jeder in seiner Rangstufe sitzen. Und so sollen sie befragt werden hinsichtlich des
5 Rechtes und jeden Ratschlusses und irgendeiner Sache, die vor die Vielen kommt, so daß jeder sein Wissen 10 dem Rat der Gemeinschaft zur Verfügung stellt. Niemand soll mitten in die Worte seines Nächsten hineinreden, bevor sein Bruder aufgehört hat zu sprechen. Auch darf er nicht sprechen vor der Rangstufe dessen, der vor ihm einge-
10 schrieben ist; 11 der Mann, der befragt wird, soll sprechen, wenn er an der Reihe ist. Und in der Sitzung der Vielen soll niemand ein Wort sagen ohne Geheiß der Vielen, und wenn er auch 12 der Aufseher über die Vielen ist. Und jeder Mann, der ein Wort zu den Vielen zu reden hat, der aber nicht das Amt des Mannes hat, der den Rat 13 der
15 Gemeinschaft befragt, der soll aufstehen und sagen: Ich habe ein Wort zu reden zu den Vielen. Wenn sie es ihm erlauben, so darf er reden. Jeden, der sich aus Israel willig zeigt, 14 sich dem Rat der Gemeinschaft anzuschließen, soll der Aufseher, der an der Spitze der Vielen steht, prüfen auf sein Verständnis und seine Werke. Und wenn er
20 Zucht annimmt, dann soll er ihn 15 in den Bund bringen, daß er umkehre zur Wahrheit und weiche von allem Frevel, und soll ihn belehren in allen Ordnungen der Gemeinschaft. Danach, wenn er hereinkommt, um vor die Vielen zu treten, sollen sie alle befragt werden 16 über seine Angelegenheiten. Und wie das Los fällt nach
25 dem Rat der Vielen, soll er sich nähern oder entfernen. Wenn er sich dem Rat der Gemeinschaft nähern darf, soll er nicht die Reinheit 17 der Vielen berühren, solange man ihn nicht geprüft hat hinsichtlich seines Geistes und seiner Werke, bis er ein ganzes Jahr vollendet hat. Desgleichen darf er nicht teilhaben am Besitz der Vielen. 18 Und
30 wenn er ein ganzes Jahr inmitten der Gemeinschaft vollendet hat, dann sollen die Vielen über seine Angelegenheiten entsprechend seinem Verständnis und seinen Werken im Gesetz befragt werden. Und wenn ihm dann das Los fällt, 19 daß er sich dem Rat der Gemeinschaft nähern darf nach Weisung der Priester und der Menge der
35 Männer ihres Bundes, dann soll man auch seinen Besitz und seine Einkünfte übergeben in die Hand des Mannes, 20 der die Aufsicht führt über die Einkünfte der Vielen, und es durch ihn auf Rechnung anschreiben; aber er darf es nicht für die Vielen ausgeben. Er darf nicht das Getränk der Vielen berühren, bis 21 er ein zweites Jahr

40 inmitten der Männer der Gemeinschaft vollendet hat. Wenn er aber
das zweite Jahr vollendet hat, dann soll man ihn auf Geheiß der Vielen
prüfen. Und wenn ihm 22 das Los fällt, ihn in die Gemeinschaft
einzuführen, dann soll man ihn in die Ordnung seiner Rangstufe
einschreiben unter seinen Brüdern, für Gesetz und Recht und Rein-
45 heit und Beteiligung seines Besitzes. Und sein Rat 23 und sein Urteil
sollen der Gemeinschaft gehören.

24 Das sind die Ordnungen, nach denen sie in gemeinsamer Untersuchung entsprechend den Fällen richten sollen. Wenn unter ihnen
ein Mann gefunden wird, der falsche Angaben macht 25 bezüglich des
50 Besitzes wider sein Wissen, so soll man ihn ausschließen aus der
Reinheit der Vielen auf ein Jahr, und er soll bestraft werden mit
(Entzug von) einem Viertel seiner Essensration. Und wer 26 seinem
Nächsten in Halsstarrigkeit antwortet (oder) im Jähzorn spricht, so
daß er die Grundlage seiner Gemeinschaft zer[bri]cht, indem er der
55 Weisung seines Nächsten widerstrebt, der vor ihm eingeschrieben ist,
27 der hat sich mit eigener Hand [ge]holfen. Er soll für ein Jahr [mit
Ausschluß] bestraft werden. [W]er etwas erwähnt im Namen dessen,
der hochgeehrt ist, gegen jemanden, [...]

VII 1 Und wenn er einen Fluch ausgesprochen hat, etwa weil er
60 durch eine Notlage verängstigt war, oder welchen Anlaß er auch
haben mag, – und er liest im Buch oder spricht den Segensspruch, so
soll man ihn ausschließen, 2 und er soll nicht wieder in den Rat der
Gemeinschaft zurückkehren. Und wenn einer gegen einen von den
Priestern, die aufgeschrieben sind im Buch, im Zorn geredet hat, so
65 soll er mit einem Jahr bestraft werden 3 und für sich ausgeschlossen
sein von der Reinheit der Vielen.

Und wenn er aus Versehen geredet hat, so soll er mit sechs Monaten
bestraft werden. Und wer wissentlich lügt, 4 der soll mit sechs Monaten bestraft werden. Und der Mann, der seinen Nächsten ohne Grund
70 wissentlich schmäht, soll mit einem Jahr bestraft werden 5 und ausgeschlossen werden. Und wer mit seinem Nächsten betrügerisch (?)
redet oder wissentlich Betrug begeht, der soll mit sechs Monaten
bestraft werden. Und wenn er 6 an seinem Nächsten fahrlässig handelt, soll er mit drei Monaten bestraft werden. Und wenn er am Besitz
75 der Gemeinschaft fahrlässig handelt, so daß er einen Verlust verursacht, so soll er ihn 7 persönlich ersetzen. 8 Und wenn er sich aber
nicht anschickt, ihn zu ersetzen, so soll er mit sechzig Tagen bestraft
werden. Und wer seinem Nächsten grollt ohne Grund, der soll mit
sechs Monaten bestraft werden (mit einem Jahr); 9 ebenso wer sich
80 selbst für irgend etwas rächt. Und wer mit seinem Mund ein törichtes
Wort spricht, drei Monate. Und für denjenigen, der mitten in die
Worte seines Nächsten hineinredet, 10 zehn Tage. Und wer sich hin-
legt und schläft während der Sitzung der Vielen, dreißig Tage; ebenso
für denjenigen, der sich während der Sitzung der Vielen entfernt,
85 11 und zwar ohne Genehmigung. Und wer einschlummert bis zu
dreimal während einer Sitzung, der soll mit zehn Tagen bestraft

werden. Und wenn sie stehen (?) 12 und er sich doch entfernt, so soll
er mit dreißig Tagen bestraft werden. Und wer vor seinem Nächsten
nackt geht, ist aber nicht gezwungen dazu, soll mit sechs Monaten
90 bestraft werden. 13 Und ein Mann, der mitten in die Sitzung der
Vielen hineinspuckt, soll mit dreißig Tagen bestraft werden. Und wer
seine Hand aus seinem Gewand hervorstreckt, und es 14 flattert, so
daß seine Blöße sichtbar wird, der soll mit dreißig Tagen bestraft
werden. Und wer töricht mit lauter Stimme lacht, der soll bestraft
95 werden mit dreißig 15 Tagen. Und wer seine linke Hand heraus-
streckt, um damit zu fuchteln, der soll mit zehn Tagen bestraft werden. Und wer seinen Nächsten verleumderisch hintergeht, 16 den soll
man auf ein Jahr ausschließen von der Reinheit der Vielen, und er soll
bestraft werden. Und wer die Vielen verleumderisch hintergeht, den
100 soll man von ihnen fortschicken, 17 und nicht darf er zurückkehren.
Und wer gegen die Grundlage der Gemeinschaft murrt, den soll man
fortschicken, und nicht darf er zurückkehren. Und wenn er gegen
seinen Nächsten murrt 18 ohne Grund, so soll er mit sechs Monaten
bestraft werden. Der Mann, dessen Geist gegenüber der Grundlage
105 der Gemeinschaft schwankt, so daß er abtrünnig wird von der Wahrheit 19 und in der Verstocktheit seines Herzens wandelt, der soll,
wenn er umkehrt, mit zwei Jahren bestraft werden. Im ersten Jahr
darf er die Reinheit der Vielen nicht berühren, 20 und im zweiten darf
er nicht den Trank der Vielen berühren und muß hinter allen Män-
110 nern der Gemeinschaft sitzen. Und wenn vollendet sind 21 seine zwei
Jahre, dann sollen die Vielen über seine Angelegenheiten befragt
werden. Und wenn sie ihn zulassen, dann soll er in seiner Rangstufe
eingeschrieben werden, und danach soll er (wieder) über das Recht
befragt werden. 22 Und jeder Mann, der sich im Rat der Gemein-
115 schaft volle zehn Jahre befindet, 23 aber sein Geist wendet sich ab, so
daß er abtrünnig wird von der Gemeinschaft und er weggeht von
24 den Vielen, um in der Verstocktheit seines Herzens zu wandeln,
der soll nicht mehr in den Rat der Gemeinschaft zurückkehren. Und
wenn ein Mann aus den Männern der Gemein[schaft] mit ihm [Ge-
120 mein]schaft gehabt hat 25 in seiner Reinheit oder seinem Besitz, d[en
er gegeben hat unter den Besitz] der Vielen, so soll derselbe Urteil-
spruch über ihn ergehen, [ihn fort]zuschicken.

2 *die Priester, ha-koh*<sup>a</sup>*nim* (הכוהנים), die ihr Amt im Tempel ausgeübt hätten,
wenn sie nicht diejenigen abgelehnt hätten, die seine Leitung innehatten.
*die Ältesten, ha-z*<sup>e</sup>*kenim* (הזקנים).

18 *der Aufseher, ham-m*<sup>e</sup>*vaqqer* (המבקר). Manche haben in diesem Funktions-
träger das Vorbild des christlichen Bischofs gesehen.

26 *die Reinheit der Vielen berühren*, d.h. am Gemeinschaftsmahl teilnehmen.
S. *229* mit Anm. zu Z. 38.

79 *(mit einem Jahr)*. Diese Worte sind über der Zeile geschrieben, vermutlich
als Korrektur dessen, was zuvor da stand.

**236** *Hymnenrolle (1 QH) I 6b–27a.*

[Und du] bist gerecht in allen deinen Werken, 7 und in deiner Weisheit [hast du gegründet Geschlechter] der Ewigkeit. Und bevor du sie erschufst, kanntest du ihre Werke 8 für alle Ewigkeit. [Denn ohne dich] wird [nichts] getan, und ohne deinen Willen wird nichts erkannt.
5 Du hast gebildet 9 jeden Geist und [bestimmtest sein Werk] und rechte Satzung für all ihre Taten. Du hast die Himmel ausgespannt 10 zu deiner Ehre, all [ihre Heere hast du ge]setzt nach deinem Willen und die mächtigen Winde nach ihren Gesetzen, ehe 11 sie zu Engeln [deiner Heiligkeit] wurden, zu ewigen Geistern in ihren Herrschafts-
10 bereichen, Leuchten für ihre Geheimnisse, 12 Sterne in ihren Bahnen [und alle Sturmwinde] für ihre Last, Brandpfeile und Blitze für ihr Werk und Schatzkammern 13 des Planes für ihre Zwecke [. . .] für ihre Geheimnisse. Du hast die Erde geschaffen durch deine Kraft, 14 Meere und Urfluten [. . .] du bestimmst in deiner Weisheit, und alles, was
15 darinnen ist, 15 besti[mm]st du nach deinem Willen. [Und du übergabst sie zur Herrschaft] dem Geist des Menschen, den du auf Erden gebildet hast für alle ewigen Tage 16 und ewigen Geschlechter [. . .] Zu ihren Zeiten hast du ihren Dienst eingeteilt in all ihren Geschlechtern und rechte Satzung 17 zu ihren Zeiten für [ihre] Herr[schaft. . .] von
20 Geschlecht zu Geschlecht. Und Heimsuchung ihres Heils mit 18 all ihren Plagen [. . .] und teiltest es all ihren Sprößlingen zu nach der Zahl der fortwährenden Geschlechter, 19 und für alle ewigen Jahre [. . .] und in der Weisheit deiner Erkenntnis hast du ihre Bestimmung festgesetzt, bevor 20 sie entstanden. Und nach [deinem Willen ent]-
25 stand alles, und ohne dich wird nichts getan. 21 Dieses erkannte ich aufgrund deiner Einsicht; denn du hast mein Ohr aufgetan für wunderbare Geheimnisse. Aber ich bin ein Gebilde von Lehm und mit Wasser Geknetetes, 22 ein Ausbund von Schande und Quelle der Unreinheit, ein Schmelzofen der Schuld und Gebäude der Sünde, ein
30 Geist des Irrtums und verdreht ohne 23 Einsicht und erschreckt durch gerechte Gerichte. Wie soll ich reden, ohne daß es schon erkannt wäre? Und wie sollte ich vernehmen lassen, das noch nicht erzählt worden wäre? Alles 24 ist aufgezeichnet vor dir mit einem Griffel des Gedächtnisses für alle ewigen Zeiten, und die Wenden der Zahl der
35 Jahre auf ewig mit all ihren bestimmten Zeiten, 25 nicht sind sie verborgen und fehlen sie vor dir. Wie soll ein Mensch seine Sünde aufzählen, und wie soll er sich verteidigen wegen seiner Vergehen? 26 Und was soll der Ungerechte erwidern auf gerechtes Gericht? Bei dir, du Gott der Erkenntnisse, sind alle Werke der Gerechtigkeit
40 27 und der Rat der Wahrheit, aber bei den Menschenkindern sind Dienst der Sünde und Taten des Trugs.

**237** *Hymnenrolle (1 QH) IV 22b–38.*

[Aber i]ch, während ich mich festhalte an dir, will mich aufrichten und will aufstehen gegen die, die mich schmähen, und meine Hand wird gegen alle sein, die mich verachten. Denn 23 sie achten [mich] nicht, [bis] daß du dich stark an mir erzeigst. Und du erschienst mir in deiner

5 Kraft zu vollkommenem Licht, du hast nicht mit Schande bedeckt das Angesicht 24 aller derer, die sich von mir suchen lassen, die sich gemeinsam zusammenfanden zu deinem Bund, so daß auf mich hörten, die auf dem Wege deines Herzens wandeln. Und sie rüsteten sich für dich 25 im Kreis der Heiligen, und du bringst auf immer ihr Recht

10 hervor und zur Richtigkeit die Wahrheit. Du läßt sie nicht verführen durch Bösewichte, 26 wie sie es gegen sie geplant haben. Du legst Furcht vor ihnen auf dein Volk und Zerschmetterung auf alle Völker der Länder, um auszurotten im Gericht alle, 27 die dein Wort übertreten. Und durch mich hast du das Angesicht vieler erleuchtet und zum

15 stark erwiesen zu unzähligen Malen. Denn du hattest mich unterwiesen in deinen wunderbaren Geheimnissen, 28 und durch dein wunderbares Geheimnis hast du dich stark an mir erwiesen, wunderbar zu handeln vor vielen um deiner Ehre willen und kundzutun 29 deine Machttaten allen Lebendigen. Was ist Fleisch im Vergleich dazu? Und

20 was ist ein Lehmgebilde, um Wundertaten groß zu machen? Es ist in Sünde 30 von Mutterleib an und bis zum Alter in der Schuld der Treulosigkeit. Und ich erkannte, daß beim Menschen keine Gerechtigkeit ist und nicht beim Menschenkind vollkommener Wandel. 31 Beim höchsten Gott sind alle Werke der Gerechtigkeit, aber der

25 Wandel des Menschen steht nicht fest, es sei denn durch den Geist, den Gott ihm schuf, 32 um den Wandel der Menschenkinder vollkommen zu machen, damit sie alle seine Werke erkennen in der Kraft seiner Stärke und die Fülle seines Erbarmens über alle Söhne 33 seines Wohlgefallens. Ich aber, mich hatten Zittern und Schrecken er-

30 griffen, und alle meine Gebeine zerbrachen. Es zerfloß mein Herz wie Wachs vor dem Feuer, und meine Knie bewegten sich 34 wie Wasser, das am Abhang hinunterstürzt. Denn ich gedachte meiner Verschuldungen zusammen mit dem Treubruch meiner Väter, als Gottlose gegen deinen Bund aufstanden 35 und Bösewichte gegen dein Wort.

35 Ich sprach: In meiner Sünde bin ich verloren für deinen Bund. Aber als ich der Kraft deiner Hand gedachte mit 36 der Fülle deines Erbarmens, da richtete ich mich auf und erhob mich, und mein Geist gewann wieder Festigkeit gegenüber der Plage; denn [ich] stützte mich 37 auf deine Barmherzigkeit und die Fülle deines Erbarmens. Denn du

40 sühnst Sünde und rei[nigst den Men]schen von Verschuldung durch deine Gerechtigkeit. 38 Aber nicht für den Menschen, [sondern nur für deine Ehre] tust du (es). Denn du hast den Gerechten und den Gottlosen erschaffen...

---

25 *Mensch .. Menschenkind.* Man beachte den Parallelismus der beiden synonymen Ausdrücke.

**238**  *Hymnenrolle (1 QH) VI 29–35.*

Und dann wird herbeieilen das Schwert Gottes in der Zeit des Gerichts, und alle Söhne seiner Wa[hr]heit werden sich aufrichten, um [zu vernichten die Söhne] 30 des Frevels, und alle Söhne der Schuld werden nicht mehr sein. Aber der Held spannt seinen Bogen und
5 öffnet die Festung [...] 31 zur Weite ohne Ende und die ewigen Pforten, um die Kriegsgeräte herauszuführen. Und sie sind mä[ch]tig von einem Ende bis zum [anderen]. 32 [... und kein Ent]rinnen für das Gebilde der Schuld, zur Vernichtung zertreten sie, und es bleibt kein Re[st und] Hoffnung wegen der Menge [...] 33 und für alle Kriegshel-
10 den keine Zuflucht. Denn beim höchsten Gott [...] 34 und die im Staube liegen, heben ein Panier auf. Und der Wurm der Toten richtet ein Banner auf [..] 35 in den Kriegen gegen die Frechen.

4 *der Held, gibbor* (גבור). Im hebräischen Text steht kein Artikel; vermutlich ist aber Gott gemeint (vgl. Jes 9, 5).

**239**  *Hymnenrolle (1 QH) XI 3–14.*

3 Ich preise dich, mein Gott! Denn du hast wunderbar am Staube gehandelt und am Gebilde von Lehm dich überaus herrlich erwiesen. Was aber bin ich, daß 4 du mich [belehrt] hast im Rat deiner Wahrheit und mich unterwiesest in deinen wunderbaren Werken? Und du gabst
5 mir Loblieder in den Mund und auf meine Zunge 5 [Lobpr]eis. Und was von meinen Lippen kommt, (ist) am Orte des Jubels, und ich will deine Barmherzigkeit besingen und deine Macht bedenken den ganzen 6 Tag. Ständig will ich deinen Namen preisen und deine Ehre erzählen unter den Menschenkindern, und am Reichtum deiner Güte
10 7 ergötzt sich meine Seele. Und ich habe erkannt, daß Wahrheit dein Mund ist und in deiner Hand Gerechtigkeit und in deinem Denken 8 alle Erkenntnis und in deiner Kraft alle Gewalt und alle Herrlichkeit, bei dir ist sie. Durch deinen Zorn kommen alle Plagegerichte 9 und durch deine Güte die Fülle der Vergebungen, und dein Erbar-
15 men gilt allen Söhnen deines Wohlgefallens. Denn du hast sie belehrt im Rat deiner Wahrheit, 10 und in deinen wunderbaren Geheimnissen hast du sie unterwiesen. Um deiner Ehre willen hast du den Menschen von Sünde gereinigt, daß er sich heilige 11 für dich von allen unreinen Greueln und von schuldhafter Untat; daß er vereint sei
20 [mit] den Söhnen deiner Wahrheit und im Los mit 12 deinen Heiligen; um aus dem Staub zu erhöhen den Wurm der Toten zu [ewigem] Rat und vom verkehrten Geist zu [deiner] Einsicht, 13 daß er hintrete an den Standort vor dir mit dem ewigen Heer und den Geistern [des Wissens], um sich zu erneuern mit allem, 14 was ist, und mit den
25 Wissenden in gemeinsamem Jubel.

21 *um aus dem Staub zu erhöhen den Wurm der Toten.* Die Qumransekte glaubte an die Auferstehung der Toten. Vgl. Dan 12, 2.

**240**  *Das 7. Sabbatlied (4 Q 403 1 i 30–ii 16).*

Text bei C. Newsom, *Songs of the Sabbath Sacrifice: A Critical Edition,* Atlanta, Georgia 1985, S. 209f. 226. Für die Feier der kultischen Gemeinschaft zwischen Engeln und Menschen in Qumran ist der Zyklus der 13 Sabbatlieder das eindrücklichste Zeugnis. Er ist für die 13 Sabbate des 1. Vierteljahres des qumranischen Sonnenkalenders bestimmt und diente in seinem Ursprung höchstwahrscheinlich der Legitimation der qumranischen Priesterschaft. Die Sabbatlieder beschreiben die Gründung des himmlischen Heiligtums und seiner Priesterschaft (1. Lied) und den himmlischen Lobpreis der Engel. Die irdischen Frommen nehmen daran teil durch die Aufforderung zum Lob an die Engel, aber auch durch Selbstreflektion im Bekenntnis der Niedrigkeit (2. Lied). Gipfel, Mitte und Wendepunkt im pyramidenförmigen Aufbau der Sabbatlieder bildet das 7. Lied. Es fordert im 1. Teil (Z. 1–43) die Himmlischen zum Lobpreis auf; im 2. Teil (Z. 44–87) wendet er sich an die – als lebendig vorgestellten – Bauteile der (bzw. des) himmlischen Tempel(s) und mündet in die Beschreibung des Lobpreises der himmlischen Thronwagen (*Merkavot*; s. u. *299–300*). Der 2. Teil nimmt so die Thematik des zweiten Teils des Psalmzyklus vorweg, der dann im 13. Lied mit der Beschreibung des Lobopfers der himmlischen Priesterschaft endet. Die folgende Übersetzung wurde ebenso wie diese kurze Einführung von Anna Maria Schwemer für diesen Band zur Verfügung gestellt. Vgl. ihren umfangreichen Aufsatz über *Gott als König und seine Königsherrschaft in den Sabbatliedern aus Qumran,* in: *Königsherrschaft Gottes und himmlischer Kult* ~~Judentum, im Urchristentum und in der hellenistischen Welt,~~ hg.v. M. ~~ngel~~/A. M. Schwemer, WUNT 55, Tübingen 1991, S. 45–118; weitere Hinweise im Literaturbericht über die Sabbatlieder von A. S. van der Woude in ThR 55, 1990, S. 245–251.

Dem Verständigen. Lied des Opfers des 7. Sabbats am 16. des Monats.
Lobet den Gott der Höhen,
ihr Hohen unter allen Göttlichen der Erkenntnis.
Es sollen heiligen die Heiligen der Göttlichen den König der Herrlich-
5 keit,
der für sich heiligt durch seine Heiligkeit alle seine Heiligen.
Ihr Häupter der Preisungen aller Göttlichen,
preist den Got[t der P]reiswürdigkeit der Majestät;
denn in der Pracht der Preiswürdigkeit
10 ist die Herrlichkeit seines Königtums,
in ihr ist die Preiswürdigkeit aller Göttlichen
zusammen mit der Pracht [seiner] ganzen Königsherr[schaft.
Und] erhebt sein Hochsein dem Gott,
der hocherhaben ist über die Göttlichen der Höhe,
15 und die Göttlichkeit seiner Herrlichkeit
über alle hohen Höhen;
denn e[r ist Gott der Götter] aller Häupter der Erhabenen
und König der König[e] aller ewigen Thronräte.
Durch das Sprechen seines Mundes werden al[le Göttlichen der Höhe,]
20 durch das von seinen Lippen Ausgehende alle Geister der Ewigkeit,
durch den W]illen seiner Erkenntnis
alle seine Werke in ihren Aufträgen.

Jubelt, Jubelnde [seiner Erkenntnis,
mit] Jubel mit den Jubelnden wunderbar,
25 und preiset seine Herrlichkeit
mit der Zunge aller Preisenden der Erkenntnis
des Jubelns seiner Wunderbarkeit;
[denn er ist] der Gott aller ewig Jubelnden
und Richter in seiner Macht aller Geister der Einsicht.
30 Dankt, alle Göttlichen der Majestät,
dem Kö[n]ig der Majestät;
denn in seiner Herrlichkeit
danken alle Göttlichen der Erkenntnis,
und alle Geister der Gerechtigkeit
35 danken in seiner Treue,
und sie folgen ihrer Erkenntnis entsprechend
den Rechtssatzungen seines Mundes,
und ihre Danklieder (richten sich)
beim Zurückwenden der Hand seiner Macht
40 nach den Gerichten der Vergeltung.
Singt dem Gott der Stärke
im höchsten geistlichen Auftrag des Gesangs,
in der Freude der Göttlichen und Jubel mit allen Heiligen,
um zu singen wunderbar in ewiger Freude.
45 Mit diesen loben alle F[undamente des Aller]heiligsten,
die Säulen der Erhabenheit des Zevuls der Höhe der Höhen,
und alle Ecken des Bauwerks.
Es singen Gott, der furchtbar ist (in) Kraft,
[alle Geister] der Erkenntnis und des Lichts,
50 um zu [erhe]ben gemeinsam das Firmament
der höchsten Reinheit des Heiligtums seiner Heiligkeit.
[Und es] [preisen] ihn die Geister der Göttli[chen],
um zu preisen (von) Ewigkeit zu Ewigkeit
das Firmament der höchsten Höhen,
55 alle [seine Balken] und seine Mauern,
sein ganzes Gebäude, das Werk seines (Tempel)urbilds.
Die Geister der heiligsten Heiligkeit, die lebendigen Göttlichen,
die Geister der ewigen Heilig[keit] oberhalb aller Heil[igen ...
...] Wunder, wunderbar mit Majestät und Pracht und Wunder.
60 Und die Herrlichkeit im höchsten Licht der Erkenn[tnis ...
...] in allen wunderbaren Heiligtümern.
Geister der Göttlichen (sind) ringsumher
um den Ort des Königs der Treue und Gerechtigkeit.
Alle seine Mauern [..]
65 vollkommenes Licht, bunte Farben des Geistes der heiligsten Heilig-
[keit ...]
erhabene Plätze der Erkenntnis
und am Schemel seiner Füße [...]
die Erscheinung des (Tempel)urbildes der Herrlichkeit

70 der Häupter der Herrschaftsbereiche der Geister [...] seiner Herrlichkeit.
Und in allen ihren Umwendungen Tore [...]
um zu gehen [...?...] dem Haupt (?) der Göttlich[en ...];
zwischen ihnen gehen die Göttlichen heraus
75 wie die Erscheinung von brennenden Kohlen [...] ringsumher gehend.
Geister der heiligsten Heiligkeit [...
Geister] der heiligsten Heiligkeit, Geister der Göttlichen, Erscheinung der Ew[igkeiten],
und Geister der Göttlichen, Gebilde von brennendem Feuer ringsum
80 ihn [...] Geister wunderbar.
Und die Wohnung der höchsten Höhe,
die Herrlichkeit seines Königtums, Devir [...].
Und [sie] heilig[en] die sieben Heiligtümer der Höhe,
und eine Stimme des Segens von den Häuptern seines Devirs [...].
85 Und eine Stimme des Segens ist herrlich zum Hören der Göttlichen
und in den Versammlungen [... Stimme] des Segens.
Und alle Zugehörigen des Devirs eilen mit wunderbaren Psalmen im
Devi[r ...] Wunder,
von Devir zu Devir mit der Stimme heiliger Scharen (Mengen der
90 Heiligkeit) aller ihnen Zugehörenden,
und sie loben gemeinsam, die Thronwagen seines Devirs,
und sie segnen (oder: preisen) wunderbar, ihre Cherubim und Ofannim [...],
die Häupter des (Tempel)urbildes Gottes,
95 und sie loben ihn in seinem heiligen Devir.

4 *Es sollen heiligen ... durch seine Heiligkeit.* Im hebräischen liegen zwei
Schreibfehler in den Wörtern *heiligen (yiqdilu* für *yiqdishu)* und *seine Heiligkeit (qod^c o* für *qodsho)* vor. A. M. Schwemer interpretiert sie nicht als
Versehen, sondern nimmt an, ‚daß damit auf ein ganz wichtiges Geheimnis
aufmerksam gemacht werden soll'.

46 *Zevul*, die Wohnung Gottes.

75 *wie die Erscheinung von brennenden Kohlen.* Vgl. Ez 1, 13; zum ganzen ist
die Thronwagenvision Ez 1. 10 zu vergleichen.

82 *Devir*, der Hinterraum des Tempels, das Allerheiligste.

92 *Cherubim*, die geflügelten Träger der Erscheinung Gottes (vgl. Ez 10, 1 ff).
*Ofannim*, die Räder des Thronwagens.

## C. Bibelauslegung

Die Auslegung des Alten Testaments war für die Qumransekte
aus zwei Gründen von entscheidender Bedeutung. Sie mußte erstens zeigen, daß sie – im Gegensatz zu den Jerusalemer Autoritä-
ten, von denen sie sich losgesagt hatte – die Tora richtig verstand.
Sie mußte außerdem zeigen, daß in ihrer eigenen Geschichte die

Worte der Propheten wirklich in Erfüllung gegangen waren: Die Sektenmitglieder waren die Auserwählten, denen die Verheißungen galten; an ihnen, für sie und unter ihnen kamen sie zur Erfüllung. Insbesondere diese zweite Notwendigkeit rückt die Exegese der Qumrangemeinde in die Nähe frühchristlicher Bibelauslegung. Denn auch die Christen glaubten nicht nur, daß sie die Schrift richtig auslegten, sondern auch, daß sie in Christus die Erfüllung der Schrift miterlebt hatten und sie weiterhin an sich selbst und in ihrer Erfahrung erlebten.

Der bezeichnendste Begriff in der Auslegung des Alten Testaments durch die Qumransekte ist *pesher* (פשר). Das Wort erscheint im Alten Testament nur in Qoh 8, 1. Auch die Rabbis scheinen es nicht als einen exegetischen Fachausdruck verwendet zu haben. Das aramäische Äquivalent ist kaum geläufiger. Zweifellos ist die allgemeine Bedeutung *Deutung*, aber nur aus dem jeweiligen Kontext kann die Methode und die Art der Deutung bestimmt werden. Allgemein gesprochen handelt es sich um eine „aktualisierende, auf eschatologisch orientierter Geschichtsauffassung fußende Anwendung biblischer Texte zur Deutung der Gegenwart. Dafür kamen in erster Linie die Prophetenbücher in Frage. Der ‚Pesher‘ der Qumrangemeinde als extremste Erscheinung in diesem Zusammenhang zitiert zwar jeweils den Text und deutet ihn aus, doch ohne Rücksicht auf Kontext und Inhalt, also alles andere als exegetisch im modernen Sinn. Er appliziert den Text in kleinsten Einheiten willkürlich auf Ereignisse und Umstände der im eschatologischen Geschichtsverständnis entscheidenden Gegenwartssituation." (J. Maier, in: G. Strecker/J. Maier, *Neues Testament – Antikes Judentum*, Grundkurs Theologie Bd. 2, Stuttgart u. a. 1989, S. 152).

Im folgenden wird zunächst fast der gesamte Habakuk-Kommentar aus Qumran, soweit er erhalten ist, wiedergegeben; nur einige wenige, weitgehend zerstörte Zeilen am Anfang des Textes sind ausgelassen. Eine solche zusammenhängende Auslegung mag einen besseren Einblick in die exegetische Arbeitsweise eines *Pesher* geben als eine Anthologie kurzer, im einzelnen vielleicht interessanterer, Ausschnitte aus einer Reihe von Texten. Der zweite Text, eine Neuveröffentlichung aus dem Jahr 1988, stammt vermutlich aus einer Ezechiel-Apokalypse, deren qumranische Herkunft nicht erwiesen ist; er wurde an dieser Stelle aufgenommen, weil die Exegese von Ez 37 nach Auffassung der Herausgeber der Fragmente eine gewisse Verwandtschaft mit den *Pesharim* zeigt.

**241** *Habakuk-Kommentar (1 QpHab).*

Vgl. H. Feltes, *Die Gattung des Habakukkommentars von Qumran* (1 QpHab), Würzburg 1986.

Col. I 16 [... *Schaut auf die Völker, und sehet*] 17 [*und starrt einander an, erstarret. Denn er wirkt ein Werk in euren Tagen. Ihr glaubt es nicht wenn*]

II 1 *es verkündet wird.* (1, 5) [Die Deutung des Wortes bezieht sich
5 auf] die Abtrünnigen zusammen mit dem Mann 2 der Lüge; denn nicht [haben sie gehört auf die Worte] des Lehrers der Gerechtigkeit aus dem Munde 3 Gottes; (es bezieht sich auch) auf die Abtrün[nigen von dem] neuen [Bund]; [de]nn n[i]cht 4 haben sie dem Bund Gottes vertraut [und haben entweiht] seinen [hei]ligen [Na]men. 5 Und
10 ebenso bezieht sich die Deutung des Wortes [auf alle Ab]trünnigen am Ende 6 der Tage. Sie sind die Gewalt[tätigen am B]unde, die nicht glauben, 7 wenn sie alles hören, was kom[men wird über] das letzte Geschlecht, aus dem Munde 8 des Priesters, in [dessen Herz] Gott [Einsicht] gegeben hat, um zu deuten alle 9 Worte seiner Knechte, der
15 Propheten, [durch] die Gott verkündigt hat 10 alles, was kommen wird über [sein Volk und [sein Land. D]enn siehe, ich lasse erstehen 11 *die Chaldäer, das bit[tere und ungestü]me Volk.* (1, 6) 12 Seine Deutung bezieht sich auf die Kittäer, d[ie] schnell und stark 13 im Kampf, vi[el]e zu verderben, [so daß das Land unterworfen wird] der
20 Herrschaft 14 der Kittäer. Sie haben in Besitz genommen [viele Länd]er und glauben nicht 15 an die Gesetze [Gottes ...] [*das die Weiten der Erde durchzieht,*] 16 [*um Wohnsitze zu erobern, die ihm nicht gehören.* (1, 6) Deutung ...]

III 1 Und über flaches Feld ziehen sie daher, um die Städte des
25 Landes zu schlagen und zu plündern. 2 Denn das ist gemeint, wenn es heißt: *Um Wohnsitze zu erobern, die ihm nicht gehören. Schrecklich 3 und furchtbar ist es. Von ihm geht sein Recht und seine Hoheit aus.* (1, 6 f) 4 Seine Deutung bezieht sich auf die Kittäer, vor denen Furcht [und Schr]ecke[n] auf allen 5 Völkern liegt. Und mit Absicht ist all ihr
30 Sinnen darauf gerichtet, Böses zu tun, und [mit L]ist und Trug 6 gehen sie mit allen Völkern um. *Und schneller als Panther sind seine Rosse und kühner 7 als Abendwölfe; es sprengen und springen heran seine Reiter von fern, 8 sie fliegen wie ein Geier, der zum Fraße eilt. Alles geht auf Gewalttat los; 9 ihre Gesichter sind nach Osten gerich-*
35 *tet.* (1, 8 f) [Seine Deutung] bezieht sich auf die Kittäer, die 10 das Land mit [ihren] Rossen und mit ihren Tieren zerstampfen. Und von fernher 11 kommen sie, von den Inseln des Meeres, um alle Völker zu fressen wie ein Geier, 12 ohne Sättigung zu finden. Und in Grimm und W[ut, in glühendem] Zorn und wütendem 13 Schnauben reden sie mit
40 [allen Völkern. De]nn das ist gemeint, wenn es 14 heißt: *Ih[re Gesichter sind nach Osten gerichtet. Und er rafft wie Sa]nd Gefangene.* 15 [... *über Könige*]

IV 1 *spottet er, und Fürsten sind ihm ein Gelächter.* (1, 10) Seine

Deutung ist, daß 2 sie über viele spotten und Angesehene verachten;
45 über Könige 3 und Fürsten machen sie sich lustig und spotten über
viel Volk. *Und er* 4 *lacht über jede Befestigung und schüttet Staub auf*
*und nimmt sie ein.* (1, 10) 5 Seine Deutung bezieht sich auf die Herrscher der Kittäer, die die 6 Befestigungen der Völker verachten und
höhnisch über sie lachen. 7 Und mit viel Volk schließen sie sie ein, um
50 sie einzunehmen. Und mit Furcht und Schrecken 8 werden sie in ihre
Hand gegeben. Und sie reißen sie ein wegen des Frevels ihrer Bewohner. 9 *Dann wendet sich der Wind und fährt einher; und dieser hat*
*seine Kraft gemacht* 10 *zu seinem Gott.* (1, 11) Seine Deutung bezieht
sich auf die Herrscher der Kittäer, 11 die nach dem Rat eines Sünden-
55 hauses einherfahren, einer 12 vor dem anderen her. [Ihre] Herrscher
kommen, einer nach dem anderen, 13 um das La[nd] zu verderben.
[*Und es hat die*]*ser seine Kraft zu seinem Gott* [*gemacht*]. (1, 11) 14 Seine Deutung [. . .] die Völker [. . .]

V 1 *Zum Gericht hast du ihn bestimmt, und, Fels, zu seinem Züchti-*
60 *ger hast du ihn bestellt. Mit Augen, zu rein,* 2 *um das Böse anzuschau-*
*en, und auf Plage magst du nicht blicken.* (1, 12f) 3 Die Deutung des
Wortes ist, daß Gott sein Volk nicht vernichten wird durch die Hand
der Völker, 4 sondern in die Hand seiner Auserwählten legt Gott das
Gericht über alle Völker, und durch ihre Züchtigung 5 werden alle
65 Frevler seines Volkes büßen, (nämlich durch diejenigen), die seine
Gebote gehalten haben, 6 als sie in der Trübsal waren. Denn das ist
gemeint, wenn es heißt: *Mit Augen, zu rein, um anzuschauen* 7 *das*
*Böse.* Seine Deutung ist, daß sie nicht gehurt haben hinter ihren
Augen her in der Zeit 8 des Frevels. *Warum blickt ihr auf die Abtrün-*
70 *nigen, und warum schweigst du, wenn verschlingt* 9 *der Frevler einen,*
*der gerechter ist als er?* (1, 13) Seine Deutung bezieht sich auf das Haus
Absalom 10 und die Männer ihres Rates, die stumm blieben bei der
Zurechtweisung des Lehrers der Gerechtigkeit 11 und ihm nicht halfen gegen den Mann der Lüge, der verworfen hat 12 das Gesetz
75 inmitten ihrer ganzen Ge[mein]de. *Und du hast die Menschen wie die*
*Fische des Meeres gemacht,* 13 *wie Gewürm, um darüber zu herr-*
*schen.* [*Sie*] *alle zieht er* [*mit einem An*]*gelhaken hoch und holt sie mit*
*seinem Netz heraus* 14 *und sammelt sie ein* [*mit seinem Fischergarn.*
*Deshalb opfert er*] *seinem Netz, darum freut er sich* 15 [*und jubelt und*
80 *bringt Rauchopfer seinem Fischergarn, denn durch sie wurde*] *sein*
*Anteil* [*fett*] 16 [*und seine Speise reichlich.* (1, 14–16) Seine Deutung
. . .]

VI 1 die Kittäer. Und sie häufen ihren Besitz mit all ihrer Beute
2 wie Fische des Meeres. Und wenn es heißt: *Deshalb opfert er seinem*
85 *Netz* 3 *und bringt Rauchopfer seinem Fischergarn*, so ist seine Deutung die, daß sie 4 ihren Zeichen Opfer bringen, und ihre Kriegswaf-
fen 5 sind Gegenstand ihrer Verehrung. *Denn durch sie wurde sein*
*Anteil fett und seine Speise reichlich.* 6 Seine Deutung ist, daß sie ihr
Joch und 7 ihre Fronlast, ihre Speise, auf alle Völker Jahr um Jahr
90 verteilen, 8 so daß sie viele Länder verwüsten. *Deswegen zückt er*

*beständig sein Schwert, 9 um Völker zu morden, und kennt keine
Schonung.* (1, 17) 10 Seine Deutung bezieht sich auf die Kittäer, die
viele mit dem Schwert vernichten, 11 wehrlose Knaben und Greise,
Weiber und Kinder, und sogar mit der Frucht 12 im Mutterleibe
95 haben sie kein Erbarmen. *Auf meine Wacht will ich treten 15 und
mich auf meine Warte stellen und will spähen, um zu schauen, was er
spricht 14 zu mir und [was er erwidern wird au]f meine Klage. Und
Jahwe antwortete mir 15 [und sprach: Schreibe das Gesicht auf und
grabe es ein] auf die Tafeln, damit ei[len kann], 16 [wer es liest.* (2, 1 f)
100 Seine Deutung...]
   VII 1 Und Gott sprach zu Habakuk, er solle aufschreiben, was
kommen wird 2 über das letzte Geschlecht. Aber die Vollendung der
Zeit hat er ihm nicht kundgetan. 3 Und wenn es heißt: *Damit eilen
kann, wer es liest,* 4 so bezieht sich seine Deutung auf den Lehrer der
105 Gerechtigkeit, dem Gott kundgetan hat 5 alle Geheimnisse der Worte
seiner Knechte, der Propheten. *Denn noch ist eine Schau 6 auf Frist,
sie eilt dem Ende zu und lügt nicht.* (2, 3) 7 Seine Deutung ist, daß sich
die letzte Zeit in die Länge zieht, und zwar weit hinaus über alles,
8 was die Propheten gesagt haben; denn die Geheimnisse Gottes sind
110 wunderbar. 9 *Wenn sie verzieht, so harre auf sie, denn sie wird gewiß
kommen, und nicht 10 wird sie ausbleiben.* (2, 3) Seine Deutung
bezieht sich auf die Männer der Wahrheit, 11 die Täter des Gesetzes,
deren Hände nicht müde werden vom Dienst 12 der Wahrheit, wenn
die letzte Zeit sich über ihnen hinzieht. Denn 13 alle Zeiten Gottes
115 kommen nach ihrer Ordnung, wie er es ihnen festgesetzt hat 14 in
den Geheimnissen seiner Klugheit. *Siehe, aufgeblasen, nicht recht-
schaffen 15 [ist seine Seele in ihm].* (2, 4) Seine Deutung bezieht sich
darauf, daß sich über ihnen verdoppeln 16 [ihre Sünden. Und nicht
werden] sie gnädig aufgenommen werden in ihrem Gericht. 17 [...
120 *Aber der Gerechte wird durch seine Treue leben].* (2, 4)
   VIII 1 Seine Deutung bezieht sich auf alle Täter des Gesetzes im
Hause Juda, die 2 Gott erretten wird aus dem Hause des Gerichtes
um ihrer Mühsal und ihrer Treue willen 3 zum Lehrer der Gerechtig-
kiet. *Vielmehr wird Reichtum den hochmütigen Mann im Stich lassen,*
125 *so daß er nicht 4 Bestand hat, der seinen Rachen weit aufsperrt wie die
Hölle und wie der Tod unersättlich ist. 5 Und alle Völker versammelten sich bei ihm, und es scharten sich um ihn alle Nationen. 6 Werden
sie nicht alle ein Spottlied auf ihn anstimmen und in Rätselreden ihn
verspotten 7 und sagen: Wehe dem, der aufhäuft, was ihm nicht gehör-
130 te! Wie lange belastet er sich mit 8 Raub?* (2, 5 f) Seine Deutung bezieht
sich auf den gottlosen Priester, der 9 nach dem Namen der Wahrheit
genannt wurde, als er sein Amt antrat. Aber als er zur Herrschaft
gelangt war 10 in Israel, erhob sich sein Herz, und er verließ Gott und
handelte t[re]ulos gegen die Gebote um 11 des Reichtums willen. Und
135 er raubte und sammelte Reichtum von Männern der Gewalt, die sich
gegen Gott empört haben. 12 Und Reichtum von Völkern nahm er, so
daß er die Sünde der Verschuldung auf sich häufte, und Wege 13 von

G[re]ueln machte er in aller schmutzigen Unreinheit. *Wird es nicht plötzlich geschehen, daß sich erheben,* 14 *[die] dich [bedrücken], und*
140 *erwachen, die dich bedrängen, und du ihnen zur Be[u]te wirst?*
15 *Denn du selbst hast viele Völker geplündert, darum werden dich plündern alle übrigen Nationen.* (2, 7f) 16 [Die Deutung des Wortes bezieht sich a]uf den Priester, der sich empörte 17 [...] Gebote [Gottes...]
145 IX 4 ihn zu schlagen mit Gerichten der Bosheit. Und Abscheulichkeiten böser 2 Leiden taten sie ihm an und Rachehandlungen an seinem Fleischesleib. Und wenn 3 es heißt: *Denn du hast viele Völker geplündert, darum werden dich plündern alle* 4 *übrigen Nationen* (2, 8), so bezieht sich seine Deutung auf die letzten Priester von Jerusa-
150 lem, 5 die Reichtum und Gewinn aus der Beute der Völker sammeln. 6 Aber am Ende der Tage wird ihr Reichtum mitsamt ihrer Beute in die Hand 7 der Streitmacht der Kittäer gegeben werden. Denn sie sind die übrigen Nationen. 8 *Wegen der Bluttat an den Menschen und der Gewalttat am La[n]de, an der Stadt und al[len], die darin wohnen.*
155 (2, 8) 9 Seine Deutung bezieht sich auf den [go]ttlosen Priester, den wegen der Schul[d] an dem Lehrer 10 der Gerechtigkeit und den Männern seines Rates Gott in die Han[d] seiner [Fe]inde gegeben hat, um ihn zu demütigen 11 durch Plage zur Vernichtung, durch Bitternisse der Seele, [w]eil er gefrevelt hatte 13 an seinen Auserwählten.
160 *Wehe dem, der bösen Gewinn [für] sein [H]aus macht, um zu bauen* 13 *in der Höhe sein Nest, um sich vor der Hand des Unheils zu retten. Du hast Schändliches geplant* 14 *für dein Haus, vieler Völke[r] Ende, und du sündi[gst gegen] deine [Se]ele. Denn* 15 *der Ste[in aus] der Wand schre[it, und der Sp]arren vom Gebälk ant[wortet ihm].* (2, 9–11)
165 16 [Die Deutung des Wortes] bezieht sich auf den [Priester], der [...]
X 1 daß ihre Steine in Bedrückung fallen und ihr hölzerner Sparren in Räuberei. Und wenn 2 es heißt: *Vieler Völker Ende, und du sündigst gegen deine Seele;* 3 so ist seine Deutung: Das ist das Haus des Gerichtes; denn halten wird Gott 4 Gericht über ihn inmitten vieler
170 Völker, und von da wird er ihn heraufführen zum Gericht. 5 Und in ihrer Mitte wird er ihn verdammen und mit Schwefelfeuer richten. *Wehe* 6 *dem, der eine Stadt mit Blut baut und eine Burg mit Frevel gründet. Geschieht* 7 *das nicht von Jahwe Zebaot? Es plagen sich Völker für Feuer,* 8 *und Nationen mühen sich um Eitles.* (2, 12f) 9 Die
175 Deutung des Wortes bezieht sich auf den Lügenpropheten, der viele verführte, 10 um eine Trugstadt mit Blut zu bauen und eine Gemeinde mit Lüge zu errichten 11 um seiner Ehre willen, indem er viele im Dienste des Trugs sich plagen und sie schwanger gehen ließ 12 mit [Wer]ken der Lüge, so daß ihre Plage eitel ist, weil sie gehen müssen
180 13 in Feuergerichte, und die Auserwählten Gottes gehöhnt und geschmäht haben. 14 *Denn die Erde wird sich füllen mit der Erkenntnis der Herrlichkeit Jahwes, wie Wasser* 15 *das Mee[r] bedecken.* (2, 14) Die Deutung des Wortes ist, [daß] 16 [wenn] sie u[m]kehren [...]
XI 1 der Lüge. Und danach wird ihnen offenbart werden die Er-

185 kenntnis wie Wasser 2 des Meeres in Fülle. *Wehe dem, der seinem Nächsten zu trinken gibt, der ausgießt 3 seinen Grimm; ja, er macht (sie) trunken, um ihren Festen zuzuschauen.* (2, 15) 4 Seine Deutung bezieht sich auf den gottlosen Priester, der 5 den Lehrer der Gerechtigkeit verfolgte, um ihn zu verschlingen in dem Zorn 6 seines
190 Grimms am Ort seiner Verbannung. Und zur Zeit des Festes der Ruhe, 7 am Versöhnungstag, erschien er bei ihnen, um sie zu verschlingen 8 und um sie zu Fall zu bringen am Tage des Fastens, dem Sabbat ihrer Ruhe. *Du hast dich gesättigt 9 mit Schande statt mit Ehre; trinke auch du und taumle. 10 In der Runde wird zu dir gelangen der*
195 *Becher in Jahwes rechter Hand, und Schande 11 auf deine Ehre!* (2, 16) 12 Seine Deutung bezieht sich auf den Priester, dessen Schande größer war als seine Ehre. 13 Denn er beschnitt die Vorhaut seines Herzens nicht und wandelte auf den Wegen 14 der Völlerei, damit der Durst gestillt würde. Aber der Becher des Grimms 15 [Got]tes wird
200 ihn verschlingen, zu verme[hren bei ihm] seine [Schande]. Und Schmerz 16 [... *Denn die Gewalttat am Libanon wird dich bedecken, und die Grausamkeit gegenüber dem Vieh*]

XII 1 *wird dich schrecken wegen der Bluttaten an den Menschen und der Gewalttat am Lande, an der Stadt und allen, die darin woh-*
205 *nen.* (2, 17) 2 Die Deutung des Wortes bezieht sich auf den gottlosen Priester, daß man ihm vergelten wird 3 seine Tat, die er an den Armen getan hat; denn der Libanon, das ist 4 der Rat der Gemeinschaft, und das Vieh, das sind die Einfältigen Judas, die Täter 5 des Gesetzes. Denn Gott wird ihn verurteilen zur Vernichtung, 6 wie er
210 plante, Arme zu vernichten. Und wenn es heißt: *Wegen der Bluttaten 7 an der Stadt und der Gewalttat am Lande*, so ist seine Deutung: Die Stadt, das ist Jerusalem, 8 wo der gottlose Priester Greueltaten verübte und das 9 Heiligtum Gottes verunreinigte. Und die Gewalttat am Lande, das sind die Städte Judas, wo er 10 den Besitz der Armen
215 raubte. *Was nützt ein Götzenbild, daß sein Bildner es schnitzte, 11 ein Gußbild und ein Lügenorakel, daß der Bildner seiner Gebilde darauf vertraut, 12 indem er stumme Nichtse macht?* (2, 18) Die Deutung des Wortes bezieht sich auf alle 13 Götzenbilder der Völker, die sie gebildet haben, um sie zu verehren und niederzufallen 14 vor ihnen. Aber
220 sie werden sie nicht retten am Tage des Gerichtes. *Wehe dem, 15 der* [*spricht zum Hol*]*z: Erwache!,* [*Erhebe dich! zum S*]*tein, der stumm ist!* 16 [*Der soll Orakel geben? Siehe, er ist gefaßt in Gold und Silber,*] 17 [*aber kein Geist ist in ihm. Doch Jahwe ist in seinem heiligen Tempel,*]
225 XIII 1 *es sei still vor ihm die ganze Erde.* (2, 19f) Seine Deutung bezieht sich auf alle Völker, 2 die den Stein verehren und das Holz. Und am Tage 3 des Gerichtes wird Gott vernichten alle, die Götzenbilder verehren, 4 und die Gottlosen von der Erde.

5 *Mann der Lüge*. Im Habakuk-Kommentar wird eine Reihe von Personen unter diversen Decknamen aufgeführt. Die Identifizierung dieser Personen gehört zu den größten historischen Problemen, die die Schriftrollen

aufwerfen. Es kann an dieser Stelle nicht unternommen werden, diese Probleme zu diskutieren oder auch nur die verschiedenen Lösungsvorschläge zu erwähnen. Vermutlich muß der Lügenmann entweder mit dem Frevelpriester identifiziert oder doch als dessen Kollege bzw. Verbündeter angesehen werden.

6 *des Lehrers der Gerechtigkeit*. Er war offensichtlich das ‚gute' Gegenstück zum Frevelpriester und führte den Auszug aus Jerusalem an, der den Ursprung der Qumransekte darstellt. Er war der *rechte* Lehrer; es gibt keine Veranlassung dazu, von der Existenz eines speziellen Amtes mit diesem Titel auszugehen. Der Lehrer der Gerechtigkeit war vermutlich ein Priester (vgl. Z. 13).

18 *Kittäer (kittim*, כתים). Der Ausdruck erscheint etliche Male im AT (z. B. Jes 23, 1; Jer 2, 10; Dan 11, 30) und bezieht sich dort eigentlich auf die Zyprioten, später auf die Bewohner der Mittelmeerländer im allgemeinen. An unserer Stelle ist an nichtjüdische Feinde gedacht, vermutlich an Römer. Vgl. u. a. auch ZZ. 35.47–52.86.

71 *das Haus Absalom* bezeichnet entweder die jüdische Obrigkeit, die den Frevelpriester in seinem Vorgehen gegen den Lehrer der Gerechtigkeit gewähren ließ bzw. ihn sogar unterstützte, oder eine „apostatische Gruppe", die nach dem Ausbleiben der eschatologischen Ankündigung des Lehrers der Gerechtigkeit „an seinem prophetischen Auftrag irre geworden" ist (J. Maier/K. Schubert, *Die Qumran-Essener*, S. 100 f).

72 *bei der Zurechtweisung des Lehrers der Gerechtigkeit*. Der Sektengründer mußte für seinen Widerstand gegen die Obrigkeit leiden. Vgl. ferner ZZ. 157. 190.

105 *dem Gott kundgetan hat alle Geheimnisse*. Der Lehrer der Gerechtigkeit vermochte die hebräische Bibel auszulegen und behauptete offenbar, sie sei in den zeitgenössischen Ereignissen teilweise erfüllt.

123 *um … ihrer Treue willen zum Lehrer der Gerechtigkeit*, oder: ‚um ihres Glaubens an den Lehrer der Gerechtigkeit willen'.

149 *die letzten Priester von Jerusalem*. Nur zeitweilig würden die Gegner über die Sekte triumphieren. Die gegenwärtige Generation frevelhafter Priester würde die letzte sein.

175 *Lügenpropheten*, vgl. den ‚Mann der Lüge' (Z. 5).

187–193 Dieser Abschnitt bezieht sich eindeutig auf einen tödlichen Angriff auf den Lehrer der Gerechtigkeit; es ist aber unmöglich, ein genaues Bild der Ereignisse zu rekonstruieren.

**242** *2. Ezechiel, Fragmente 2. 3 (4 Q 385)*.

Text, englische Übersetzung und Kommentar: J. Strugnell/D. Dimant, *4 Q Second Ezekiel*, RdQ 13, 1988, S. 45–58. Zum folgenden ist durchweg Ez 37 zu vergleichen.

*Fragment 2*

[„… und sie sollen wissen, daß ich JHWH bin], der ich mein Volk befreie, um ihnen den Bund zu geben."

[Und ich sprach: „JHWH (?),] ich habe viele aus Israel gesehen, die deinen Namen liebten. Und sie wandelten auf dem Wege[n der Gerech-
5 tigkeit (?). Und die]se (Dinge), wann werden sie geschehen, und wie

wird ihnen ihre Frömmigkeit vergolten werden?" Und JHWH sprach
zu mir: „Ich werde die Kinder Israels sehen lassen, und sie sollen
wissen, daß ich JHWH bin."

[Und er sprach:] „Menschensohn, weissage über die Gebeine und
10 sprich: ‚[Seid zusammengefügt (?)], Gebein zu seinem Gebein und
Gelenk [zu seinem Gelenk.'" Und es gescha]h so. Und er sprach ein
zweites Mal: „Weissage, und es sollen auf sie Sehnen kommen, und sie
sollen überzogen werden mit Haut [darüber." Und es gescha]h s[o].
Und er sprach wiederum: „Weissage über die vier Winde der Himmel,
15 und die Wind[e der Himmel] sollen wehen [über sie, und sie sollen
wieder aufleben]; und es soll sich erheben ein großes Volk von Menschen, und sie sollen preisen JHWH Zebaot, de[r . . .].

. . . Und] ich sprach: „JHWH, wann wird das geschehen?" Und JHWH
antwortete mi[r: „. . .]. . . ., [und] er wird beugen einen Baum und
20 aufrichten (oder: es wird sich beugen ein Baum und aufrecht stehen)
[. . ."  . . .].

*Fragment 3*
[„. . .] . . . [. . .] . . . meine Seele. Und es werden eilen die Tage mit Hast,
bis [alle] Menschen[kinder] sagen werden: ‚Sind die Tage nicht in Eile,
damit die Kinder Israels [ihr Land] in Besitz nehmen?'" Und JHWH
25 sprach zu mir: „Ich werde dein Angesicht nicht ab[we]isen, Ezechiel.
Sie[h]e, ich werde [mess]en (oder: in die Länge ziehen) [die Zeit, und
ich habe abgekürzt] die Tage und die Jahr[e . . .] . . ., wie du gesagt hast
zu [. . .; denn] der Mund JHWHs hat das gesagt." [. . .]

1 *[und sie sollen wissen, daß ich JHWH bin].* Zu dieser typischen Ezechiel-
Formulierung vgl. nur Ez 36, 38; 38, 23.
*der ich mein Volk befreie.* Vgl. Jes 49, 7.

9 *weissage über die Gebeine und sprich,* fast ein wörtliches Zitat von Ez 37, 4.

11 *Und es geschah so.* Vgl. Gen 1, 7. 9. 11. 15. 24. 30: Es handelt sich um einen
neuen Schöpfungsakt.

12 *es sollen auf sie Sehnen kommen, und sie sollen überzogen werden mit Haut.*
Vgl. neben Ez 37, 8 auch Targum Pseudo-Jonathan zu Gen 1, 27 (s. u. *279*
Z. 74 f).

22 Zu Beginn des 3. Fragments lesen und ergänzen die Herausgeber: „unter
meinem Kummer, [und mein Herz] ist verwirrt zusammen mit meiner
Seele." Diese Deutung und Ergänzung ist höchst unsicher.

# D. Der Krieg

Ein bedeutender Text aus der Bibliothek von Qumran ist dem
„Krieg der Söhne des Lichts gegen die Söhne der Finsternis" ge-
widmet. Der Text könnte die Frage aufwerfen, ob es sich um einen
Krieg im wörtlichen Sinne handelt, einen Krieg, den die Juden von
Qumran mit regulären Waffen gegen Heiden und abtrünnige,

nämlich nicht-qumranische, Juden zu führen im Begriff sind, oder um einen geistigen Konflikt, einen Kampf „nicht mit Fleisch und Blut, sondern mit Mächtigen und Gewaltigen", dem letzten Aufbäumen der geistigen Mächte der Finsternis vor der Errichtung der Gottesherrschaft. In dieser Form wäre die Frage wohl falsch gestellt. Was hier als Alternative formuliert ist, wurde vermutlich als zwei Seiten ein und derselben Sache aufgefaßt. Der höchste Feind Gottes und seines Volkes ist der Teufel; ohne einen geistigen Konflikt kann der Teufel nicht überwunden werden und Gott nicht als Sieger in Erscheinung treten. Aber der Teufel handelt durch Menschen, und diese müssen mit ihren eigenen Waffen geschlagen werden: Wenn *sie* Schwerter, Speere und Schilde haben, so muß auch das Volk Gottes Schwerter, Speere und Schilde haben. Deshalb wird ein wirklicher, militärischer Kampf gekämpft werden müssen, aber darin werden die qumranischen Soldaten vollständiges Vertrauen in Gott haben, der seinen eigenen geistigen Sieg feiert und seinen Truppen zu dem ihren verhilft.

**243**  *Kriegsrolle (1 QM) I 1–12a.*

Für den Ein[sichtigen: Bestimmung] des Krieges. Der Anfang ist, wenn die Söhne des Lichtes Hand anlegen, um zu beginnen gegen das Los der Söhne der Finsternis, gegen das Heer Belials, gegen die Schar von Edom und Moab und der Söhne Ammons 2 und das Hee[r . . .] der
5 Philister und gegen die Scharen der Kittäer von Assur, und mit ihnen sind zur Unterstützung die Frevler am Bunde. Die Söhne Levis und die Söhne Judas und die Söhne Benjamins, die Verbannten der Wüste, kämpfen gegen sie 3 [. . .] mit all ihren Scharen, wenn die Verbannten der Söhne des Lichtes aus der Wüste der Völker zurückkehren, um in
10 der Wüste von Jerusalem zu lagern. Und nach dem Krieg ziehen sie von dort 4 ge[gen alle Scharen] der Kittäer in Ägypten. Und zu seiner Zeit zieht er aus mit großem Grimm, um zu kämpfen gegen die Könige des Nordens, und sein Zorn (sucht) zu vernichten und auszurotten das Horn 5 [Belials. Das] ist die Zeit des Heils für das Volk Gottes und die
15 Zeit der Herrschaft für alle Männer seines Loses, aber ewige Vernichtung für das ganze Los Belials. Und es wird g[roße] Bestürzung sein 6 [bei] den Söhnen Japhets. Es fällt Assur, aber keiner ist da, der ihm hilft. Die Herrschaft der Kittäer weicht, damit Gottlosigkeit gedemütigt werde ohne Rest und es Rettung nicht gebe 7 [für alle Söh]ne der
20 Finsternis.

8 [Erkenntnis und Gerechtig]keit werden alle Enden des Erdkreises erleuchten in immer hellerem Licht, bis alle Zeiten der Finsternis zu Ende sind. Aber zur Zeit Gottes wird seine erhabene Größe leuchten für alle Zeiten 9 [der Ewigkeiten] zu Frieden und Segen, Ehre und
25 Freude und Länge der Tage für alle Söhne des Lichts. Aber an dem

Tage, an dem die Kittäer fallen, gibt es Kampf und gewaltiges Gemetzel vor dem Gott 10 Israels; denn dies ist der Tag, der von ihm seit
ehedem bestimmt wurde für den Vernichtungskrieg gegen die Söhne
der Finsternis. An ihm kämpfen zu einem großen Gemetzel die Ge-
30 meinde der Göttlichen und die Versammlung 11 der Menschen. Die
Söhne des Lichtes und das Los der Finsternis kämpfen miteinander
für (den Erweis der) Stärke Gottes beim Lärm einer großen Menge und
dem Geschrei der Göttlichen und Menschen am Tage des Verderbens.
Und dies ist die Zeit 12 der Drangsal für [das ganze] Volk der Erlö-
35 sung Gottes.

4 *Edom ... Moab* usw. Es scheint nicht möglich zu sein, für jede einzelne
alttestamentliche Volksbezeichnung, die neben den Kittäern genannt wird,
eine präzise und genaue Deutung zu finden. Sie repräsentieren die heidnischen Feinde.

6 *die Frevler am Bunde*, die jüdischen Feinde, die im Gegensatz zur Qumransekte nicht in den Bund eintraten bzw. ihn erneuerten.

23 *zur Zeit Gottes*. Die Sekte teilte die verbreitete apokalyptische Vorstellung,
daß die Zukunft bereits von Gott festgelegt wurde, und zwar einschließlich
der Wende zugunsten von Gottes Volk.

**244** *Kriegsrolle (1 QM) V 3–VI 17.*

V 3 Ordnung für die Aufstellung der Kampfabteilungen: Wenn ihr
Heer vollzählig ist, so daß man die vordere Schlachtreihe auf tausend
Mann ergänzt, soll die Schlachtreihe geschlossen sein. Und sieben
Frontabteilungen 4 sollen es sein, zu einer Schlachtreihe aufgestellt
5 nach der Ordnung der Aufstellung, Mann hinter Mann. Und alle
halten sie eherne Schilde, poliert nach Art 5 eines Spiegels. Der
Schild ist umgeben von gedrehter Randverzierung und geflochtenem
Schmuck, Werk eines Künstlers, Gold und Silber und Erz miteinander
verarbeitet, 6 und von Edelsteinen ein buntes Ornament (?), kunst-
10 volle Handwerksarbeit. Die Länge des Schildes beträgt zweieinhalb
Ellen und seine Breite eineinhalb Ellen. Und in ihrer Hand sind Lanze
7 und Schwert. Die Länge der Lanze beträgt sieben Ellen, davon die
Tülle und das Blatt eine halbe Elle. Und an der Tülle sind drei Ringe,
gearbeitet nach Art 8 gedrehter Randverzierung in Gold und Silber
15 und Erz, miteinander verarbeitet wie das Werk kunstvoller Verzie-
rung. Und geflochtener Schmuck ist auf beiden Seiten des Ringes,
9 rundherum Edelsteine als buntes Ornament (?), kunstvolle Handwerksarbeit, und ein Ährenmuster. Und die Tülle ist zwischen den
Ringen kanneliert nach Art 10 einer kunstvollen Säule. Und das
20 Blatt ist aus weißglänzendem Eisen, kunstvolle Handwerksarbeit.
Und das Ährenmuster aus reinem Gold befindet sich mitten auf der
Klinge und zugespitzt zum 11 Ende zu. Und die Schwerter sind aus
erlesenem Eisen, geläutert im Schmelzofen und blank wie ein Spiegel,
kun[st]volle Handwerksarbeit. Und das Ährenmuster 12 ist aus rei-
25 nem Gold, auf seinen beiden Seiten angebracht. Und geradlinige Ril-

len laufen zur Spitze hin, zwei auf der einen und zwei auf der anderen Seite. Die Länge des Schwertes beträgt eine Elle 13 und eine halbe und seine Breite vier Finger. Und die Scheide ist vier Daumen (breit), und vier Handbreiten sind es bis zur Scheide hinunter. Und die Schei-
30 de ist in einem Gehänge an beiden 14 Seiten, fünf Handbreiten lang. Und der Griff des Schwertes ist erlesenes Horn, Werk eines Künstlers, Buntornamentik in Gold und Silber und Edelsteinen.

16 Und beim Aufstellen [...] soll man sieben Schlachtreihen auf-stellen, eine Schlachtreihe hinter der anderen 17 [... d]reißig Ellen,
35 wo stehen sollen die Männ[er] 18 [...] den [Männern] der Frontreihe [...]

VI 1 siebenmal, und dann sollen sie zu ihren Posten zurückkehren. Und nach ihnen rücken drei Abteilungen der Zwischentruppen aus und stellen sich zwischen den Schlachtreihen auf. Die erste Abteilung
40 wirft [au]f 2 die Schlachtreihe des Feindes sieben Kampfwurflanzen. Und auf das Blatt der Wurflanze soll man schreiben: Lanzenblitz für die Kraft Gottes. Und auf die zweite Waffe soll man schreiben: 3 Blut-pfeile, um Getroffene zu fällen durch den Zorn Gottes. Und auf die dritte Wurflanze soll man schreiben: Flammendes Schwert, das die
45 gefallenen Frevler frißt im Gericht Gottes. 4 Alle diese sollen sieben-mal schleudern und dann zu ihrem Posten zurückkehren. Und nach ihnen rücken zwei Abteilungen der Zwischentruppen aus und stellen sich zwischen den beiden Schlachtreihen auf. Die erste Abteilung
50 hält Speer und Schild. Und die zweite Abteilung hält Schild und Schwert, um Getroffene zu fällen durch Gottes Gericht und zum Wei-chen zu bringen die Schlachtreihe 6 des Feindes durch die Kraft Gottes, um allem Volk der Nichtigkeit die Vergeltung ihrer Bosheit heimzuzahlen. Und dem Gott Israels wird die Königsherrschaft gehö-ren, und durch die Heiligen seines Volkes wird er Kraft erweisen.
55 8 Und sieben Abteilungen von Reitern sollen sich noch rechts von der Schlachtreihe und links von ihr aufstellen. Zu beiden Seiten sollen ihre Abteilungen stehen; siebenhundert 9 Reiter auf der einen Seite und siebenhundert auf der anderen. Zweihundert Reiter ziehen aus mit der Tausender-Schlachtreihe der Zwischentruppen, und so
60 10 sollen sie an allen Sei[ten] des Lagers sich aufstellen, insgesamt viertausendsechshundert. Und eintausendvierhundert Rosse gehören zu den Männern der Ordnung der Schlachtreihen, 11 fünfzig für [e]ine Schlachtreihe, und die Reiter auf den Rossen der Männer der Schlachtordnung sind sechstausend, fünfhundert je Stamm. Alle Ros-
65 se, die ausrücken 12 zum Kampf mit den Männern der Zwischentrup-pen, sollen Hengste sein, schnellfüßig, weichmäulig und langatmig und in einem bestimmten Alter, kampfgewöhnt 13 und abgerichtet, auf [R]ufe zu hören, und alle haben das gleiche Aussehen. Und die auf ihnen reiten, sind kampffähige Männer, geübt im Reiten, und ihr
70 bestimmtes 14 Alter liegt zwischen dreißig und fünfundvierzig Jah-ren. Und die Reiter der Ordnung sollen zwischen vierzig und fünfzig Jahren alt sein, und sie 15 [...] und Panzer für Köpfe und Schenkel.

Und sie halten in ihrer Hand Rundschilde und eine Lanze, [acht Ellen]
lang, 16 [...] und Bogen und Pfeile und Kampfwurflanzen. Und alle
75 sind sie bereit [...] 17 [...], um das Blut der wegen ihrer Schuld
Erschlagenen zu vergießen.

1 *Ordnung für die Aufstellung der Kampfabteilungen.* Es fällt schwer, allen
diesen detaillierten Anweisungen lediglich allegorische Bedeutung zuzu-
messen: Man dachte an einen wirklichen Krieg. Es fällt allerdings fast
ebenso schwer anzunehmen, daß alle Truppen mit derart sorgfältig ausge-
arbeiteten und reich verzierten Waffen ausgerüstet wurden. Ausrüstung
und Taktik scheinen teilweise nach römischem Vorbild entworfen zu sein.

**245** *Kriegsrolle (1 QM) XI 1–XII 18.*

XI 1 ... sondern dein ist der Kampf. Und durch die Kraft deiner Hand
werden ihre Leichname zerschmettert, so daß keiner begrub. Goliath,
den Gathiter, den wehrhaften Mann, 2 hast du ausgeliefert in die
Hand Davids, deines Knechtes; denn er vertraute auf deinen großen
5 Namen und nicht auf Schwert und Spieß. Denn dein ist der Kampf.
Und die 3 Philister demütigte [er] viele Male durch deinen heiligen
Namen. Und auch durch unsere Könige hast du uns viele Male gehol-
fen 4 um deines Erbarmens willen, und nicht nach unseren Werken,
die wir übel getan haben, und unseren Freveltaten. Dein ist der Kampf
10 und von [dir] her die Stärke 5 und nicht unser. Und nicht unsere Kraft
und die Stärke unserer Hände haben Macht bewiesen, sondern durch
deine Kraft und die Stärke deiner großen Macht. W[ie] du es uns
verkündigt hast 6 seit ehedem mit folgenden Worten: *Es geht ein
Stern auf aus Jakob, es erhebt sich ein Szepter aus Israel und zer-*
15 *schmettert die Schläfen Moabs und tritt nieder alle Söhne Seths. 7 Er*
*geht hervor aus Jakob und vernichtet die [aus der] Stadt Entronnenen.*
*Und der Feind wird zum Besitz, und Israel übt Macht aus* (Num 24,
17–19). Und durch deine Gesalbten, 8 die Seher der Bestimmungen,
hast du uns verkündigt die Zei[ten] der Kriege deiner Hände, dich zu
20 verherrlichen an unseren Feinden, die Scharen Belials zu fällen, die
sieben 9 nichtigen Völker, durch die Armen deiner Erlösung, [in
Kra]ft und in Heil nach wunderbarer Stärke, und das verzagte Herz
(kommt) zur Pforte der Hoffnung. Und du hast an ihnen getan wie an
Pharao 10 und wie an den Wagenkämpfern seiner Streitwagen im
25 Schilfme[er]. Aber die zerschlagenen Geistes sind, entzündest du wie
eine Feuerfackel in Garben, die den Frevel verzehrt und nicht aufhört
bis zur 11 Vernichtung der Schuld. Und seit ehedem hast du uns
kund[getan den Zeit]punkt der Kraft deiner Hand an den Kittäern mit
folgenden Worten: *Und es fällt Assur durchs Schwert, nicht durch das*
30 *eines Mannes, und ein Schwert,* 12 *nicht das eines Menschen, wird es*
*verzehren* (Jes 31, 8).
13 Denn in die Hand der Armen lieferst du die [Fein]de aller Länder aus, und in die Hand derer, die in den Staub gebeugt sind, um die
Helden der Völker zu erniedrigen, Vergeltung heimzuzahlen 14 den

35 Frevlern auf [das Haupt ...] als gerecht zu erweisen das Gericht
deiner Wahrheit an allen Söhnen der Menschen, und um dir einen
ewigen Namen zu machen im Volk 15 [...] der Kriege und dich groß
und heilig zu erweisen vor den Augen der üb[ri]gen [Völ]ker. Um zu
erkennen [...] 16 [... wenn] du Strafgerichte [voll]ziehst an Gog und
40 an seinem gesamten Aufgebot, die [sich] versa[mm]eln [ge]g[en uns
...] 17 [...] denn du kämpfst gegen sie vom Himm[el her ...] 18 [...]
auf sie zur Bestürzung [...]

XII 1 Denn die Menge der Heiligen ist [bei dir] im Himmel und die
Heerscharen der Engel in deiner heiligen Wohnstatt, um deinen [Na-
45 men zu preisen]. Und die Erwählten des heiligen Volkes 2 hast du dir
gesetzt [... Bu]ch der Namen. Ihre ganze Heerschar ist bei dir an
deiner heiligen Stätte [...] in deiner herrlichen Wohnstatt. 3 Und die
segensreichen Gnadenerweise [...] und den Bund deines Heils hast du
ihnen eingegraben mit dem Griffel des Lebens, um zu herrschen [über
50 sie] in alle ewigen Zeiten 4 und zu mustern die He[erscharen] deiner
[Erwähl]ten nach ihren Tausendschaften und Zehntausendschaften
zusammen mit deinen Heiligen [und mit] deinen Engeln zur Macht-
entfaltung der Hand 5 im Kriege, [um niederzubeugen] die Gegner
des Landes durch die Fülle deiner Gerichte; aber mit den Erwählten
55 des Himmels sind [deine] Seg[nungen].

7 Und du, Gott, bist fur[chtbar] in der Herrlichkeit deiner Königsherrschaft, und die Gemeinde deiner Heiligen ist in unserer Mitte zu
ewige[r] Hilfe. Wir [geben] Verachtung den Königen, Spott 8 und
Hohn den Helden. Denn der Heilige, der Herr und der König der
60 Herrlichkeit, ist mit uns. Das Volk der heiligen Hel[den und die]
Heerschar der Engel ist unter unserem Aufgebot, 9 und der Held des
Krie[ges] ist in unserer Gemeinde und das Heer seiner Geister mit
unseren Schritten. Und [unsere] Reiter sind [wie] Wolken und Taune-
bel, die Erde zu bedecken, 10 und wie ein Platzregen, zu tränken mit
65 Gericht alle ihre Gewächse. Erhebe dich, Held, führe deine Gefangenen fort, Mann der Herrlichkeit, und raube 11 deine Beute, der du
Macht entfaltest. Lege deine Hand auf den Nacken deiner Feinde und
deinen Fuß auf Hügel Erschlagener. Zerschmettere Völker, deine
Feinde, und dein Schwert 12 verzehre das schuldige Fleisch. Fülle
70 dein Land mit Herrlichkeit und dein Erbteil mit Segen. Eine Menge
von Vieh sei auf deinen Feldern, Silber und Gold und Edelsteine 13 in
deinen Pal[ä]sten. Zion, freue dich sehr, strahle auf im Jubel, Jerusalem, und jauchzet, alle Städte Judas. Öffne 14 beständig [deine] To-
[re], daß man zu dir bringe den Reichtum der Völker. Und ihre Könige
75 sollen dir dienen und dir huldigen alle deine Bedrücker, und den Staub
15 [deiner Füße werden sie lecken. Töchter] meines Volkes, brecht in
lauten Jubel aus, legt herrlichen Schmuck an und herrscht in [der
Herrschaft ...] 16 [... I]srael, um zu herrschen auf ewig. 17 [...]
Kriegshelden. Jerusalem [...] 18 [... er]hebe dich über die Himmel,
80 Herr [...]

1  *dein ist der Kampf.* Auch wenn es Gottes Kampf ist, müssen militärische
Kriegsvorbereitungen getroffen werden, wie sie an anderer Stelle beschrieben werden; auch David brauchte eine Schleuder (vgl. Z. 4).

18  *deine Gesalbten.* Das Wort steht im Plural (משיחיכה) und bezieht sich offenbar auf die Propheten.

39  *Gog* vgl. Ez 38f: ein weiterer ‚Biblizismus‘ in der Beschreibung des Feindes.

# X. Philo

Philo ist der einzige Jude aus der Zeit der Entstehung des Christentums, den wir gut aus seinen eigenen Schriften kennen. Seine Geburts- und Todesdaten können wir nicht mit Genauigkeit angeben; sein Leben muß ungefähr den Zeitraum zwischen den Jahren 20 vor bis 45 n. Chr. umfaßt haben. Den größeren Teil dieser Zeit scheint er zurückgezogen in Alexandria gelebt zu haben. Er war wohlhabend und gehörte einer der führenden jüdischen Familien in Alexandria an; in vorgerücktem Alter wurde er mit einer wichtigen Mission in den Angelegenheiten seiner jüdischen Landsleute betraut, s. *52, 167*. Der Rest seines Lebens verlief, soweit wir wissen, ereignislos; ganz sicher hat die Abfassung seiner umfangreichen philosophischen Schriften viel Zeit und gelehrte Muße erfordert. Es besteht jedoch kein Grund, daran zu zweifeln, daß Philo zumindest mit dem religiösen Leben seiner Brüder in Alexandria ausreichend vertraut war; zu seinem Bericht über die Essener und die Therapeuten s. *153–154*.

Das Interesse, das Philo für das Studium des frühen Christentums bietet, liegt in seinen Schriften, nicht in seinem Leben. Sie bestehen aus zwei Gruppen: auf der einen Seite seinen allegorischen und homiletischen Auslegungen eines beträchtlichen Teils des griechischen Textes der Genesis, bei denen er zwar diskursiv vorgeht, in den Grenzen seiner Methode aber doch Systematiker bleibt. Dem Inhalt nach sind Philos Ideen oft weit vom biblischen Text entfernt, aber formal bietet er uns hier ein Beispiel gründlicher Vers-für-Vers-Exegese.

Der andere Teil seiner Schriften ist weniger homogen und folgt nicht so eng dem Bibeltext. Er enthält Biographien (z. B. die des Mose), Bücher über einzelne alttestamentliche Gesetze (z. B. den Dekalog), philosophische Schriften im engeren Sinne und zwei historische Werke.

## A. Philos Gesetzestreue

Als Philosoph verwandte Philo vielfach nichtjüdisches Material; doch im Gegensatz zu manchen anderen hellenistischen Juden blieb er dem Judentum immer treu und hielt sich streng an die nationalen Gesetze.

**246** *De migratione Abrahami 89–93.*

Es gibt nämlich Leute, die in der Annahme, die verkündeten Gesetze
seien nur Symbole von Gedachtem, letzterem (dem Gedachten) mit
höchstem Eifer nachgehen, erstere leichtsinnig vernachlässigen; diese muß ich wegen ihrer Leichtfertigkeit tadeln. Denn sie hätten an
5 Zwiefaches denken sollen: sowohl das Unsichtbare (den Sinn) recht
genau zu erforschen, alsdann auch das Offene (den Wortlaut) tadellos
zu beachten. Jetzt leben sie aber in Wahrheit so, als wären sie in der
Einsamkeit für sich oder als wären sie körperlose Seelen geworden, als
wüßten sie nichts von Stadt, Dorf, Haus, überhaupt von menschlicher
10 Gesellschaft, sehen über das hinweg, was die Allgemeinheit billigt,
und suchen die nackte Wahrheit für sich allein zu erforschen. Sie
belehrt die heilige Schrift, auf eine gute Meinung zu achten und nichts
von den Satzungen aufzuheben, die gottbegnadete, uns überlegene
Männer gegeben haben. Denn weil die Sieben uns die Macht des
15 Ungeschaffenen (= Gottes) und die Unwirksamkeit der Geschöpfe
lehrt, so dürfen wir deshalb die Gesetze für diesen Tag nicht aufheben,
etwa so, daß wir Feuer anzündeten oder den Acker bearbeiteten oder
Lasten trügen oder Prozesse führten und Urteile fällten oder aufbe-
wahrtes Gut zurückverlangten oder geliehenes Geld eintrieben oder
20 anderes sonst täten, was an nichtfestlichen Tagen freigegeben ist.
Und weil der Feiertag ein Symbol seelischer Freude und des Dankes
gegen Gott ist, sind die jahreszeitlichen Festversammlungen nicht
aufzugeben. Auch weil die Beschneidung darauf hinweist, daß wir alle
Lust und Begierde aus uns „herausschneiden" sollen und gottlosen
25 Wahn entfernen müssen, als ob der Νοῦς aus sich heraus Eigenes zu
zeugen verstände, dürfen wir nicht das über sie gegebene Gesetz
aufheben. Denn auch den Dienst im Tempel und vieles andere müßten
wir vernachlässigen, wenn wir nur das symbolisch Gemeinte achten
wollten. Vielmehr muß man glauben, daß dieses dem Körper, jenes der
30 Seele gleicht. Wie man nun für den Körper, der ja die Wohnstätte der
Seele ist, Vorsorge trifft, so muß man auch auf den Wortlaut der
Gesetze achten. Werden sie nämlich recht beobachtet, so wird auch
das klarer erkannt, wofür sie Symbole sind, abgesehen davon, daß
man dann auch den Vorwürfen und Anklagen vieler entgeht.

1 *Es gibt nämlich Leute* ... Philo gab also nicht als einziger eine allegorische
Auslegung zum Pentateuch; einige dieser Allegoristen gingen weiter als er
und mißachteten den wörtlichen Sinn der Gesetze.

2 *Gedachtes.* Philo gebraucht hier die Sprache Platos. Wörtlich verstanden
gehören die Gesetze zur Welt der Phänomene, während ihr innerer Sinn zur
Welt der Ideen gehört. Doch beabsichtigt Philo nicht, die phänomenale Welt
herabzusetzen.

12 *die heilige Schrift* (λόγος). Der augenfällige Sinn der Gesetze darf nicht
vernachlässigt werden, weil Menschen in Gesellschaft zusammenleben.
Λόγος, hier übersetzt mit „heilige Schrift", hat noch eine tiefere Bedeutung;
denn von den „gottbegnadeten" Männern (hauptsächlich Mose) wird hier

wie von den stoischen Weisen gesprochen, die der Vernunft (λόγος) gemäß
leben.

14 *die Macht des Ungeschaffenen.* Der Sabbat ist wirklich ein Zeuge für das
ewige Wirken Gottes (vgl. Joh 5, 17; dagegen hält nach Jub 2, 19 Gott selbst
den Sabbat).

21 *der Feiertag.* Philo sagt nicht, welchen Feiertag er meint; vielleicht sollte
man übersetzen „das Einhalten der Feiertage". Im rabbinischen Sprachgebrauch bedeutet „der Feiertag" gewöhnlich das Laubhüttenfest. Falls diese
Stelle nicht allgemein zu verstehen ist, ist wohl eines der Wallfahrtsfeste
gemeint (s. *196–199* mit Anm.).

23 *Beschneidung.* Im etwas späteren Judentum, welches aus den rabbinischen
Quellen gut bekannt ist, wurde die Beschneidung von allen Proselyten
gefordert; möglicherweise nahm man aber vorher zuweilen davon Abstand.
In Josephus, *Ant* XX 17 ff, wird von einer Konversion zum jüdischen Glauben berichtet, in der die Beschneidung nicht verlangt wurde. In *bYevamot*
46a geht eine Diskussion (die sich auf ca. 100 n. Chr. datieren läßt) um die
Frage, ob Taufe ohne Beschneidung oder Beschneidung ohne Taufe ausrei-
che, um einen Proselyten zu machen. Aber nach fast allgemeiner Ansicht
war beides vonnöten.

27 *Tempel.* Man beachte das Interesse des Diasporajuden am Tempel, den er so
selten sah.

34 *den Vorwürfen vieler.* Allegoristen und Exegeten, die gegen die allegorische
Auslegung der Schrift waren, gab es viele; Philo sucht charakteristischer-
weise zwischen den beiden Extremen zu vermitteln.

## B. Philos philosophischer Eklektizismus

Vielleicht noch einflußreicher als irgendein festumrissenes philosophisches System war in Philos Tagen die eklektische Methode,
die in der frühen Kaiserzeit aus der Vermischung der Völker und
dem allgemeinen Austausch der Ideen gespeist wurde. Platonismus, Stoizismus und Neupythagoreismus brachten ergänzende
Elemente in die geistige Atmosphäre der Zeit; im Bewußtsein der
philosophisch interessierten Menschen dürften sie kaum mehr
rivalisiert haben. Philo wählt aus seiner Kenntnis des heidnischen
Gedankengutes ohne Unterschied jedes Argument aus, das seinen
Ideen dient.

### Platonismus

**247** *De opificio mundi 15 f.*

Philo schreibt über den ersten Schöpfungstag.

Von dem Inhalt (dieses Tages) müssen wir das anführen, was wir zu
sagen imstande sind; denn alles zu sagen, ist unmöglich. Er ist nämlich vor allen bevorzugt und umfaßt die Schöpfung der *gedachten* Welt,

wie der Bericht (der Bibel) über ihn besagt. Da Gott nämlich bei seiner
5 Göttlichkeit im voraus wußte, daß eine schöne Nachahmung niemals
ohne ein schönes Vorbild entstehen kann und daß keines von den
sinnlich wahrnehmbaren Dingen tadellos sein würde, das nicht einem
Urbilde und einer geistigen Idee nachgebildet wäre, bildete er, als er
diese sichtbare Welt schaffen wollte, vorher die gedachte, um dann mit
10 Benutzung eines unkörperlichen und gottähnlichen Vorbildes die kör-
perliche – das jüngere Abbild eines älteren – herzustellen, die ebenso
viele sinnlich wahrnehmbare Arten enthalten sollte, wie in jener Gedachte vorhanden waren.

3 *gedachte Welt.* Das Adjektiv ist das platonische νοητός; der Ausdruck bezeichnet die Ideenwelt, von der nach Plato die (sinnlich wahrnehmbare,
Z. 6 f) Welt der Phänomene nur eine Nachahmung ist. Wichtig ist, daß Philo
behauptet, diese Ideenwelt in Gen 1 zu finden.

10 *unkörperlich.* Die platonische Lehre, die Philo in diesem Absatz behandelt,
führte sehr schnell zu einem ethischen Dualismus zwischen Materie und
Geist. Philos unerschütterliches Festhalten am wesentlich realistischen
Judentum schützte ihn bis zu einem gewissen Grade vor diesem Dualismus.

**248** *Legum allegoriae I 70–73.*

In diesem Abschnitt beschreibt Philo die Seele als aus drei Teilen bestehend,
eine durch und durch platonische Unterteilung; vgl. Plato, *Timäus* 69 C;
*Staat* IV, 439 D. Er fährt fort mit einem mythischen Bild vom Seelenwagen,
das direkt aus *Phädrus* 246ff übernommen ist, während die Lage der verschiedenen Fähigkeiten in Teilen des Körpers aus *Timäus* 69 E. 90 A stammt.
Jedoch sind auch Parallelen in der psychologischen Sprache des AT zu finden.

(Philo allegorisiert die Flüsse von Gen 2, 10–14.)

Nun möchte man wohl fragen, weshalb an zweiter Stelle die Tapferkeit, an dritter die Besonnenheit, an erster die Einsicht genannt ist
und die Schrift nicht eine andere Reihenfolge der Tugenden gewählt
hat. Man muß aber erwägen, daß unsere Seele in drei Teile zerfällt,
5 den denkenden, den mutvoll strebenden und den begehrenden. Des
denkenden Wohnort und Aufenthalt ist der Kopf, des mutvoll strebenden die Brust, des begehrenden der Bauch; und jedem Teile ist seine
besondere Tugend zugesellt: dem denkenden der Einsicht, denn es ist
Sache des Denkvermögens, das Wissen zu haben von dem, was man
10 tun soll und was nicht; dem mutvoll strebenden die Tapferkeit; dem
begehrenden die Besonnenheit; denn durch Besonnenheit können wir
die Begierden heilen und unschädlich machen. Wie nun der Kopf der
erste und oberste Teil des Lebewesens ist, der zweite die Brust, der
dritte der Bauch, und demgemäß der erste Teil der Seele der denken-
15 de, der zweite der mutvoll strebende, der dritte der begehrende ist, so
ist auch unter den Tugenden die erste die bei dem ersten Seelenteil,
dem denkenden, und bei dem ersten Körperteil, dem Haupt, verwei-
lende Einsicht, die zweite die Tapferkeit, weil sie sich beim zweiten
Teil der Seele, dem mutvollen, und dem zweiten Körperteil, der Brust,

20 befindet, die dritte die Besonnenheit, weil sie es mit dem Bauch, dem
dritten Teil des Körpers, und mit dem begehrenden dritten Teil der
Seele zu tun hat.

„Der vierte Fluß aber ist der Euphrat." Das Wort Euphrat bedeutet
Fruchtbarkeit und bezeichnet die vierte Tugend, die Gerechtigkeit,
25 die ja tatsächlich fruchtbar ist und die Seele erquickt. Wann tritt sie
nun in Erscheinung? Nur wenn zwischen den drei Seelenteilen Eintracht herrscht, und dies geschieht, wenn der beste die Leitung übernimmt; wenn nämlich die zwei, der mutvoll strebende und der begehrende, gleich Rossen von dem denkenden gelenkt werden, dann ent-
30 steht Gerechtigkeit. Denn gerecht ist es, daß das Bessere immer und
überall herrsche und das Schlechtere beherrscht werde; besser ist nun
doch der denkende Teil, schlechter der mutvoll strebende und der
begehrende! Wenn dagegen der Mut und die Begierde aufbegehren
und die Zügel abschütteln, den Wagenlenker – ich meine: das Denk-
35 vermögen – durch die Macht ihres Dranges hinabreißen und unterjo-
chen und jede der beiden Leidenschaften die Zügel faßt, dann herrscht
die Ungerechtigkeit; denn infolge der Unkenntnis und Schlechtigkeit
des Lenkers muß notwendig das Gespann Abhänge und Schlünde
hinabstürzen, wie es andererseits durch dessen Erfahrung und Tüch-
40 tigkeit gerettet wird.

1ff Die Tugenden Einsicht, Tapferkeit und Besonnenheit sind phantasievoll
von den drei Flußnamen Pison, Gihon und Tigris abgeleitet. Diese drei
(zusammen mit der Gerechtigkeit Z. 24) sind die Kardinaltugenden des
Platonismus.

23 *Euphrat bedeutet Fruchtbarkeit.* S. u. S. 297 f über Philos Gebrauch etymolo-
gischer Argumente. Hier ist seine Etymologie sicher falsch.


## Stoizismus

Vieles in Philos ethischen Lehren und hier und da auch in seiner
Anthropologie zeigt deutliche Züge stoischen Ursprungs. Der folgende Abschnitt ist vielleicht noch bezeichnender, denn er enthält
die Interpretation eines Grundelementes des Judentums, des Gesetzes, in den Worten einer Grundkonzeption der Stoa, der Natur
als lebenspendender und ordnender Macht des Weltalls.


**249**  *De opificio mundi 3. 8f.*

Dieser Anfang ist, wie ich sagte, höchst bewunderungswürdig, da er
die Weltschöpfung schildert, um gleichsam anzudeuten, daß sowohl
die Welt mit dem Gesetz als auch das Gesetz mit der Welt in Einklang
steht und daß der gesetzestreue Mann ohne weiteres ein Weltbürger
5 ist, da er seine Handlungsweise nach dem Willen der Natur regelt,
nach dem auch die ganze Welt gelenkt wird ...

Mose aber, der bis zum höchsten Gipfelpunkt der Philosophie vorge-

drungen und durch göttliche Offenbarungen über die meisten und
wichtigsten Dinge der Natur belehrt worden ist, erkannte sehr wohl,
10 daß in den existierenden Dingen das eine die wirkende Ursache, das
andere ein Leidendes sein muß, und daß jenes Wirkende der Geist des
Weltganzen ist, der ganz reine und lautere, der besser ist als Tugend,
besser als Wissen, besser als das Gute an sich und das Schöne an sich,
daß das Leidende dagegen an und für sich unbeseelt und unbeweglich
15 ist, nachdem es aber von dem Geiste bewegt und gestaltet und beseelt
worden, in das vollendetste Werk, in diese (sichtbare) Welt, sich verwandelte. Die aber von der Welt behaupten, daß sie unerschaffen sei,
merken nicht, daß sie das nützlichste und notwendigste der zur Gottesverehrung führenden Dinge beseitigen, nämlich die Vorsehung.

1 *Dieser Anfang. De opificio mundi* ist das erste Werk in Philos systemati-
scher Erörterung der Genesis (s. oben); darin kommentiert er die Schöp-
fungstage und fügt Bemerkungen über Gen 2, 4–7 hinzu. Mose unterscheidet sich von anderen Gesetzgebern (so sagt er) darin, daß er seinen Gesetzen
eine Kosmogonie voranstellt – nach Philo eine sehr bedeutsame Tatsache,
denn sie zeigt, daß die Einzelgesetze nicht willkürlich sind, sondern aus dem
fundamentalen Gesetz der Natur heraus entstehen.

4 *Weltbürger,* ein sehr charakteristischer stoischer Begriff; s. *94.*

5 *seine Handlungsweise nach dem Willen der Natur regelt.* Das stoische Ideal
eines vernünftigen und tugendhaften Lebens. Philo, der immer bereit ist,
das Judentum mit der höchsten Weisheit der Griechen zu identifizieren,
erklärt, daß, wer das Gesetz Moses erfüllt, das Ideal der stoischen Weisen
erreicht.

7 *Mose.* Der Gesetzgeber – ihm zu gehorchen, heißt „naturgemäß zu leben" –
ist selbstverständlich als der größte Philosoph dargestellt.

10 *wirkende Ursache ... ein Leidendes.* Diese Unterscheidung zwischen Ursache und Objekt gehört zu der stoischen Sicht des Alls (vgl. 77); man könnte
damit Philos Gebrauch der platonischen Begriffe des Idealen und des sinnlich Wahrnehmbaren (s. oben) vergleichen.

11 *Geist* (νοῦς). Bei Philo eine der häufigst vorkommenden Bezeichnungen für
Gott; sie ermöglichte eine Annäherung zwischen den in der letzten Anmerkung zitierten stoischen und platonischen Kategorien und führte außerdem
zur Lehre von der Vorsehung (πρόνοια), die für die Stoa und das Judentum
gleich bedeutsam war.

## Neupythagoreismus

Philo verdankt dieser philosophischen Schule wohl nicht so viel
wie dem Platonismus und der Stoa, deren Einfluß bis an die
Wurzel seines Denkens gereicht haben muß. Doch hier und da hat
sich zumindest in der Form seiner Schriften etwas von der Gedan-
kenordnung der Neupythagoreer niedergeschlagen; man beachte
vor allem seine phantastischen Erörterungen über die Bedeutung
der Zahlen. Vgl. auch *97* mit Anm.

**250** *De opificio mundi 99f.*

Philo läßt sich über die Bedeutung der Zahl 7 aus.

So viele herrliche Vorzüge sind in der Siebenzahl enthalten, daß sie im Vergleich zu allen andern Zahlen innerhalb der Dekade eine besondere Stellung einnimmt. Denn unter jenen Zahlen sind einige, die hervorbringen und nicht hervorgebracht werden, andere wieder, die
5 hervorgebracht werden und nicht hervorbringen, endlich solche, die sowohl hervorbringen als auch hervorgebracht werden. Die Sieben allein sieht man in keiner dieser Gruppen. Diese Behauptung muß näher begründet werden. Die Eins bringt der Reihe nach alle Zahlen hervor, wird aber von keiner andern hervorgebracht. Die Acht wird
10 durch 2 mal 4 hervorgebracht, bringt aber selbst keine andere Zahl in der (ersten) Dekade hervor; die Vier andererseits gehört sowohl zu der Abteilung der Eltern als auch der Kinder; denn sie bringt die Acht hervor, wenn sie zweimal genommen wird; und wird hervorgebracht durch 2 mal 2. Nur die Sieben, wie gesagt, kann weder hervorbringen
15 noch hervorgebracht werden. Aus diesem Grunde vergleichen gewöhnlich die Philosophen die Siebenzahl mit der mutterlosen Nike und Parthenos, die der Sage nach aus dem Kopfe des Zeus entsprungen sein soll, die Pythagoreer dagegen mit dem Lenker des Weltalls. Denn das, was weder erzeugt noch erzeugt wird, bleibt unbeweglich;
20 in der Bewegung nämlich besteht das Werden, da sowohl das Erzeugende wie das, was erzeugt wird, nicht ohne Bewegung ist; das eine hat das Ziel, zu erzeugen, das andere, erzeugt zu werden. Das einzige aber, das weder bewegt noch bewegt wird, ist der erhabene Herrscher und Lenker, als dessen Ebenbild füglich die Siebenzahl bezeichnet
25 werden könnte. Diese meine Ansicht bestätigt auch Philolaos mit den Worten: „Es existiert ein Herrscher und Lenker aller Dinge, ein einziger, ewiger Gott, der beständig ist und unbewegt, nur sich selbst gleicht und von allen anderen verschieden ist."

4 *hervorbringen ... hervorgebracht.* Das heißt, sie sind durch Multiplikation zustandegekommen oder/und selbst Faktoren einer Zahl der 1. Dekade.

19 *unbeweglich.* Gottes Freiheit von Bewegung und folglich von jedem Erleiden war eine dem Platonismus und Pythagoreismus gemeinsame Lehre.

25 *Philolaos.* Ein pythagoreischer Philosoph des 5. Jahrhunderts v. Chr.

*Epikureismus*

Über Philos Einwand gegen die epikureische Philosophie s. *251.*

## C. Die allegorische Methode

Wir haben bereits darauf hingewiesen, daß eines von Philos Hauptzielen darin bestand, die Lehren der hellenistischen Religionsphilosophie aus den kanonischen Schriften des Judentums herauszulesen. Diese Aufgabe war keine leichte, da die Lehren, die Philo zu finden wünschte, in den Quellen, in denen er sie suchte, nicht enthalten waren. Sie existierten in Philos Vorstellung; das Mittel, durch das er sie von ihrem ursprünglichen Platz dorthin, wo er sie zu finden hoffte, übertrug, war die Allegorie.

Die allegorische Auslegung beschränkte sich keinesfalls auf das Judentum allein, sie wurde im hellenistischen Zeitalter überall praktiziert. Sie erwuchs teilweise aus der unbezweifelten Tatsache, daß einige der frühen Philosophen sich absichtlich dunkel ausgedrückt hatten; zum andern aus der Sehnsucht schwächerer Geister nach der Autorität der Großen der Vergangenheit; und außerdem aus der Überzeugung, daß Philosophie der Erzählung überlegen sei und daß der Ruhm Homers und anderer Dichter dadurch gesichert werden müßte, daß man in ihren zuweilen allzu gewöhnlichen Geschichten einen verborgenen Sinn fand. Als Philo den Wunsch empfand, das AT in etwas umzuformen, das seine Verfasser nicht beabsichtigt hatten, stand ihm das allegorische Werkzeug fertig zur Verfügung; man muß zugeben, daß er es mit Geschick zu gebrauchen wußte und daß die Ergebnisse manchmal reizvoll und ergiebig, wenn auch als Auslegung keineswegs überzeugend sind.

**251** *De posteritate Caini 1–11.*

„Es entwich aber Kain vom Angesicht Gottes und wohnte im Lande Nod gegenüber Eden" (Gen 4, 16). Könnte man hier noch zweifeln, ob man das von Mose in den (aus göttlicher in menschliche Sprache) umgesetzten Büchern Gesagte in übertragenem Sinne zu verstehen
5 hat, da doch der in den Worten unmittelbar liegende Sinn weit von der Wahrheit abweicht? Denn wenn Gott ein Angesicht hat und der, der ihn verlassen will, rasch anderswohin seinen Wohnsitz verlegen kann, warum lehnen wir dann die epikureische Ehrfurchtslosigkeit, die Gottlosigkeit der Ägypter oder die mythischen Fiktionen ab, von de-
10 nen das Leben so voll ist? Ein Angesicht ist ja ein Teil eines lebenden Wesens, Gott aber ist ein Ganzes, nicht ein Teil. Dann müßte man auch die anderen Teile dazu erfinden: einen Nacken, Brust, Hände und Füße, schließlich auch einen Unterleib, die Geschlechtsteile und die übrige unzählbare Fülle von inneren und äußeren Organen. Es
15 folgt aber mit Notwendigkeit aus der Menschenähnlichkeit auch menschliche Bedürftigkeit, weil ja auch diese (Organe) nichts Überflüssiges und Nebensächliches sind, vielmehr hat sie die Natur in Rücksicht auf die Schwäche derer, die sie besitzen, geschaffen und danach das, was zum eigenen Gebrauch und zur Hilfeleistung dient,
20 entsprechend eingerichtet. Gott aber braucht nichts, so daß, wenn er

den Nutzen aus den Teilen nicht braucht, er überhaupt keine Teile
haben dürfte.

„Er entweicht"; aber woraus? Etwa aus dem Palast des Allherrschers? Was aber könnte Gottes sinnlich wahrnehmbares Haus ande-
25 res sein als diese unsere Welt, die zu verlassen ganz unmöglich ist?
Denn alle Kreatur umschlingt der Himmelskreis und hält sie in sich
fest. Werden doch auch die in ihre Elemente zerfallenden Toten wiederum in die Kräfte des Alls aufgelöst, aus denen sie entstanden,
indem die Anleihe, die jedem zu ungleichen Terminen gewährt wurde,
30 der Natur als der Gläubigerin zurückgezahlt wird, wenn sie ihr Gut-
haben einzuziehen wünscht. Und wirklich entweicht er ja nur von
einem Orte an einen andern als den, der von ihm verlassen wurde.
Daraus aber ergäbe sich die Folgerung, daß einzelne Teile, die zur
Welt gehören, leer sind, obwohl doch Gott nichts von sich selbst leer
35 und vereinsamt gelassen, sondern alles gänzlich ausgefüllt hat. Wenn
aber Gott weder ein Angesicht hat, da er über die speziellen Merkmale
aller geschaffenen Wesen erhaben ist, noch sich in einem Teile auf-
hält, da er der Umfassende, selbst aber nicht Umfaßte ist, und es nicht
möglich ist, daß aus dieser unserer Welt wie aus einer Stadt irgendei-
40 ner ihrer Teile auswandert, da draußen nichts zurückgelassen wurde,
so bliebe, da wir zu dem Urteil gekommen sind, daß von den angeführten Worten nichts in eigentlichem Sinne gemeint ist, nur noch übrig,
den den Philosophen vertrauten Weg der Allegorie einzuschlagen und
von hier aus mit der Erklärung zu beginnen: Wenn schon die Entfer-
45 nung vom Angesicht eines irdischen Königs schwierig ist, wie sollte es
nicht ganz schwierig sein, den Anblick Gottes zu verlassen und davonzukommen, dazu entschlossen, seine Schau zu meiden, das heißt: ein
Mensch zu werden, der, geblendet auf dem Auge der Seele, keine
Vorstellung von ihm hat? Und die Menschen, denen es aus Not, er-
50 drückt von der Macht unerbittlicher Gewalt, so erging, dürften eher
dem Mitleid als der Verachtung anheimfallen; die aber, die sich durch
freiwilligen Entschluß von Gott abwandten, indem sie den Gipfel der
Schlechtigkeit selbst überstiegen – denn was könnte Schlechtes gefunden werden, das hiermit auf gleicher Stufe steht!, – sollen nicht die
55 gewöhnlichen, sondern neue und außerordentliche Strafen erleiden.
Gewiß wird aber keiner, der darauf sinnt, eine unerhörtere und größere finden als das Entweichen und die Flucht vor dem Allherrscher.

Den Adam wirft Gott hinaus, Kain aber entweicht freiwillig; so zeigt
uns Mose beide Arten der Sinnesverwandlung, die freiwillige und die
60 unfreiwillige! Die unfreiwillige jedoch wird, da sie ja nicht durch
unseren Entschluß zustande kommt, die passende Wiedergutma-
chung finden: „Es wird nämlich Gott erstehen lassen einen anderen
Samen an Stelle Abels, den Kain tötete" (Gen 4, 25), der Seele, die sich
nicht aus eigenem Antrieb abgewandt hat, einen männlichen Sproß,
65 Seth, das „Tränken". Die freiwillige aber wird, da sie mit Willen und
Vorsatz geschieht, auf immer unheilbares Verderben ernten. Denn
wie die mit Vorbedacht ausgeführten guten Taten besser sind als die

unfreiwillig vollzogenen, ebenso sind unter den Sünden die unfreiwilligen leichter als die mit Willen begangenen.

4 *in übertragenem Sinne* (τροπικώτερον). Bei Philo ist das Wort für seine eigene Methode, den biblischen Text zu behandeln, nicht ungewöhnlich. Er fährt fort, den Hauptgrund für seine Darlegung anzugeben: Der Text, wie er dasteht, ist Unsinn. Gott hat kein Angesicht, und es ist unmöglich, vor ihm zu „entweichen". Folglich muß Mose, der inspirierte Weise, etwas anderes gemeint haben, als er gesagt zu haben scheint. In genau dieser Weise allegorisierten die hellenistischen Schriftsteller die Anthropomorphismen Homers.

8 *epikureische Ehrfurchtslosigkeit*. Philo meint ihren Anthropomorphismus. Man kann zweifeln, ob er Epikur gerecht beurteilt. Jedenfalls erwähnt er ihn stets in ungünstigem Sinne. Vgl. S. 243.

9 *Gottlosigkeit der Ägypter*. Die Ägypter wurden von philosophischen Schriftstellern oft getadelt, weil sie Tiere anbeteten: Doch wenn wir sagen oder uns vorstellen, daß Gott ein Angesicht habe, wie können wir besser sein als jene, die ihn in einer Katze sehen?

20 *Gott* (τὸ ὄν). Dieser philosophische Terminus verbindet sich in Philos Denken wahrscheinlich mit Ex 3, 14 (s. u. S. 329).

43 *den den Philosophen* (φυσικοὶ ἄνδρες) *vertrauten Weg der Allegorie*. Philo hält sich sicher nicht selbst für einen Bahnbrecher in der Allegorese; er hat Vorgänger und Gesinnungsgenossen. – Leisegang übersetzt φυσικοὶ ἄνδρες mit *Physiker*; s. seine Erklärung z. St. (Philos Werke Bd. IV S. 6).

58 *den Adam . . . Kain aber entweicht freiwillig*. Es ist wichtig festzustellen, daß Philos allegorische Methode, nachdem er ihre Anwendung einmal gerechtfertigt hat, mehr ethischer als metaphysischer Natur ist. So ist es noch öfter; seine Art des Allegorisierens ist mit der rabbinischen Haggada (s. S. 216) verwandt.

# D. Etymologische Argumente

Diese sollten vielleicht als ein Sonderfall der Allegorie betrachtet werden. Die Frage, ob sie Unkenntnis oder Kenntnis des Hebräischen verraten, ist kaum zu beantworten. Oft sind die Etymologien sehr phantasievoll und falsch, doch das sind manchmal auch die der Rabbinen, die zweifellos das Hebräische beherrschten.

**252** *De Abrahamo 81–83.*

Ein Beweis für das Gesagte ist auch der Wechsel und die Veränderung des Namens. Sein ursprünglicher Name war nämlich *Abram*, später jedoch wurde er *Abraham* (griech: Abraam) genannt; zwar ist hier lautlich nur *ein* Buchstabe, das Alpha, verdoppelt, er zeigt aber in
5 bedeutsamer Weise eine Veränderung der Sache und der Anschauung an. Abram nämlich wird verdolmetscht „der hochstrebende Vater", Abraham dagegen „der auserwählte Vater des Tones"; der frühere

Name bezeichnet den sogenannten Sterndeuter und Himmelskundi-
gen, der sich um die chaldäischen Anschauungen ebenso kümmert wie
10 ein Vater um seine Kinder, der spätere dagegen den Weisen. Mit dem
„Ton" nämlich meint die hl. Schrift den ausgesprochenen Gedanken
und mit dem „Vater" die leitende Vernunft – denn der in unserem
Innern gefaßte Gedanke ist seiner Natur nach der Vater des ausgesprochenen, da er der ältere ist und gewissermaßen das erzeugt, was
15 zu sagen ist –, mit den „auserwählten" aber den sittlich guten Menschen; denn unnütz und gemein ist der schlechte Charakter, der gute
aber auserwählt und verdienterweise vor allen ausgezeichnet.

2 *Abram...Abraham.* Bezieht sich auf Gen 17,5. Im biblischen Text wird eine
etymologische Erklärung gegeben („Vater vieler Völker"), aber sie ist sicherlich falsch. Wahrscheinlich ist es sogar irrig, überhaupt einen Bedeutungsunterschied zu suchen; der längere Name scheint eine orthographische
Variante des kürzeren zu sein.

6 *der hochstrebende Vater.* Die richtige Bedeutung von Abraham scheint
„Mein Vater (ein göttlicher Titel) ist erhöht" zu sein oder „Mein Vater ist der
Erhöhte" (beides göttliche Titel).

7 *der auserwählte Vater des Tones.* Es ist nicht klar, wie Philo diese Bedeutung von Abraham ableitete.

8 *Sterndeuter.* Auch die rabbinische Literatur kennt eine Überlieferung, nach
der Abraham ein Sterndeuter war, bevor Gott ihn rief (s. z.B. *bShabbat*
156a).

11 *den ausgesprochenen Gedanken (*τὸν προφορικὸν λόγον). Zu Philos Logosbegriff s.u. Die Beziehung des herausgehenden Wortes (oder des ausgesprochenen Gedankens) zum inneren Wort bzw. zur inneren Vernunft (ἐνδιάθετος λόγος) oder zum Geist (νοῦς) wird hier sehr deutlich gemacht. In dem
vorliegenden Absatz sind Geist, im Innern gefaßter Gedanke und ausge-
sprochenes Wort menschlich. Aber wenn der νοῦς der schaffende und alle
Dinge erhaltende Geist wird, dann geht natürlich auch der Begriff προφορι-
κὸς λόγος entsprechend in den des göttlichen Wortes über.

# E. Philos Lehre vom Logos und anderen Mittlerwesen

Es ist sicherlich irreführend, von Philos „Lehre" vom Logos zu
sprechen, wenn man unter Lehre ein gegliedertes und völlig
durchdachtes System versteht. Der Hintergrund seines Denkens
und folglich das Denken selbst sind nicht einfach. Der Logos spielte eine beträchtliche Rolle in der stoischen Anschauung vom Weltall (s. S. 80), und es besteht kein Zweifel, daß Philo unter dem
Einfluß stoischer Ideen schreibt. Nicht daß diese genau definiert
werden könnten: Die Stoiker sprechen von einem λόγος σπερματικός (ausgesäte Vernunft), der der lebenspendende, konstitutive
Faktor in jedem Sein ist, durch den allein Pflanzen, Tiere und
Menschen das ihnen eigene Leben haben; dann sprechen sie von

einem λόγος ἐνδιάθετος (innewohnende Vernunft; s. oben) und
einem λόγος προφορικός (ausgesprochene Vernunft; s. oben).
Letztere können – sofern man überhaupt sagen kann, daß das
stoische System einen Gott hat – Gott angehören oder aber dem
Menschen. Die Menschen selbst denken und können ihren Gedanken anderen gegenüber Ausdruck verleihen; und genau diese Fähigkeit bringt sie in Beziehung zu Gott (oder dem Weltall). Dieser
stoische Logos ist also ein gleichsam physisches Lebensprinzip,
das in konkrete Lebensformen kristallisiert werden kann. In Philos Gebrauch des Logos ist jedoch auch ein platonisches Element,
das besonders klar zum Ausdruck kommt im Schöpfungsbericht
*De opificio mundi* 24f, wo der Gedanke folgender ist: Wenn der
Mensch das physische Weltall überblickt, bildet sich in seinem
Geist der Gedanke an ein ideales Weltall, von dem die sinnlich
wahrnehmbare Welt nur eine Nachahmung ist. Dieses ideale
Weltall wird der κόσμος νοητός genannt (da es im Geist, νοῦς,
existiert). Aber, behauptet Philo, die ideale Welt existiert schon,
bevor sie von uns gedacht wird; denn sie ist eigentlich der Gedanke
des göttlichen Geistes, der schon vor der Schöpfung der sichtbaren
Welt da war und durch den die sichtbare Welt erst gemacht wurde.
Dies „archetypische Siegel" (ἀρχέτυπος σφραγίς) kann ὁ τοῦ θεοῦ
λόγος, Gotteslogos genannt werden. Mit dieser Identifikation war
Philo zweifelsohne von der biblischen Kosmogonie abhängig, in
der die Schöpfung durch das mächtige Wort (oder die Rede) Gottes
bewirkt wird. Philos Denken steht hier in engem Kontakt mit der
jüdischen Spekulation über die Weisheit; s. S. 337–342.

Der hier zitierte Text ist nur einer von vielen; er ist vielleicht
biblischer als die meisten Logos-Stellen bei Philo.

**253** *Quis rerum divinarum heres? 205f.*

Dem Erzengel aber, dem allerersten Logos, gab der Vater, der das
Weltall geschaffen hat, ein auserlesenes Geschenk, daß er, auf der
Grenzscheide stehend, das Geschöpf von dem Schöpfer absondere. Er
ist einerseits der Fürsprecher des stets hilfsbedürftigen Sterblichen
5 bei dem Unvergänglichen, andererseits der Abgesandte des Herr-
schers an den Untertan. Dieser Ehrenstellung freut er sich, und stolz
darauf erklärt er ausdrücklich: „Und ich stand zwischen Gott und
euch" (Dtn 5, 5), weder als ein Unerschaffener wie Gott noch wie ihr
geschaffen, sondern in der Mitte zwischen den zwei Extremen, beiden
10 als Unterpfand dienend, bei dem Schöpfer zur Bürgschaft, daß das
Geschöpf niemals vollends die Zügel abstreifen und abtrünnig werden, unschönes Verhalten der Wohlanständigkeit vorziehen würde,
und bei dem Geschöpf zur frohen Zuversicht, daß der gnädige Gott

niemals sein eigenes Werk außer acht läßt. Denn wie ein Herold
15 bringe ich den Geschöpfen die Friedensbotschaft dessen, der beschlossen hat, Kriege aufzuheben, des beständig über den Frieden wachenden Gottes.

> 1 *Erzengel*. Das Wort scheint biblischen Ursprungs zu sein; das heißt, Philo
> identifiziert seinen Logos mit dem a.t.lichen „Engel des Herrn".
>
> 2 *auf der Grenzscheide stehend*. Der Logos ist Mittler; er vermittelt zwischen
> Geschöpf und Schöpfer sowohl ontologisch (da er weder geschaffen noch ein
> Schaffender ist) wie epistemologisch (da er den Menschen das Wissen von
> Gott und von ihrer Beziehung zu Gott bringt).
>
> 4 *Fürsprecher*. Diese Beschreibung des Logos erinnert an verschiedene n.t.li
> che Aussagen über Christus und den hl. Geist, die als Fürsprecher für die
> Menschen auftreten. Dagegen besagen aber die folgenden Zeilen, daß der
> Logos Gottes Gnade nur deshalb anrufen kann, weil er selbst ein Beweis
> dafür ist, daß die Menschen, die an ihm teilhaben, letztlich vernunftbegabt
> sind und sich nicht gänzlich von Gott abkehren werden.
>
> 7 *Ich stand zwischen Gott und euch* (Dtn 5, 5). Philo ignoriert, daß diese Worte
> von Mose gesprochen werden. Zwar ist im Targum des Onkelos der Vers
> umschrieben „Ich stand zwischen der Memra (Wort) des Herrn und euch",
> aber in dieser Form ist der Text noch weiter von der von Philo gewünschten
> Bedeutung entfernt.

Der Logos ist nicht der einzige Mittler in Philos Anschauung
vom Weltall. Ihm unterstellt sind die Kräfte (δυνάμεις). Wenn es
schon schwierig ist, genaue Angaben über die Persönlichkeit und
die Funktionen des Logos zu machen, so ist dies bei den Kräften
ganz ausgeschlossen. Teilweise sind sie Personifikationen von
göttlichen Attributen, teilweise sind sie Emanationen aus Gottes
Wesen; aber sie erhalten ihren Inhalt aus dem allgemeinen Glauben der Antike an Engel und Dämonen.

In den beiden folgenden Auszügen allegorisiert Philo die Erzählung von den drei Männern, die Abraham bewirtet (Gen 18).

**254** *De Abrahamo 119–122*.

Soviel sei zur buchstäblichen Erklärung gesagt; nun wollen wir mit
dem verborgenen Sinn beginnen. Die wörtlichen Äußerungen sind nur
Symbole der im Geiste erfaßten Vorstellungen. Wenn nun die Seele
gleichsam wie zur Mittagszeit durch Gott erleuchtet wird, wenn sie
5 ganz und gar von dem rein geistigen Licht erfüllt ist und die ringsum
von ihm ausgehenden Strahlen auffängt, bekommt sie eine dreifache
Vorstellung eines einzigen Gegenstandes, einmal die, daß er selbst da
ist, und dann die, als ob zwei Schatten von ihm ausstrahlten, wie dies
auch denen begegnet, die in einem sinnlich wahrnehmbaren Lichte
10 weilen; denn häufig fallen doppelte Schatten von ruhenden oder bewegten Dingen zusammen ein. Allerdings darf man nicht glauben, daß
bei Gott die Schatten im eigentlichen Sinne gemeint sind; wir gebrau

chen diesen Ausdruck nur, um die Sache, die erklärt werden soll, deutlicher zu machen, obgleich sie sich in Wahrheit nicht so verhält.
15 Es ist aber – wie einer, der der Wahrheit sehr nahe kommt, sagen könnte – der Vater des Weltalls der mittlere, der in den heiligen Schriften mit seinem eigentlichen Namen „der Seiende" genannt wird, auf beiden Seiten aber sind die höchsten und nächsten Kräfte des Seienden, die schöpferische und die regierende; die schöpferische
20 heißt „Gott", denn mit dieser hat er das All (ins Dasein) gesetzt und eingerichtet, die regierende „Herr", denn es ist billig, daß der Schöpfer über das Geschöpf herrscht und regiert. Begleitet also von diesen beiden Kräften, zeigt der Mittler dem schauenden Geiste bald die Erscheinung eines Einzigen, bald die von dreien; die Vorstellung von
25 dem Einen nämlich, wenn er (der schauende Menschengeist) im höchsten Grade geläutert ist und nicht nur an der Menge der Zahlen, sondern auch an der Nachbarin der Eins, an der Zwei, vorüberziehend zu der ungemischten, nicht zusammengesetzten, für sich durchaus keines andern bedürftigen Idee sich emporschwingt, die Vorstellung
30 von dreien dagegen, wenn er noch nicht in die großen Mysterien eingeweiht ist und nur erst die geringeren Grade kennt und „das Seiende" aus ihm allein ohne Mithilfe eines andern nicht zu begreifen vermag, sondern nur aus dessen Wirkungen, als ein schaffendes oder regierendes Wesen.

2 *der verborgene Sinn.* In der buchstäblichen Erklärung wurde das Beispiel von Abrahams Gastfreundschaft erläutert. Philo sucht jetzt die dahinter verborgene Wahrheit.

6 *dreifache Vorstellung.* Philos Gleichnis ist nicht glücklich; es soll lediglich seine Auslegung stützen. Zwei der Reisenden, meint er, sind nur Schatten des dritten. Er führt dann weiter aus, daß die Schatten (die er später Kräfte nennen wird) nicht als Gott betrachtet werden können.

17 *der Seiende.* S. *251* Z. 20 mit Anm., wo jedoch das Neutrum und deshalb die weniger persönliche Form gebraucht wird, wie unten (Z. 31 *das Seiende*).

20 u. 21 *Gott ... Herr* (θεός ... κύριος). Philo weiß natürlich genau, daß diese beiden Namen im griech. AT gebraucht werden; während aber alle *Namen* inadäquat sind, drückt ὁ ὤν (*der Seiende*) Gottes Absolutheit am besten aus. „Gott" und „Herr" verdeutlichen ihn den Menschen in seinen Funktionen und Eigenschaften. „Gott" beschreibt Gottes schaffende und ordnende Kraft (ἡ ποιητικὴ δύναμις); „Herr" deutet auf seine Kraft als Herrscher (ἡ βασιλικὴ δύναμις) hin.

30 *die großen Mysterien.* Über diese metaphorische Sprache s. u. *258–259*.

**255** *De Deo 2, 15–21; 3–5.*

In einigen armenischen Philo-Handschriften ist ein Fragment erhalten, bei dem es sich um ein Bruchstück aus Philos großem allegorischem Genesis-Kommentar handeln dürfte. Der Text wurde von F. Siegert ediert, ins Griechische rückübersetzt, ins Deutsche übertragen und ausführlich kommentiert (*Philon von Alexandrien. Über die Gottesbezeichnung „wohltätig verzehrendes Feuer" [De Deo],* WUNT 46, Tübingen 1988).

Diejenigen nun, denen wie von Mittagshelligkeit die ganze Seele erfüllt ist, werden mit Recht gemeint (in den Worten): *Als er seine Augen
erhob, sah er* ... (Gen 18, 2). Denn auch diejenigen, die in der Heiligen
Schrift Übung haben, betrachten (bei sich) jenes „Erkenne dich
5 selbst." Auf das menschliche Glück verzichtend – wem immer von
ihnen von Anfang her die Berichtigung der Lebensweise zuteil wurde
–, öffnen sie die Augen, werden sehend und erblicken, was oben
schwebt, und erforschen die göttliche Natur ...
　　Danach heißt es: *und siehe, drei Männer standen über ihm* (Gen 18,
10 2). Vermute nun nicht, daß ⟨die⟩ Hälf⟨te der⟩ Mensch(heit) hier als
*Männer* bezeichnet werde, in (bloßer) Gegenüberstellung gegen Frau-
en! Es war nämlich eine Erscheinung nicht von Männern, sondern von
(etwas) wie Männer, da ja die Gottheit sich nicht in eine fremde
Species verwandelt; denn es (wäre) ihrer unwürdig, (irgendwelchen)
15 Wandel zu erfahren. Wenn sie die (menschliche) Seele (auch) durch
eine vertraute Gestalt anrührt, (so) ist sie (doch selbst) auf die Teilhabe am Ewigen und Unsichtbaren beschränkt. – Es will also (dieses
Wort) die männliche Natur des Seienden, womit er das Universum sät
und aus Barmherzigkeit Sterbliches mit (seiner) lebendigen (Natur)
20 zeugt, den Verständigen erweisen. Die ungestaltete Substanz zu Gott
zu machen, haben nämlich viele für richtig gehalten, die den Unterschied nicht kennen zwischen dem, was handelt, und dem, was leidet.
(Es ist) aber ein notwendiges Lehrstück, zu betrachten, was in jedem
(Ding) das Männliche ist, und ob etwas Weibliches etwa vorhanden ist.
25 Denn das Weibliche, das Leidende, ist die Materie, das Männliche
aber der Weltschöpfer. Dieser erscheint seinem eigenen Jünger und
vertrauten Gerechten samt den Kräften, Generälen und Erzengeln zu
beiden Seiten, welche alle dem Ersten Führer in ihrer Mitte (kultische) Verehrung erweisen.
30 　Der in der Mitte wird ,Seiender' genannt (Ex 3, 14 LXX); doch ist
dieses ,Seiender' nicht sein eigener und eigentlicher Name. Denn er
selbst ist unnennbar und unsagbar, wie (er) auch unfaßlich (ist).
(Seinem Da-)Sein entsprechend wird er jedoch als ,der Seiende' benannt. Von den beiden Speerträgern aber zu (seinen) beiden Seiten ist
35 der eine ,Gott' und der andere ,Herr', dementsprechend daß der eine
(Mann) für die schöpferische, der andere für die herrscherliche Fähigkeit Symbol ist.
　　Über diese drei Männer scheint mir jenes Orakel Gottes (im) Gesetz
gegeben zu sein: *Ich will zu dir sprechen von oberhalb des Sühnedek-*
40 *kels, mitten zwischen den beiden Cherubim* (Ex 25, 22). Da nämlich die
Kräfte geflügelt sind, thronen sie naturgemäß in einem geflügelten
Wagen über der ganzen Welt. Der Vater selbst aber hängt nicht
oberhalb der Kräfte, sondern hat alles an sich hängen; denn Stütze des
Bestehens und Säule des Alls ist er allein. Daß er aber *von oberhalb*
45 spricht, der (doch) in der Mitte ist, sagt (die Schrift) deshalb, weil der
Seiende durchs Wort das Universum ausgestaltet hat und diese (seinerseits) durch seine Vorsehung sprechend und vernünftig geworden

ist. – In wessen Mitte er aber ist, hat (die Schrift) klargemacht, indem
sie sie *Cherubim* nennt: Davon ist der eine der schöpferischen Kraft
50 geweiht und wird mit Recht ‚Gott' genannt, während der andere der
herrscherlichen und königlichen (Kraft zugehört und) ‚Herr' (heißt).

46 *durchs Wort*, d. h. durch den Logos.

## F. Philos eigene Religion und Ethik

Man kann wohl Philos Theologie und Philosophie kritisieren, besonders ihren Mangel an Konsequenz; aber es ist unmöglich, an
seiner aufrichtigen Frömmigkeit zu zweifeln, ohne die keines seiner Werke geschrieben worden wäre. Über ganze Seiten streut er
moralische Mahnungen hin; es würde nicht leicht sein, die stoisch-
jüdische Ethik in kurzen Worten darzulegen, die ihn sein Leben
lang leitete. Die beiden nun folgenden Texte müssen genügen, um
sein Ideal der demütigen Abhängigkeit von Gott zu verdeutlichen
– sicher der vornehmste Beitrag, den Philo zur Religionsgeschichte leistet – und um die Augenblicke ekstatischer Erleuchtung zu
beschreiben, die ihn mit Gott in Gemeinschaft brachte und seine
literarische Tätigkeit inspirierte.

**256** *Quis rerum divinarum heres? 24–29.*
Philo interpretiert Gen 15, 2.

Mit den Worten: „Gebieter, was wirst du mir geben", will er etwa
folgendes sagen: Ich kenne wohl deine überragende Macht, ich verstehe das Furchtbare deiner Herrschaft, furchtsam und bebend stehe ich
da, und doch bin ich wiederum kühn. Denn du hast mir gesagt, ich
5 solle mich nicht fürchten (Gen 15, 1); du hast „mir eine Zunge der
Wohlerzogenheit gegeben, um zu wissen, wann ich reden muß" (Jes
50, 4); du hast mir den zugeschlossenen Mund gelöst, geöffnet und
noch redegewandter gemacht; du hast ihn gelehrt, was zu sagen ist,
und somit jene Verheißung erfüllt: „Ich werde deinen Mund öffnen
10 und dich lehren, was du reden sollst" (Ex 4, 12). Denn wer bin ich, daß
du mich reden lehrtest, daß du mir einen Lohn versprichst, ein Gut,
köstlicher als Wohltat und Ehrengabe? Bin ich nicht ein aus dem
Vaterland Ausgewanderter? Nicht von der Verwandtschaft entfernt,
dem Vaterhause entfremdet? Nennen nicht alle den Ausgestoßenen
15 und Verbannten hilflos und ehrlos? Allein du, Gebieter, bist mein
Vaterland, meine Verwandtschaft, mein väterlicher Herd, meine Ehre
und Freiheit, mein großer, gepriesener und unentreißbarer Reichtum.
Warum soll ich mich also nicht getrauen zu sagen, was ich denke?
Warum soll ich bei meinem Verlangen, etwas mehr zu erfahren, nicht
20 fragen? Doch wenn ich auch sage, daß ich zuversichtlich bin, so muß

ich andererseits gestehen, daß ich mich fürchte und betroffen bin; und
Furcht und Zuversicht sind nicht in mir, wie man vielleicht vermuten
wird, in einem unversöhnlichen Kampfe, sondern in harmonischem
Einklang. Unersättlich genieße ich diese innige Verbindung, die mich
25 bestimmt, weder ohne Furcht kühn zu sein, noch ohne Kühnheit mich
zu fürchten. Denn ich habe es gelernt, meine eigene Nichtigkeit zu
ermessen und die Überfülle deiner Wohltaten zu überschauen; und
wenn ich mich als „Staub und Asche" oder als etwas noch Geringeres
fühle, dann erkühne ich mich, vor dich hinzutreten, demutsvoll im
30 Staube liegend, beinahe wie in die Elemente aufgelöst, so daß ich nicht
mehr zu leben scheine.

**257**  *De migratione Abrahami 34f.*

Wie es mir selbst gar oft ergeht, das scheue ich mich nicht zu erzählen.
Mitunter, wenn ich nach gewohnter Art eine Schrift über philosophische Lehren verfassen wollte und mir schon wohl dessen bewußt
war, was ihr (der Schrift) Inhalt werden mußte, fand ich meine Denk-
5 kraft unproduktiv und unfruchtbar und mußte unverrichteter Sache
davon lassen; da schalt ich sie (die Denkkraft) wegen des Eigendün-
kels, bewunderte dagegen die Kraft des seienden Gottes, in dessen
Hand es liegt, die Gebärmutter der Seele zu öffnen und zu schließen;
mitunter dagegen ging ich leer (an Gedanken) heran (an die Abfas-
10 sung solcher Schriften), doch plötzlich ward mein Geist voll, da die
Gedanken von oben unsichtbar herniederströmten und ausgesät wurden, so daß ich in göttlicher Begeisterung ganz verzückt war und
nichts mehr erkannte: weder den Ort noch die Anwesenden noch mich
selbst noch, was gesprochen, noch, was geschrieben ist; denn es offen-
15 bart sich mir förmlich ein Erkenntnisstrom, ein Lichtgenuß, eine ganz
scharfblickende Schau, eine außerordentlich durchsichtige Klarheit
der Dinge, wie es mit den Augen in deutlichstem Zeigen nur geschehen
könnte.

Schließlich können wir versuchen, kurz einige der Zeugnisse zu
bringen, aufgrund deren die Behauptung aufgestellt wurde, daß
Philo aus dem Judentum eine Art Mysterienreligion (s. Kapitel VI)
gemacht habe. Es gibt eine ganze Reihe von Stellen, wo Philo die
Sprache der Mysterienkulte völlig übernimmt. Die folgende gibt
dafür ein Beispiel.

**258**  *De Cherubin 48f.*

Diese Lehren, o ihr Eingeweihten, die ihr reinen Ohres seid, nehmet
als wirklich heilige Geheimnisse in eure Seelen auf und plaudert sie
keinem der Uneingeweihten aus, sondern bewahret und hütet sie bei
euch als einen Schatz, in dem nicht Gold und Silber, vergängliche
5 Dinge, ruhen, sondern von allen Besitztümern das schönste, die Er-

kenntnis von dem Urheber (des Alls) und von der Tugend und drittens von dem Sprößling beider. Wenn ihr aber einem der Eingeweihten begegnet, so haltet euch an ihn und bittet ihn dringend, daß er, wenn er eine neue Geheimlehre kennt, sie euch nicht verberge, bis ihr klar
10 darüber belehrt seid. Denn auch ich, der ich durch den Gottesfreund Mose in die großen Geheimlehren eingeweiht war, habe dennoch, als ich nachher den Propheten Jeremia kennenlernte und erkannte, daß er nicht bloß ein Eingeweihter, sondern auch ein bedeutender Hierophant ist, kein Bedenken getragen, zu ihm in die Schule zu gehen.

1 *o ihr Eingeweihten.* Beinahe alle Worte in diesem Satz sind technische Termini.

11 *große Geheimlehren.* In Eleusis gab es „große" und „kleine" Mysterien. Philo unterscheidet hier die großen Mysterien des Mose von den kleinen Mysterien der Propheten – ein interessanter Kommentar zu dem Stand des a.t.lichen Kanons in Philos Zeit.

12 *den Propheten Jeremia kennenlernte.* Diese Art Sprache zeigt zur Genüge, daß Philo in dem ganzen Kapitel metaphorisch spricht; deshalb ist es unnötig anzunehmen, daß er das Judentum zu einem richtigen Mysterienkult macht.

13 *nicht bloß ein Eingeweiher ... Hierophant.* Auch ist hier die Sprache technisch.

Philos Ansicht von den heidnischen Mysterien war nicht derart, daß er gerne einen eigenen Mysterienkult begründet hätte.

**259** *De specialibus legibus I 319f.*

Ferner schließt der Gesetzgeber noch das Weihen- und Mysterienwesen und ähnlichen wahnwitzigen Schwindel aus der heiligen Gesetzgebung aus, da er es nicht für richtig hält, daß Menschen, die in einer solchen Gemeinschaft aufgewachsen sind, verzückte Schwärmereien
5 mitmachen, an mystischen Fabeln hängen und die Wahrheit mißachten, Dingen aus dem Bereiche nächtlichen Dunkels nacheilen und sich über das hinwegsetzen, was des Tageslichtes würdig ist. „Keiner von den Jüngern und Anhängern Moses soll also in Mysterien einführen oder eingeführt werden"; beides, das Lehren wie das Erlernen von
10 Mysterien, ist keine geringe Sünde. Denn wenn diese schön und förderlich sind, warum, ihr Eingeweihten, schließt ihr euch zusammen in tiefer Finsternis ab und nützet so nur drei oder vier Menschen, statt allen zu helfen, indem ihr auf offenem Markte eure nützlichen Lehren vortraget, damit allen die freie Teilnahme an einem besseren und
15 glücklicheren Dasein ermöglicht würde?

1 *schließt der Gesetzgeber aus.* Der Gesetzgeber ist Mose, und Philos Erklärung bezieht sich auf den Zusatz der LXX zu Dtn 23, 18, der in dem in Anführungszeichen gesetzten Satz paraphrasiert wird.

11 *warum, ihr Eingeweihten.* Dieses Argument ist aus der zeitgenössischen Philosophie entliehen, wo es häufig erscheint.

# XI. Josephus

Josephus, der Sohn des Matthias, eines Juden aus Palästina, wurde kurz nach der Kreuzigung Jesu geboren und starb um das Ende des ersten Jahrhunderts. Er erlebte und beteiligte sich an dem großen Aufstand von 66–70 n. Chr. und war in der günstigen Lage, den Krieg sowohl von jüdischer als auch von römischer Seite aus verfolgen zu können. Josephus legte großen Wert auf seine edle Abkunft (s. *260*) und seine Begabungen, welche in der Tat nicht gering waren. Er schrieb die Geschichte seines Volkes von der Schöpfung bis in seine eigene Zeit; seine Erzählung, obwohl nicht frei von Fehlern, ist eines der wertvollsten antiken Dokumente, das wir besitzen. Er verteidigte sein Volk und seine Religion gegen alle Angriffe und war so im Grunde bereits einer der ersten Apologeten. Es besteht kein Zweifel, daß er zur Abfassung seiner literarischen Arbeiten fremde Hilfe heranzog, besonders wenn er griechisch schrieb, das nicht seine Muttersprache war. Gewiß entsprangen seine Handlungen zuweilen mehr dem Motiv der Selbsterhaltung als dem der Treue zu seiner Sache. Wer sich mit der Geschichte des 1. vor- und des 1. nachchristlichen Jahrhunderts beschäftigt, ist Josephus jedenfalls zu Dank verpflichtet, und zwar sowohl für dessen eigene Beobachtungen als auch wegen der oft sehr wichtigen Quellen, die er verwertet.

Die uns erhaltenen Werke des Josephus sind:

(1) *Bellum Judaicum* (Vom jüdischen Kriege). Dieses Werk ist ursprünglich unmittelbar nach Beendigung des Krieges in aramäischer Sprache für die Bewohner Syriens geschrieben worden (*Bell* I 3). Sein Ziel war, diese von der Nutzlosigkeit weiterer Kriegführung gegen Rom zu überzeugen; es war zweifellos ein Propagandastück, das von Josephus' römischen Gönnern inspiriert war (s. u. *263*). Später wurde eine ausführlichere griechische Fassung mit Hilfe sprachkundiger Sekretäre angefertigt.

(2) *Antiquitates* (Jüdische Altertümer). Dieses bedeutend längere Buch, das mit einer freien Wiedergabe der biblischen Schöpfungsgeschichte beginnt, führt die jüdische Geschichte von frühester Zeit bis zum jüdischen Kriege aus. Es wurde ca. 93–94 n. Chr. veröffentlicht. Man kann darin die Arbeit mehrerer Sekretäre unterscheiden, die Josephus' Material ausgearbeitet haben müssen.

(3) Die *Vita*. Diese Autobiographie scheint einer zweiten Auflage der *Altertümer* angefügt worden zu sein (s. *Ant* XX 259. 266 f).
Sie wurde als Antwort auf eine Konkurrenzschrift des Justus von
Tiberias geschrieben, der nicht nur behauptete, daß sein Ge-
schichtswerk allen anderen, einschließlich dem des Josephus,
überlegen sei, sondern auch Anschuldigungen gegen Josephus
selbst aussprach. Josephus antwortete mit einer überarbeiteten
Version seiner Geschichte. Es scheint übrigens (*Vita* 359 f), daß die
Geschichte des Justus und infolgedessen auch die *Vita* erst nach
100 n. Chr. geschrieben worden sind.

(4) *Contra Apionem*. Dieses Buch jüdischer Apologetik wurde
verfaßt, weil Josephus fand, daß die *Altertümer* durch die Verleumdungen gewisser Personen gegen die Juden in Mißkredit
gekommen seien. Josephus gibt darin eine Antwort auf diese anti-
semitische Propaganda. Wahrscheinlich wurde es in den ersten
Jahren des 2. Jahrhunderts geschrieben.

(5) Manches weist darauf hin, daß Josephus mehrere andere
Bücher schrieb oder zu schreiben beabsichtigte, doch besitzen wir
nicht einmal Fragmente davon.

## A. Zur Biographie

Es wurde bereits darauf hingewiesen, daß wir Materialien für eine
lange und detaillierte Lebensbeschreibung des Josephus besitzen.
Wir stellen hier nur die folgenden wesentlichen Punkte heraus:

**260**  *Vita 7–12.*

Mein Vater Matthias war aber nicht bloß wegen seiner vornehmen
Abstammung ein angesehener Mann, sondern er wurde noch mehr
geschätzt wegen seiner Rechtschaffenheit. Und so war er einer der
ersten Bürger in unserer hochmächtigen Stadt Jerusalem. Ich wurde
5 noch mit einem andern Bruder namens Matthias auferzogen, der von
den beiden gleichen Eltern geboren war wie ich. Hervorragend, wie ich
allem nach war, an Gedächtnis und Verstand, schritt ich in der Gelehrsamkeit tüchtig voran. Und halbwegs noch ein Knabe, kaum 14
Jahre alt, gewann ich ob meines Studieneifers das Lob von allen, und
10 allenthalben kehrten die Hohenpriester und Vornehmsten unserer
Stadt bei mir ein, weil ich in der Kenntnis unserer Gesetze genaueren
Bescheid zu geben wußte. Mit ungefähr 16 Jahren ging ich daran, die
Sonderrichtungen in unserem Judenvolke zu erforschen. Es gibt da
drei, wie ich schon einigemal gesagt habe: die der Pharisäer, die der

15 Sadduzäer und die der Essener. Auf diese Weise, wenn ich sie alle tüchtig prüfte, meinte ich in die Lage zu kommen, für mich die beste auszuwählen. Mit harter Arbeit und vieler Mühe habe ich mich durch die drei Sekten hindurchgearbeitet und kam zur Überzeugung, daß die aus ihnen geschöpfte Kenntnis mich noch nicht befriedigen könn-
20 te. Da erhielt ich Kunde von einem Manne namens Bannus, der in der Wüste draußen sein Leben führte. Er trug ein Kleid von Baumblättern, und die Nahrung holte er sich aus der wildwachsenden Natur. Mit kaltem Wasser wusch er sich oftmals bei Tag und bei Nacht in Rücksicht auf seine Reinheit. Dieses Mannes Schüler wurde ich. Ich
25 verbrachte bei ihm drei volle Jahre. Alsdann setzte ich meiner Wißbegierde eine Schranke und kehrte in die Stadt zurück; mit 19 Jahren fing ich an, mich im öffentlichen Leben zu betätigen, und zwar nach dem Programm der Pharisäersekte, die mit der stoischen Philosophenschule bei den Griechen eine sehr große Verwandtschaft hat.

1 *vornehmen Abstammung.* Josephus hatte bereits (*Vita* 2) behauptet, von den Hasmonäern abzustammen; über diese s. *135–143.*

9 *das Lob von allen.* Ungefähr mit 14 Jahren wurde ein jüdischer Junge für die Dinge des Judentums als voll verantwortlich erkannt. Josephus übertreibt vielleicht seine Frühreife, weshalb man sie aber nicht ganz und gar in Frage zu stellen braucht.

13 *die Sonderrichtungen,* s. die Beschreibungen in *Bell* II 119; *Ant* XIII 171; XVIII 11 und *152.* Um die Sekten (αἱρέσεις) seinen griechischen und römischen Lesern verständlich zu machen, hat Josephus sie leicht zurechtgemacht (s. u.), aber seine Beschreibungen sind von großem Wert; er kannte sie alls aus erster Hand.

20 *Bannus* war offensichtlich ein Asket; kein Essener, denn er war ein Einsiedler; doch in einigen seiner Praktiken den Essenern ähnlich, besonders in seinen wiederholten Reinigungen. Sein Leben in der Wüste erinnert auch an Johannes den Täufer, aber die Unterschiede sind zu beachten. Bannus taufte sich selbst, nicht Bekehrte, und predigte weder Gerechtigkeit (soweit Josephus uns erzählt) noch das jüngste Gericht noch das Königreich Gottes.

28 *stoische Philosophenschule.* Die Ähnlichkeit zwischen Pharisäern und Stoikern ist nur gering. Beide suchten ernsthaft ein tugendhaftes Leben, und beide glaubten an eine Art Schicksal, das des Menschen Wahl zunichte machen könne. Aber zwischen ihnen lag der Unterschied zwischen einem persönlichen, vorbestimmenden Gott und einem unpersönlichen Fatalismus.

Als Josephus noch nicht ganz 30 Jahre alt war, wurde seine Karriere durch den Ausbruch des jüdischen Krieges im Jahre 66 n. Chr. unterbrochen. Im *Bellum Judaicum* und in der *Vita* gibt er eine ausführliche Beschreibung seiner eigenen Rolle – nach seiner eigenen Erzählung eine sehr wichtige – in den Feldzügen, erst auf der einen, dann auf der anderen Seite. Er wurde bald mit einer wichtigen Mission nach Galiläa betraut.

**261** *Vita 28f.*

Nach der Niederlage des Cestius, von der wir eben geredet haben, mußten die Häupter Jerusalems feststellen, wie die Räuber in einträchtigem Bund mit den Rebellen in Waffen geradezu starrten, während sie für sich befürchten mußten, wehrlos und waffenlos, wie sie
5 dastanden, den Feinden zum Opfer zu fallen, wie es später auch wirklich geschah. Und da sie in Erfahrung gebracht hatten, Galiläa sei noch nicht im ganzen Umfang von den Römern abgefallen, sondern ein Teil davon verhalte sich noch ruhig, sandten sie mich und noch zwei andere Priester namens Joasar und Judas, beides ehrliche und
10 rechtschaffene Männer, dahin ab mit dem Auftrag, wir möchten diese Toren bestimmen, die Waffen niederzulegen, und ihnen beibringen, diese ihre ergriffenen Waffen, wie es doch am besten wäre, den Landesbehörden zur Verfügung zu halten. Diesen jedoch schien es ratsam, in unausgesetzter Waffenbereitschaft dazustehen, aber vorerst abzu-
15 warten und zuzusehen, was die Römer eigentlich unternehmen würden.

1 *Cestius Gallus* war Statthalter der römischen Provinz Syrien. Als die jüdische Revolutionsbewegung ihren ersten Widerstand leistete, marschierte er mit seinen Truppen auf, um die Unruhen zu beseitigen, wurde aber nach anfänglichen Erfolgen am Übergang von Beth Horon vernichtend geschlagen (*Bell* II 546; November 66), zum Bedauern des Josephus und seiner Freunde, die nicht den Wunsch nach einem Kampf mit Rom verspürten. Doch wird man sagen dürfen, daß, wenn der Krieg anders ausgegangen wäre, sie sich wohl nicht geweigert hätten, aus dem jüdischen Sieg Vorteile zu ziehen.

2 *die Räuber* (λῃσταί) *und Rebellen*, die nationalistischen Gruppen, die in wirklicher Begeisterung den Krieg führen wollten und, wie Josephus hier sagt, schließlich die Kontrolle über die jüdische Politik gewannen und den Widerstand der Gemäßigten brachen.

9 *zwei andere Priester*. Josephus war selber Priester. Es wurde bereits festgestellt, daß Josephus von den Hasmonäern abstammte, den Priesterkönigen des vorherigen Jahrhunderts. Wichtig ist, daß er im Gegensatz zu vielen Priestern Pharisäer war (s. o. *260*).

15 *was die Römer unternehmen würden*. Die offizielle jüdische Politik war opportunistisch. Ein größeres Maß an Unabhängigkeit war wünschenswert, aber es lohnte sich nicht, dafür zu viele Gefahren auf sich zu nehmen.

Josephus' Tätigkeit als jüdischer General dauerte nicht lange, obwohl er nach eigenen Angaben geschickt und voller Einfälle war. Er wurde in Jotapata, einer Stadt in Galiläa, belagert; trotz des erfolgreichen Gebrauchs vieler Kriegslisten wurde die Stadt von den Römern eingenommen. Josephus und wenige andere entkamen.

**262** *Bellum Judaicum III 392–408.*

Nachdem Josephus so aus dem Kampfe mit den Römern sowie mit seinen eigenen Leuten heil hervorgegangen war, wurde er von Nikanor zu Vespasian geführt. Alle Römer strömten herbei, um ihn zu sehen, und die Menge, die sich um den Feldherrn drängte, erhob
5 mannigfachen Lärm, indem die einen über seine Gefangennahme jubelten, andere Drohungen ausstießen, wieder andere sich mit Gewalt einen Weg bahnten, um ihn in der Nähe betrachten zu können. Die weiter Entfernten schrien, man solle den Feind hinrichten, die näher Stehenden gedachten seiner Taten und erstaunten ob dem
10 Wechsel seines Schicksals. Unter den Offizieren aber gab es keinen, der trotz noch so großer vorheriger Erbitterung damals nicht durch seinen Anblick gerührt worden wäre. Besonders war es der edelgesinnte Titus, den des Josephus Ausdauer im Unglück und das Mitgefühl mit seinem Alter mächtig ergriff. Wenn er sich die jüngsten
15 Heldentaten des Josephus vergegenwärtigte und ihn betrachtete, wie er jetzt in der Hand seiner Feinde war, kam ihm so recht der Gedanke an die Macht des Schicksals und die Unbeständigkeit aller menschlichen Dinge, und augenscheinlich war dies auch die Stimmung der meisten Anwesenden, die aus ihrem Mitleid mit dem Gefangenen kein
20 Hehl machten. Titus verwendete sich nun in ausgiebigster Weise bei seinem Vater, um dem Josephus das Leben zu retten; gleichwohl ließ Vespasian ihn in strengsten Gewahrsam nehmen, um ihn unverzüglich dem Nero zuzusenden.

Als Josephus dies vernahm, verlangte er mit Vespasian ein Wort
25 unter vier Augen zu reden. Der Feldherr hieß darauf alle Anwesenden mit Ausnahme seines Sohnes Titus und zweier Freunde sich entfernen, und Josephus begann nun also zu sprechen: „Du bist freilich der Meinung, Vespasian, nur einen Kriegsgefangenen erwischt zu haben, als du den Josephus in deine Gewalt bekamst; aber weit gefehlt, denn
30 ich erscheine vor dir als Verkündiger wichtiger Dinge. Hätte ich mich nicht eines Auftrages von Gott zu entledigen, so würde ich wohl gewußt haben, was das Gesetz der Juden verlangt und wie es Heerführern ziemt zu sterben. Du willst mich an Nero schicken? Wozu denn? Werden etwa seine Nachfolger, die noch vor dir auf den Thron kommen,
35 men, denselben lange behaupten? Nein, du, Vespasian, wirst Cäsar und Imperator werden, du und auch dieser dein Sohn! Laß mich jetzt nur noch sicherer fesseln und für dich aufbewahren; denn du, Cäsar, wirst nicht bloß mein Gebieter sein, sondern Herr über die Erde, das Meer und das ganze Menschengeschlecht. In engeren Gewahrsam also
40 mußt du mich nehmen, damit du mich hinrichten lassen kannst, wenn ich leichtfertig im Namen Gottes rede!" Vespasian schien diesen Worten anfänglich nicht zu trauen und sie für eine List des Josephus zu halten, durch die er sich das Leben zu retten suche. Allmählich aber begann er doch, daran zu glauben, da Gott selbst Gedanken an die
45 Thronbesteigung in ihm wachrief und ihm auch schon durch sonstige

Zeichen die künftige Herrschaft angedeutet hatte. Zudem erfuhr er, daß Josephus auch in anderen Fällen bereits zutreffend geweissagt habe. Einer der Freunde des Feldherrn nämlich, der bei der geheimen Unterredung zugegen war, sprach seine Verwunderung darüber aus, 50 daß Josephus weder die Zerstörung Jotapatas noch seine eigene Gefangennahme vorausgesagt habe; es scheine somit, als ob das, was er jetzt vorbringe, nur leeres Geschwätz sei, um sich die Gunst des Feindes zu erwerben. Darauf entgegnete Josephus, allerdings habe er den Jotapatenern vorhergesagt, daß sie nach siebenundvierzig Tagen 55 in Feindeshand fallen und er selbst von den Römern lebendig würde gefangen werden. Vespasian erkundigte sich insgeheim bei den Gefangenen, und da er die Angabe wahr fand, fing er nun auch an, der Weissagung, die seine eigene Person betraf, Glauben zu schenken. Er ließ den Josephus zwar noch im Gefängnis und in Fesseln, beschenkte 60 ihn jedoch mit einem Prachtgewand und anderen Kostbarkeiten und ließ ihm auch für die Folge eine freundliche Behandlung zuteil werden – eine Auszeichnung, die Josephus vornehmlich dem Titus zu verdanken hatte.

1 *Kampf mit den Römern,* der römische Angriff auf Jotapata.

2 *mit seinen eigenen Leuten.* Eine Anzahl jüdischer Soldaten einschließlich Josephus hatten in einer Höhle Schutz gesucht. Sein Vorschlag, sich den Römern zu übergeben, hatte seine Leute so in Wut gebracht, daß sie ihn töten wollten. Josephus wußte sie durch schlaue Reden davon abzuhalten, indem er sie dazu brachte, sich stattdessen selbst gegenseitig zu töten; der erste sollte durchs Los gewählt werden. Das Los fiel („soll man sagen durch Zufall oder Gottes Vorsehung?", fragt Josephus) zu seinen Gunsten aus: Er blieb zuletzt mit noch einem anderen übrig, den er schließlich zur Übergabe überreden konnte.

3 *Vespasian,* der von Nero beauftragt worden war, den jüdischen Krieg im Jahr 66/67 zu führen, wurde selbst Kaiser im Jahre 69 n.Chr., s. *15.*

13 *Titus,* Vespasians Sohn, der 79 n.Chr. nach ihm den Thron bestieg.

14 *sein Alter,* betrug im Jahre 67 n.Chr. 30 Jahre.

23 *Nero,* der Kaiser, s. *11–14.* Josephus dachte offensichtlich, daß bei einer Verschickung nach Rom seine Chancen, mit dem Leben davonzukommen, gering seien.

35 *du, Vespasian, wirst Cäsar.* Der Familienname Cäsar war bereits zu einem Titel des herrschenden Kaisers geworden. Diese Prophezeiung wird auch von Sueton, *Vesp* 5, und von Cassius Dio, *Epitome* LXVI 1, berichtet.

45 *sonstige Zeichen.* Vgl. Tacitus, *Hist* I 10; II 1. Es hatte sich der Glaube durchgesetzt (s. Tacitus, *Hist* V 13, und Sueton, *Vesp* 4), daß „Männer, die aus Judäa kommen, die Beherrscher der Welt werden würden".

Josephus' Prophezeiung sollte sich bald erfüllen, und er stand nun sicher in der kaiserlichen Gunst. Er lebte in Rom unter dem Schutz des Vespasian, dann des Titus. Über die dann folgenden Beschäftigungen des Josephus gibt oben die kurze Aufzählung seiner literarischen Werke einige Auskunft. Folgende Beschreibung seiner Karriere in Rom ist der Schluß der *Vita*.

**263**  *Vita 422–430.*

Nachdem Titus den Unruhen in Judäa ein Ende bereitet hatte, schenkte er mir anderes Land in der Ebene, da er einsah, daß die Äcker, die ich in Jerusalem besaß, ohne Ertrag bleiben würden, weil sich künftig die römische Besatzung darauf einrichten wollte. Und als
5 er in der Folge heimfuhr nach Rom, ließ er mich huldvollst mitreisen und erwies mir alle Ehre. Als wir dann nach Rom gekommen waren, erfuhr ich von seiten Vespasians große Aufmerksamkeit, indem er mir in dem Hause, das er vor seiner Thronbesteigung innegehabt hatte, sogar Wohnung gab, mich mit der Ehre des römischen Bürgerrechts
10 bedachte, mir eine Pension bewilligte und mit Ehrungen fortfuhr bis zu seinem Hinscheiden aus dem Leben, ohne nur im geringsten in seiner Gutherzigkeit gegen mich nachzulassen. Der darob entstandene Neid hat mich allerdings in Gefahr gebracht. Ein Jude namens Jonathan erregte nämlich in Kyrene einen Aufstand, worin er auch
15 2000 Landsleute verwickelte. Diese gingen seinetwegen zugrunde, während er selbst vom Landpfleger in Haft gesetzt und vor den Imperator geschickt wurde, wo er die Aussage machte, ich hätte ihm Waffen und Gelder zukommen lassen. Freilich, Vespasian hatte den Lügner bald heraus, sprach über ihn das Todesurteil aus und übergab ihn
20 dem Henker. Auch danach noch brachten die Neider meines Glücks Anklage gegen mich auf, aber durch Gottes Fürsorge kam ich jedesmal heil davon. Indes erhielt ich von Vespasian einen nicht unbedeutenden Landkomplex in Judäa zum Geschenk. Um dieselbe Zeit entließ ich mein Weib, dessen Gehaben und Betragen mir nicht mehr gefielen.
25 Sie war Mutter von drei Kindern geworden, von denen zwei starben und nur eines, dem ich den Namen Hyrkan gab, am Leben blieb. Alsdann führte ich eine Gattin heim, die in Kreta ansässig war, eine Jüdin von Geburt, die überaus vornehme und durchs ganze Land hochangesehene Eltern hatte und, was den Charakter anbelangt, die
30 meisten Frauen übertraf. Beweis dafür ist ihre nachherige Lebensführung. Von ihr hatte ich in der Folge zwei Kinder, einen älteren, Justus, und nach diesem Simonides mit dem Beinamen Agrippa. Soviel über meine Familienverhältnisse. Unverändert blieben für mich auch die Verhältnisse im Kaiserhaus. Nach Vespasians Tod übernahm Titus
35 die Zügel der Regierung. Wie sein Vater hielt auch er mich fortwährend in Ehren, und den zahlreichen Versuchen, mich anzuschwärzen, schenkte er keinen Glauben. Auf Titus folgte Domitian, der die Ehrenbezeugungen gegen mich noch mehrte. So belegte er zum Beispiel die Juden, die gegen mich mit Anklagen auftraten, mit Strafe. Einen
40 eunuchischen Sklaven, der Erzieher meines Knaben war und Anschuldigungen wider mich erhob, ließ er gleichfalls bestrafen. Und für den Landkomplex in Judäa gewährte er mir Steuerfreiheit, was für

den Empfänger immer eine sehr hohe Ehre bedeutet. Aber auch Domitia, die Gattin des Cäsar, blieb mir gegenüber immerfort eine große
45 Wohltäterin. Das ist mein Tun und Lassen durch mein ganzes Leben.
Und daraus mag man, wenn es beliebt, einen Schluß auf meinen
Charakter ziehen. Dir aber, allerbester Epaphroditus, will ich hiermit
den ganzen Bericht über unsere Altertümer widmen und mache nun
Schluß mit meiner Abhandlung.

14 *Jonathan.* Ein weiterer und ausführlicherer Bericht der Verschwörung
dieses Mannes steht in *Bell* VII 437–450. Sein Aufstand war Teil einer
weitverbreiteten Bewegung der Sikarier nach 70 n. Chr. Der Aufstand wurde von Catull niedergeschlagen und Jonathan lebendig verbrannt.

23 *entließ ich mein Weib, dessen Gehaben und Betragen mir nicht mehr gefielen.*
Es handelt sich um die zweite Frau des Josephus. Davor hatte er auf Befehl
des Vespasian geheiratet (*Vita* 414f), aber seine Frau, eine der von den
Römern bei Cäsarea gefangenen Frauen, verließ ihn bald. Über das jüdische
Scheidungsgesetz s. Dtn 24, 1–4; über seine Deutung durch die Schule von
Hillel und die Schule von Schammai s. *172.* Josephus sagt uns nicht, ob ihm
sein Weib wegen moralischer oder anderer Verfehlungen mißfiel.

37 *Domitian.* Kaiser von 81–96 n. Chr.

39 *Juden, die gegen mich mit Anklagen auftraten.* Die Unbeliebtheit des Josephus bei seinen Landsleuten ist nur allzu deutlich und verständlich.

47 *Epaphroditus.* Die *Vita*, das Werk *Contra Apionem* und die *Antiquitates*
sind alle dem Epaphroditus gewidmet, der nach dem Tod des Domitian in die
Stellung eines der kaiserlichen Schutzherrn des Josephus aufgerückt zu
sein scheint. Der Epaphroditus des Josephus kann der Grammatiker dieses
Namens gewesen sein, aber diese Vermutung ist sehr unsicher.

# B. Josephus über Johannes den Täufer, Jesus Christus und Jakobus

Ein kleiner Teil des wertvollen historischen Materials, das Josephus uns überliefert hat, erscheint in anderen Kapiteln dieses Buches (s. bes. Kap. VII). Es ist nicht nötig, eine weitere Auswahl davon an dieser Stelle zu bieten; doch schien es uns passend, Josephus' berühmte und wichtige Bemerkung über Johannes den Täufer, Jesus und Jakobus den Gerechten hier anzuführen.

**264** *Antiquitates XVIII 116–119a.*

Josephus kommt in seinem Bericht über die Angelegenheiten des Herodes
Antipas fast zufällig auf Johannes den Täufer zu sprechen.

Manche aus den Juden erkannten indessen in dem Untergang von
Herodes' Heer die Fügung des Herrn, der von Herodes für Johannes
den Täufer die gerechte Strafe forderte. Diesen hatte Herodes hinrichten lassen, obwohl er ein gerechter Mann war und die Juden anhielt,

5 der Tugend nachzustreben, gegen ihre Nächsten Gerechtigkeit und
gegen Gott Frömmigkeit zu üben und so zur Taufe zu kommen; die
Taufe werde Gott dann angenehm sein, wenn sie sie nicht zur Beseitigung gewisser Verfehlungen, sondern zur Heiligung des Leibes an-
wendeten, da die Seele schon durch ein gerechtes Leben gereinigt sei.
10 Da man nun von allen Seiten ihm zuströmte, weil jeder sich durch
solche Reden gehoben fühlte, fing Herodes an zu fürchten, der Einfluß
eines solchen Mannes, von dessen Rat sich alles leiten ließ, könne
einen Aufruhr herbeiführen, und hielt es daher für geratener, ihn vor
Ausbruch einer solchen Gefahr unschädlich zu machen, als später bei
15 einer Wendung der Dinge seine Unschlüssigkeit bereuen zu müssen.
Auf diesen Verdacht des Herodes hin wurde Johannes in Ketten geworfen, nach der Feste Machärus geschickt, die oben erwähnt ist, und
dort enthauptet.

1 *in dem Untergang von Herodes' Heer die Fügung des Herrn.* Dieser Herodes
ist Herodes Antipas, der Sohn Herodes' des Großen, Tetrarch von Galiläa (s.
z. B. Lk 3, 1). Sein Heer wurde von Aretas, König der nabatäischen Araber,
aufgerieben, den Herodes durch die Behandlung seiner Tochter, mit der er
verheiratet war, gereizt hatte. Herodes, der Herodias, seines Bruders Weib,
zu heiraten wünschte, hatte vor, sich von der Tochter des Aretas scheiden zu
lassen; diese erfuhr jedoch von dem Plan und entkam zu ihrem Vater, der
ein Heer rüstete und Herodes schlug. Diese Erzählung stimmt nicht in allen
Einzelheiten mit Mk 6, 14–29 überein; auch die Daten weichen voneinander
ab. Die Niederlage des Herodes durch Aretas fand nicht lange vor dem Tod
des Tiberius im März 37 n. Chr. statt, ein sehr viel späteres Datum, als aus
den Evangelien für den Tod des Johannes zu erschließen ist. Doch kann
Aretas auch eine frühere Gelegenheit verpaßt und seinen Zorn noch sieben
Jahre mit sich herumgetragen haben.

2 *Johannes den Täufer.* Möglicherweise wurde der Titel „der Täufer" (τοῦ
ἐπικαλουμένου βαπτιστοῦ) aus einer christlichen Quelle hinzugefügt; aber
Josephus weiß eine ganze Menge über des Johannes Taufhandlungen zu
sagen, und vielleicht benennt er ihn so unabhängig von den Christen. Sein
allgemeines Bild von Johannes unterscheidet sich von dem der christlichen
Quellen; es fehlt das eschatologische und das messianische Element (s.
jedoch Anm. zu Z. 5).

3 *Diesen hatte Herodes hinrichten lassen.* Josephus erzählt die Geschichte
nicht wie Mk 6. Seine Interessen und sein Geschmack unterscheiden sich
von denen der urchristlichen Gemeinden.

5 *der Tugend nachzustreben.* Die Evangelisten (Mt 3, 7–10 par. Lk 3, 7–9; Lk
3, 10–14) geben einen kurzen Bericht von den Morallehren des Täufers; aber
ihr Hauptinteresse galt der Prophezeiung des kommenden Messias. Josephus, der in Rom schrieb, mußte es zweifellos für angemessener halten, die
Diskussion solcher Dinge zu vermeiden (ein christlicher Interpolator würde
darauf nicht verzichtet haben); doch seine folgenden Hinweise auf die
Furcht des Herodes vor einer aufständischen Bewegung zeigen, daß der
Täufer eine messianische Tätigkeit ausübte, welche einen politischen oder
militärischen Charakter annehmen konnte oder schon hatte.

6 *Taufe ... Taufe.* Josephus gebraucht zwei Worte, von denen das eine (βαπ-
τισμός) im NT selten ist, während das andere (βάπτισις) überhaupt nicht

vorkommt. Diese Tatsache deutet nicht auf christlichen Einfluß oder Interpolation.

**7–9** *wenn sie sie nicht ... gereinigt sei.* Unsere Übersetzung weicht hier von Kaulen ab; Josephus' Erzählung ist kaum verständlich (οὕτω γὰρ δὴ καὶ τὴν βάπτισιν ἀποδεκτὴν αὐτῷ φανεῖσθαι μὴ ἐπί τινων ἁμαρτάδων παραιτήσει χρωμένων, ἀλλ᾽ ἐφ᾽ ἁγνείᾳ τοῦ σώματος, ἅτε δὴ καὶ τῆς ψυχῆς δικαιοσύνῃ προεκκεκαθαρμένης). Die Mengen, die von Johannes getauft wurden, gingen nicht zum Jordan, um sich zu waschen. Es könnte sich hier um antichristliche Propaganda handeln; man vergleiche jedoch Josephus' Bemerkungen zur Taufe der Essener und des Bannus; s. *152, 260*.

**10** *Da man nun ...* Die Lesung des Textes ist unsicher.

**17** *Machärus.* In den Evangelien steht nichts über den Ort, an dem Johannes hingerichtet wurde. Man wendet zuweilen ein, daß die Geburtstagsfeier des Herodes kaum in einer dunklen Festung stattgefunden haben dürfte; vgl. jedoch *Bell* VII 175 „ein Palast mit weitläufigen und prunkvollen Gemächern".

**265** *Antiquitates XVIII 63 f.*

Es ist sehr fraglich, ob Josephus' Anspielung auf Jesus, wie sie hier steht, authentisch ist. Der Passus findet sich in allen Hss der *Antiquitates* (von denen jedoch keine älter als das 11. Jahrhundert ist) und war dem Euseb (4. Jahrhundert) bekannt; Origenes (erste Hälfte des 3. Jahrhunderts) scheint ihn jedoch nicht gelesen zu haben, jedenfalls nicht in der vorliegenden Form, da er ausdrücklich sagt, daß Josephus Jesus nicht für den Christus hielt. Aus dieser Tatsache folgt aber nicht, daß der ganze Passus gefälscht ist. In den Anmerkungen ist darauf hingewiesen, daß einige Sätze nicht von Josephus geschrieben sein können; wenn man diese entfernt, bleibt aber eine Notiz über Jesus, mit der über Johannes den Täufer vergleichbar, aus der alle eschatologischen und messianischen Ansprüche beseitigt sind. Es ist jedoch möglich, daß nicht nur christliche Interpolationen, sondern auch christliche Auslassungen stattgefunden haben; christliche Schreiber, die zum Preise von Jesus Sätze hinzufügten, können ebensogut ausgelassen haben, was sie als seiner Person abträglich empfanden. Zu diesem Abschnitt, dem sog. *Testamentum Flavianum*, vgl. zuletzt G. Vermes, *The Jesus Notice of Josephus Re-Examined*, JJS 38, 1987, S. 1–10.

Um diese Zeit lebte Jesus, ein Mensch voll Weisheit, wenn man ihn überhaupt einen Menschen nennen darf. Er tat nämlich ganz unglaubliche Dinge und war der Lehrer derjenigen Menschen, welche gern die Wahrheit aufnahmen; so zog er viele Juden und viele aus dem
5 Heidentum an sich. Er war der Christus. Auf Anklage der Vornehmen bei uns verurteilte ihn Pilatus zwar zum Kreuzestode; gleichwohl wurden die, welche ihn früher geliebt hatten, auch jetzt ihm nicht untreu. Er erschien ihnen nämlich am dritten Tage wieder lebend, wie gottgesandte Propheten neben tausend andern wunderbaren Dingen
10 von ihm verkündet hatten. Noch bis jetzt hat das Volk der Christen, die sich nach ihm nennen, nicht aufgehört.

**1** *Um diese Zeit.* Josephus hat gerade vorher zwei Unruhen unter den Juden beschrieben, die Pilatus provoziert hatte; dieser hatte a) nach Jerusalem militärische Feldzeichen mit dem Bild des Kaisers gebracht, b) Tempelgelder für den Bau eines Aquäduktes entwendet. Der unmittelbar vorausgehende Absatz endet mit den Worten „Damit endigte der Aufruhr" (στάσις, vgl. Mk 15, 7 u.ö.). In einem solchen Zusammenhang kann man durchaus erwarten, daß Josephus auf die messianischen Unruhen Bezug nimmt, die die Hinrichtung Jesu begleiteten.

*Mensch voll Weisheit.* Das scheint keine christliche Aussage über Jesus zu sein. Josephus „verbürgerlicht" wahrscheinlich den Jesus, wie er es auch mit Johannes tat.

2 *wenn man ihn überhaupt einen Menschen nennen darf.* Dies ist jedoch fast sicher ein christlicher Zusatz. Ein Nichtchrist würde nicht gezögert haben, Christus einen Menschen zu nennen.

4 *viele aus dem Heidentum.* Es handelt sich entweder um eine christliche Interpolation, oder Josephus schreibt aus der Kenntnis der Zusammensetzung der Kirche seiner Zeit heraus.

5 *Er war der Christus.* Das muß eine christliche Interpolation sein. Josephus' Worte können unmöglich bedeuten „man glaubte, er sei Christus".

*Auf Anklage ...* Dies stimmt ausreichend mit den Erzählungen der Evangelien überein, braucht aber trotzdem nicht notwendigerweise als Interpolation gestrichen zu werden, besonders da „welche ihn früher geliebt hatten" kein spezifisch christlicher Satz ist.

8 *Er erschien ihnen ... von ihm ...* Diese Worte müssen von einem Christen geschrieben sein.

10 *das Volk der Christen.* Der Ausdruck (φῦλον) findet sich nicht in der frühesten christlichen Literatur, obwohl man im 2. Jh. von den Christen als einer „neuen (d.h. weder jüdischen noch heidnischen) Art (γένος)" sprach (*Brief an Diognet* 1).

**266** *Antiquitates XX 200.*

So wie die Erwähnung Johannes' des Täufers erscheint bei Josephus auch die Anspielung auf Jakobus, den Bruder Jesu, mitten in dem Bericht über die zeitgenössische politische Geschichte. Sie wird von Euseb wiederholt (*Kirchengeschichte* II, XXIII 22), der in demselben Abschnitt noch einen anderen Passus zitiert, den er (zusammen mit Origenes) dem Josephus zuschreibt, der sich aber nicht in unseren Hss findet; er fehlt auch in der etwas abweichenden Erzählung Hegesipps vom Tod des Jakobus.

Zur Befriedigung einer solchen Hartherzigkeit glaubte Ananus auch jetzt, da Festus gestorben, Albinus aber noch nicht angekommen war, eine günstige Gelegenheit gefunden zu haben; er versammelte daher den hohen Rat zum Gerichte und stellte vor denselben den Bruder des
5 Jesus, der Christus genannt wird, Jakobus mit Namen, nebst noch einigen andern, klagte sie als Übertreter des Gesetzes an und ließ sie zur Steinigung verurteilen.

1 *Ananus.* Er war ein Sohn des in den Evangelien erwähnten Hannas, der an der Anklage gegen Jesus beteiligt war; Josephus beschreibt ihn im Zusammenhang als „von heftiger und höchst verwegener Gemütsart".

2 *Festus ... Albinus*, waren nacheinander Prokuratoren von Judäa. Der letztere war besonders raubgierig und skrupellos und trug viel dazu bei, den

Aufstand von 66 n.Chr. zu provozieren; er übernahm sein Amt 62 n.Chr., und in diesem Jahr muß sich der Vorfall zugetragen haben.

5 *der Christus genannt wird*, τοῦ λεγομένου Χριστοῦ; die beste Wiedergabe dieser Wendung scheint jedoch zu sein: der sogenannte Christus. Es ist bemerkenswert, daß Euseb die Worte umstellt zu τοῦ Χριστοῦ λεγομένου, vielleicht mit der Absicht, ihnen den Sinn zu geben „der Christus genannt wird".

7 *zur Steinigung*. Das war die übliche Strafe für Blasphemie und gewisse andere Vergehen; s. *mSanhedrin* 7, 4. Hegesipp gibt einen abweichenden und umständlicheren Bericht, den mit *mSanhedrin* 9, 6 zu vergleichen sich lohnt.

## C. Josephus als Apologet

Die Juden waren wohl das meistbegünstigte und zugleich bestgehaßte Volk im Römischen Imperium. Ihre Besonderheiten führten zu ständigen Reibereien mit anderen Völkern, und im Gegensatz zu diesen waren sie unermüdlich dabei, anderen ihre religiösen Praktiken zu empfehlen. Ihre Selbstverteidigung und ihr Glaubenseifer brachten eine recht umfangreiche literarische Produktion mit sich, von der uns wenig erhalten ist. Philo (s. Kap. X) kann als ein Propagandist von höherem Niveau betrachtet werden. Er war ein Denker, der sich damit befaßte, die Einheit seines eigenen Glaubens mit dem Besten aus der griechischen Philosophie zu zeigen und sie in einer Terminologie auszudrücken, die der griechische Geist begreifen und annehmen konnte. Josephus arbeitet auf einem tieferen Niveau; er wendet sich gegen Verleumdungen, beweist die Altüberkommenheit seines Glaubens und empfiehlt die darin enthaltene Frömmigkeit und Tugend. So sind die *Antiquitates* insgesamt eine Art Apologie; das Werk *Contra Apionem* zeigt ihn noch deutlicher als einen Apologeten. Die folgenden Auszüge bringen einige charakteristische Argumente.

**267** *Contra Apionem I 69–72.*

Josephus gibt eine Beweisführung für das Alter seines Volkes. Die Ägypter warfen den Griechen vor, ein junges Volk zu sein; Josephus wollte zeigen, daß die Juden nicht jünger seien als irgendeines dieser Völker.

Laßt uns doch einmal das Alter des griechischen Volkes mit dem Argument bestreiten, daß sie in unseren Schriften überhaupt nicht erwähnt werden. Würden sie uns nicht ohne allen Zweifel auslachen? Ich glaube, sie würden eben die Gründe vorbringen, die ich gerade 5 gegeben habe, und die Nachbarvölker als Zeugen für ihr Alter anführen. Und dies will ich jetzt unternehmen. Als meine Hauptzeugen werde ich die Ägypter und die Phönizier zitieren, deren Zeugnis nie-

mand Lügen zeihen kann; denn die Ägypter, alle miteinander, und von
den Phöniziern die Tyrier, sind als unsere erbittertsten Feinde aufge-
10 treten. Von den Chaldäern könnte ich nicht dasselbe behaupten, denn
sie sind die wirklichen Vorfahren unseres Stammes, und sie erwähnen
die Juden wegen dieser Blutsverwandtschaft in ihren Berichten.
Nachdem ich das Zeugnis dieser Völker besitze, werde ich diejenigen
griechischen Historiker anführen, die von den Juden gesprochen ha-
15 ben, um unsere Verleumder auch noch dieses Vorwandes für einen
Widerspruch zu berauben.

4 *die Gründe ..., die ich ... gegeben habe.* Die Hauptgründe, die Josephus für
die Spärlichkeit jüdischer Erwähnung bei griechischen Autoren anführt,
sind, daß die Judenstädte sich im Inland befanden und daß das Volk sich
mehr mit Ackerbau und Erziehung der Kinder beschäftigte als mit Dingen
wie Seeräuberei oder militärischer Expansion, wodurch sie eher bekannt
geworden wären.

7 *Ägypter.* Josephus stützt sich auf Manetho, einen ägyptischen Priester, ca.
300 v. Chr. Er übernimmt von ihm die wohlbekannte (wenn auch ungenaue)
Identifikation der Israeliten mit den Hyksos, die in Ägypten im 2. Jahrtau-
send v. Chr. lebten.
*Phönizier.* Josephus' Zeugnisse hierüber stammen aus verschiedenen Quellen: einmal aus den Archiven von Tyrus; ferner von einem gewissen Dius,
„einem sorgfältigen Geschichtsschreiber Phöniziens"; und von Menander
von Ephesus.

10 *Chaldäer.* Josephus zitiert Berosus, einen Priester des Beltempels in Babylon, ca. 300 v. Chr.

14 *griechische Historiker.* Josephus erwähnt und zitiert Pythagoras, Theo-
phrast, Herodot, Choerilus, Aristoteles (wie er von Klearch zitiert wird),
Hecataeus und Agatharchides; er führt noch eine weitere Anzahl von Autoren an, deren kürzere Anspielungen wiederzugeben er sich nicht die Mühe
macht.

Es folgen einige Beispiele für die Art und Weise, in der Josephus
Verleumdungen gegen sein Volk und seine Religion zurückweist.

**268**  *Contra Apionem II 79–85.*

Ich bin nicht weniger verwundert über diejenigen, die ihm derartiges
Material lieferten, ich meine Posidonius und Apollonius von Molon.
Einerseits werfen sie uns vor, daß wir nicht dieselben Götter wie die
anderen verehren, andererseits erzählen sie Lügen und erfinden al-
5 berne Verleumdungen über unsern Tempel, ohne sich ihrer Gottlosigkeit bewußt zu sein; dabei ist hochstehenden Menschen nichts ab-
scheulicher als eine Lüge beliebiger Art, doch am meisten solche über
einen Tempel, der in der ganzen Welt genannt wird und solche Heiligkeit besitzt.
10   In diesem Heiligtum, hat Apion die Stirn zu behaupten, sollen die
Juden einen Eselskopf aufgestellt haben, ihn anbeten und aller Verehrung würdigen; das sei offenbar geworden, behauptet er weiter, als der

Tempel von Antiochus Epiphanes geplündert wurde und der Kopf, aus
Gold gearbeitet und von hohem Geldwert, entdeckt wurde. Darüber
15 will ich zuerst bemerken, daß, selbst wenn es etwas derartiges bei uns
gäbe, ein Ägypter der letzte sein sollte, der uns beschuldigt; denn ein
Esel ist nichts Geringeres als Katzen, Ziegenböcke und andere Geschöpfe, die bei ihnen Götter sind. Dann, wie entging es ihm, daß die
Tatsachen ihn einer unglaublichen Lüge überführen? Denn während
20 unserer ganzen Geschichte haben wir dieselben Gesetze, denen wir
ohne Ende treu sind. Doch als verschiedene Katastrophen unsere
Stadt wie andere heimsuchten und der Tempel von mehreren Erobe-
rern, (Antiochus) dem Frommen, Pompeius dem Großen, Licinius
Crassus und erst kürzlich von Titus Cäsar besetzt wurde, fanden sie
25 dort nichts dieser Art, sondern die allerreinste Frömmigkeit, über die
wir Fremden gegenüber nicht sprechen dürfen. Daß die Ausplünde-
rung des Tempels durch Antiochus (Epiphanes) keinerlei Rechts-
grund hatte, sondern daß Geldnot ihn dazu trieb, da er kein offener
Feind war, und daß er darüber hinaus uns als seine Verbündeten und
30 Freunde angriff, daß er dort aber nichts fand, was Spott verdient
hätte: Diese Tatsachen werden von vielen angesehenen Historikern
bezeugt. Polybius von Megalopolis, Strabo von Kappadokien, Niko-
laus von Damaskus, Timagenes, Kastor der Chronist und Apollodor,
alle sagen, daß es Geldschwierigkeiten gewesen seien, die den Antio-
35 chus zum Bruch seiner Verträge mit den Juden trieben und dazu, den
Tempel mit seinen Lagern von Gold und Silber zu plündern. Dies hätte
Apion berücksichtigen müssen, besäße er nicht selbst das Herz eines
Esels und die Frechheit eines Hundes, die seine Landsleute anzubeten
gewohnt sind; denn er hat nicht ohne Berechnung gelogen.

1 *ihm,* das ist Apion, Josephus' Gegner.

2 *Posidonius* (so in diesem nur lateinisch überlieferten Abschnitt geschrieben), der berühmte stoische Philosoph; s. *81–82.*
*Apollonius von Molon,* ein Rhetoriklehrer des 1. Jahrhunderts v. Chr. Er
scheint sich besonders damit beschäftigt zu haben, gegen die Juden zu
polemisieren, und Josephus antwortete mehrere Male auf seine Beschuldigungen.

11 *Eselskopf.* Zu dieser Behauptung s. *149* mit Anm. zu Z. 5.

13 *von Antiochus ... geplündert.* Darüber vgl. *Ant* XII 248; *Bell* I 32; 1 Makk 1; 2
Makk 5; s. *134–135.* Das Ereignis fand ca. 168 v. Chr. statt.

23 *Antiochus der Fromme.* Bezieht sich wohl auf Antiochus VII. Eusebes (oder
Pius), der seinen Titel für sein Verhalten anläßlich der Belagerung von
Jerusalem 135 v. Chr. (*Ant* XIII 244) erhielt. Die (hier nur lateinischen) Hss
lesen *dius,* wahrscheinlich infolge Verwechslung mit Antiochus VI. Theos
(lat. *divus*).
*Pompeius der Große,* nahm Jerusalem ein im Jahre 63 v. Chr., s. *143.*
*Licinius Crassus,* nahm die Stadt im Jahre 54/53 v. Chr.

24 *Titus Cäsar,* der Sieger vom Jahre 70 n. Chr.; s. *159.*

**269** *Contra Apionem II 91–96.*

Apion, der hier der Sprecher für andere ist, behauptet: Antiochus habe im Tempel ein Ruhebett gefunden, auf dem ein Mensch lag. Vor diesem habe ein mit Leckerbissen von Seefisch und Geflügel besetzter kleiner Tisch gestanden, worüber der König in Erstaunen geraten sei.

5 Alsbald nun sei der Mensch ehrfurchtsvoll dem König zu Füßen gesunken, als wenn dieser ihm die größte Hilfe gewähren könne, und habe ihn mit ausgestreckter Hand um Befreiung angefleht. Antiochus habe ihn dann aufgefordert, sich zu setzen und zu sagen, wer er sei, weshalb er hier sich befinde und was die Speisen zu bedeuten hätten, worauf er

10 seufzend und weinend seine Not mit folgenden Worten geklagt habe: Er sei ein Grieche, und während er, um sich seinen Lebensunterhalt zu verdienen, die Provinz durchzogen habe, sei er plötzlich von wildfremden Menschen ergriffen, in einen Tempel geschleppt und hier eingesperrt worden; nie bekomme er jemanden zu sehen, doch werde

15 er mit allen möglichen Leckerbissen gemästet. Anfangs hätten diese unerwarteten Wohltaten ihm Freude bereitet, später aber habe er Verdacht geschöpft und sei dann in Stumpfsinn verfallen; zuletzt habe er einen näher herankommenden Diener gefragt und von ihm erfahren, daß es ein geheimes Gesetz der Juden gäbe, dem zuliebe er

20 genährt werde, und sie täten das jedes Jahr zu einer bestimmten Zeit. Sie fingen nämlich einen fremden Griechen, mästeten ihn ein Jahr lang, führten ihn dann in einen gewissen Wald, schlachteten ihn, opferten seinen Leib unter herkömmlichen, feierlichen Zeremonien, genössen etwas von seinen Eingeweiden und schwüren bei der Op-

25 ferung des Griechen einen Eid, dessen Landsleute zu hassen; schließlich würfen sie die Überreste des Unglücklichen in eine Grube. Der Gefangene habe dann hinzugefügt, daß ihm nur noch wenige Tage beschieden seien, und den König gebeten, ihn aus seiner schrecklichen Lage zu befreien, einmal aus Ehrfurcht gegen die Götter der Griechen,

30 und dann auch um durch seine Rettung die hinterlistigen Anschläge der Juden zunichtezumachen.

1 *Antiochus*, das ist Antiochus Epiphanes, s. *133–135.*

24 *genössen etwas von seinen Eingeweiden und schwüren ... einen Eid, dessen Landsleute zu hassen.* Es läßt sich schwer schätzen, wieviele intelligente Nichtjuden Verleumdungen dieser Art glaubten. Offenbar lag dahinter eine Verzerrung des Passa-Rituals und die unbezweifelbare Distanz der Juden zu allem, was heidnisch war. Sowohl im gesellschaftlichen Leben als auch in ihrer Religion schlossen sich die Juden aus dem toleranten „Gib und Nimm" der kosmopolitisch eingestellten Mittelmeerwelt aus. Ihre Gründe dafür verstand man nicht, und es ist eigentlich nicht überraschend, daß solche Märchen wie dieses, so lächerlich sie auch waren, verbreitet wurden.

31 *zunichtezumachen.* Soweit zitiert Josephus den Apion. Seine Antwort darauf ist interessant, aber so lang, daß sie nur zusammengefaßt wiedergegeben werden kann: Diese Geschichte, meint er, ist einfach lächerlich. Warum sollten allein Griechen gemordet werden? Wie wenige Juden könnten von einem einzigen Griechenkörper genießen! Warum zeigte Antiochus den

Mann niemals vor? Doch das stärkste Argument gegen Apion liegt in seinem einfachen und positiven Bericht über den Tempel und seine Verwaltung, die so beschaffen sind, daß sie die Behauptungen gänzlich ausschließen. Josephus' Bericht über den Tempel ist, abgesehen von seiner apologetischen Absicht, von eigenem Wert.

Schließlich wollen wir Josephus auf seinem eigensten Gebiete zu Worte kommen lassen, wo er die Religion und die von seinen Landsleuten geübte Tugend preist.

## 270  *Contra Apionem II 164–171.*

Unendlich sind im einzelnen die Verschiedenheiten der Sitten und Gesetze im Menschengeschlechte: Hier hat man die Regierung der Staaten Monarchen, dort wenigen mächtigen Familien, anderwärts dem Volke überlassen. Unser Gesetzgeber hingegen hat auf keine
5 solche Regierungsform Rücksicht genommen, sondern den Staat, wie man mit einem etwas erzwungenen Wort sagen könnte, zu einer Gottesherrschaft gemacht, indem er Gott die Herrschaft und Gewalt anheimgab und die große Masse bewog, auf ihn als den Urheber alles Guten, das die Menschen im staatlichen wie privaten Leben genießen
10 und das ihnen, wenn sie darum baten, selbst im Unglück zuteil wurde, hinzuschauen; denn seinem Wissen könne nichts entgehen, was sie täten oder was auch nur ein einzelner Mensch bei sich denke. Ihn selbst stellte er als ungeschaffen und in alle Ewigkeit unveränderlich dar; an Schönheit sei er erhaben über jede vergängliche Gestalt, und
15 offenbar werde er uns durch das Wirken seiner Macht, wiewohl wir ihn seinem Wesen nach nicht zu erkennen vermöchten. Daß solche Gedanken über Gott die Weisesten bei den Griechen erst fassen lernten, nachdem er den Anfang damit gemacht hat, will ich jetzt nicht weiter erörtern; daß es aber vortreffliche, dem Wesen und der Herr-
20 lichkeit Gottes angemessene Gedanken sind, davon legten sie lautes Zeugnis ab. Haben doch, wie bekannt, Pythagoras, Anaxagoras, Plato, nach ihnen die Stoiker und beinahe alle anderen die gleichen Ansichten über die Natur Gottes gehabt. Aber während sie ihre Lehre einigen wenigen mitteilten und den in vorgefaßten Meinungen befangenen
25 Volksmassen die Wahrheit nicht zu verkünden sich getrauten, hat unser Gesetzgeber, der freilich auch Taten aufweisen konnte, die den Gesetzen entsprachen, nicht nur seinen Zeitgenossen jene Überzeugung beigebracht, sondern auch ihren sämtlichen Nachkommen bis ins fernste Geschlecht den unerschütterlichen Glauben an Gott einge-
30 pflanzt. Daß übrigens seine Gesetzgebung sich in so hervorragender Weise von den anderen unterschied und zum Gemeingut wurde, erklärt sich daraus, daß er die Frömmigkeit nicht zu einem Bestandteil der Tugend machte, sondern die übrigen guten Eigenschaften wie Gerechtigkeit, Standhaftigkeit, Besonnenheit, vollkommene Ein-
35 tracht der Bürger untereinander, als Äußerungen der Frömmigkeit

erkannte und sie demgemäß erläuterte. Denn die Handlungen, Beschäftigungen und Reden haben bei uns Beziehung zur Frömmigkeit gegen Gott, weil Mose nichts davon ungeprüft und ungeregelt ließ.

4 *unser Gesetzgeber* = Mose.

7 *Gottesherrschaft* (θεοκρατία). Liddell und Scott, *A Greek-English Lexicon,* Oxford[9] (1940) 1953 s.v. geben keine andere Stelle für das Wort, und es scheint aus Josephus' Worten hervorzugehen, daß er es geprägt hat. Der Gedanke, daß Gott allein der wahre Herrscher über Israel ist, ist natürlich im AT verbreitet.

18 *er den Anfang damit gemacht.* Die Ansicht, daß die besten Gedanken in der griechischen Philosophie von Mose stammten, war schon lange vor Josephus geläufig (z.B. bei dem jüdischen Apologeten Aristobul, bei Euseb, *Praep. Evang.* XIII, XII) und wurde von den Christen aufgenommen (z.B. Justin, *Apologie* I 60). Wir haben keine Zeugnisse darüber, daß die griechischen Schriftsteller in irgendeiner Weise mit dem Pentateuch bekannt waren; vgl. allerdings u. *275* Z. 44 ff und die vieldiskutierte Bezugnahme auf Gen 1, 3. 9 bei Ps. Longinos, *Über das Erhabene* 9, 9 (1. Jh. n. Chr.?): „Auf diese Weise hat auch der Gesetzgeber der Juden, ein außergewöhnlicher Mensch, die Macht des Göttlichen würdig gefaßt und dargestellt, als er gleich am Eingang der Gesetze schrieb: ‚Gott sprach', sagt er. Was? ‚Es werde Licht', und es war; ‚es werde Erde', und es war."

34 *Gerechtigkeit, Standhaftigkeit, Besonnenheit, vollkommene Eintracht.* Dies sind die vier Kardinaltugenden der Platoniker, nur daß hier die vollkommene Eintracht den Platz der Weisheit (σοφία) einnimmt.

35 *Äußerungen der Frömmigkeit.* Wenn Josephus auch oben die Beziehungen zwischen griechischem und jüdischem Denken völlig falsch dargestellt hat – denn wenigstens das hellenistisch-jüdische Denken hatte den Philosophen viel zu danken –, so hat er doch hier eine tiefe Wahrheit der biblischen Theologie erfaßt.

# D. Josephus als Schriftausleger

Besonders in seinem Bericht über die *Jüdischen Altertümer* (s. o. S. 306) war Josephus gezwungen, in beträchtlichem Maße vom AT Gebrauch zu machen. Oft paraphrasiert er es einfach und verrät uns dann zu einem gewissen Grade, welcher Text – der masoretische oder die Septuaginta – ihm gerade vorlag und wie er ihn interpretierte. Er war imstande, das AT sowohl auf hebräisch als auch auf griechisch zu lesen. Nach eigener Aussage hat er eine pharisäische Bildung genossen; deswegen muß er mit frührabbinischer Exegese vertraut gewesen sein. Im Gegensatz zu Philo verwendet Josephus das AT nicht im Stile eines Philosophen oder Theologen, sondern er verfolgt dabei vorwiegend historische Absichten. Das mag an den folgenden Beispielen deutlich werden.

**271** *Antiquitates I 27–39.*

Im Anfang schuf Gott Himmel und Erde. Da diese aber noch dem
Anblick entzogen und in tiefer Finsternis verborgen war, während ein
Hauch über ihr schwebte, befahl Gott, daß Licht werde. Nach dessen
Erschaffung betrachtete Gott die ganze Masse und schied das Licht
5 von der Finsternis. Und die Finsternis nannte er Nacht, das Licht aber
Tag, Morgen den Beginn des Lichtes, und Abend den Beginn der Ruhe.
Und dieses war der erste Tag, Mose aber nannte ihn ‚einen' Tag. Den
Grund hierfür könnte ich schon jetzt angeben. Weil ich jedoch verspro-
chen habe, die Gründe aller Dinge in einem besonderen Werke zu
10 erörtern, werde ich es bis dahin verschieben. Sodann setzte Gott über
das Ganze am zweiten Tage den Himmel, weil er ihn von dem übrigen
getrennt für sich angebracht wissen wollte. Und er umgab ihn mit
Kristall und machte ihn feucht und wasserreich, damit Regen entste-
he zur Befruchtung des Bodens. Am dritten Tage schuf er das Land
15 und umgab es von allen Seiten mit Meer. An demselben Tage sind
Pflanzen und Samen der Erde entsprossen. Am vierten Tage erleuch-
tete er den Himmel mit Sonne, Mond und anderen Sternen; allen wies
er Bewegung und Bahn an, wodurch Zeit- und Witterungsverhältnisse
entstanden. Am fünften Tag entsandte er die Fische und Vögel, jene in
20 die Tiefe, diese durch die Lüfte. Zugleich paarte er sie, damit sie sich
fortpflanzten und ihr Geschlecht wachse und sich vermehre. Am sechsten Tag aber schuf Gott die Vierfüßer, männliche und weibliche, und
an diesem bildete er auch den Menschen. So ist nach Mose die Welt mit
allem, was auf ihr ist, in diesen sechs Tagen geschaffen worden. Am
25 siebten Tag aber habe Gott geruht und keine Arbeit verrichtet. Daher
enthalten auch wir uns an diesem Tage der Arbeit und nennen ihn
Sabbat, was in hebräischer Sprache ‚Ruhe' bedeutet.

Bevor nun Mose nach dem siebten Tag in der Schilderung fortfährt,
beschreibt er die Erschaffung des Menschen wie folgt: Gott bildete den
30 Menschen, indem er Staub von der Erde nahm und diesem Geist und
Seele einhauchte. Und dieser Mensch hieß Adam, das heißt in hebräischer Sprache ‚rot', weil er aus roter weicher Erde gemacht ist, die die
jungfräuliche und wahre Erde darstellt. Gott führte sodann dem
Adam die einzelnen Tiergeschlechter zu und zeigte ihm Männchen
35 und Weibchen und gab ihnen Namen, die sie heute noch haben. Da
Gott aber sah, daß Adam der Gesellschaft und Gemeinschaft einer
Frau entbehrte (denn es war noch keine da) und sich über der anderen
Lebewesen Gebaren verwunderte, nahm er ihm im Schlaf eine Rippe
und bildete daraus eine Frau. Und als er sie ihm zuführte, erkannte
40 Adam, daß sie aus ihm gemacht sei. Eine Frau heißt in hebräischer
Sprache *essa*; sie aber wurde Eva genannt, das heißt ‚Mutter aller
Lebendigen'.

Er erzählt dann weiter, Gott habe gegen Osten einen Garten gepflanzt, prangend in mancherlei Gewächsen. Unter diesen sei ein
45 Baum des Lebens gewesen und ein anderer der Erkenntnis des Guten
und Bösen.

1 Die Parallelen zwischen Josephus und dem Alten Testament, insbesondere in der Version der Septuaginta, sind so offensichtlich, daß nicht eigens darauf hingewiesen werden muß. Die Unterschiede sind genauer Beachtung wert; z. B. schreibt Josephus *schuf* (ἔκτισεν) anstelle von *machte* (ἐποίησεν).

3 *Hauch*, πνεῦμα, oft mit ‚Geist‘ wiedergegeben.

9 *In einem besonderen Werke.* Abschnitte wie *Ant* IV 198; XX 268 legen nahe, daß Josephus dieses Werk, das er nach Fertigstellung der *Antiquitates* zu schreiben beabsichtigte, möglicherweise auch begonnen hat; es ist aber nicht erhalten. Zum Abschluß und zur Veröffentlichung des Werkes ist es wahrscheinlich nicht gekommen.

31 *Adam ... rot ... rote Erde.* Das hebräische Wort für Erde ist *ªdama* (אדמה), aber die Etymologie des Josephus ist fast sicher falsch.

35 *Gab ihnen Namen.* Die Übersetzung ist grammatikalisch korrekt; Josephus deutet keinen Subjektwechsel an, so daß das Subjekt von *gab* das von *brachte* sein wird. Es mag aber auch sein, daß Josephus in Wirklichkeit der Auffassung war, daß Adam – wie in der Genesis – die Tiere benannte, und sich nur unpräzise ausdrückte.
*Essa,* hebräisch *'ishsha*, אשה.

41 *Eva ...,* das heißt ‚Mutter aller Lebendigen‘. Einige Handschriften lassen *Lebendigen* (τῶν ζώντων) aus. *Eva* bedeutet ‚Leben‘; *Mutter aller Lebendigen* ist eine Interpretation des Namens.

**272** *Antiquitates III 83–92.*

Als sich die Hebräer nun so ängstigten, erschien plötzlich Mose bei ihnen, fröhlich und erhaben anzuschauen. Und wie sie ihn erblickten, schwand ihre Furcht, und Hoffnung erfüllte sie, zumal da der Himmel sich aufheiterte und das Unwetter sich verzog, als Mose angekommen
5 war. Dieser berief das Volk zusammen, um Gottes Befehle zu vernehmen. Und als es sich versammelt hatte, betrat er einen hervorragenden Ort, von wo seine Stimme allen vernehmlich war, und verkündete folgendes: „Gott hat mich, o Hebräer, mit demselben Wohlwollen aufgenommen wie früher, und er ist jetzt selbst in eurer Mitte gegenwär-
10 tig, um euch Mittel und Wege zu einem glücklichen Leben und einer guten Staatsverfassung zu zeigen. Deshalb beschwöre ich euch bei ihm und seinen herrlichen Werken, meine Worte nicht zu verachten, indem ihr nur auf meine Person Rücksicht nehmt und darauf, daß nur eines Menschen Zunge also zu euch spricht. Erwägt vielmehr die
15 Erhabenheit der Worte, und ihr werdet daran die Majestät dessen erkennen, der sie ausgedacht und sich herabgelassen hat, zu unserem Besten mit mir zu reden. Denn nicht Mose, der Sohn des Amaram und der Joachebed, gibt euch diese Gebote, sondern der, der durch seine Allmacht zum Zwecke eurer Errettung das Wasser des Nil blutig
20 gemacht und den Übermut der Ägypter durch mancherlei Plagen gedemütigt hat; der euch einen Weg durch das Meer bereitete; der euch Speise vom Himmel sandte, als ihr hungrig, und reichliches Wasser aus dem Felsen sprudeln ließ, als ihr durstig wart; von dem Adam empfangen hat, was Erde und Meer erzeugt; der Noah aus der

25 Sintflut errettete und dem umherirrenden Abraham das Land Kanaan schenkte; durch den Isaak seinen Eltern noch in deren hohem Alter geboren wurde; der Jakob mit zwölf tugendhaften Söhnen beschenkte und Joseph die Herrschaft über die Ägypter verlieh – er gibt euch durch mich diese Gebote. Diese sollen euch heilig sein und teurer
30 als eure Frauen und Kinder. Wenn ihr sie beobachtet, werdet ihr glücklich sein, das Land wird euch Früchte tragen, das Meer von Stürmen nicht erregt werden; eure Kinder werden euch glücklich geboren werden, und ihr werdet euren Feinden ein Schrecken sein. Ich habe Gott gesehen und seine unsterbliche Stimme gehört: So sehr liegt
35 ihm euer Geschlecht und dessen Erhaltung am Herzen."

Nachdem er so gesprochen hatte, führte er das Volk mit Frauen und Kindern heran, damit sie selbst von Gott vernähmen, was sie zu tun hätten, und damit nicht die Glaubhaftigkeit der Worte dadurch Schaden litte, daß sie nur von menschlicher Zunge verkündigt und so ihr
40 Ansehen beeinträchtigt würde. Und es drang die Stimme aus der Höhe zu aller Ohren, so daß jeder die einzelnen Gebote deutlich vernehmen konnte, die Mose auf zwei Tafeln aufgezeichnet hinterlassen hat. Doch ist es uns nicht gestattet, dieselben Wort für Wort wiederzugeben, weshalb ich nur ihren Sinn hier darlegen will:
45 Das erste Gebot lehrt uns, daß nur ein Gott ist und daß er allein zu verehren sei; das zweite schreibt vor, daß man keines Tieres Bild anbeten darf; das dritte, daß man bei Gott nicht leichtfertig schwören darf; das vierte, daß man jeden siebten Tag heilig halten und an ihm von aller Arbeit ruhen soll; das fünfte, daß man die Eltern ehren soll;
50 das sechste, daß man nicht töten soll; das siebte, daß man nicht ehebrechen soll; das achte, daß man nicht stehlen soll; das neunte, daß man kein falsches Zeugnis ablegen soll; das zehnte, daß man kein fremdes Eigentum begehren soll.

43 *Wort für Wort.* Es scheint keine Parallele zu dieser Regel zu geben, daß der Wortlaut der Zehn Gebote geheimzuhalten sei. Sie erinnert an das Verbot, das Tetragrammaton auszusprechen.

**273** *Antiquitates VIII 111–121.*

Als der König so zum Volk geredet hatte, wandte er sich wieder nach dem Tempel hin, streckte seine rechte Hand zum Himmel und sprach: „Unmöglich können die Menschen mit Werken Gott für die erhaltenen Wohltaten danken; denn die Gottheit bedarf nichts und ist zu erha-
5 ben, als daß ihr damit vergolten werden könnte. Du hast uns aber, o Herr, über die anderen Geschöpfe gesetzt, und es ziemt uns daher, deine Majestät zu loben und dir für alles zu danken, was du meinem Hause und dem Volke der Hebräer erwiesen hast. Denn womit könnten wir besser deinen Zorn besänftigen und deine Gnade und Güte
10 über uns erflehen als mit dem Wort, das wir aus der Luft entnehmen und durch die Luft wieder zu dir hinsenden? Für dieses Geschenk gebührt dir besonderer Dank, imgleichen auch dafür, daß du meinen

Vater aus niedrigem Stande zu so großem Ruhm hast gelangen lassen
und daß du an mir bis zum heutigen Tage alle deine Verheißungen
15 erfüllt hast. Ich bitte dich, daß du mir auch fernerhin alles verleihest,
was du denen zu gewähren pflegst, die du besonders beglücken willst,
und daß du unser Geschlecht für alle Zeiten erhalten wollest, wie du
dies meinem Vater David sowohl im Leben als auch bei seinem Hinscheiden verheißen hast. Solches gewähre uns gnädig und verleihe
20 meinen Nachkommen einen tugendhaften Wandel, der dir wohlgefällig ist. Dann aber bitte ich dich auch noch, du wollest deinen Geist in
diesen Tempel senden, damit du uns wahrhaft gegenwärtig seist. Und
wenn auch das ganze Weltall dich nicht fassen kann, geschweige denn
dieser Tempel, so flehe ich dennoch zu dir, du wollest ihn vor feindli-
25 cher Verwüstung bewahren und ihn als dein besonderes Eigentum in
deinen Schutz nehmen. Sollte aber das Volk sich einmal gegen dich
verfehlen und deshalb mit Hungersnot, ansteckenden Krankheiten
oder anderen Plagen bestraft werden, so erhöre es, wenn es in diesen
Tempel flieht und zu dir um Rettung fleht, und erweise deine Gegen-
30 wart, indem du dich seiner erbarmst und es von seiner Drangsal
erlösest. Aber nicht nur den Hebräern wollest du dich also gnädig
erweisen, wenn sie in Sünden gefallen sind, sondern auch, wenn
jemand anderswoher, und selbst von den äußersten Gegenden des
Erdkreises, sich dir nahen sollte, um deine Hilfe zu begehren, so
35 erhöre seine Bitte. Denn so wird es allen offenbar werden, daß du
selbst diesen Tempel bei uns errichtet wissen wolltest, daß wir aber
deshalb Fremden gegenüber nicht feindselig und gehässig aufzutre-
ten beabsichtigen, sondern allen deinen Schutz und den Genuß deiner
reichen Freigebigkeit gönnen.“
40 Nach diesen Worten warf sich der König zur Erde nieder und ver-
harrte eine Weile in Anbetung. Dann erhob er sich und ließ die Opfer
zum Altar bringen. Als nun die Brandopfer auf dem Altar lagen,
erkannte er an einem augenfälligen Zeichen, daß Gott das Opfer mit
Wohlgefallen annehme. Denn es fiel Feuer vom Himmel, ergriff vor
45 aller Augen das Opfer und verzehrte es. Das Volk schloß aus dieser
untrüglichen Erscheinung, daß Gott damit seine Bereitwilligkeit, im
Tempel zu wohnen, zum Ausdruck gebracht habe, und es fiel zur Erde
und betete an. Der König aber begann, Gott zu preisen, und hieß das
Volk in den Lobgesang einstimmen, indem er ihnen vorstellte, daß sie
50 nun Gottes Wohlwollen erkannt hätten und ihn bitten möchten, er
wolle alle ihre Wünsche erfüllen, sie rein und sündenlos erhalten und
ihnen die Gnade erzeigen, sie in Gerechtigkeit, Gottesfurcht und treuer Beobachtung der von ihm dem Mose gegebenen Gebote zu stärken.
So würden sie glückseliger sein als die anderen Sterblichen. Zugleich
55 beschwor er sie, doch besonders daran zu denken, daß sie das ihnen
jetzt zuteil gewordene Glück nun auch erhalten und vermehren müßten und daß es nicht genug sei, dasselbe durch Gottesfurcht und
Gerechtigkeit erworben zu haben, sondern daß es auch ihre angele-
gentliche Sorge sein müsse, es dauerhaft zu machen. Denn es sei für

60 die Menschen nicht so schwer, sich einen Besitz zu erwerben, als das Erworbene zu behaupten und sich durch keine Sünde desselben unwürdig zu machen.

1 *König ... Tempel*, König Salomo bei der Einweihung des Tempels in Jerusalem.

2 *Himmel* ist eine Konjektur aufgrund des AT; die Josephus-Handschriften lesen *über das Volk* (griech. ὄχλον, nicht οὐρανόν). Das AT erwähnt die *rechte* Hand nicht. Vielleicht sollten wir in beiden Fällen den Text wählen, der vom biblischen Wortlaut abweicht.

4 *Bedarf nichts* (ἀπροσδεής), eine stoische Gottesvorstellung, die auch in Apg 17, 25 erscheint (Gott wird nicht durch Menschenhände verehrt, als ob er etwas bedürfte, προσδεόμενος). Das Neutrum *die Gottheit* (τὸ θεῖον, Z. 4) erinnert ebenfalls an Apg 17, 29.

10 *Wort.* Die Darbringung materieller Opfer empfindet Josephus als problematisch, obwohl er nicht leugnen kann, daß sie vollzogen wurden. Er bevorzugt allerdings das Opfer des Lobpreises und Dankes.

21 *... du wollest deinen Geist in diesen Tempel senden, damit du uns wahrhaft gegenwärtig seist.* Wie mit materiellen Opfern, so hat Josephus auch seine Schwierigkeiten mit der Vorstellung, daß Gott in irgendeiner Form im Tempel räumlich gegenwärtig sei, und neigt zu einer rationalistischen Interpretation. Vgl. Apg 7, 47–50.

# XII. Septuaginta und Targum

Was die Christen das Alte Testament nennen, war und ist das heilige Buch der Juden. Mit Ausnahme einiger aramäischer Abschnitte ist es in hebräischer Sprache geschrieben. Viele Juden, vielleicht sogar die meisten, konnten es in der Ursprache lesen. Einige freilich verstanden kein Hebräisch. Für sie wurde das AT früh in die beiden Sprachen übersetzt, die im östlichen Teil des Mittelmeerraums und darüber hinaus am gängigsten waren, nämlich ins Griechische und ins Aramäische. Die älteste griechische Übersetzung ist als Septuaginta (LXX) bekannt wegen der Tradition (s. u.), daß sie von (zweiund)siebzig Übersetzern erstellt wurde; sie ist fast sicher falsch, wenn auch hier und da ein Schimmer des wirklichen Sachverhaltes auftaucht. Die jüdische Gemeinde in Ägypten und besonders in Alexandria war zahl- und einflußreich (s. *52* und *166–167*) und sprach griechisch. Wahrscheinlich empfand diese Gemeinde schon im 2. Jahrhundert v. Chr. das Bedürfnis nach einer Übertragung der heiligen Schriften in ihre Umgangssprache, den griechischen Dialekt, der in diesen Gebieten gesprochen wurde. Die Übersetzung kam zustande; die – wenn auch falsche – Überlieferung zeigt deutlich die Beliebtheit des neuen Textes und die Verehrung, die ihm zuteil wurde. Es ist unwahrscheinlich, daß das ganze AT zur gleichen Zeit übersetzt wurde. Zuerst entstand der Pentateuch, dann die Propheten und schließlich die Bücher, die als letzte in den jüdischen Kanon aufgenommen werden sollten. Es wurden sogar mehr Bücher ins Griechische übersetzt, als später im Hebräischen endgültig kanonisiert wurden; der Überschuß an Schriften, den die LXX im Gegensatz zu der hebräischen Bibel enthält, stellt die sogenannten alttestamentlichen Apokryphen dar.

Die Bedeutung dieses Buches, das die Bibel der apostolischen Kirche war, kann gar nicht überschätzt werden. Die ersten Christen suchten darin die Prophezeiungen, die ihre Auslegung von Leben und Tod Jesu rechtfertigten; zuweilen war dafür der griechische Text passender als der hebräische. So spricht Jes 7, 14 im Griechischen von einer *Jungfrau*, während es im Hebräischen *junge Frau* heißt, die durchaus verheiratet und auf ganz natürliche Weise schwanger sein konnte. Ferner gründet in der Apostelgeschichte (15, 16ff) Jakobus ein Argument auf eine Stelle bei Amos (9, 11f), wie sie in der Septuaginta, nicht aber im hebräischen Text steht. Justins *Dialog mit Trypho* beleuchtet die Auseinandersetzungen über den Text, die zwischen der Kirche und der Synagoge entstehen mußten. Noch bedeutsamer als eine solche Verwendung der Septuaginta ist jedoch die Tatsache, daß die spezifisch theologische Terminologie des NT nachweislich zum großen Teil auf dem Sprachgebrauch der Septuaginta beruht. Doch dies braucht uns nicht zu überraschen. Es ist nicht einfach der Tatsache zuzuschreiben, daß das Denken vieler frühchristlicher Schriftsteller durch die LXX geprägt war. Sie setzten ja auch eine Arbeit fort, welche die LXX-Übersetzer begonnen hatten. Das Judenchristentum wie auch die Mutterreligion, das Judentum selbst, war ein semitischer Glaube, der sich in der hellenistischen Welt festsetzte und verbreitete. Seine Grundgedanken und deren sprachlicher Ausdruck mußten von einer Welt in die andere übertragen werden, und die frühchristlichen Schriftsteller fanden ihre Arbeit teilweise bereits von denen getan, die die griechische Sprache schon bereitet hatten, um den Glauben des AT auszudrücken.

In der Septuaginta fand ein doppelter Austausch von griechischem und hebräischem Gedankengut statt. Auf der einen Seite nahmen griechische Wörter unter dem Einfluß derjenigen hebräischen Wörter, die sie wiedergaben, einen neuen Sinn an. So wird ἱλάσκεσθαι, das normalerweise im Griechischen die menschliche Haltung zur Versöhnung Gottes beschreibt, in der LXX (als Wiedergabe von כפר *kipper*) von der von Gott ausgehenden Entsühnung gebraucht. Νόμος, dessen früheste Bedeutung, *Sitte*, sich auf den Sinn von *Gesetz* festlegte, hieß dann als Wiedergabe von תורה (*tora*) *Lehre, Unterweisung*. Diese Modifizierung der griechischen Sprache unter dem Einfluß von hebräischer Terminologie und Denkweise ist von größter Wichtigkeit, kann jedoch hier nicht diskutiert werden. Auf der andern Seite wurden griechische Ideen gelegentlich alttestamentlichen Ausdrücken unterlegt, die damit ursprünglich nichts zu tun hatten. Das deutlichste Beispiel dieses Vorgangs finden wir in Ex 3, 14, wo אהיה אשר אהיה (ich bin, der ich bin; oder: Ich werde sein, der ich sein werde) zu ἐγώ εἰμι ὁ ὤν (ich bin der Seiende) wird. Im allgemeinen beschränkt sich der Vorgang aber auf die Beseitigung von Anthropomorphismen, z. B. Ex 24, 10 „Sie sahen den Platz, wo der Gott Israels stand" für „Sie sahen den Gott Israels".

Darüber hinaus ist die LXX auch ein äußerst wichtiger Zeuge für den ursprünglichen Text des Alten Testaments.

Eine Übersetzung des AT ins Aramäische heißt Targum („Übersetzung"). In vielen Synagogen folgte der Lesung aus der Tora und der begleitenden Lesung aus den Propheten (Haftara) eine Übersetzung ins Aramäische, also ein *targum* durch einen *meturge-man*. Theoretisch wurde aus dem Stegreif übersetzt, aber zweifellos machten sich Übersetzer auch Notizen von gelungenen Übersetzungen schwieriger Passagen; später erschienen dann schriftliche Targumim. Unter den uns erhaltenen ist der älteste wahrscheinlich Targum Neofiti; später entstanden Targum Onkelos und Targum Pseudo-Jonathan. Hinzu kommt der sog. Fragmententargum (Fragmente eines palästinischen Targums) und die Fragmente aus der Kairoer Geniza. In ihrer gegenwärtigen Form gehen sie nicht vor das 3. Jahrhundert n. Chr. zurück; sie mögen aber erheblich ältere, traditionelle Übersetzungen und Interpretationen aufgenommen haben. Im ganzen sind die Targumim Paraphrasen, die nicht nur übersetzen, sondern auch ausgiebig interpretieren.

Außer ins Griechische und Aramäische wurde das AT auch in einige andere Sprachen übersetzt, unter denen die lateinischen, syrischen und koptischen Versionen hervorzuheben sind. In den folgenden Paragraphen wird die linguistische Bedeutung der LXX nicht behandelt. Zunächst wird die Überlieferung von der Entstehung der LXX belegt und kritisiert; dann werden bestimmte Aspekte des LXX-Gedankengutes und -ausdrucks angeführt, die im kanonischen AT nicht oder nur andeutungsweise enthalten sind. Zuletzt werden einige bezeichnende Targum-Abschnitte wiedergegeben.

## A. Die Tradition über die Entstehung der Septuaginta

Die Tradition über die Entstehung der LXX wird in der einfachsten und kürzesten Form von Philo gegeben, in großer Ausführlichkeit im sogenannten *Aristeasbrief*, von dem Josephus (*Ant* XII 11–118; vgl. I 10 ff; *Contra Apionem* II 45 ff) eine ziemlich ausführliche Paraphrase und Inhaltsangabe gibt; Aristobul (bei Euseb, *Praeparatio Evangelica* XIII, XII 2) spielt darauf an, und auch Irenäus berichtet darüber (*Adversus haereses* III 21).

Alle diese Quellen stimmen darin überein, daß sie die Absicht, die jüdischen Schriften zu übersetzen, dem alexandrinischen König Ptolemäus II. Philadelphus zuschreiben, der von 283 bis 245 v. Chr. regierte. Philo und Josephus schrieben bekanntlich im 1. Jahrhundert n. Chr.; der Aristeasbrief erhebt den Anspruch, von einem Zeitgenossen der Ereignisse, die er schildert, geschrieben zu sein; in Wirklichkeit ist er zweifellos pseudonym und wurde

wahrscheinlich zwischen 140 und 100 v. Chr. verfaßt. Bei Philo
heißt es folgendermaßen:

**274** *Philo, De vita Mosis II 26–29a. 31–38. 40–42.*

Ursprünglich waren die Gesetze in chaldäischer Sprache abgefaßt
worden, und sie erhielten sich lange Zeit in derselben Fassung, ohne
die Sprache zu ändern, solange sie nämlich ihre Schönheit den anderen Menschen noch nicht enthüllt hatten. Als aber infolge der unaus-
5 gesetzten täglichen Übung und Betätigung durch ihre Beobachter
auch andere auf sie aufmerksam wurden und ihr Ruhm überallhin
drang – denn das Schöne wird zwar durch Mißgunst bisweilen auf
kurze Zeit in den Schatten gestellt, erstrahlt aber bald zu geeigneter
Zeit dank dem Wohlwollen der Natur wieder –, hielten es manche für
10 einen Übelstand, daß die Gesetze bei der Hälfte des Menschengeschlechtes, bei der nichtgriechischen, allein sich finden, der hellenische Teil dagegen ihrer für immer unteilhaftig sein sollte, und gingen
deshalb daran, sie zu übersetzen. Diese Aufgabe war aber, da sie eine
hohe und gemeinnützige war, nicht Privatleuten oder Beamten, deren
15 es eine große Zahl gibt, sondern Königen, und zwar dem angesehensten König, vorbehalten. Ptolemäus mit dem Beinamen Philadelphus
war der dritte Herrscher seit Alexander, dem Eroberer Ägyptens...
   Dieser König also bekam Interesse und Verlangen nach unserer
Gesetzgebung und beschloß, den chaldäischen Text in die hellenische
20 Sprache zu übertragen. Sofort schickte er Gesandte an den Hohenpriester und König des jüdischen Landes – er war beides in einer
Person –, teilte ihm seine Absicht mit und forderte ihn auf, die tüchtig-
sten Männer auszuwählen, die das Gesetz übersetzen könnten. Dieser, begreiflicherweise erfreut und überzeugt, daß nicht ohne den
25 göttlichen Willen der König sich für ein solches Werk interessiere,
suchte die angesehensten seiner Hebräer aus, die neben der einheimi-
schen auch hellenische Bildung besaßen, und sandte sie mit Vergnü-
gen dahin. Als sie dort ankamen, wurden sie zum Gastmahl geladen,
bei dem sie den Gastgeber zum Entgelt seiner Gastlichkeit mit feinen
30 und weisen Reden bewirteten. Während er nämlich jedes einzelnen
Weisheit durch Aufwerfung von neuen und ungewöhnlichen Fragen
zu erforschen suchte, lösten sie die vorgelegten Fragen zielbewußt und
treffend, da die Zeit ihnen ausführliche Reden nicht gestattete, gleichsam in kurzen Sinnsprüchen. Nach dieser Prüfung gingen sie sofort
35 daran, die Aufgabe ihrer ehrenvollen Gesandtschaft zu erfüllen. In
Erwägung der Größe der Aufgabe, durch göttliche Verkündigung offenbarte Gesetze zu übertragen, wobei man weder etwas hinwegneh-
men noch hinzufügen oder ändern kann, sondern ihren ursprünglichen Gedanken und ihren Charakter beibehalten muß, spähten sie
40 außerhalb der Stadt nach dem reinsten Ort in ihrer Umgebung aus.
Denn der Raum innerhalb der Mauer war ihnen, da er ja mit lebenden
Wesen aller Art angefüllt war, mit Rücksicht auf Krankheit und

Todesfälle und auch wegen der nicht sehr reinlichen Handlungen von
Gesunden für ihren Zweck bedenklich. Vor Alexandria liegt die Insel
45 Pharus, von der eine Landzunge sich bis zur Stadt erstreckt, die von
dem dort nicht sehr tiefen, sondern zumeist seichten Meere umschlos-
sen ist, so daß auch das viele Rauschen und Tosen der Wellenströ-
mung durch die Weite der Entfernung geschwächt wird. Diesen Ort
erachteten sie von allen im ganzen Umkreise als den geeignetsten für
50 ruhige und stille Arbeit, in der die Seele sich ungestört dem Verkehr
mit den Gesetzen ganz hingeben könnte, und blieben dort. Sie nahmen
die heiligen Bücher und erhoben zugleich mit ihnen die Hände zum
Himmel empor und baten Gott, daß sie in ihrem Vorhaben nicht
fehlgehen möchten. Und Gott erhörte ihre Gebete, damit der größte
55 Teil der Menschen oder vielmehr die gesamte Menschheit davon Nutzen habe, indem sie zum Zwecke guter Lebensführung die weisen und
herrlichen Gebote beobachte.

In Abgeschiedenheit, ohne jeden Zeugen mit Ausnahme der Elemente der Natur, der Erde, des Wassers, der Luft und des Himmels,
60 über deren Schöpfung sie zunächst heilige Offenbarung künden sollten – denn die Erschaffung der Welt bildet den Anfang der Gesetze –,
verdolmetschten sie unter göttlicher Eingebung nicht jeder in anderen, sondern alle in den gleichen Ausdrücken für Begriffe und Handlungen, als ob jedem von ihnen unsichtbar ein Lehrer diktierte. Und
65 doch weiß jeder, daß jede Sprache, ganz besonders aber die hellenische, an Ausdrucksformen reich ist, und daß man denselben Gedanken verschieden wiederzugeben und zu umschreiben und mannigfach
zu gestalten vermag, indem man jedesmal andere Ausdrücke passend
anwendet. Dies soll bei dieser Gesetzgebung nicht geschehen sein, es
70 soll vielmehr der hellenische Text mit dem chaldäischen derart in
Einklang gebracht worden sein, daß alles in den zutreffenden Ausdrücken wiedergegeben wurde und die Worte den bezeichneten Dingen vollständig entsprachen ... Der klarste Beweis dafür ist folgender
Umstand. Wenn Chaldäer die hellenische Sprache oder Hellenen die
75 chaldäische erlernt haben und beide Schriften, die chaldäische und
ihre Übersetzung, lesen, so erkennen sie mit Bewunderung und Ehrfurcht, daß sie wie Schwesterschriften oder vielmehr gleichsam eine
und dieselbe sind in den Dingen und den Ausdrücken dafür, so daß sie
jene Männer nicht Übersetzer, sondern Oberpriester und Propheten
80 nennen, denen es gelungen sei, durch sonnenklares Denken mit Moses
reinem Geisteshauche gleichen Schritt zu halten. Daher wird auch
noch bis auf den heutigen Tag alljährlich ein Fest und eine Festversammlung auf der Insel Pharus abgehalten, zu der nicht bloß Juden,
sondern auch andere in sehr großer Menge hinüberfahren, um den Ort
85 zu verherrlichen, an dem zum ersten Male das Licht dieser Übersetzung erstrahlte, und um der Gottheit den Dank für die alte, stets jung
bleibende Wohltat darzubringen. Nach den Gebeten und den Danksa-
gungen veranstalten die einen in Zelten, die sie am Gestade aufgeschlagen haben, die anderen, in dem Sand am Strande sich lagernd,

90 unter freiem Himmel mit Angehörigen und Freunden ein Festmahl und halten zu dieser Zeit das Gestade für prächtiger als die prächtigste Ausstattung in Palästen.

18 *Dieser König.* Ptolemäus Philadelphus, der auf Ptolemäus Soter, einen der unmittelbaren Nachfolger Alexanders des Großen, folgte. In den hier ausgelassenen Sätzen wird er als der hervorragendste Herrscher aller Ptolemäer dargestellt. Auch Aristeas schrieb ihm die Initiative zur Übersetzung des Gesetzes zu, und diese Überlieferung erscheint ebenfalls in den rabbinischen Schriften, z. B. *bMegilla* 9a (s. u. S. 334).

21 *beides in einer Person.* Laut Aristeas (33) und Josephus war der Hohepriester Eleasar. Über seine Stellung in der Reihe der Hohenpriester siehe Josephus, *Ant* XII 43 f. Zu dieser Zeit war der Hohepriester auch das weltliche Oberhaupt des jüdischen Staates, jedoch kein „König".

26 *suchte die angesehensten seiner Hebräer aus.* Bei Aristeas (46) sucht der Hohepriester sechs Älteste aus jedem der zwölf Stämme aus. Die 72 Namen werden aufgezählt. Damit erhielt die griechische Übersetzung volle Sanktion und die Zustimmung des palästinensischen Judentums; zweifellos ist ein solcher Zusammenhang möglich.

27 *auch hellenische Bildung besaßen.* Es braucht nicht bezweifelt zu werden, daß es solche Personen gab. Erst viel später schloß das Judentum seine Tore gegen griechische Bildung und Einfluß. Sowohl die frühere wie die spätere Haltung gegenüber der griechischen Bildung sind in der Mischna deutlich ausgedrückt (*mSoṭa* 9, 14: „Während des Krieges mit Titus [v. 1. Quietus, Statthalter von Judäa, 117 n. Chr.] verboten sie, daß ein Mann seinen Sohn Griechisch lehre"). Für weitere Zeugnisse s. u. zu Z. 76.

29 *Zum Entgelt seiner Gastlichkeit.* Aristeas gibt weitere Details, besonders von den „feinen und weisen Reden". Aus solchen Sätzen geht klar hervor, daß der Brief des Aristeas eine Apologie und eine Hochpreisung des Judentums ist, die um des stärkeren Eindrucks willen einem Heiden in den Mund gelegt wird.

44 *die Insel Pharus* war mit dem Festland durch einen fast zwei Kilometer langen Damm verbunden (das „Heptastadion"), der den Hafen in zwei Teile teilte. Weder Aristeas noch Josephus erwähnen den Namen Pharus, aber es ist sicher, daß sie an diesen Ort als Aufenthalt der Übersetzer dachten.

63 *alle in den gleichen Ausdrücken.* Offensichtlich glaubt Philo ein Wunder zu beschreiben. Die Übersetzer schrieben „unter göttlicher Eingebung" (προεφήτευον). Aristeas (auch Josephus) spricht eine andere Ansicht aus; es war kein wunderbares Übereinstimmen, sondern die Übersetzer verglichen ihre Arbeit, um übereinstimmende Ergebnisse zu erhalten. Die Entwicklung der Überlieferung bei Philo zeigt deutlich, wie in seiner Zeit die LXX verehrt wurde. Darüber s. auch die folgende Anm.

76 *erkennen sie mit Bewunderung und Ehrfurcht ...* Philo kann also an Griechen denken, die das Chaldäische (Hebräische) gelernt hatten, und an Hebräer, die griechisch beherrschten. Zu seiner Zeit gab es zweisprachige Juden, obwohl später die Beschäftigung mit dem Griechischen scheel angesehen wurde (s. zu Z. 27). Diese wechselnde Einstellung zum Griechischen spiegelte sich in einer wechselnden Einstellung zur LXX wider. In der früheren Periode war das Griechische erlaubt, so *mMegilla* 1, 8: „Der einzige Unterschied zwischen (Heiligen) Schriften (einerseits) und Gebetskapseln und Pfostenschriften (andererseits) ist, daß die Schriften in jeder beliebigen

Sprache geschrieben sein dürfen, während Gebetskapseln und Pfostenschriften nur mit hebräischen Buchstaben geschrieben werden dürfen. Rabban Simeon b. Gamaliel (vor 70 n. Chr.) sagt: Was die Heiligen Schriften
anlangt, so dürfen sie außerdem (d. h. außer auf Hebräisch) nur noch auf
Griechisch geschrieben werden." Die neue Haltung und die alte Tradition
erscheinen beide in *bMegilla* 9a (übers. L. Goldschmidt Bd. IV S. 33 f): „R.
Juda (um 150 n. Chr.) sagte: Wenn unsere Meister auch griechisch erlaubt
haben, so haben sie es nur beim Buche der Tora erlaubt, wegen des Ereignis-
ses mit dem Könige Ptolemäus. Es wird nämlich gelehrt (Baraita): Einst
berief der König Ptolemäus zweiundsiebzig Greise und setzte sie in zweiundsiebzig Häuser, ohne ihnen zu sagen, zu welchem Behufe er sie berufen
habe. Alsdann ging er zu jedem besonders und sprach zu ihm: Schreibe mir
die Tora eures Meisters Mose! Da gab der Heilige, gepriesen sei er, ein und
denselben Gedanken in ihr Herz, daß sie alle in der gleichen Beschlußfassung übereinstimmten." Diese Darstellung scheint mit der des Philo übereinzustimmen; doch ist in der talmudischen Erzählung ein anderer Akzent
nicht zu überhören: Es wird betont, daß Übersetzungen grundsätzlich niemals wünschenswert seien, daß aber der griechische Pentateuch mit Rücksicht auf ein besonderes Wunder gerechtfertigt sei. Die später entwickelte
Meinung, die vorherrschend war, nachdem die Kirche die LXX übernommen
hatte, findet sich z. B. in *Soferim* 1, 8 (*Masechet Soferim. Der talmudische
Traktat der Schreiber*, hsg. von J. Müller, Leipzig 1878): „Es geschah einst,
daß fünf Älteste für den König Ptolemäus die Tora auf griechisch schrieben.
Jener Tag war ein harter Tag für Israel wie der Tag, an dem Israel das Kalb
hergestellt hatte; denn die Tora kann nicht in zureichender Weise übersetzt
werden." (Müller a. a. O. S. 13 z. St.: „In der Ed. sind hier fünf Älteste genannt
... Hält man die Lesart ... aufrecht, so entsprechen sie den Büchern des
Pentateuch, deren Übertragung auf verschiedene Übersetzer hinweist").
Als die LXX ihr Ansehen verlor – nicht zuletzt, weil sie von den Christen
benutzt wurde –, ersetzten die griechisch sprechenden Juden sie durch
sklavischere Übersetzungen, die des Aquila, Symmachus und Theodotion.

82 *ein Fest und eine Festversammlung.* Philo muß dieses Fest selbst gekannt
haben, und man braucht nicht zu zweifeln, daß es dieses Fest in seinen
Tagen wirklich gegeben hat, wenn wir auch kein anderes Zeugnis darüber
besitzen. Damit ist aber natürlich nicht der historische Zusammenhang
zwischen der Insel und dem Entstehen der LXX bewiesen.

Es kann nur ein kleiner Teil des langen Aristeasbriefes hier
zitiert werden.

**275** *Aristeasbrief 301–316.*

Drei Tage später ging Demetrius in ihrer Begleitung über den sieben
Stadien langen Meeresdamm zur Insel (Pharus), überschritt die Brük-
ke und ging nach den nördlichen Teilen (von Pharus). Dann versammelte er sie in einem am Strand erbauten, prächtigen und still gelege-
5 nen Hause und forderte die Männer auf, die Übersetzung auszuführen, da alles, was zu der Arbeit nötig war, wohl vorgesehen war. Und
sie führten sie aus, indem sie durch gegenseitige Vergleiche in *einem*
Wortlaut übereinkamen. Was sich aber gehörig nach ihrer überein-
stimmenden Meinung ergab, wurde so von Demetrius aufgezeichnet.

10 Und die Sitzung dauerte bis zur neunten Stunde. Dann verwandten
sie die freie Zeit auf die Pflege des Leibes, indem ihnen alles, was sie
wünschten, reichlich zur Verfügung gestellt wurde. Außerdem traf
Dorotheus alle Zurüstungen, die für den König bereitet wurden, täglich auch für sie. Denn so war es ihm vom König aufgetragen. In der
15 Frühe aber erschienen sie täglich bei Hofe, machten dem König ihre
Aufwartung und gingen dann zu ihrer Stätte fort. Wie es aber Sitte
aller Juden ist, wuschen sie im Meer ihre Hände, und wenn sie dann
gebetet hatten, widmeten sie sich der Lektüre und der Übersetzung
des Einzelnen. Ich stellte aber auch die Frage, warum sie die Hände
20 waschen und dann erst beten. Und sie erklärten, es sei ein Zeugnis,
daß sie nichts Übles getan hätten (denn jede Tätigkeit geschieht durch
die Hände), indem sie in schöner und frommer Weise alles auf Gerechtigkeit und Wahrheit bezogen. Wie ich es aber vorher schilderte, so
versammelten sie sich täglich an dem durch seine Ruhe und Helligkeit
25 angenehmen Ort und erfüllten ihre Aufgabe. Es traf sich aber so, daß
die Übersetzung in zweiundsiebzig Tagen vollendet wurde, als sei es
so mit Absicht geschehen.

Nach der Vollendung versammelte Demetrius die jüdische Gemeinde an der Stätte, wo die Übersetzung vollendet wurde, und las sie allen
30 vor in Anwesenheit der Übersetzer, die auch bei der Menge große
Anerkennung fanden, da sie sich große Verdienste erworben hätten.
Ebenso lobten sie den Demetrius und baten ihn, ihren Obersten eine
Abschrift des ganzen Gesetzes mitzuteilen. Nach der Verlesung der
Bücher traten die Priester und die Ältesten der Übersetzer und der
35 Gemeindeangehörigen und die Obersten der Gemeinde (zusammen)
und erklärten: Da die Übersetzung in schöner, frommer und durchaus
genauer Weise gefertigt ist, so ist es recht, daß sie in diesem Wortlaut
erhalten werde und keine Änderung stattfinde. Und nachdem alle den
Worten beigestimmt hatten, befahl er nach ihrer Sitte, den zu verflu-
40 chen, der eine Bearbeitung unternehmen werde, indem er etwas hin-
zusetzte oder irgendetwas von dem Geschriebenen änderte oder aus-
ließe. Und das taten sie mit Recht, damit (die Schrift) beständig für
alle Zukunft unverändert erhalten bliebe.

Nachdem auch dies dem Könige gemeldet war, freute er sich höch-
45 lich; denn der Vorsatz, den er hatte, schien genau ausgeführt. Es
wurde ihm auch alles vorgelesen, und er bewunderte sehr den Geist
des Gesetzgebers. Und er fragte den Demetrius, wie es komme, daß
kein Geschichtsschreiber oder Dichter daran gedacht habe, ein so
bedeutendes Werk zu erwähnen. Und er erwiderte: Weil das Gesetz
50 ehrwürdig und von Gott gegeben ist. Und manche, die es vorhatten,
wurden von Gott geschlagen und gaben ihr Vorhaben auf. So habe er,
erzählte er, von Theopomp gehört, daß er, als er einiges von dem schon
früher, aber mangelhaft Übersetzten vom Gesetz in seine Geschichte
aufnehmen wollte, länger als dreißig Tage irrsinnig geworden sei;
55 beim Nachlassen aber habe er zu Gott gefleht, ihm zu offenbaren,
weswegen ihn das Schicksal getroffen habe. Und als ihm dann im

Traum offenbart worden sei, (der Grund sei,) daß er in eitlem Unterfangen unreinen Menschen das Göttliche mitteilen wolle, habe er es aufgegeben und sei so wieder gesund geworden. Und aus dem Munde
60 des Tragödiendichters Theodektes hörte ich, daß, als er etwas von dem in der Schrift Aufgezeichneten in ein Drama aufnehmen wollte, er an beiden Augen erblindet sei; und da er vermutete, daß ihn deshalb der Unfall getroffen, habe er zu Gott gebetet und sei nach längerer Zeit wiederhergestellt worden.

1 *Drei Tage später,* nach dem Gastmahl, zu dem der König die Übersetzer eingeladen hatte.

*Demetrius* war nach Aristeas (9) zu dieser Zeit Vorsteher der königlichen Bibliothek. Dies dürfte ein Irrtum und außerdem ein Beweis dafür sein, daß der Brief nicht von einem Zeitgenossen des Ptolemäus II. Philadelphus geschrieben ist. Demetrius von Phalerum wurde durch Ptolemäus I. Soter nach Alexandria geholt, um seine Bibliothek zu beaufsichtigen. Er fiel jedoch gegen Ende von dessen Herrschaft in Ungnade, weil er den Thronfolgeanspruch des älteren Sohnes, Keraunos, gegen dessen Bruder Philadelphus unterstützt hatte. Er wurde verbannt und starb ca. 283 v. Chr.

3 *den nördlichen Teilen.* Pharus ist im griechischen Text nicht genannt, aber sicher gemeint.

13 *Dorotheus* ist in § 182 als für die Bedienung der Übersetzer verantwortlich erwähnt.

16 *Wie es Sitte aller Juden ist, wuschen sie ... ihre Hände ...* Vgl. Mk 7, 3; dazu ist zu bemerken, daß es sich nicht um eine Waschung vor dem Essen handelte, sondern am frühen Morgen und vor dem Gebet. Dies scheint der früheste Hinweis für die Sitte des Waschens vor dem Morgengebet zu sein.

20 *ein Zeugnis, daß sie nichts Übles getan hätten.* Das war natürlich nicht die wirkliche Herkunft und Bedeutung der jüdischen Waschungen, doch ist es durchaus möglich, daß die alexandrinischen Juden diese Sitte ihren heidnischen Nachbarn so erklärten.

26 *in zweiundsiebzig Tagen,* so wie es 72 Übersetzer waren.

28 *die jüdische Gemeinde.* Es ist bemerkenswert, daß, obwohl Aristeas die Übersetzung der Initiative des Königs und seines Bibliothekars zuschreibt, das vollendete Werk nicht dem königlichen Mäzen, sondern dem jüdischen Volk vorgelegt wird. Vielleicht läßt uns Aristeas hier unbewußt einen kleinen Schimmer der Wahrheit erhaschen. Aller Wahrscheinlichkeit nach war es die jüdische Gemeinde in Alexandria, die die Septuaginta brauchte und herstellen ließ.

37 *in diesem Wortlaut erhalten werde.* Wahrscheinlich war ein weiterer Zweck des Briefes (der in erster Linie als ein Stück jüdischer Propaganda zu gelten hat), die Autorität eines Standardtextes der LXX zu empfehlen und durchzusetzen.

47 *wie es komme, daß kein Geschichtsschreiber oder Dichter ...* Aus dieser Frage geht hervor, was in Z. 52 f (und vielleicht auch im Aristeasbrief 30) ausdrücklich steht, nämlich, daß frühere Übersetzungen zwar existierten, sich aber als ungenügend herausgestellt hatten. Dies würde die Annahme in der letzten Anmerkung unterstützen. Die Frage selbst ist von einigem Interesse, da in der Tat wenige Spuren von der LXX in nichtjüdischen griechischen Autoren zu finden sind (die bemerkenswerteste Ausnahme

sind einige Traktate des Corpus Hermeticum; s. Kap. V). Der Hauptgrund für diese Vernachlässigung ist nicht, wie Aristeas meint, im göttlichen Ursprung des Gesetzes zu suchen, sondern in der allgemeinen Ablehnung der Juden und ihrer Religion und in dem äußerst barbarischen Klang des LXX-Griechischen.

# B. Ausgewählte Texte aus der Septuaginta

Eine Auswahl von Texten aus der Septuaginta selbst ist mit eigentümlichen Schwierigkeiten verbunden. In diesem Buch wird kein Versuch gemacht, die Geschichte und Theologie des AT zu schreiben, obwohl beide Elemente von wesentlicher Bedeutung für den Hintergrund des NT sind. Wir haben schon darauf hingewiesen, daß ein Vergleich der hebräischen und griechischen Texte des AT außerordentlich lehrreich ist. Gewisse Teile des griechischen AT sind an anderer Stelle (s. *133–141, 282, 296*) für besondere Zwecke zitiert; hier sollen nur drei Auszüge aus Teilen der LXX folgen, die kein kanonisches hebräisches Gegenstück haben. Sie beleuchten Gedanken, die in der Entwicklung des hellenistischen Judentums wichtig sind, aber im hebräischen AT nur andeutungsweise oder überhaupt nicht vorkommen.

## Die göttliche Weisheit

Bereits in den späteren Teilen des hebräischen AT wird die Weisheit (חכמה *ḥokhma* oder תכמות *ḥokhmot*) als eine der guten Gaben Gottes an die Menschen angesehen. Das Wort heißt zunächst: gesunder Menschenverstand; die Fähigkeit, das Leben vernünftig, tugendhaft und erfolgreich zu leben (z. B. Prov 1, 2 ff). Ob diese Auffassung der Weisheit ursprünglich jüdisch oder auswärtigen Quellen entlehnt war, ist eine Frage, die wir nicht zu untersuchen haben. Da aber diese Weisheit natürlicherweise als die Weisheit *Gottes* galt (denn woher sonst sollte sie kommen?), dachte man mit der Zeit anders über sie, vielleicht wiederum sowohl unter dem Druck fremden Einflusses als auch einer inneren Entwicklung. Weisheit gehörte zum Stoff des Alls, und da Gott der Schöpfer des Alls war, stand sie in Beziehung zu Gott und dem All. Weisheit war weder nur ein Attribut weiser Männer noch allein ein Attribut Gottes; sie hatte eine mehr oder weniger unabhängige, mehr oder weniger persönliche Existenz. Man muß hier Begriffe von einiger Verschwommenheit wählen, da Genauigkeit eines der wenigst hervorstechenden Merkmale der Weisheitsliteratur ist; wahrscheinlich ist es nicht richtig, die Weisheit so, wie sie dort beschrieben wird, im strengen Sinn als Hypostase zu definieren. Wir bewegen uns im Bereich dichterischer und bildhafter Beschreibung, nicht in dem der Metaphysik; in den Weisheitsbüchern oder auch nur in einem von ihnen finden wir beileibe nicht nur einen einzigen Aspekt der Weisheit vor.

Möglicherweise waren die jüdische Auffassung von Weisheit und die literarische Form, in die sie sich zuweilen kleidete, vom zeitgenössischen Glauben an die Göttin Isis beeinflußt (s. Anmm. zu *276*); und ebenso ist es möglich, daß die Gestalt der Weisheit mit der stoischen Auffassung vom Logos in Zusammenhang steht (s. *74–76, 253–254*). Jedoch war der Einfluß dieser äußeren Faktoren im allgemeinen von untergeordneter Bedeutung; das heißt, die jüdischen Schriftsteller gebrauchten die Sprache der hellenistischen Religion oder Philosophie als ein Mittel, um ihren eigenen Glauben zu empfehlen.

Wahrscheinlich muß man die „Weisheit Salomos" als ein zusammengesetztes Werk betrachten. Für die Weisheitslehre ist der bedeutsamste Abschnitt (z. T. unten angeführt) 7, 1 (oder 6, 1) – 9, 18. Diese Abhandlung über und Bitte um Weisheit ist dem Salomo in den Mund gelegt. Man muß sie wohl vor die Zeit Philos, ins 1. Jahrhundert v. Chr., datieren.

**276**  *Weisheit Salomos 7, 1–8, 1.*

Ich bin zwar sterblich gleich allen
Und ein Abkömmling des ersterschaffenen Erdgeborenen
Und ward als Fleisch im Leibe der Mutter gebildet
In zehnmonatiger Frist, zusammengeronnen im Blut
5 Aus Mannessamen und der im Beischlafe sich zugesellenden Lust.
Und als ich geboren war, sog ich die (allen) gemeinsame Luft ein
Und sank auf die Erde, wie dies allen widerfährt,
Den ersten Ton auf die allen gleiche Weise weinend.
In Windeln ward ich aufgezogen und unter (allerlei) Fürsorge.
10 Denn kein König hatte einen anderen Anfang seines Daseins;
Denselben Eingang haben alle in das Leben und auch den gleichen Ausgang.
Deshalb flehte ich, und Einsicht ward mir gegeben;
Ich rief (Gott) an, und es kam zu mir der Geist der Weisheit.
15 Ich schätzte sie höher als Szepter und Thron,
Und Reichtum achtete ich für nichts im Vergleiche mit ihr.
Nicht stellte ich ihr gleich unschätzbaren Edelstein,
weil alles Gold neben ihr gesehen ein wenig Sand ist
Und Silber ihr gegenüber wie Kot erachtet wird.

20 Mehr als Gesundheit und Wohlgestalt liebte ich sie,
Und ich zog es vor, sie als Leuchte zu gebrauchen,
Weil das von ihr ausgehende Licht nie verlöscht.
Es kamen aber zugleich mit ihr alle Güter zu mir,
Und unzählbarer Reichtum war in ihren Händen.

25 Ich ergötzte mich an allen (diesen Dingen), weil die Weisheit ihre
Führerin ist;
Ich wußte aber noch nicht, daß sie auch die Urheberin derselben sei.
Ohne Hintergedanken lernte ich (sie), neidlos teile ich (davon) mit,
Den Reichtum derselben verberge ich nicht.

30 Denn ein nie versagender Schatz ist sie für die Menschen,
Durch den sich, die sich seiner bedienten, bei Gott Freundschaft erwarben,
Indem sie wegen der aus der Bildung (ihnen gewordenen) Gaben (ihm)
gut empfohlen waren.

35 Mir aber möge Gott verleihen, nach (meiner) Absicht zu reden
Und des (mir) Verliehenen würdige Erwägungen anzustellen,
Weil er auch der Weisheit Führer ist
Und der Weisen Verbesserer.
Denn in seiner Hand sind sowohl wir als unsere Worte

40 Und jede Einsicht und Kenntnis von Kunstfertigkeiten.
Denn er hat mir die irrtumslose Kenntnis der Dinge verliehen,
So daß ich das System der Welt und die Kraft der Elemente kenne,
Anfang und Ende und Mitte der Zeiten,
Wandel der Sonnenwenden und Wechsel der Jahreszeiten,

45 Den Kreislauf der Jahre und die Stellungen der Gestirne,
Die Natur der Tiere und die gewaltigen Triebe der wilden Tiere,
Die Gewalt der Geister und die Gedanken der Menschen,
Die Verschiedenheiten der Pflanzen und die Kräfte der Wurzeln.
Alles, was es nur Verborgenes und Offenbares gibt, erkannte ich;

50 Denn die Künstlerin von allem, die Weisheit, lehrte es mich.
Denn in ihr ist ein Geist: denkend, heilig,
Einzig in seiner Art (und doch) vielteilig, fein;
Beweglich, durchsichtig, keine Flecken annehmend,
Klar, unverletzlich, das Gute liebend, durchdringend,

55 Nicht zu hemmen, wohltätig, menschenfreundlich,
Fest, ohne Fehl, sorgenlos,
Alles vermögend, alles übersehend
Und hindurchgehend durch alle Geister,
Die denkenden, reinen und feinen.

60 Denn beweglicher als jede Bewegung ist die Weisheit;
Sie durchdringt und geht durch alles hindurch wegen ihrer Reinheit.
Denn sie ist ein Hauch der Macht Gottes
Und ein klarer Ausfluß aus der Herrlichkeit des Allherrschers;
Deshalb gerät auch nichts Beflecktes in sie hinein.

65 Denn sie ist ein Abglanz ewigen Lichts
Und ein fleckenloser Spiegel des göttlichen Wirkens

Und ein Abbild seiner Güte.
Obgleich sie (nur) eine ist, vermag sie (doch) alles,
Und in sich selbst (unverändert) bleibend erneuert sie (doch) alles,
70 Und von Geschlecht zu Geschlecht in heilige Seelen übergehend,
Begabt sie Freunde Gottes und Propheten.
Denn nichts liebt Gott als den mit der Weisheit Zusammenwohnenden.
Denn sie ist herrlicher als die Sonne
75 Und übertrifft jedes Sternbild.
Mit dem Lichte verglichen, wird sie als die vorzüglichere befunden.
Denn diesem folgt die Nacht;
Über die Weisheit aber gewinnt die Schlechtigkeit nicht die Oberhand.
80 Sie erstreckt sich aber gewaltig von einem Ende zum andern
Und durchwaltet das All wohl.

1 *Ich bin zwar sterblich gleich allen.* Salomo spricht. Obwohl König, teilt er doch mit anderen Menschen die gemeinsame Abkunft von Adam, dem ersten, aus dem Staub der Erde geschaffenen Menschen. Die Weisheit ist deshalb für ihn kein natürliches Besitztum; er muß darum beten, wenn er der „verständige König" sein soll, der „für sein Volk Wohlfahrt" (6, 24) ist.

13 *flehte ich.* Der Verfasser erinnert an 1 Kön 3, 4–15; 2 Chr 1, 7–13.
*Einsicht ... der Geist der Weisheit* (φρόνησις ... πνεῦμα σοφίας). Die beiden Ausdrücke werden parallel ohne Sinnunterschied gebraucht. Der Geist der Weisheit ist die Weisheit selbst (s. Z. 51, wo vielleicht statt ἐν αὐτῇ nur αὐτή zu lesen ist, und vgl. Jes 11, 2), und die Weisheit ist hier im Sinne der praktischen Weisheit gemeint.

15 *Ich schätzte sie höher als Szepter und Thron.* Dieses Höhereinschätzen, das in den folgenden Zeilen noch ausgeführt wird, beruht hauptsächlich auf der von Salomo in seinem Gebet getroffenen Wahl (1 Kön 3, 9; 2 Chr 1, 10), ist aber auch sonst häufig zu finden und wird in den Weisheitsbüchern häufig dargelegt; s. z. B. Prov 3, 14f; 8, 10f; 16, 16; Hiob 28, 15–19; Qoh 7, 11f.

22 *Licht.* Vgl. Z. 65f. 74–77 und die Anm. zu Z. 65.

27 *Urheberin derselben.* Auch hier spricht der Schreiber nicht so sehr aus seinen eigenen Gedanken über Weisheit und ihren Wert als aus dem AT; s. 1 Kön 3, 13; 2 Chr 1, 12.

42 *das System der Welt.* In den folgenden Zeilen breitet der Schreiber seine Kenntnisse der Astronomie, Zoologie und Medizin aus; aber es besteht kein Grund anzunehmen, daß diese mehr als oberflächlich waren oder daß er mehr von der griechischen Wissenschaft kannte als die eindrucksvollen Sätze, die er gebraucht. Vgl. 1 Kön 4, 33 und die häufigen Anspielungen auf die Naturwelt in den Proverbien.

47 *die Gewalt der Geister.* Eine mögliche Übersetzung wäre auch „Kräfte des Windes"; doch angesichts der weitverbreiteten Tradition, daß Salomo ungewöhnliche Kräfte über Geister und Dämonen besaß, ist die Übersetzung im Text wahrscheinlicher.

50 *die Künstlerin von allem.* Weisheit ist hier nicht mehr frommer, guter Menschenverstand, sondern, zumindest metaphorisch, eine Person. Die Beschreibung der Weisheit als einer Künstlerin (τεχνῖτις) aller Dinge beruht

wahrscheinlich auf Prov 8, 30 (LXX ἁρμόζουσα), obwohl es zweifelhaft ist, ob das entsprechende hebräische Wort (אמון) „Werkmeister" bedeutet. Anzunehmen, daß diese Beschreibung der Weisheit bedeutete, daß unser Autor in den Begriffen eines platonischen Weltbildes oder einer stoischen Weltseele dächte, hieße, aus seiner Sprache zuviel herauszulesen. Aber er wollte wahrscheinlich zeigen, daß das Judentum gleichfalls fähig ist, einen zugleich kosmologischen und offenbarenden Mittler hervorzubringen. Vgl. Z. 65 und Anm.

51 *ein Geist.* S. Anm. zu Z. 13. Es folgt eine Reihe von 21 Adjektiven, die die Weisheit beschreiben. Man erinnere sich daran, daß Philo (*De Conf Ling* 146) vom Logos als „vielnamig" spricht und daß die Häufung von Titeln in der Anrede einer göttlichen Person nicht ungewöhnlich ist, am wenigsten in der Anrede an Isis. Der Verfasser der Weisheit folgt wahrscheinlich nichtjüdischen Vorlagen; dies wird bestätigt durch die Tatsache, daß einige seiner Adjektive nichtjüdischer Herkunft sind.

*denkend.* Diese Übersetzung vermag den Sinn von νοερός kaum hinreichend zum Ausdruck zu bringen; es ist ein stoisches Wort, das etwa „zum νοῦς (Verstand, Vernunft, Gesinnung) gehörig" bedeutet. Der κόσμος selbst wird von Zeno (v. Arnim Bd. I, *Fragment* 111) als ἔμψυχος, νοερός und λογικός (beseelt, denkend und vernünftig) beschrieben.

52 *Einzig in seiner Art und doch vielteilig.* Wie die stoische Weltseele ist die Weisheit *eine*, drückt sich jedoch in vielerlei Formen aus.

58 *hindurchgehend durch alle Geister.* Dies wird ausgeführt und gerechtfertigt in Z. 61, wo es von der Weisheit heißt, daß sie alles durchdringt; a fortiori wird sie alle rationalen Wesen durchdringen. Der stoische Logosbegriff ist diesem Gedanken parallel; der Logos ist überall, aber vorzüglich in den weisen und tugendhaften Seelen zu finden, die dem Logos gemäß leben.

63 *Ausfluß* oder Emanation. Dieser Gedanke ist keinesfalls klar; doch scheint Weisheit hier ein einzelstehendes Wesen zu sein, das von Gott abgeleitet, aber von ihm unterschieden ist. Diese deutlich theistische Auffassung ist eher platonisch als stoisch, obwohl nichts darauf hindeutet, daß der Verfasser bewußt die beiden Schulen vereint.

65 *Abglanz.* Dies ist die natürliche Bedeutung des Wortes ἀπαύγασμα (vgl. Hebr 1, 3); doch ziehen einige wegen der folgenden Zeile die Übersetzung „Spiegelung" vor. Der häufige Gebrauch von Lichtvorstellungen ist bemerkenswert, doch vielleicht zu natürlich, als daß man hellenistischen Ursprung dahinter vermuten sollte. Doch will der Verfasser hier und anderswo sicherlich zu seinen Lesern sagen: „Sämtliche Eigenschaften, die ihr dem νοῦς und λόγος zuschreibt, besitzt die göttliche Weisheit, die ich zu verkünden habe, auch, und sie ist noch herrlicher" (J. Fichtner, in: Handbuch zum A. T., 2. Reihe 6: *Weisheit Salomos*, Tübingen 1938, S. 31).

71 *Freunde Gottes und Propheten.* Abraham war der Freund Gottes (Jes 41, 8; 2 Chr 20, 7; Jak 2, 23; vgl. Joh 15, 14); es scheint jedoch, daß der Verfasser hier auf die hellenistische Beschreibung des Weisen als des Freundes Gottes zurückgreift. Dafür gäbe es zahllose Belege; z. B. Xenophon, *Memorabilien* II 1, 33, wo die Tugend (ἀρετή) behauptet, aus den Menschen Freunde Gottes zu machen; vgl. Plato, *Gesetze* IV, 716 D. Philo nahm den Begriff ebenfalls auf, z. B. *De Abr* 273 für Abraham. Ebenso kommt der inspirierte Prophet im AT häufig vor; doch wird hier der Versuch gemacht, den a.t.lichen Propheten mit dem hellenistischen Weisen zu verschmelzen. Vgl. Cicero, *De divinatione* II 63 (129). Es besteht eine enge Verbindung zwischen Geist, Weisheit und Logos.

81 *durchwaltet das All wohl.* Wort und Gedanke sind sowohl platonisch wie
stoisch. Vgl. Plato, *Phädrus* 246 C; Diogenes Laertius VII 133: Die Stoiker
sagten, daß der Kosmos gemäß dem Geist und der Vorsehung geordnet sei;
was sich nicht grundsätzlich von der Behauptung zu unterscheiden braucht,
daß alle Dinge durch die Weisheit Gottes geordnet sind.

## Paränese

Obwohl der Begriff der Weisheit ursprünglich durchaus praktisch
gefaßt wurde, kann er als ein Ausdruck spekulativer Bewegung im
Judentum betrachtet werden. Ein charakteristischer Zug des Judentums ist jedoch sein tiefverwurzeltes Interesse am Ethischen,
und dieses Interesse spiegelt sich in den späteren Büchern der
LXX wider, wo die moralische Paränese keine seltene literarische
Form ist. Besonders das Buch Tobit kann als Erbauungsschrift
zur Unterweisung in der Tugend und als Darstellung von Gottes
Fürsorge für die Gerechten, besonders die gerechten Israeliten,
bezeichnet werden. Es ist schwer, das Datum festzulegen, da die
Geschichte in mehreren verschiedenen Formen bekannt gewesen
zu sein scheint; die früheste von ihnen lag wahrscheinlich bald
nach 200 v. Chr. vor. In dem hier angeführten Text gibt der betagte
Tobit seinem Sohn Tobias Ratschläge zum Abschied (von denen
die meisten keiner Erklärung bedürfen).

**277** *Tobit 4, 3–19 (Codex Sinaiticus).*

Und er rief Tobias, seinen Sohn, und dieser kam zu ihm. Er sprach zu
ihm: Bestatte mich richtig! Ehre deine Mutter und verlasse sie all ihr
Lebtag nicht, tue, was ihr wohlgefällt, und betrübe ihren Sinn in
keinerlei Angelegenheit. Gedenke ihrer, Kind, daß sie viele Gefahren
5 für dich in ihrem Mutterleibe erfahren hat. Wenn sie stirbt, so bestatte
sie neben mir in *einem* Grabe. Alle deine Tage, Kind, gedenke des
Herrn und sei nicht gewillt, zu sündigen und seine Gebote zu übertreten. Tue gerechte Taten alle Tage deines Lebens und wandle nicht auf
den Wegen der Ungerechtigkeit; denn die die Wahrheit tun, werden
10 Glück haben in ihren Werken. Und allen, die Gerechtigkeit üben,
erweise Barmherzigkeit von dem, was du hast. Wende dein Angesicht
nicht von irgendeinem Armen ab, so wird sich auch das Angesicht
Gottes nicht von dir kehren. So (viel) du hast, übe damit Barmherzigkeit, der Menge entsprechend: Besitzest du viel, so erweise dem Über-
15 fluß entsprechend Barmherzigkeit; hast du nur wenig, so teile es aus
und scheue dich nicht, dem Wenigen entsprechend Barmherzigkeit zu
tun. Denn so sammelst du dir einen guten Schatz für den Tag der Not;
denn Barmherzigkeit errettet vom Tod und läßt nicht in die Finsternis
eingehn. Eine gute Gabe ist vor dem Höchsten Barmherzigkeit für
20 alle, die sie üben. Hüte dich, Kind, vor aller Unkeuschheit – und vor

allem: Nimm ein Weib aus den Nachkommen deiner Väter! Nimm kein fremdes Weib, welches nicht aus dem Stamme deines Vaters ist; denn wir sind Söhne von Propheten. Noah, Abraham, Isaak und Ja-kob, unsere Väter von alters her, gedenke, Kind, daß diese alle sich
25 Frauen nahmen von ihren Brüdern und in ihren Kindern gesegnet wurden, und ihre Nachkommen werden das Land ererben. Und nun, Kind, liebe deine Brüder und verachte bei dir nicht deine Brüder sowie die Söhne und Töchter deines Volkes, so daß du dir nicht aus ihnen ein Weib nehmen würdest. Denn im Hochmut liegt Verderben und viel
30 Unordnung und in der Nichtsnutzigkeit Verlust und große Dürftig-keit. Denn die Nichtsnutzigkeit ist die Mutter des Hungers. Von keinem Menschen, der (für dich) gearbeitet hat, bleibe der Lohn bei dir zurück, sondern gib (ihn) ihm sogleich, und wenn du dem Herrn dienst, so wird es dir vergolten werden. Achte auf dich, Kind, in allen
35 deinen Werken, und zeige dich wohlerzogen in deinem ganzen Wan-del. Und was du selbst hassest, das tue niemandem! Trinke nicht Wein bis zur Trunkenheit, und nicht wandle Trunkenheit auf deinem Wege mit dir. Von deinem Brot teile dem Hungrigen mit und von deinen Kleidern dem Nackten. Alles, wovon du Überfluß hast, damit übe
40 Barmherzigkeit. Und dein Auge blicke nicht neidisch, wenn du Barm-herzigkeit übst. Schütte deine Brote und deinen Wein aus auf das Grab der Gerechten; aber gib nicht den Sündern. Suche Rat bei jedem Verständigen und verachte keinen nützlichen Rat. Allezeit preise den Herrn, deinen Gott, und bitte ihn, daß deine Wege gerade sind und
45 alle deine Pfade und Ratschläge wohl gelingen mögen. Denn nicht jedes Volk hat (eigenen) Ratschluß, sondern der Herr selbst wird ihnen guten Ratschluß geben; und wen er will, erniedrigt der Herr bis in die tiefsten Hades. Und nun, Kind, gedenke dieser Gebote und laß sie nicht ausgelöscht werden aus deinem Herzen.

2 *bestatte mich richtig.* Die Sorge für den Toten ist eine der obersten Pflichten im Judentum. Tobit selbst pflegte diejenigen zu begraben, deren Leichname sonst vernachlässigt worden wären (1, 17; vgl. 2, 4–8), und wurde dafür belohnt (vgl. 12, 12). Vgl. Mt 8, 21; Lk 9, 59; 16, 22; 1 Hen 22, 10.
*ehre deine Mutter.* Vgl. Ex 20, 12. Über Eltern- und besonders Mutterehrung im spätantiken Judentum siehe Billerbeck Bd. I S. 705–717.

9 *die die Wahrheit tun.* Vgl. Joh 3, 21; 1 Joh 1, 6. Hier heißt es „glaubenstreu handeln", gehorsam dem Gesetz.

11 *erweise Barmherzigkeit.* Ein weiterer wichtiger Dienst, für den es viele Beispiele in der jüdischen Literatur und im NT gibt.

12 *wende dein Angesicht nicht von irgendeinem Armen ab.* Vgl. Mt 5, 42; Lk 6, 30.

17 *so sammelst du dir einen guten Schatz.* Vgl. Mt 6, 19 ff; Lk 12, 33 f; Mk 10, 21 u. ö.

18 *läßt nicht in die Finsternis eingehen.* Vgl. 14, 10 (Cod. Sin.): „Bedenke, Kind, was Nadab seinem Ernährer Achikar tat! Wurde er nicht lebendig in die Erde gebracht? Gott aber vergalt die Schande nach seinem Angesicht, und Achikar kam heraus ins Licht, während Nadab in die ewige Finsternis

einging, weil er den Achikar zu töten versucht hatte. Dadurch, daß ich (?) Barmherzigkeit übte, kam er aus der Schlinge des Todes heraus, die Nadab ihm gelegt hatte; Nadab aber fiel in die Schlinge des Todes, und sie richtete ihn zugrunde." Tobit bezieht sich sicher in Kap. 14 und wahrscheinlich auch in Kap. 4 auf die Legende von Achikar und seinem Feind Nadab. Siehe R. H. Charles, *Apocrypha and Pseudepigrapha* Bd. II S. 724 ff.

22 *fremdes Weib*. Es ist nicht ersichtlich, ob Tobit auf einer Heirat innerhalb des Stammes oder allgemeiner des Volkes besteht. Die Patriarchen (hier Propheten genannt) würden der ersteren Anweisung nur nach der Aussage späterer Traditionen genügen (z. B. Jub 4, 33). Aber der Hinweis auf „deine Brüder" (Z. 27 ff) deutet mehr auf die zweite Möglichkeit der Alternative.

27 *liebe deine Brüder*. Vgl. Lev 19, 18. Die Stammesbrüder sind gemeint; aber Haß des Feindes oder Nichtjuden ist darin nicht eingeschlossen; vgl. Mt 5, 43.

31 f *Von keinem Menschen ... bleibe der Lohn bei dir zurück*. Vgl. Jak 5, 4.

36 *Was du selbst hassest, das tue niemandem*. Vgl. Mt 7, 12; Lk 6, 31. Tobit wendet die goldene Regel negativ an; so erscheint sie für gewöhnlich, z. B. in den Lehren von Hillel und 'Aqiva.

41 *Schütte deine Brote und deinen Wein aus auf das Grab der Gerechten*. Dies scheint der ursprüngliche Text zu sein. Das Zeugma, durch welches „ausschütten" sowohl mit Brot als auch mit Wein verbunden wird, ist hart, doch gut verständlich. Auch dazu gibt es eine Parallele in der Achikar-Legende; s. den arabischen Text 2, 13 (schütte deinen Wein aus auf die Gräber der Gerechten und trinke nicht mit Unwissenden, verächtlichen Leuten), und den syrischen Text A 2, 10 (schütte deinen Wein lieber aus auf die Gräber der Gerechten, als daß du ihn mit bösen Leuten trinkst); Charles Bd. II S. 730 ff. Der Brauch, auf den hier Bezug genommen wird, ist vielleicht heidnischen Ursprungs, und die Worte stammen vielleicht aus einer nicht-jüdischen literarischen Quelle; aber die Tatsache, daß ein solcher Bezug möglich ist, wirft ein überraschendes Licht auf die inbrünstige jüdische Frömmigkeit, die das Buch Tobit entstehen ließ. Das Judentum war fremden Einflüssen zugänglicher, als man oft annimmt, vielleicht sogar zugänglicher, als es selbst zu sein meinte.

## Martyrium und Leben nach dem Tode

Die Entwicklung des Judentums zu einer Religion des Gesetzesgehorsams und die immer neuen Schicksalsschläge, die das nationale Leben der Juden trafen, brachten neue Erfahrungen und neues Denken mit sich. Der Angriff auf das Judentum durch Antiochus IV. Epiphanes (s. *133–136*) war an sich gegen das Volk und die nationale Religion gerichtet; er traf aber de facto in erster Linie diejenigen, die in ihrem eigenen Gewissen vor die Frage gestellt wurden, ob sie in der Gesetzestreue fortfahren sollten oder nicht. Die Frage war nicht, wie einst, ob das ganze Volk in seinem eigenen Land bleiben oder nach Babylon geführt werden solle, sondern ob der einzelne seiner angestammten Religion treu bleiben und zum Lohn dafür den Tod durch die Folter erleiden solle, oder ob er in einem Kompromiß weiterleben dürfe. Unter diesen Umständen gab es, vielleicht zum erstenmal in der Religionsgeschichte, Märtyrer. Doch was, so begann man sich zu fragen, würde am Ende das Schicksal der Märtyrer sein? Sollten ihr Leiden und ihr Tod das letzte Wort sein? Das war ein unerträglicher Gedanke, und so wurde die Idee eines gesegneten zukünftigen Lebens der einzelnen Seele, die zweifellos auch noch andere Wurzeln hatte, geprägt im Glauben und Leiden derjenigen, die ihr Leben für das Gesetz hingaben.

Das zweite Buch der Makkabäer ist ein Auszug aus einem längeren Werk; soviel sagt das Buch selbst (2, 23: „... dies alles [sc. was Judas Makkabäus und seine Brüder betrifft], was Jason von Kyrene in fünf Büchern beschrieben hat, wollen wir versuchen, auf das Kürzeste zusammenzuziehn."). Wer Jason war, wann er lebte und wer sein Epitomist war, sind Fragen, auf die wir keine genaue Antwort wissen. Wahrscheinlich gehen die Ursprünge des Buches ins 2. Jahrhundert v. Chr. zurück, und es findet sich darin sowohl eine pharisäische Art der Frömmigkeit als auch der Einfluß des hellenistischen Judentums. Das 7. Kapitel (hier angeführt) gibt ein Bild von der Verfolgung, die stattfand, als Antiochus IV. Epiphanes versuchte, die Juden ihren religiösen Gebräuchen und Gesetzesvorschriften abschwören zu lassen.

**278** *2. Makkabäer 7.*

Es geschah auch, daß sieben Brüder samt ihrer Mutter ergriffen und mit Geißeln und Riemen gepeitscht wurden, weil der König sie zwingen wollte, von dem durch das Gesetz verbotenen Schweinefleisch zu essen. Einer aber von ihnen, der als Wortführer auftrat, sprach also:
5 Was willst du viel fragen und von uns erfahren? Wir sind entschlossen, lieber zu sterben, als unsere väterlichen Gesetze zu übertreten. Da ergrimmte der König und befahl, Pfannen und Kessel heiß zu machen. Als diese nun glühend waren, befahl er sofort, daß man dem, der als ihr Wortführer aufgetreten war, die Zunge ausschneide, ihn ringsum
10 (durch Abziehen der Kopfhaut) nach skythischer Weise behandle und ihm die Hände und Füße abhaue, wobei die übrigen Brüder und die Mutter zusehen mußten. Den ganz und gar verstümmelten Körper ließ er noch lebendig zum Feuer bringen und in der Pfanne braten. Als nun der Dampf aus der Pfanne sich weithin verbreitete, ermahnten sie
15 einander samt der Mutter, edel zu sterben, und sprachen also: Gott, der Herr, sieht es und erbarmt sich gewißlich über uns, gleichwie Mose es in seinem rückhaltlos strafenden Gesange mit den Worten verkündigt hat: „Und über seine Diener wird er sich erbarmen."

Nachdem der erste auf diese Weise aus dem Leben geschieden war,
20 führte man den zweiten zur martervollen Verhöhnung, zog ihm rings-

um vom Kopf die Haut samt den Haaren ab und fragte: Willst du
essen, ehe dir der Leib Glied für Glied gemartert wird? Da antwortete
er in der Sprache seiner Väter und sagte: Nein! Darum erlitt auch
dieser die weitere Peinigung geradeso wie der erste. Als er nun in den
25 letzten Zügen lag, sprach er: Du verruchter Mensch, du nimmst uns
zwar jetzt das zeitliche Leben, aber der König der Welt wird uns, die
wir um seines Gesetzes willen sterben, zu ewigem Wiedererstehen
wahren Lebens auferwecken. Nach diesem wurde der dritte unter
Verhöhnung gemartert. Und da man die Zunge von ihm verlangte,
30 reckte er sie ohne weiteres hin und streckte die Hände beherzt dar,
indem er edelmütig sprach: Vom Himmel stammt mein Besitz dieser
Gliedmaßen, und um seines Gesetzes willen lasse ich diese fahren,
und von ihm hoffe ich dieselben wiederzuerlangen, so daß der König
selbst und seine Umgebung voll Erstaunens waren über den Mut des
35 Jünglings, wie er die Schmerzen so für nichts achtete.

Nachdem aber dieser sein Leben gelassen hatte, mißhandelten und
peinigten sie den vierten auf dieselbe Weise. Und da er dem Tode nahe
war, sprach er also: Trostreich ist uns, wenn wir durch Menschen das
Leben verlieren, das Hegen der von Gott geschenkten Hoffnungen,
40 daß wir von ihm wiederauferweckt werden sollen; denn für dich freilich wird es keine Auferstehung zum Leben geben.

Gleich darauf führten sie den fünften herbei und mißhandelten ihn.
Er aber sah den König an und sprach zu ihm: Weil du unter Menschen
Gewalt besitzest, obwohl du vergänglich bist, so tust du, was du willst;
45 glaube aber nicht, daß unser Volk von Gott verlassen sei. Warte du nur
eine kleine Weile, so sollst du seine herrliche Macht schauen, wie er
dich und deine Nachkommen peinigen wird.

Nach diesem brachten sie den sechsten. Der sprach, als er nun
sterben sollte: Gib dich keinem vergeblichen Irrtum hin. Denn wir
50 (Juden) leiden dieses um unseres eigenen Tuns willen, weil wir uns an
unserem Gott versündigt haben; darum sind so erstaunliche Dinge
geschehen. Rechne du aber nicht darauf, ungestraft zu bleiben, nachdem du dich unterwunden hast, wider Gott zu streiten.

Über alle Maßen aber war die Mutter bewundernswert und eines
55 rühmlichen Andenkens würdig. Sah sie doch an einem einzigen Tage
sieben Söhne umkommen und behielt freudigen Mut, weil sie mit
ihnen auf den Herrn hoffte. Jeden von ihnen ermahnte sie, mit edler
Gesinnung erfüllt, in der Landessprache; und indem sie die weibliche
Gemütsart mit männlichem Mut aufrichtete, sprach sie zu ihnen: Ich
60 weiß nicht, wie ihr in meinem Leibe zur Entstehung gekommen seid,
und nicht ich habe euch den Odem und das Leben geschenkt noch die
Stoffe zur Bildung eines jeglichen kunstvoll geordnet. Darum wird
euch der Schöpfer der Welt, der des Menschen Ursprung gebildet und
das Werden aller Dinge erdacht und bewirkt hat, auch nach seiner
65 Barmherzigkeit den Odem und das Leben wiedergeben, gleich wie
ihr's jetzt um seines Gesetzes willen fahren laßt. Antiochus aber, der
sich verachtet glaubte und über die Schmähworte in ihrer Sprache

wegsah, gab dem noch übrigen Jüngsten nicht nur gute Worte, sondern auch das eidliche Versprechen, er würde ihn zugleich reich und
70 glücklich machen, wenn er von seinem väterlichen Gesetz abfiele,
auch ihn als Freund halten und ihm Staatsämter anvertrauen. Als
aber der Jüngling durchaus nicht darauf achtete, rief der König die
Mutter herbei und forderte sie auf, des Knaben Beraterin zu seinem
Heile zu werden. Erst nach vielem Zureden von seiner Seite nahm sie
75 es auf sich, ihren Sohn zu überreden. Indem sie sich aber zu ihm
neigte, sprach sie mit Verspottung des grausamen Tyrannen in der
Landessprache also: Mein Sohn, erbarme dich meiner, die ich dich
neun Monate unter meinem Herzen getragen und drei Jahre lang
gesäugt und weiter mit Nahrung und Pflege bis zu diesem Alter
80 auferzogen habe. Ich bitte dich, liebes Kind, schaue auf zum Himmel
und zur Erde und sieh alles an, was darin ist, und bedenke, daß diese
Dinge aus solchen, die nicht waren, von Gott gemacht sind, und das
Menschengeschlecht ist ebenso entstanden. Fürchte dich nicht vor
diesem Henker, sondern erdulde deiner Brüder würdig den Tod, damit
85 ich zur Zeit der Erbarmung samt deinen Brüdern dich wiedergewinne.
Während sie noch im Reden begriffen war, sprach der Jüngling:
Worauf wartet ihr? Keinen Gehorsam leiste ich dem Gebote des Königs, sondern dem Gebote des Gesetzes gehorche ich, das unseren
Vätern durch Mose gegeben ist. Du aber, der du alle Bosheit gegen die
90 Hebräer ausfindig gemacht hast, wirst nimmermehr den Händen
Gottes entrinnen. Wir nämlich leiden um unserer eigenen Sünden
willen. Wenn nun auch der lebendige Herr zu unserer Strafe und
Züchtigung für kurze Zeit erzürnt ist, so wird er doch seinen Knechten
wiederum seine Gnade zuwenden. Du aber, verworfener und ruchlose-
95 ster aller Menschen, überhebe dich nicht in eitlem Trotz und nichtigen
Hoffnungen, wider die Himmelskinder die Hand aufhebend; bist du
doch dem Gericht des allmächtigen Gottes, der alles sieht, noch nicht
entronnen. Denn unsere Brüder sind jetzt, nachdem sie eine kurze
Marter erlitten haben, in den Bereich göttlicher Bundesverheißung zu
100 ewigem Leben eingetreten; du aber wirst durch Gottes Gericht die
gerechte Strafe für deinen Übermut davontragen. Ich gebe nun, wie
meine Brüder, Leib und Leben hin für die väterlichen Gesetze, indem
ich zu Gott flehe, daß er bald seinem Volke gnädig werde und dich
unter Qualen und Peinigungen zu dem Bekenntnis bringe, daß er
105 allein Gott sei, und flehe, daß bei mir und meinen Brüdern der Zorn
des Allmächtigen zur Ruhe komme, der über unser gesamtes Geschlecht mit Recht ergangen ist! Da ergrimmte der König, und er ließ
ihn noch grausamer martern als die andern, weil er durch die Verspottung erbittert war. So schied auch dieser in Reinheit aus dem Leben,
110 indem er sein ganzes Vertrauen auf den Herrn setzte. Zuletzt nach den
Söhnen fand auch die Mutter ihr Ende. Damit sei nun genug erzählt
von den Opferschmäusen und den überschwenglichen Martern.

16 *Mose in seinem ... Gesang ... verkündigt hat.* Dtn 32, 36.

26 *der König der Welt wird uns, die wir um seines Gesetzes willen sterben, zu ewigem Wiedererstehen wahren Lebens auferwecken.* S. die einführenden Worte S. 344 f und vgl. Dan 12, 2 (geschrieben zu der Zeit, auf die sich 2 Makk 7 bezieht).

33 *hoffe ich dieselben wiederzuerlangen.* Die Auferstehung wird eine Auferstehung des Körpers sein.

40 *für dich wird es keine Auferstehung zum Leben geben.* Die Auferstehung wird eine Auferstehung der Gerechten sein. Das Schicksal der Bösen ist nicht klar. Dieser Passus deutet auf Vernichtung hin, Z. 46 f dagegen (seine herrliche Macht ... dich und deine Nachkommen peinigen wird) und Z. 52 (rechne du aber nicht darauf, ungestraft zu bleiben) auf Bestrafung.

71 *als Freund.* Titel eines hohen Beamten bei Hofe.

Es scheint fast sicher, daß der Verfasser von Hebr 11 dieses Kapitel vor Augen hatte; s. besonders Hebr 11, 3. 34 ff: vgl. 11, 26 f.

## C. Ausgewählte Abschnitte aus den Targumim

Die ersten beiden Texte stammen aus dem Targum Pseudo-Jonathan zum Pentateuch, der dritte aus dem Targum Jonathan zu den Propheten. Diejenigen Partien, die mit dem hebräischen Bibeltext konform gehen, sind kursiv geschrieben.

**279** *Targum Pseudo-Jonathan Genesis 1.*

Text in: *Targum Pseudo-Jonathan of the Pentateuch: Text and Concordance,* hg. v. E. G. Clarke, Hoboken, New Jersey 1984.

Am Anfang *schuf Gott die Himmel und die Erde. Und die Erde war wüst und öd,* verlassen ohne Menschenkinder und leer ohne jegliches Getier. *Und die Finsternis lag über der Tiefe, und ein Wind (Geist)* des Erbarmens, der vor *Gott* (hergeht), *lag wehend über dem Wasser. Und*
5 *Gott sprach: ‚Es soll Licht sein,* um die Welt zu erleuchten.' *Und* augenblicklich *war Licht. Und Gott sah, daß das Licht gut war. Und Gott schied zwischen dem Licht und der Finsternis. Und Gott nannte das Licht Tag* und machte ihn, damit die Bewohner der Welt an ihm arbeiten; *und die Finsternis nannte er Nacht* und machte sie, damit
10 sich in ihr die Geschöpfe ausruhen. *Und es war Abend, und es war Morgen: der eine Tag.*

*Und Gott sprach: ‚Es soll ein Firmament sein mitten in den Wassern, und es scheide zwischen dem* oberen *Wasser und dem* unteren *Wasser.' Und Gott machte das Firmament*; seine Dicke betrug drei Finger
15 zwischen den Grenzen der Himmel und dem Wasser des Ozeans. *Und er schied zwischen den Wassern unter dem Firmament und den Wassern über* der Wölbung *des Firmaments. Und so geschah es. Und Gott nannte das Firmament Himmel. Und es war Abend, und es war Morgen: zweiter Tag.*

20    *Und Gott sprach: ,Die* unteren *Wasser,* die übriggeblieben sind *unterhalb der Himmel, sollen sich sammeln an einem einzigen Ort,* und die Erde soll trocken werden, *so daß das trockene Land sichtbar wird.'* Und so geschah es. *Und Gott nannte das Trockene Erde, und* den Ort der *Ansammlung der Wasser nannte er Meere. Und Gott sah, daß es gut*
25 *war. Und Gott sprach: ,Die Erde bringe Grünpflanzen hervor, deren Samen ausgesät werden kann, und Obstbäume, die Frucht tragen nach ihrer Art, die Samen tragen auf Erden. Und so geschah es. Und die Erde brachte Grünpflanzen hervor, deren Samen ausgesät werden kann, und Obstbäume, die Frucht hervorbringen nach ihrer Art. Und*
30 *Gott sah, daß es gut war. Und es war Abend, und es war Morgen: dritter Tag.*

   *Und Gott sprach: ,Es sollen Lichter am Firmament der Himmel sein, um zu scheiden zwischen dem Tag und der Nacht. Und sie sollen als Zeichen dienen und als* Daten der *Festzeiten und* um durch sie die
35 Bemessung *der Tage* zu berechnen und um die Neumonde *und die Jahres*anfänge zu heiligen, die Einschaltung von Monaten und die Schaltjahre und die Sonnenwende und die Verjüngung des Mondes und die (Sonnen-)Zyklen. *Und sie sollen als Lichter am Firmament der Himmel dienen, um auf die Erde zu leuchten.' Und so geschah es. Und*
40 *Gott machte die zwei großen Lichter,* und sie waren (einander) gleich in ihrer Leuchtkraft 21 Stunden lang minus 672 Teile einer Stunde. Und hierauf berichtete der Mond eine Verleumdung über die Sonne, und er wurde kleiner gemacht. Und er (Gott) bestimmte die Sonne, die *das große Licht* war, dazu, *über den Tag zu herrschen, und* den Mond, der
45 *das kleine Licht* war, *über die Nacht zu herrschen,* und *die Sterne. Und Gott setzte sie* in ihre Bahnen *am Firmament der Himmel, damit sie auf die Erde leuchten und* ihren Dienst verrichten *am Tage und in der Nacht und zwischen dem Licht* des Tages *und der Finsternis* der Nacht *scheiden. Und Gott sah, daß es gut war. Und es war Abend, und es war*
50 *Morgen: vierter Tag.*

   *Und Gott sprach: ,Die Wasser*sümpfe *sollen wimmeln lassen ein Gewimmel von Lebewesen und* das *Geflügel,* das *fliegt* und dessen Nest auf der Erde ist und dessen Flugbahn *über der* Luft *des Firmaments der Himmel* liegt.' *Und Gott schuf die großen Seeungeheuer,* Leviathan
55 und sein Weibchen, die für den Tag des Trostes bestimmt wurden, *und jegliches Lebewesen, das sich regt, das die* klaren Gewässer haben *wimmeln lassen nach ihren Arten,* reine Arten und unreine Arten, *und jeglichen Vogel, der fliegt mit Flügeln nach seiner Art,* reine Arten und unreine Arten. [...] *Und Gott sah, daß es gut war. Und es war Abend,*
60 *und es war Morgen: fünfter Tag.*

   *Und Gott sprach: ,Der Boden der Erde soll hervorbringen die lebenden Geschöpfe nach ihren Arten,* reine Arten und unreine Arten, *Vieh und Kriechtiere und Geschöpfe der Erde nach ihren Arten. Und so geschah es. Und Gott machte die Lebe*wesen *der Erde nach ihren Arten,*
65 reine Arten und unreine Arten, *und das Vieh nach seiner Art und jegliches Kriechtier der Erde nach seiner Art,* reine Arten und unreine

Arten. *Und Gott sah, daß es gut war. Und Gott sprach* zu den Engeln, die dienende sind vor ihm, welche geschaffen worden sind am 2. Tag der Erschaffung der Welt: *,Wir wollen Adam machen nach unserer*
70 *Gestalt, wie unser Ebenbild. Und sie sollen herrschen über die Fische des Meeres und über das Geflügel,* das in der Luft *der Himmel ist, und über das Vieh und über die ganze Erde und über jegliches Kriechtier, das auf der Erde kriecht.' Und Gott schuf Adam nach seinem* Ebenbild, *nach der Gestalt Gottes schuf er ihn* mit 248 Gliedern (und) 665 Seh-
75 nen. Und er überzog ihn mit Haut und füllte sie mit Fleisch und Blut. *Männlich und weiblich* nach ihren Weisen *schuf er sie. Und Gott segnete sie, und Gott sprach zu ihnen: ,Vermehrt euch und breitet euch aus und füllt die Erde* mit Söhnen und Töchtern und *nehmt sie in Besitz* durch Besitztümer *und herrscht über die Fische des Meeres und*
80 *die Vögel der Himmel und über jedes lebende Kriechtier, das über die Erde kriecht.' Und Gott sprach: ,Siehe, ich habe euch übergeben jedes Gras, dessen Samen ausgesät werden kann, das auf der ganzen Erde ist, und alle Bäume,* die keine (eßbare) Frucht tragen, zum Baubedarf und zur Heizung, und (diejenigen Bäume), *an denen Baumfrucht*
85 *wächst, deren Samen ausgesät werden kann: Euch sollen sie zur Nahrung dienen. Und für alle Lebewesen der Erde und für alles Geflügel der Himmel und für alles, was auf der Erde kriecht, in dem eine lebendige Seele ist, (habe ich übergeben) allerlei Grünzeug.' Und so geschah es. Und Gott betrachtete alles, was er gemacht hatte, und siehe,*
90 *es war äußerst gut. Und es war Abend, und es war Morgen: sechster Tag.*

1 *die Himmel.* Das hebräische bzw. aramäische Wort für ,Himmel' steht immer im Plural. Hier ist es auch im deutschen pluralisch wiedergegeben, weil im Frühjudentum häufig mit einer Mehrzahl hierarchisch geordneter Himmel gerechnet wurde (vgl. z. B. den „dritten Himmel" in 2 Kor 12, 2).

40 *sie waren (einander) gleich in ihrer Leuchtkraft 21 Stunden lang minus 672 Teile einer Stunde.* Während des größten Teiles des vierten Schöpfungstages, offenbar für fast volle 21 Stunden, waren Sonne und Mond gleich groß und schienen offensichtlich zur gleichen Zeit; erst dann kam die Veränderung. Der Hintergrund der arithmetischen Angabe ist unklar.

42 *berichtete der Mond eine Verleumdung über die Sonne.* Die merkwürdige Aussage über das Verhalten des Mondes gab zu vielen Spekulationen Anlaß. Eine andere Version steht in der griechischen Baruch-Apokalypse (9, 7). Dort wird dem Mond zur Last gelegt, daß ,er sich bei der Sünde des ersten Adam in der Nähe Sammaels aufhielt, als dieser sich der Schlange als Gewand bediente. Und er hielt sich nicht versteckt, nahm vielmehr zu, und Gott ergrimmte über ihn und drückte ihn zusammen und kürzte seine Tage ab'.

59 *[. . .].* Die Übertragung von Gen 1, 22 fehlt im Targum Pseudo-Jonathan.

69 *Adam,* d. h. ,Mensch', wird hier kollektiv aufgefaßt.

**280**  *Targum Pseudo-Jonathan Genesis 22, 1–19.*

*Und es geschah nach diesen Ereignissen, daß* Isaak und Ishmael miteinander stritten. Ishmael sagte: ‚Es ist billig, daß ich meinen Vater beerbe; denn ich bin sein erstgeborener Sohn.‘ Und Isaak sagte: ‚Es ist billig, daß ich meinen Vater beerbe; denn ich bin der Sohn Sarahs,
5 seiner Frau, und du bist der Sohn Hagars, der Dienerin meiner Mutter.‘ Ishmael erwiderte und sprach: ‚Ich bin gerechter als du. Denn ich wurde beschnitten mit 13 Jahren, und wäre es mein Wille gewesen, mich zu weigern, hätte ich mich nicht zur Beschneidung bereitgestellt; du aber bist beschnitten worden mit acht Tagen. Wenn du (schon)
10 Verstand besessen hättest, vielleicht hättest du dich nicht zur Beschneidung bereitgestellt.‘ Isaak antwortete und sprach: ‚Bin ich nicht am heutigen Tage 37 Jahre alt geworden? Wenn der Heilige, gepriesen sei er, alle meine Gliedmaßen forderte, würde ich mich nicht weigern.‘ Augenblicklich wurde diese Rede gehört vor dem Herrn der Welt,
15 und augenblicklich *versuchte* das Wort JHWHs *Abraham und sprach zu ihm: ‚Abraham!‘ Und der sprach: ‚Hier bin ich.‘ Und er (Gott) sprach: ‚Nimm jetzt deinen Sohn, deinen einzigen, den du liebst, den Isaak, und begib dich ins Land* des Gottesdienstes *und opfere ihn dort als ein Brandopfer auf einem der Berge, den ich dir sagen werde.‘ Und*
20 *Abraham machte sich am frühen Morgen auf und sattelte seinen Esel und nahm seine zwei jungen Diener,* Eliezer und Ishmael, *mit sich, und den Isaak, seinen Sohn. Und er spaltete das Holz* des Olivenbaums und des Feigenbaums und der Palme, die geeignet sind *für das Brandopfer; und er erhob sich und begab sich an den Ort, den* JHWH *ihm*
25 *genannt hatte. Am dritten Tag erhob Abraham seine Augen und sah* eine Wolke der Herrlichkeit rauchen auf dem Berg, und er erkannte sie *von ferne. Und Abraham sprach zu seinen Burschen: ‚Bleibt ihr hier mit dem Esel, und ich und der Junge wollen dorthin gehen, um* herauszufinden, ob erfüllt wird, was mir versprochen wurde – ‚so (zahlreich)
30 soll dein(e) Nachkomme(nschaft) sein‘ –, *und wir wollen uns bücken* (zur Anbetung) vor dem Herrn der Welt *und wieder zu euch kommen.‘ Und Abraham nahm das Holz fürs Brandopfer und lud (es) seinem Sohn Isaak auf; und er nahm das Feuer in seine Hand und das Messer, und sie gingen beide miteinander. Und Isaak sprach zu seinem Vater*
35 *Abraham, und er sagte: ‚Mein Vater!‘ Und der sagte: ‚Hier bin ich.‘ Und er (Isaak) sagte: ‚Hier ist das Feuer und Holz. Aber wo ist das Lamm für das Brandopfer? Und Abraham sagte: ‚JHWH wird sich erwählen das Lamm für das Brandopfer, mein Sohn.‘ Und sie gingen beide* friedlichen Herzens *miteinander.*
40 *Und sie kamen zu dem Ort, von dem* JHWH *ihm gesagt hatte, und Abraham baute dort den Altar,* den Adam gebaut hatte und der zerstört worden war durch das Wasser der Flut und den Noah wiederum aufgebaut hatte und der zerstört wurde in der Epoche der Teilung (der Völker). *Und er schichtete das Holz* darauf *und band seinen Sohn*
45 *Isaak und legte ihn auf den Altar, oben auf das Holz. Und Abraham*

*streckte seine Hand aus und nahm das Messer, um seinen Sohn zu schlachten.* Isaak hob an und sprach zu seinem Vater: ‚Binde mich gut, damit ich nicht zapple wegen des Kummers meiner Seele und in die Grube des Verderbens weggeführt werde und ein Makel gefunden
50 werde an deinem Opfer.‘ Und die Augen Abrahams blickten auf die Augen Isaaks, und die Augen Isaaks blickten auf die Engel der Höhe; Isaak sah sie, aber Abraham sah sie nicht. Die Engel der Höhe sprachen: ‚Kommt und seht zwei einzigartige (Menschen), die in der Welt sind. Der eine schlachtet, und der andere wird geschlachtet. Der
55 schlachtet, zögert nicht; und der geschlachtet wird, streckt seinen Hals aus.‘ *Und der Engel JHWHs rief ihn von den Himmeln her und sagte zu ihm: ‚Abraham, Abraham!‘ Und der antwortete: ‚Hier bin ich. Und er (der Engel) sprach: ‚Leg deine Hand nicht an den Jungen und tue ihm nichts* Schlechtes *an.* Siehe, *jetzt* ist es vor mir offenbar, *daß du*
60 *ein JHWH-fürchtiger bist und mir deinen einzigen Sohn nicht vorenthältst.‘ Und Abraham hob seine Augen und sah, und siehe,* ein Widder, der geschaffen worden war in der Abenddämmerung der Vollendung der Welt, *war gefangen im Gestrüpp* eines Baumes *an seinen Hörnern. Und Abraham ging und nahm* ihn *und brachte ihn als Brandopfer dar*
65 *anstelle seines Sohnes. Und Abraham* dankte und betete dort, an *jener Stelle,* und sprach: ‚Bitte, um des Erbarmens vor dir willen, JHWH. Vor dir ist offenbar, daß keine Unaufrichtigkeit in meinem Herzen war und daß ich eifrig war, deine Anordnung freudig zu befolgen; wenn also die Söhne meines Sohnes Isaak in eine Stunde der Anfech-
70 tung kommen, gedenke ihrer und antworte ihnen und befreie sie. Und alle zukünftigen Generationen, die erstehen werden, mögen sagen: Auf diesem Berg hat Abraham seinen Sohn Isaak gebunden, und dort hat sich ihm JHWHs Shekhina offenbart.‘ *Und der Engel JHWHs rief Abraham zum zweiten Mal von den Himmeln her und sprach: ‚Bei*
75 *meinem Wort* schwöre ich, spricht JHWH, *dafür, daß du diese Sache getan hast und (mir) deinen einzigen Sohn nicht vorenthalten hast, darum will ich dich reichlich segnen und werde deine(n) Nachkommen(schaft) so überaus zahlreich machen wie die Sterne der Himmel und wie den Sand am Meeresufer, und deine Nachkommen sollen die*
80 Städte *ihrer Feinde in Besitz nehmen. Und* aufgrund der Verdienste *deiner Nachkommen sollen gesegnet sein alle Völker der Erde, darum daß du meinem Wort gehorcht hast.‘* Und die Engel der Höhe nahmen Isaak und brachten ihn zum Lehrhaus des Shem Rabba, und dort war er drei Jahre lang. Und an jenem Tag *kehrte Abraham zu seinen*
85 *jungen Dienern zurück, und sie brachen auf und gingen miteinander nach Beer-Sheva. Und Abraham blieb in Beer-Sheva wohnen.*

1 *Isaak und Ishmael miteinander stritten.* Dem Targum geht es darum, in der folgenden merkwürdigen Geschichte über ein versuchtes Menschenopfer einen moralischen Kern zu finden; außerdem will er Isaaks Gerechtigkeit unterstreichen, dessen ‚Fesselung‘ eine bedeutende Rolle im jüdischen Gedankengut spielte (vgl. H. J. Schoeps, *Paulus*, Tübingen 1959, S. 144–152; G. Vermes, *Scripture and Tradition in Judaism*, Leiden 1961, S. 193–227).

2 *meinen Vater beerbe.* In Gen 15, 4 war Abraham versprochen worden, daß
sein leiblicher Sohn sein Erbe sein werde; nun geht es darum, welcher der
beiden Söhne es sein wird. Gen 15, 1–6 bildet hier durchgehend den Hintergrund für die Auslegung von Gen 22.

15 *JHWH.* Der heilige Gottesname wird im Targum nur durch zwei Yod wiedergegeben.

21 *Eliezer,* Abrahams Hausältester aus Damaskus (Gen 15, 2).

29 *ob erfüllt wird, was mir versprochen wurde.* Der Befehl zur Opferung Isaaks
schien die Verheißung zu gefährden, daß Abraham durch Isaak Nachkommen haben soll so zahlreich wie die Sterne am Himmel (Gen 15, 5f).

38 J. Bowker (*The Targums and Rabbinic Literature,* Cambridge 1969, z. St.)
macht auf die Zweideutigkeit des Aramäischen aufmerksam: *Mein Sohn* ist
Vokativ (‚JHWH wird sich erwählen das Lamm für das Brandopfer, mein
Sohn‘), kann aber auch als Apposition verstanden werden (‚JHWH wird sich
erwählen das Lamm für das Brandopfer, (nämlich) meinen Sohn‘). Im Targum weiß Isaak jetzt, daß er nach Gottes Willen geopfert werden soll, und er
ist wie Abraham bereit, Gehorsam zu leisten.

41 *den Adam gebaut hatte ... und den Noah wiederum aufgebaut hatte.* Hier
soll die Kontinuität und Einheitlichkeit des AT betont werden.

43 *Teilung (der Völker):* die Entstehung der verschiedenen Völker unter Noahs
Nachkommen (Gen 10).

47 *Binde mich gut.* Erneut werden Isaaks Bereitschaft und Gehorsam unter-
strichen, sich binden und opfern zu lassen. S. oben.

70 *gedenke ihrer und antworte ihnen und befreie sie.* Das soll das Resultat der
‚*Aqedat Yiṣḥaq‘,* der Fesselung Isaaks, sein.

73 *Shekhina,* die ruhmreiche Gegenwart Gottes.

74 *Bei meinem Wort.* ‚Wort‘, das aramäische *memra,* erscheint manchmal fast
wie eine Person, an dieser Stelle aber kaum; hier bezieht es sich auf Gottes
frühere Zusage.

80 *aufgrund der Verdienste.* Die Verdienste der Nachkommen Abrahams, also
der Israeliten, können den Völkern zugutekommen.

83 *Lehrhaus des Shem Rabba* (‚Großer Name‘). Shem Rabba ist häufig Gottesattribut; hier dürfte jedoch an Melkhiṣedeq, den König von Jerusalem,
gedacht sein, der nach einem anderen Targum in Gen 14, 18 so bezeichnet
wurde.

**281** *Targum Jonathan Jes 52, 13–53, 12.*

Text in: *The Bible in Aramaic based on old Manuscripts and Printed Texts,*
hg. v. A. Sperber, Bd. III: The Latter Prophets According to Targum Jonathan, Leiden 1962. Vgl. R. Syrén, *Targum Isaiah 52:13 – 53:12 and Christian
Interpretation,* JJS 40, 1989, S. 201–212.

*Siehe, mein Knecht,* der Gesalbte, *wird erfolgreich sein. Er wird erhöht
werden* und größer werden *und äußerst stark sein.* Geradeso *wie das*
Haus Israel auf ihn hoffte *zahlreiche* Tage – dunkel waren ihre *Erscheinungen* unter den Völkern, *und* ihr Glanz *jenseits der Menschen-*
5 *kinder –, so wird er* zerstreuen *zahlreiche* Völker. Seinetwegen werden
*Könige* schweigen, sie werden ihre Hände *auf ihren Mund* legen; *denn*

*was man ihnen nicht erzählt hat, haben sie gesehen, und was sie nicht gehört haben, haben sie bedacht.*

Wer hat diesen *unseren* guten Neuigkeiten *Glauben geschenkt? Und*
10 die Stärke des *Arms* der Kraft *JHWHs, wem wurde* sie so *geoffenbart?*
*Und* die Gerechten sollen *vor ihm* erhoben werden; *wie* Knospen, die aufsprießen, *und wie* ein Baum, der seine *Wurzeln* zu Wasserströmen sendet, so werden heilige Geschlechter zunehmen auf der *Erde,* die ihn brauchte. *Nicht* eine gewöhnliche Erscheinung ist seine Erscheinung,
15 *und* sein ehrfurchtgebietendes (Wesen) ist *nicht* das ehrfurchtgebietende (Wesen) eines normalen Menschen. *Und* heiliger Glanz wird sein Glanz sein, *so daß* jeder, der *ihn sieht, ihn* bedenkt. Dann wird verächtlich sein *und* zu Ende kommen die Würde aller Königreiche; sie werden schwach und niedergeschlagen sein: siehe, wie *ein Mann*
20 *der Schmerzen und* (wie einer, der) ausersehen (ist) für *Krankheiten.*
*Und wie wenn* das *Angesicht* der Shekhina weggenommen wurde von uns, (so) sind sie *verachtet und nicht respektabel.* Dann wird *er* bezüglich unserer Sünde bitten, *und unsere* Ungerechtigkeiten werden um seinetwillen vergeben. *Aber wir* wurden als Geschlagene *betrachtet,*
25 *zerschlagen* vor JHWH *und geplagt. Und er* wird das Heiligtum aufbauen, das entweiht wurde *wegen unserer* Sünde, ausgeliefert *wegen unserer Ungerechtigkeiten.* Und durch seine Lehren wird sein *Friede* zunehmen *über* uns, *und dadurch,* daß er seine Worte eifrig befolgt, wird uns unsere Sünde vergeben. *Wir alle* wurden *wie eine Schafherde*
30 zerstreut; *ein jeder auf seinem Weg gingen wir* ins Exil. *Aber* vor *JHWH* war es ein Wohlgefallen, *all unsere* Sünden *zu vergeben* um seinetwillen. *Er* bittet, *und* (schon) wird ihm geantwortet; *und bevor er seinen Mund öffnet,* ist er angenommen. Die Starken der Völker wird er *wie ein Lamm* dem Schlächter übergeben *und wie ein Mutter-*
35 *schaf, das vor seinen Scherern verstummt,* und keiner *öffnet seinen Mund,* um aufzuschreien, und sagt etwas. *Aus* Ketten *und* Vergeltung bringt *er* unsere Exulanten nahe. Die Wunder, die getan werden für uns in seinen Tagen, wer kann sie zählen? *Denn er* wird die Herrschaft der Völker wegnehmen *vom Land* Israel. Die Sünden, mit denen sich
40 *mein Volk* versündigt hat, wird er auf sie bringen. *Und er* wird die *Bösen* in die Gehenna übergeben *und* die reich sind an Besitztümern, die sie geraubt haben im *Tod* der Zerstörung, damit die Freveltäter nicht aufgerichtet werden *und* die Besitzenden nicht sprechen *mit* ihrem *Mund. Aber* vor *JHWH* war es ein Wohlgefallen, den Rest seines
45 Volkes zu läutern und zu säubern, um ihre *Seele* von Sünden zu reinigen. Sie werden das Königreich ihres Gesalbten *sehen,* sie werden zunehmen an Söhnen und Töchtern, sie werden *lange leben.* Und die das Gesetz *JHWHs* tun, werden in seinem Wohlgefallen *erfolgreich sein. Aus* der Knechtschaft der Völker wird er ihre *Seele* befreien; sie
50 werden Vergeltung *sehen* an ihren Hassern. Sie werden *satt werden* am Raub ihrer Könige. *In seiner* Weisheit *wird* er die Unschuldigen freisprechen, um *Viele* dem Gesetz zu unterwerfen, *und* bezüglich *ihrer* Sünden wird er bitten. *Dann werde ich ihm* den Raub *vieler*

Völker zuteilen und die Besitztümer *starker* Hauptstädte, *und er wird*
55 *die Beute verteilen, dafür, daß er in den Tod* gegeben hat *seine Seele
und* die Rebellen dem Gesetz unterworfen hat. *Aber er,* bezüglich
*vieler* Sünden wird er bitten, *und* den Rebellen wird vergeben werden
um seinetwillen.

1 *Mein Knecht* wird mit dem Gesalbten identifiziert, mit dem fast sicher der
Messias gemeint ist.

3 Im Targum dieses Gottesknechtstextes werden die Hinweise auf das Leiden
und die Schmach des Knechtes eliminiert und auf seine Feinde, gelegentlich
auch auf die Ungehorsamen in Israel übertragen, denen er Vergebung
erwirkt. Es wäre an dieser Stelle unlogisch, von der „häßlichen Gestalt" des
Knechtes (Jes 52, 14) zu sprechen. Der Übersetzer hat eine Fülle von Veränderungen am Text vorgenommen; möglicherweise wurden sie durch die
christliche Verwendung des Gottesknechtstextes verursacht, der eine andere Interpretation entgegengesetzt werden sollte.

24 *wir wurden als Geschlagene betrachtet (hᵃshivin katishin).* Abgesehen davon, daß in Jes 53, 4 der Gottesknecht der Geschlagene ist, entspricht die
oben gegebene Übersetzung dem Bibeltext. Der Konsonantenbestand könnte aber auch folgendermaßen gelesen werden: ‚wir waren wie Hammel'
*(hᵃshivin kityashin),* was eine Brücke zu V. 6 f. (Z. 29–36) schlagen könnte.

32 *Er bittet.* Im hebräischen Text steht hier „er wurde unterdrückt" *(niggash),*
was mit anderer Punktierung *(niggas)* verstanden werden konnte im Sinne:
„er nähert sich (mit Bitten)".

# XIII. Die Apokalyptik

Die Wurzeln der jüdischen und christlichen Apokalyptik liegen in der alttestamentlichen Prophetie, wenn auch mancherlei nichtjüdische Einflüsse zu ihrer Entwicklung beitrugen; vgl. dazu die Beiträge in dem Sammelband *Apocalypticism in the Mediterranean World and the Near East,* hg. v. D. Hellholm, Tübingen [2]1989. Hier sei lediglich hervorgehoben, daß Prophetie und Apokalyptik sich zwar beide mit der Zukunft auseinandersetzten, diese aber verschieden auffaßten. Beide, Propheten und Apokalyptiker, glaubten, daß die Zukunft gänzlich in der Vorsehung und Kontrolle Gottes liege; doch während der Prophet die Zukunft stetig aus der Gegenwart sich entwickeln sah, wobei Gut und Böse ihre Früchte tragen und ihre zugemessene Belohnung erhalten würden, sah der Apokalyptiker die Zukunft als wesentlich von der Gegenwart unterschieden. Die Geschichte ging in einen ganz neuen, durch eine Kluft getrennten Bereich über, in dem die Urteile Gottes deutlicher sichtbar sein würden; oder besser, Gott würde entweder persönlich oder durch einen Vertreter in die Geschichte eintreten und damit in sie ein neues Moment einführen, das ihren Lauf revolutionieren würde. Ein Prophet konnte die Gefangenschaft oder Wiederherstellung seines Volkes ankündigen; der Apokalyptiker verkündete das Ende der Zeit schlechthin. Die Apokalyptiker „verkürzen" die Geschichte noch radikaler als die Propheten, und für sie sind die letzten Tage immer nahe. Der Grund liegt nicht einfach darin, daß der apokalyptische Schreiber glaubte, er könne die Zeichen der Zeit an dem wachsenden Bösen des Zeitalters ablesen, und daß Gott geschwind handeln müsse, wenn er überhaupt handeln wolle. „Apokalypse" heißt Enthüllung, das Offenbaren von Geheimnissen; aber die Geheimnisse waren nicht nur Geheimnisse dessen, was kommen würde. Es waren darin auch die Geheimnisse dessen einbezogen, was schon bestand, aber im Himmel verborgen lag. Aus ihrer Kenntnis dieser himmlischen Realitäten wuchs ihr Bewußtsein davon, was alsbald auf der Erde stattfinden würde; und da die himmlischen Wesen zum Handeln bereit waren, konnte ihre Offenbarung nicht mehr lange ausbleiben.

Dieses Bewußtsein von Personen und Ereignissen der himmlischen Welt macht die Verwandtschaft zwischen Apokalyptik und Mystik aus. Mystik ist das unmittelbare Bewußtsein des Übernatürlichen. Spekulationen über den höchsten Gott und seine Selbstoffenbarung führten außerdem dazu, daß man in einem solchen Maße an die Existenz göttlicher Mittlerwesen glaubte, daß davon zuweilen der jüdische Monotheismus bedroht schien. Das wird aus den unten angeführten Texten deutlich. So wenig man zwischen jüdischen Apokalyptikern und jüdischen Mystikern scharf trennen kann, so wenig ist eine genaue Unterscheidung zwischen Apokalyptik und Pharisäismus möglich. Einerseits griffen die Rabbinen in ihren Lehren apokalyptische Elemente auf, andererseits pochten die Apokalyptiker auf Gesetzeserfüllung.

Der weitreichende Einfluß der Apokalyptik im Zeitalter des Urchristentums braucht kaum weiter dargelegt zu werden; nicht nur, daß die meisten der überlieferten Apokalypsen in diese Zeit datiert werden können: Viele andere Dokumente, die nicht in erster Linie apokalyptisch sind, weisen apokalyptische Züge in Stil und Inhalt auf. Dies trifft sowohl für die jüdische wie für die christliche Literatur zu; denn wenn in den neutestamentlichen Kanon auch nur eine Apokalypse aufgenommen wurde, so ist doch Apokalyptisches verstreut in nahezu jedem Buch enthalten.

## A. Die literarischen Formen der Apokalyptik

Die meisten Apokalypsen zeigen beinahe stereotype Formen in ihrem Aufbau und Ausdruck.

### Pseudonymität

Für die christliche Apokalypse ist charakteristisch, daß sie nicht den Anspruch erhebt, das Werk eines berühmten Helden der Vergangenheit zu sein; in der Kirche blühte die Prophetie wieder auf, und wo es direkte Inspiration gab, brauchte man nicht auf das Alter als Quelle der Autorität zu pochen. Beinahe jede jüdische Apokalypse jedoch wird einer ehrwürdigen Autorität zugeschrieben; infolge dieser Pseudonymität mußte man dann auf irgendeine Weise erklären, warum das Buch nicht schon längst bekannt geworden war.

**282** *Daniel 12.*

Das Buch Daniel wurde zu der Zeit geschrieben, als Antiochus Epiphanes versuchte, den Juden den Hellenismus aufzuzwingen (s. *133–138*), d.h. um 167 v.Chr.

Und zu jener Zeit erhebt sich Michael, der große Fürst, der die Söhne deines Volkes schützt; es wird eine Zeit der Bedrängnis sein, wie es

keine gab, seit Völker bestehen, bis auf jene Zeit, aber dein Volk wird in jener Zeit gerettet, jeder, der sich aufgeschrieben findet im Buche.
5 Und viele von denen, die im Erdenstaube schlafen, werden erwachen, die einen zum ewigen Leben und die andern zu Schmach, zu ewigem Abscheu. Die Weisen aber werden leuchten wie der Glanz der Himmelsfeste, und die viele zur Gerechtigkeit geführt haben, wie die Sterne auf immer und ewig. Du, Daniel, aber verschließe die Worte
10 und versiegle das Buch auf die Zeit des Endes. Viele werden es durchforschen, und die Erkenntnis wird wachsen. Und ich, Daniel, sah, und siehe, zwei andere Engel standen da, einer am diesseitigen Ufer des Stromes und der andere am jenseitigen Ufer des Stromes. Und es sagte einer zu dem Manne, der in leinene Gewänder gekleidet war und
15 sich über den Wassern des Stromes befand: Bis wann steht aus das Ende der wunderbaren Dinge? Da hörte er den Mann, in leinene Gewänder gekleidet, der sich über den Wassern des Stromes befand, und er erhob seine Rechte und seine Linke zum Himmel und schwur bei dem Ewiglebenden: Bis auf Zeit, Zeiten und eine Hälfte, und sowie
20 die Macht des Zerstörers des heiligen Volkes zu Ende ist, wird sich dies alles erfüllen. Da ich hörte und es nicht verstand, sagte ich: Mein Herr, was ist das Letzte von diesem? Aber der sagte: Geh, Daniel! Denn die Worte bleiben geheim und versiegelt bis zur Endzeit. Viele werden gesichtet, gereinigt und geläutert werden, aber die Gottlosen handeln
25 gottlos; und alle Gottlosen verstehen es nicht, aber die Weisen werden es verstehen. Von der Zeit, da das tägliche Opfer aufgehoben und der Greuel der Verödung hingestellt wird, sind es eintausendzweihundertneunzig Tage. Wohl dem, der ausharrt und eintausenddreihundertfünfunddreißig Tage erreicht. Und du, geh hin zum Ende, du wirst
30 ruhen und am Ende der Tage zu deinem Lose auferstehen.

5 *viele von denen, die … schlafen, werden erwachen.* Der Begriff der Wiederauferstehung, in den älteren Teilen des AT nicht zu finden, ist in Apokalypsen gebräuchlich, wo übernatürliche Geschehnisse ohnehin häufig sind.

9 *verschließe die Worte und versiegle das Buch.* Daniel scheint der Name einer legendären, durch Weisheit und Tugend berühmten Figur gewesen zu sein (vgl. Ez 14, 14. 20; 28, 3). Im Buch Daniel ist er dargestellt, als habe er zur Zeit des babylonischen Exils gelebt, wo er seine Gesichte empfing. Um die Tatsache zu rechtfertigen, daß seine Schriften erst zur Zeit des Antiochus Epiphanes erschienen, bedient sich der Autor einer literarischen Fiktion, die in Apokalypsen nicht ungewöhnlich ist: Daniel sei aufgefordert worden, sein Buch zu versiegeln; es durfte erst veröffentlicht werden, wenn „das Ende" unmittelbar bevorstehe – und das, glaubte der Verfasser des Danielbuches, sei jetzt der Fall. Vgl. Z. 22f.

**283**  *4. Esra 14, 1–17.*

Das vierte Buch Esra ist ein zusammengesetztes Werk, doch der größere Teil entstand im 1. Jahrhundert n. Chr. Die christlichen Zusätze und die Endredaktion stammen aus späterer Zeit.

Am dritten Tag, als ich unter einer Eiche saß, sieh, da kam eine
Stimme aus einem Dornbusch mir gegenüber hervor; die sprach: Esra,
Esra! Ich sprach: Hier bin ich, Herr! Und ich erhob mich und trat auf
meine Füße. Da sprach er zu mir: Ich habe mich schon einmal am
5 Dornbusch offenbart und habe zu Mose geredet, als mein Volk in
Ägypten dienstbar war. Damals habe ich ihn ausgesandt, habe mein
Volk aus Ägypten geführt und es dann an den Berg Sinai gebracht.
Daselbst behielt ich ihn viele Tage bei mir;
ich teilte ihm viel Wunderbares mit,
10 zeigte ihm die Geheimnisse der Zeiten
und wies ihm das Ende der Stunden.
Dann habe ich ihm also befohlen: Diese Worte sollst du veröffentlichen, jene geheimhalten.
Nun aber sage ich dir:
15 Die Zeichen, die ich dir offenbart,
die Träume, die du gesehen,
und die Deutungen, die du gehört,
die bewahre in deinem Herzen!
Du aber sollst aus den Menschen entrückt werden und wirst fürderhin
20 bei meinem Sohn und bei deinen Genossen verweilen, bis die Zeiten
um sind.
Denn die Welt hat ihre Jugend verloren,
die Zeiten nähern sich dem Alter.
Denn in zwölf Teile ist die Weltgeschichte geteilt; gekommen ist sie
25 bereits zum zehnten, zur Hälfte des zehnten; überbleiben aber zwei
nach der Hälfte des zehnten. –
Nun also bestelle dein Haus,
ermahne dein Volk;
tröste seine Geringen,
30 lehre seine Weisen.
Du selber entsage dem vergänglichen Leben,
laß fahren die sterblichen Sorgen;
wirf ab die Bürde der Menschlichkeit,
zieh aus die schwache Natur;
35 laß die quälenden Fragen beiseite
und eile, hinüberzuwandern aus dieser Zeitlichkeit!
Denn viel schlimmere Leiden, als die du selbst erlebt hast, sollen noch
geschehen. Denn je schwächer die Welt vor Alter wird, um so mehr
wird der Leiden, die über ihre Bewohner ergehen.
40 Die Wahrheit muß sich noch mehr entfernen
und die Lüge sich nähern.
Denn schon eilt der Adler heran, den du im Gesichte gesehen hast.

2 *Esra, Esra.* Esra war in der jüdischen Überlieferung der große Fortsetzer
des Werkes Moses, das Vorbild und Muster der Schriftgelehrten. Ihm eine
Apokalypse zuzuschreiben, hieß den Schutz nicht nur des verehrungswürdi-
gen Alters, sondern des Gesetzes selbst zu beanspruchen.

12 *Diese Worte sollst du veröffentlichen,* das ist das Gesetz.

13 *jene geheimhalten*. Dies bezieht sich auf die apokalyptische Tradition, von der zumindest ein Teil Mose zugeschrieben wurde. Sowohl das mündliche (s. *171*) als auch das geschriebene Gesetz wurden Mose zugeschrieben. Hier wird seine Autorität auch für das apokalyptische Gedankengut beansprucht. Es war nicht früher veröffentlicht worden, da Mose die Veröffentlichung verboten worden war.

18 *die bewahre in deinem Herzen*. Diese Offenbarungen sind nicht für Esras eigene Zeit.

20 *bei meinem Sohn,* dem Messias, der als Gottes Sohn präexistent im Himmel ist.

24 *in zwölf Teile ist die Weltgeschichte geteilt*. S. u. über die beiden Äonen.

37 *viel schlimmere Leiden*. Vor dem messianischen Äon müssen die messianischen Wehen kommen; s. *294–295*.

42 *der Adler*. S. 4. Esra 11 (*286*).

## 284 *Äthiopischer Henoch 1, 1f.*

Die Segensrede Henochs, mit der er die auserwählten Gerechten segnete, die am Tage der Trübsal vorhanden sein werden, wenn man alle gottlosen Sünder beseitigt. Da hob Henoch, ein gerechter Mann, seine Bilderrede an und sprach. Ein Gesicht war ihm von Gott enthüllt, und
5 er schaute ein heiliges und himmlisches Gesicht, das mir die heiligen Engel zeigten. Von ihnen hörte und erfuhr ich alles, was ich sah. Nicht für das gegenwärtige Geschlecht dachte ich nach, sondern für das künftige.

### Geschichte in allegorischer Form

Der Apokalyptiker übermittelt seine Lehre sehr oft in der Form, daß er die zeitgenössische Geschichte symbolisch darstellt und diese symbolische Erzählung weiterführt, indem er die übernatürlichen Geschehnisse, die er nahe glaubt, in sie einbezieht. Diese Methode ermöglicht oft die Datierung der Apokalypsen: Wo die Darstellung an Genauigkeit verliert, da ist der Zeitpunkt der Niederschrift.

## 285 *Psalmen Salomos 2, 1–6. 22–31.*

Die Psalmen Salomos wurden ungefähr in der Mitte des 1. Jahrhunderts v. Chr. verfaßt und scheinen aus der pharisäischen Partei innerhalb des Judentums zu stammen (s. *152*). In diesem Psalm ist die Geschichte kaum verhüllt dargestellt, lediglich die Namen fehlen.

In seinem Übermut stürzte der Sünder mit dem Widder feste Mauern, und du hindertest es nicht.
Fremde Heiden bestiegen deinen Altar,
betraten (ihn) übermütig in ihren Schuhen,
5 dafür, daß die Söhne Jerusalems das Heiligtum des Herrn entweihten,
die Opfer Gottes in Gottlosigkeit schändeten.

Darum sprach er: Tut sie weit weg von mir,
ich habe keinen Gefallen an ihnen!
Seine herrliche Schönheit war nichts vor Gott,
10 entehrt aufs Äußerste.
Die Söhne und Töchter in schimpflicher Gefangenschaft,
im Verschluß ihr Hals, bloßgestellt unter den Heiden...
Ich aber sah es und bat den Herrn eindringlich und sagte:
Laß genug sein, Herr, daß deine Hand auf Jerusalem lastet im An-
15 drang der Heiden!
Denn sie haben ihr Spiel getrieben und nicht geschont in Zorn und
grimmem Wüten,
und sie werden (ihm) den Garaus machen, wenn nicht du, Herr, sie in
deinem Zorne schiltst.
20 Denn nicht im Eifer (für dich) haben sie gehandelt, sondern in (ihres)
Herzens Lust,
um ihren Grimm über uns auszugießen in Plünderung.
Zögere nicht, Gott, ihnen auf (ihr) Haupt zu vergelten,
des Drachen Hochmut in Schmach ⟨zu wandeln⟩!
25 Es dauerte nicht lange, da stellte mir Gott seinen Übermut dar,
(ihn selbst) durchbohrt an den Bergen Ägyptens,
verachteter als der Geringste zu Land und zu Wasser,
seinen Leichnam umhergetrieben auf den Wogen in gewaltiger Brandung,
30 und niemand begrub ihn;
denn er gab ihn der Verachtung preis.
Er hatte nicht bedacht, daß er ein Mensch war,
und hatte das Ende nicht bedacht,
hatte gemeint: Ich bin der Herr von Land und Meer,
35 nicht erkannt, daß Gott groß ist,
stark in seiner gewaltigen Kraft.
Er ist König droben im Himmel
und richtet Könige und Reiche.
Er erhebt mich zur Herrlichkeit
40 und führt die Hoffärtigen zum ewigen Verderben in Schmach,
weil sie ihn nicht erkannten.

1 *mit dem Widder.* Diese und andere Einzelheiten im Text entsprechen der
Belagerung von Jerusalem durch Pompeius im Jahre 63 v.Chr. Vgl. Josephus, *Bell* I 147 „... ließ Pompeius hohe Türme auf dem Damm errichten und
die von Tyrus mitgebrachten Belagerungsmaschinen herbeischaffen", 150
„Da nun blieben viele Priester, obwohl sie die Feinde mit gezückten Schwer-
tern auf sich zukommen sahen, unerschrocken beim heiligen Dienste, und
während der Darbringung von Trank- und Rauchopfern wurden sie dahin-
gemordet".

20 *nicht im Eifer.* Es war in der Tat Gottes Absicht, Israel zu bestrafen, aber die
römischen Soldaten dachten bei ihrem Handeln nicht daran.

24 *des Drachen Hochmut* (ὑπερηφανίαν). Wahrscheinlich der „Übermut"
(ὕβρις) von Z. 25, das ist Pompeius.

26 *den Bergen Ägyptens.* Nach der Schlacht bei Pharsalus (48. v. Chr.) entkam
Pompeius; als er aber in Ägypten landete, wurde er sogleich getötet. Das
Wort „Berge" ist hinsichtlich Ägyptens nicht ganz angemessen und kann ein
Fehler für „Flüsse" oder „Grenzen" sein.

35 *Gott groß ist.* Das ist wahrscheinlich eine Anspielung auf Pompeius' Beinamen Magnus.

**286** *4. Esra 11.*

Die Vision dieses Kapitels, die bekannte Adlervision, gründet sich auf Daniel
7. Der Adler stellt das vierte Königreich dar, das Daniel in seiner Vision in
Kapitel 7 sieht; hier steht es für das römische Imperium, während es bei
Daniel das griechische bedeutet.

In der zweiten Nacht sah ich einen Traum: Da stieg ein Adler aus dem
Meer empor, der hatte zwölf befiederte Flügel und drei Häupter. Und
ich schaute, wie er seine Flügel über die ganze Erde ausbreitete und
wie alle Winde des Himmels auf ihn einbliesen und die Wolken sich
5 um ihn sammelten. Darnach schaute ich, wie aus seinen Flügeln
Gegen-Flügel entstanden, die wurden kleine und geringe Flüglein.
Die Häupter aber schliefen; das mittlere Haupt war größer als die
beiden anderen, aber schlief ebenso wie sie. Dann schaute ich, wie der
Adler mit seinen Flügeln dahinflog, um über die Erde und ihre Bewoh-
10 ner die Herrschaft zu gewinnen. Und ich schaute, wie alles unter dem
Himmel ihm unterworfen ward und niemand ihm widerstand, keines
von allen Geschöpfen der Erde. Dann schaute ich, wie sich der Adler
auf seinen Krallen aufrichtete und zu seinen Flügeln also sprach:
Wachet ihr nicht alle mit einem Male, sondern schlafet jeder an seiner
15 Stätte und wacht zu eurer Zeit; die Häupter aber sollen bis zuletzt
warten. Und ich schaute, daß diese Stimme nicht aus seinen Häuptern, sondern mitten aus seinem Leibe hervorging. Ich zählte die
Gegen-Flügel: siehe, es waren ihrer acht.
Dann schaute ich, wie der erste Flügel auf der rechten Seite erwach-
20 te und über die ganze Erde regierte. Als er aber regiert hatte, ging es
mit ihm zu Ende; da war er verschwunden, so daß auch seine Stätte
nicht zu sehen war. – Da erwachte der Zweite und regierte, und dieser
hielt gar lange Zeit inne. Als er aber regiert hatte, ging es mit ihm zu Ende,
so daß er nicht mehr zu sehen war, wie der Vorige. Und sieh, es
25 erscholl eine Stimme, die zu ihm sprach: Höre du, der du diese ganze
Zeit hindurch die Erde behauptet hast; dies verkünde ich dir, bevor du
nicht mehr sein wirst: Nach dir wird niemand so lange herrschen wie
du, ja nicht einmal halb so lange! – Dann richtete sich der Dritte empor
und führte das Regiment wie seine Vorgänger; dann verschwand auch
30 er. Und so erging's auch den übrigen Flügeln allen, der Reihe nach das
Regiment zu haben und dann zu verschwinden. – Dann schaute ich,
siehe, da erhoben sich zu ihrer Zeit auch die folgenden Flügel auf der
rechten Seite, um das Regiment zu führen; unter ihnen waren einige,
die es führten, aber sofort wieder verschwanden. Andere aber von
35 ihnen erhoben sich, aber behaupteten nicht das Regiment. – Darnach

schaute ich, da waren die zwölf Flügel verschwunden und zwei der
Flüglein; und am ganzen Leibe des Adlers war nichts mehr übrig als
nur noch die ruhenden Häupter und sechs Flüglein.

Dann schaute ich, wie sich von den sechs Flüglein zwei trennten und
40 sich unter das rechte Haupt begaben; die übrigen vier verharrten an
ihrem Ort. Dann schaute ich, wie diese vier Gegen-Flügel planten, sich
aufzurichten und das Regiment zu führen. Ich schaute, siehe da, der
erste von ihnen richtete sich auf, aber verschwand sofort wieder; so
auch der zweite, der verschwand noch rascher als der erste. Dann
45 schaute ich, wie auch die beiden übrigen planten, zur Herrschaft zu
kommen. – Während sie aber dies noch planten, siehe, da wachte das
erste der ruhenden Häupter auf; er war das mittlere, das größer als die
beiden anderen Häupter war. Dann schaute ich, wie es die beiden
Häupter mit sich verband; und siehe da, das Haupt mit seinen Ver-
50 bündeten wandte sich und fraß die beiden Gegen-Flügel, die geplant
hatten, zu herrschen. Dies Haupt hielt die ganze Erde im Zaum und
drangsalierte ihre Bewohner mit großer Bedrängnis und führte die
Herrschaft über den Erdkreis gewaltiger als alle Flügel vor ihm.
Darnach schaute ich, und siehe, das mittlere Haupt war plötzlich
55 verschwunden, ebenso wie vorher die Flügel. So blieben nur noch die
beiden Häupter übrig; die herrschten nun selber über die Erde und
ihre Bewohner. Darnach schaute ich, und siehe, das rechte Haupt
verschlang das linke.

Da hörte ich eine Stimme, die zu mir sprach: Blicke geradeaus und
60 betrachte genau, was du schaust. Da schaute ich, siehe da, es kam wie
ein Löwe, der aus dem Walde mit Gebrüll hervorstürzt; ich hörte, wie
er Menschenstimme gegen den Adler von sich ließ. Er sprach aber
also: Höre, du Adler, so will ich zu dir reden. Der Höchste spricht zu
dir: Du bist ja das letzte der vier Tiere, die ich bestimmt hatte, daß sie
65 in meiner Welt herrschen sollten und daß durch sie das Ende meiner
Zeiten kommen sollte. Du aber, das vierte, das gekommen ist, hast alle
früheren Tiere überwunden,
du hast die Welt mit großem Schrecken,
du hast die ganze Erde mit schwerer Drangsal beherrscht;
70 du hast den Erdkreis so lange Zeit mit Trug bewohnt,
die Erde nicht mit Wahrheit gerichtet:
Denn du hast die Sanftmütigen bedrückt
und die Friedfertigen vergewaltigt;
du hast die Wahrhaftigen gehaßt
75 und die Lügner geliebt;
du hast den Fruchtbringenden die Burgen zerstört
und denen, die dir nichts Böses getan, die Mauern eingerissen.
Aber dein Frevel ist vor den Höchsten,
deine Hoffart vor den Allmächtigen gekommen.
80 Da sah der Höchste seine Zeiten an:
Siehe, sie waren zu Ende,
und seine Äonen: Sie waren voll.

Darum wirst du, Adler, verschwinden
samt deinen schrecklichen Flügeln,
85 deinen bösartigen Flügeln,
deinen ruchlosen Häuptern,
deinen grausamen Klauen
und deinem ganzen frevlerischen Leib!
So wird die ganze Welt, von deiner Gewalt befreit, erleichtert aufat-
90 men, um dann des Gerichtes und der Gnade ihres Schöpfers zu harren.

1f *ein Adler ... zwölf befiederte Flügel und drei Häupter.* Zu einem ähnlichen
Bild eines Reiches und seiner Herrscher vgl. Apk 13, 1. Die zwölf Flügel sind
die Kaiser bis Vitellius, einschließlich Julius Cäsar, Vindex, Nymphidius
und Piso; die drei Häupter Vespasian, Titus und Domitian.

6 *Gegen-Flügel.* Dieser undurchsichtige Ausdruck meinte wahrscheinlich Ri-
valen der Kaiser. Sie waren acht an der Zahl (s. Z. 18).

23 *dieser hielt lange Zeit inne.* Dies bezieht sich auf Augustus, der (von der
Schlacht bei Aktium, 31 v.Chr., an) vierundvierzig Jahre regierte; Tiberius
regierte dreiundzwanzig Jahre, solange wie kein anderer Kaiser nach ihm.

36 *zwei der Flügelein.* Vielleicht Mucianus, Prokonsul von Syrien, und Tiberius
Alexander, Präfekt von Ägypten.

52f *führte die Herrschaft ... gewaltiger ...* Dies kann ein Zusatz eines späteren
Abschreibers sein, der dachte, daß das mittlere Haupt Trajan dargestellt
habe; ursprünglich war Vespasian damit gemeint.

57 *das rechte Haupt verschlang ...* Man nahm von Domitian an, daß er den Tod
seines Bruders und Vorgängers Titus verursacht habe.

61 *ein Löwe.* Zur Zeit des Domitian ersteht der Messias, und der Adler verschwindet. Es ist bemerkenswert, daß, obwohl sich Esra offensichtlich auf
Dan 7 bezieht, er bis zu diesem Punkt den „Menschensohnartigen" (Dan 7,
13) nicht mit dem Messias identifiziert; es wird eine neue Gestalt eingeführt. Von hier an hat der Apokalyptiker keine genaue Information mehr;
begreiflich, denn er schreibt jetzt über die Zukunft.

89 *die ganze Welt ... erleichtert aufatmen.* Eine sehr kurze und bündige Beschreibung des messianischen Äons.

An dieser Stelle dürfte es interessant sein, ein Dokument natio-
nalägyptischer apokalyptischer Erwartung einzufügen, das in
manchen Einzelheiten an die oben zitierten jüdischen Texte erinnert. Bei allem spezifisch ägyptischen Kolorit in der Ausmalung
der endzeitlichen Wehen vor dem Erscheinen des Heilskönigs
werden die Vorgänge teilweise ganz ähnlich beschrieben wie in
der jüdischen und christlichen Apokalyptik.

### 287 *Aus dem Töpferorakel.*

Um das Jahr 130 v.Chr. wurde in Ägypten in den Kreisen nationalistischer
Priester des Schöpfergottes Chnum eine Propagandaschrift gegen die herrschenden Ptolemäer verfaßt. In der Form einer Prophezeiung, die ein Töpfer
dem König Amenophis um die Mitte des 2. Jahrtausends mitteilt, wird die
Herrschaft der griechischen Ptolemäer (330–30 v.Chr.) als eine Unglücks-

zeit für Ägypten dargestellt. Erst wenn am Ende der Zeiten die verhaßten Griechen sich gegenseitig vernichtet haben, wird ein neuer ägyptischer Heilskönig erscheinen. „Genau betrachtet heißt dies, daß die Erlösung auf den St. Nimmerleinstag verschoben wird: Die Ägypter, deren Wünsche in dem Töpferorakel Ausdruck finden, können nicht mehr hoffen, aus eigener Kraft die Fremden zu vertreiben, und flüchten in die Eschatologie." (L. Koenen, *Die Prophezeiungen des „Töpfers"*, ZPE 2, 1968, S. 178–209, hier S. 181)

Die Prophezeiungen sind in eine Rahmenhandlung eingebettet: Der Töpfer, eine Inkarnation des ägyptischen Schöpfergottes Chnum, wird von Hermes auf eine Insel geschickt. Als der König Amenophis in dieser Gegend weilt, beginnt der Töpfer damit, Keramik zu brennen. Das wird als Sakrileg aufgefaßt. Die Priester des dortigen Osiris-Heiligtums reißen die Töpferware aus dem Ofen, zerstören sie und schleppen den Töpfer vor den König. Eine Gerichtsverhandlung wird anberaumt, in der der Töpfer als Gesetzesübertreter und Gotteslästerer angeklagt wird. In seiner Verteidigungsrede, in der er das Vorgefallene im Sinne einer prophetischen Zeichenhandlung deutet, gewährt der Töpfer Einblick in die Zukunft Ägyptens. Der König erkennt den prophetischen Geist an und läßt die Worte des Töpfers aufzeichnen, der am Ende der Prophezeiung tot zusammenbricht. Er wird in Heliopolis bestattet; seine Prophezeiungen werden in der Schatzkammer des Königs aufbewahrt. Der folgende Auszug stützt sich auf POx 2332 in der Edition von L. Koenen (s. o.). Vgl. auch J. G. Griffiths, *Apocalyptic in the Hellenistic Era*, in: Apocalypticism in the Mediterranean World and the Near East, hg. v. D. Hellholm, Tübingen [2]1989, S. 273–293 (hier S. 287–291).

[...] Er wird über Ägypten herrschen, nachdem er die gegründete Stadt [betreten (?)] hat. Sie wird sich die Götter(bilder) neu gießen und sich ein eigenes Idol anfertig[en]. Sie wird von den Anhängern Typhons [errichtet werden (?)...]...

5 Wegen des (Wasser)mangels des Nils wird die unfruchtbare [Erde gänzlich zugrundegehen (?)...]. Die Anhänger Ty[phons] werden sich grämen [...]. Und zur Zeit der Anhänger Typhons [wird] Ägypten verheert werden (?) durch schreckliche Begeben[heiten] jedes Jahr [und durch] die Verheerungen. Und die Sonne wird sich verdunkeln,

10 [weil sie die Übel in Ägypten nicht sehen will. Die Erde wird sich mit der Aussaat nicht vereinigen (?)], und diese wird bestimmt sein zur [Vernichtung] durch den Wind.

[Vom Landmann] werden Steuern verlangt [für das, was] er nicht gesät hat, [und] sie werden in Ägypten untereinander kämpfen (?),

15 [weil es ihnen an Nahrungsmitteln mangelt.] Denn was sie bestellen, [wird ein anderer ernten und wegtragen.]

Unter [diesem] Geschlecht [wird es Krieg und frevelhaften Mord (?)] geben unter Brüdern [und Eheleuten; denn] Mephis wollte in die [Stadt zurückkehren. Und] die Gürtelträger, die [Anhänger des Ty-

20 phon] sind, werden [sich selbst] vernichten. [... Zu Fuß wird er] in seinem Zorn [zum Meer ziehen], und [zusammen mit denen, die er sich verschafft, wird er viele niederstrecken], die gottlos [sind. Von Syrien wird der] König [heranziehen], der allen Menschen [verhaßt sein wird].

25  [Jener (?) aber] war nicht der unsere. Der 55 Jahre lang ⟨...⟩ der
unsere ist, wird den Griechen die Übel [bringen], die dem Bakcharis
das Lamm [verkündet] hat.
Und Glück wird [von diesem] Geschlecht weggenommen werden.
Und ihre [Kinder (?) werden geringer sein] und ihr Land [unruhig,
30  weil] sie ihr Hab und Gut zurückgelassen haben. [Sie werden in die
Fremde ziehen. Dann wird es Mord geben an Freunden. Jeder wird
sein eigenes] Unglück [beweinen, das schlimmer ist als das] des anderen. [Und (die) Menschen] werden infolge der [Bedrängnis] zusammenkommen um [eines einzigen] Gewinnes willen. Dann wird sich
35  viel[fältiger Tod] erheben unter den schwangeren (?) Frauen ...
Und die Stadt der Gürtelträger wird verlassen sein wie mein Ofen.
Und die Sklaven werden befreit, und ihre Herren werden um (ihr)
[Leben] flehen. Und die Jungfrauen [...] werden verschwinden, und
der ⟨Vater⟩ wird seiner Tochter den Mann wegnehmen, und man wird
40  die eigene Mutter heiraten. Und die männlichen Kinder werden [ge-
waltsam mit brutaler Gewalt (?)] geopfert. Und die Gürtelträger, die
auch selbst Anhänger Typhons sind, werden sich selbst zerfleischen.
Und [dann] wird der Agathos Daimon die gegründete Stadt verlassen
und nach Memphis, der Gottesgebärerin, gehen. Und es wird verödet
45  sein [die Stadt der Fremdlinge, die darin gegründet wird]. Das wird
geschehen am Ende der Übel, wenn das (herbstliche) Fallen der Blätter im Ägypten der Fremdlinge Einzug hält. Die (Stadt) der Gürtelträger wird verödet sein wie mein Ofen wegen [der Gesetzlosigkeiten], die
sie getan haben. Und Ägyptens Götterbilder, die dorthin verschleppt
50  worden sind, werden wieder ⟨...⟩ nach Ägypten [zurückkehren]. Und
die [Stadt] am Meer wird ein [Trockenplatz der Fischer] sein, weil der
Agathos Daimon und Mephis nach Memphis kommen, so daß einige
Durchreisende sagen: „Sie war die allnährende, in der das ganze
Menschengeschlecht wohnt."
55  Und dann wird Ägypten gedeihen, wenn der, der die 55 Jahre
[heilsam ist], vom Sonnengott kommt als Geber des Guten, eingesetzt
[von der höchsten Göttin], so daß die Überlebenden darum beten, daß
die [zuvor Gestorbenen (?)] auferstehen werden, damit sie an den
Gütern teilhaben. Am [Ende der] Übel aber wird er das feste Land
60  [trinken lassen im Königreich (?)], Disteln (?) werden Blätter hervorbringen, [und der wasserlose] Nil wird angeschwellt daherkommen,
und ⟨der⟩ Winter, der vorher ein anderes Kleid angenommen hatte, so
daß es nicht paßte, wird in dem ihm eigentümlichen Kreise laufen.
Und dann wird der Sommer seinen ihm eigentümlichen Lauf nehmen,
65  und die Windeslüfte werden in der richtigen Ordnung sein. Das wird
es sein.

---

1 *Er wird über Ägypten herrschen etc.* Vermutlich wird auf Alexander angespielt, der 332/31 Alexandria gründete und den Sarapiskult einführte.

3 *Die Anhänger Typhons.* Damit sind die Griechen gemeint.

5 *Wegen des (Wasser)mangels des Nils.* Ohne die regelmäßige sommerliche Nilüberschwemmung war die ägyptische Landwirtschaft lahmgelegt.

9 *die Sonne wird sich verdunkeln.* Vgl. Mk 13, 24 parr (Zitat Jes 13, 10).

18 *Mephis.* Papyrus Rainer nennt an dieser Stelle den „großen Gott Hephaistos", der mit dem Schöpfergott Ptah von Memphis identisch ist.

19 *Gürtelträger,* die Griechen.

20 *Zu Fuß wird er in seinem Zorn zum Meer ziehen.* Vielleicht ist damit auf Ptolemaios VIII. Euergetes II. (Regierungszeit 170–116) angespielt, der wenige Monate nach seiner Vertreibung aus Ägypten im Jahr 131 nach Memphis zurückkehren konnte und dann von Süden nach Norden gegen Alexandrien zog.

23 *Der König,* vermutlich Antiochos IV. Epiphanes, der im 6. Syrischen Krieg (170–168 v. Chr.) Ägypten außer Alexandria eroberte und sich in Memphis zum König von Ägypten krönte.

25–27 Bei diesen Zeilen handelt es sich vermutlich um einen späteren Einschub. *Jener* ist vermutlich Euergetes II., der 54 Jahre lang an der Macht war. Er ist der erwartete Erlöser nicht gewesen; der wahre Heilskönig wird, wie der Interpolator aus dem Schluß der Prophetie (Z. 55) entnimmt, ein Jahr länger regieren. Die Prophetie, die *dem Bakcharis das Lamm verkündet hat,* ist eine weitere ägyptische Apokalypse, die die Heilszeit erst ab 137 n. Chr. erwartete.

36 *die Stadt der Gürtelträger,* Alexandria.

43 *Agathos Daimon,* der alte Stadtgott von Alexandrien.

44 *Gottesgebärerin.* Das Adjektiv θεοτόκος erscheint sonst nur in christlichen Texten für die „Gottesmutter" Maria.

53 *Sie war die allnährende, in der das ganze Menschengeschlecht wohnt.* Nach Plutarch, *Alexander* XXVI 10, wurde Alexander dem Großen vor der Gründung Alexandriens geweissagt, daß „eine Stadt von ihm gegründet werde, die sehr vielen Raum geben und Ernährerin von vielerlei Menschen sein werde".

56 *Eingesetzt von der höchsten Göttin,* nämlich Isis.

62 *Winter, der vorher ein anderes Kleid angenommen hatte,* d. h., er war zeitweise mit dem Sommer zusammengefallen. Nun werden die Jahreszeiten wieder in ihrer ursprünglichen Ordnung sein.

## Vision und Parabel

Es ist unmöglich, eine strenge Unterscheidung zwischen diesen beiden Formen zu treffen; beiläufig sind für beide schon Beispiele gebracht worden (s. besonders 4. Esra 11). Die von den Apokalyptikern beschriebenen Gesichte waren in ihrer Form zweifellos von einer literarischen Tradition beeinflußt. Man kann sich nicht vorstellen, daß z. B. der ganze Inhalt des genannten Stückes (*286*) in einem einzigen Traum gesehen und im Gedächtnis behalten wurde. Andererseits braucht man nicht anzunehmen, daß die Apokalyptiker deshalb, weil sie Visionen veröffentlichten und ihnen eine literarische Form gaben, keine wirklichen visionären Erfahrungen hatten. Wahrscheinlich hatten sie in der Tat solche Gesichte, dachten dann über sie nach und schufen dabei die Parabeln und Allegorien, die wir jetzt lesen.

**288** *4. Esra 13, 1–13.*

Dies ist die sechste Vision dieses Buches. Es folgt eine lange Deutung (21–56), auf die wir uns in den Anmerkungen gelegentlich beziehen. Beinahe jede Einzelheit ist allegorisch gedeutet.

Nach den sieben Tagen geschah es, da träumte ich des Nachts einen Traum: Siehe, da stieg ein gewaltiger Sturm vom Meere auf und erregte alle seine Wogen. Ich schaute, siehe, da führte jener Sturm aus dem Herzen des Meeres etwas wie einen Menschen hervor; ich schau-
5 te, siehe, dieser Mensch flog mit den Wolken des Himmels. Und wohin er sein Antlitz wandte und hinblickte, da erbebte alles, was er an-schaute; und wohin die Stimme seines Mundes erging, da zerschmol-zen alle, die seine Stimme vernahmen, wie Wachs zerfließt, wenn es Feuer spürt. – Darnach schaute ich, siehe, es kam von den vier Winden
10 des Himmels her ein unzählbares Heer von Menschen zusammen, um den Menschen, der aus dem Meer emporgestiegen war, zu bekämpfen. Da schaute ich, wie er sich einen großen Berg losschlug und auf ihm flog. Ich aber bestrebte mich, Gegend oder Ort zu erkennen, woraus der Berg losgeschlagen war; aber ich vermochte es nicht. Darnach
15 schaute ich, siehe, alle, die sich gegen ihn zum Kriege versammelt hatten, gerieten in große Furcht, wagten aber doch den Kampf. Als er aber den Ansturm des Heeres, das auf ihn loskam, sah, da erhob er keine Hand, noch führte er ein Schwert oder eine andere Waffe, son-dern ich sah nur, wie er von seinem Munde etwas wie einen feurigen
20 Strom ausließ, von seinen Lippen einen flammenden Hauch, und von seiner Zunge ließ er hervorgehen stürmende Funken. Alle diese aber vermischten sich ineinander: der feurige Strom, der flammende Hauch und der gewaltige Sturm. Das fiel über das anstürmende Heer, das zum Kampfe bereit war, und entzündete sie alle, daß im selben
25 Augenblick von dem unzählbaren Heer nichts mehr zu sehen war außer dem Staub der Asche und dem Dunst des Rauches. Als ich das sah, entsetzte ich mich. – Darnach schaute ich, wie jener Mensch vom Berge herabstieg und ein anderes, friedliches Heer zu sich rief. Da nahten sich ihm Gestalten von vielen Menschen, die einen frohlok-
30 kend, die anderen traurig; einige waren in Banden, einige führten andere als Opfergaben mit sich.

1 *nach den sieben Tagen,* seit der Adlervision der Kap. 11 f; s. *286.*
*träumte ich.* Vgl. 11, 1 und viele andere Stellen. Der Traum ist eine geläufige Form der Offenbarung, die bis Daniel und weiter zurückreicht.

4f *etwas wie einen Menschen ... dieser Mensch flog mit den Wolken des Himmels.* Die Stelle „ich schaute ... hervor" steht nicht in der lateinischen Version, auf der die deutsche Übersetzung beruht. Sie findet sich in der syrischen und wurde in der lateinischen wohl aus Versehen ausgelassen.

Die Beschreibung des mit den Wolken fliegenden Menschen und die Worte „etwas wie ein Mensch" erinnern an das Gesicht des Daniel 7, 13 („wie ein[es] Mensch[en Sohn]"), und wahrscheinlich geht Esra auf das frühere Werk zurück. Doch der merkwürdige Ausdruck „eines Menschen Sohn" ist verschwunden, und es heißt jetzt, daß „der Mensch" sich aus einem sturmdurchtosten Meer erhebt. In der Deutung wird erklärt, daß der Mensch Gottes Sohn darstellt, den Messias, den Gott durch viele Zeitalter bereitgehalten hat; er ist der präexistente Messias. Das Meer ist vielleicht nur eine phantasievolle Zutat; wahrscheinlicher ist jedoch, daß es aus einer früheren Spekulation über den ersten Menschen oder Retter stammt oder aus einer Erinnerung an die bewegte Tiefe (Gen 1, 2), aus der die Schöpfung entstand.

11 *den Menschen . . . zu bekämpfen.* Vgl. die Beschreibung in Dan 7 von den vier großen Tieren, die das Volk Gottes verfolgen (das dargestellt ist durch die menschliche Gestalt des Menschensohnähnlichen). Esra bezeugt an anderer Stelle den verbreiteten Glauben, daß der Segen des messianischen Zeitalters durch eine Periode des Kampfes und Leidens eingeleitet werde. S. *294–295.*

12 *einen großen Berg.* Das Bild könnte aus Dan 2, 45 stammen, aber die Art seiner Anwendung ist neu.

18 *noch führte er ein Schwert oder eine andere Waffe.* Der Sieg des Messias ist übernatürlich. In der Deutung wird vom Feuer, durch das der Mensch seine Feinde verschlingt, gesagt, daß es das Gesetz sei.

28 *anderes, friedliches Heer.* Nach der Vernichtung seiner Gegner versammelt der Messias sein heiliges Volk (man achte darauf, daß „der Mensch" jetzt vom Volke ganz unterschieden ist; ob dies in Dan 7 ebenso ist, ist umstritten). Die Beschreibung des friedlichen Heeres ist nicht in jeder Hinsicht deutlich. Juden werden aus der Zerstreuung wieder zusammengeführt; einige von ihnen, so scheint es, sind durch große Drangsal hindurchgegangen.

**289**  *Äthiopischer Henoch 90, 28–42.*

ÄthHen 85–90 ist eine lange allegorische Darstellung der Geschichte Israels von der Schöpfung bis zum messianischen Zeitalter. Die Metaphern sind zuweilen verworren, aber im allgemeinen sind die Menschen, Israeliten und andere, durch verschiedene Tierarten repräsentiert. Der folgende Auszug ist das Ende der Allegorie, die wahrscheinlich zur Zeit der Makkabäer oder nicht lange danach entstand (s. die Anmm. und *133–140*).

Ich stand auf, um zu sehen, bis daß er jenes alte Haus entfernte. Man schaffte alle Säulen hinaus; alle Balken und Verzierungen jenes Hauses wurden mit ihm entfernt. Man schaffte es hinaus und legte es an einen Ort im Süden des Landes. Ich sah, bis daß der Herr der Schafe
5 ein neues Haus brachte, größer und höher als jenes erste, und es an dem Orte des ersten aufstellte, das entfernt worden war. Alle seine Säulen waren neu, auch seine Verzierungen waren neu und größer als die des ersten alten, das er hinausgeschafft hatte; und alle Schafe waren darin. Ich sah, wie alle übriggebliebenen Schafe und alle Tiere
10 auf der Erde und die Vögel des Himmels niederfielen, jene Schafe anbeteten, sie anflehten und ihnen in jedem Worte gehorchten. Darauf nahmen mich jene drei weiß Gekleideten, die mich zuvor hinaufge-

bracht hatten, bei der Hand, und indem die Hand jenes Böckchens
mich ergriff, brachten sie mich hinauf und setzten mich inmitten jener
15 Schafe nieder, bevor das Gericht begann. Jene Schafe aber waren alle
weiß, und ihre Wolle war reichlich und rein. Alle, die umgebracht oder
zerstreut waren, alle Tiere des Feldes und alle Vögel des Himmels
versammelten sich in jenem Haus, und der Herr der Schafe freute sich
sehr, weil alle gut waren und in sein Haus zurückkehrten. Ich sah, bis
20 daß sie jenes Schwert, das den Schafen gegeben war, niederlegten, in
sein Haus zurückbrachten und es vor dem Angesichte des Herrn
versiegelten. Alle Schafe wurden in jenes Haus eingeladen, und es
faßte sie nicht. Aller Augen waren geöffnet, daß sie gut (oder: das
Gute) sahen, und keiner war unter ihnen, der nicht sehend gewesen
25 wäre. Ich sah, daß jenes Haus groß, geräumig und sehr voll war. Ich
sah, daß ein weißer Farre mit großen Hörnern geboren wurde. Alle
Tiere des Feldes und alle Vögel des Himmels fürchteten ihn und
flehten ihn an alle Zeit. Ich sah, bis daß alle ihre Geschlechter verwandelt und alle weiße Farren wurden; der erste unter ihnen wurde ein
30 Büffel, und jener Büffel wurde ein großes Tier und bekam auf seinem
Kopfe große und schwarze Hörner. Der Herr der Schafe aber freute
sich über sie (ihn?) und über alle Farren. Ich hatte in ihrer Mitte
geschlafen; da wachte ich auf und sah alles. Dies ist das Gesicht, das
ich im Schlafe sah. Als ich erwacht war, pries ich den Herrn der
35 Gerechtigkeit und stimmte ihm einen Lobgesang an. Darauf brach ich
in lautes Weinen aus, und meine Tränen hörten nicht auf, bis ich es
nicht mehr auszuhalten vermochte. So oft ich hinsah, rannen sie
herab wegen dessen, was ich sah. Denn alles wird eintreffen und sich
erfüllen; alles Tun der Menschen ist mir der Reihe nach gezeigt wor-
40 den. In jener Nacht erinnerte ich mich meines ersten Traumes; auch
seinetwegen weinte ich und war bestürzt, weil ich jenes Gesicht gesehen hatte.

1 *jenes alte Haus*. Das alte Jerusalem sollte durch ein neues ersetzt werden,
das Gott selbst bauen würde. Der Gedanke eines neuen Jerusalem oder
neuen Tempels taucht in den apokalyptischen Schriften recht häufig auf.
Vgl. Apk 21, 2.

4 *der Herr der Schafe*. Die Gläubigen Israels sind als Schafe geschildert; vgl.
Ez 34, ein Kapitel, dem der Verfasser dieser Vision viel verdankt.

8 *alle Schafe waren darin*. Eine Variante, die eine gängige Beschreibung des
endzeitlichen Tempels gibt, lautet: ‚Der Herr der Schafe war darin!'

9 *alle übriggebliebenen Schafe*. Im vorhergehenden Teil der Vision oder Allegorie (90, 20–27) ist Gericht und Verderben der abgefallenen „Schafe" beschrieben.

10 *alle Tiere ... alle Vögel*. Das sind die Heiden. Vgl. Dan 4, 12. 21 f; Ez 31, 6. 13.
Die Heiden werden bekehrt und Diener Israels werden. Die Apokalypsen
unterscheiden sich erheblich in ihrer Behandlung des Schicksals der Heiden.

12 *jene drei weiß Gekleideten*. Vgl. 1. Henoch 87, 3; es sind drei Erzengel.

13 *jenes Böckchen*. Wahrscheinlich Elia; vgl. 1. Henoch 89, 52, wo er jedoch

nicht Böckchen genannt wird. In Kap. 89, 42 ff ist das Böckchen zuerst Saul, dann diejenigen, die als Könige auf ihn folgen.

20 *jenes Schwert, das den Schafen gegeben war.* Bezieht sich auf 1. Henoch 90, 19, d. h. den wilden und erfolgreichen Widerstand Israels unter den Makkabäern, den der Verfasser als ein Zeichen oder sogar den Beginn des messianischen Zeitalters anzusehen scheint.

26 *ein weißer Farre ... geboren.* Der Messias. Er wird also geboren nach dem jüngsten Gericht, der Einsetzung des gläubigen Israel im neuen Jerusalem und der Bekehrung der Heiden. Er ist deshalb eine beinahe überflüssige Figur, für die die offensichtliche Bewunderung des Verfassers für Judas Makkabäus keinen rechten Raum ließ. In Kap. 85, 3 ist Adam durch einen weißen Farren dargestellt.

29 *der erste unter ihnen wurde ein Büffel, und jener Büffel wurde ein großes Tier* ... Dies ist die Herstellung eines korrupten Textes, in dem es heißt: „der erste unter ihnen wurde (oder: wurde unter ihnen) ein Wort, und das Wort wurde ..." Doch selbst nach dieser Verbesserung ist der Sinn noch nicht befriedigend.

32 *ich hatte ... geschlafen.* Der Verfasser spricht in der Person des Henoch. Diese lange und sorgfältig ausgearbeitete Allegorie kann unmöglich als wirklicher Traum angesehen werden.

# B. Die Grundbegriffe der Apokalyptik

Oft ist angenommen worden, die grundlegende Vorstellung der Apokalyptik habe in der Überzeugung bestanden, daß das Ende nahe sei. Richtiger wird man sagen müssen: daß Gott beschlossen hat, sich ausgewählten Menschen zu offenbaren, die er ermächtigt (gelegentlich allerdings auch nicht, z. B. Dan 12, 9; Apk 10, 4), seinem Volk die Offenbarung mitzuteilen. Etliche Aspekte dieser Selbstoffenbarung werden durch die folgenden Texte deutlich. Gewiß gehört zur Apokalyptik häufig die Überzeugung, daß die Zeit kurz sei: Gott ist im Begriff, seine letztgültigen Absichten zu realisieren. Wer gewarnt worden ist, muß dementsprechend handeln. Zukunftsvorhersagen fallen notwendig verschieden aus; eine apokalyptische Orthodoxie gab es nicht und konnte es nicht geben. Tatsächlich waren einige apokalyptische Schriftsteller entschieden heterodox, nicht zuletzt solche, die kaum an der Zukunft interessiert waren.

## Die beiden Äonen

Die Apokalyptiker erbten das Geschichtsbewußtsein, das für die Propheten charakteristisch war, und demgemäß dachten sie chronologisch. Die Grenze zwischen der geheimen und offenbaren Tätigkeit Gottes war eine zeitliche Grenze, die den gegenwärtigen

Äon vom kommenden trennte. Der gegenwärtige Äon war Zeuge dafür, daß böse Mächte die Autorität Gottes an sich rissen. Im kommenden Äon würde Gott allein der Herrscher sein, und sein vollkommener Wille würde vollkommen erkannt und getan werden. Diese Unterscheidung zwischen zwei Äonen ist keine Besonderheit der Apokalypsen; sie war auch bei den Rabbinen verbreitet, s. *175.*

**290**  *4. Esra 7, 45–61.*

Ich antwortete und sprach: Schon einmal, Herr, habe ich gesagt und sage nochmals: Selig sind, die in die Welt kommen und deine Gebote halten! Aber worüber ich schon damals flehte: Wer ist unter den Lebenden, der nicht gesündigt? Wer unter den Weibgeborenen, der
5 nicht deinen Bund gebrochen? Jetzt erkenne ich, daß der kommende Äon wenigen Erquickung bringen wird, vielen aber Pein. Denn erwachsen ist in uns das böse Herz;
das hat uns diesem entfremdet
und der Vernichtung nahegebracht;
10 es hat uns des Todes Wege gewiesen
und des Verderbens Pfade gezeigt
und uns vom Leben fernegeführt;
und dies nicht etwa wenige, nein, fast alle, die geschaffen sind!
      Er antwortete mir und sprach: Höre mir zu, so will ich dich belehren
15 und dich nochmals zurechtweisen. Eben deshalb hat der Höchste nicht einen Äon geschaffen, sondern zwei. – Nun hast du geklagt, der Gerechten seien nicht viele, sondern wenige; der Gottlosen aber seien viele. So höre dagegen: Nimm an, du besäßest ganz wenige kostbare Steine, würdest du sie dir mit Blei und Ton zusammenlegen? Des Bleis
20 aber und Tones ist viel. Ich sprach: Herr, wie ginge das? Er sprach zu mir: Und weiter,
frage auch die Erde, die kann dir's sagen;
gib ihr gute Worte, sie wird es dir künden.
      Sprich zu ihr: Du bringst Gold und Silber und Erz hervor, aber auch
25 Eisen, Blei und Ton; Silber aber gibt es mehr als Gold, Erz mehr als Silber, Eisen mehr als Erz, Blei mehr als Eisen, Ton mehr als Blei. So erwäge nun du selber, was kostbar und wertvoll sei, wovon es viel gibt, oder was selten vorkommt. Ich sprach: Herr, mein Gebieter, das Häufige ist weniger wert, das Seltene ist kostbarer. Er antwortete mir und
30 sprach: Nun schließe aber weiter aus deinen eigenen Gedanken: Wer das Seltene besitzt, hat größere Freude als der, der das Häufige hat. So wird es auch in dem Gerichte sein, das ich verheißen: Ich will an den Wenigen, die gerettet werden, meine Freude haben – sie sind es ja, die auch jetzt schon meinen Ruhm befestigen, durch die auch jetzt schon
35 mein Name (mit Preis) genannt wird – und will keine Trauer hegen über die Menge derer, die verlorengehn, – sie sind es ja, die auch jetzt

schon
dem Dampfe vergleichbar sind,
dem Feuer ähnlich,
40 wie Rauch geachtet:
Sie haben gebrannt, geglüht, sind erloschen!

2 *Selig sind, die in die Welt kommen und deine Gebote halten.* Der Ausdruck „die in die Welt kommen" bedeutet „das Menschengeschlecht". Esra ist entsetzt über einen Gedanken, der auch im NT auftritt. Das Gesetz ist als eine Bedingung oder ein Mittel zur Rettung gegeben. Aber kaum jemand oder niemand gehorcht dem Gesetz vollkommen; was geschieht mit dem Rest der Menschheit? Esras offensichtlicher Schmerz darüber, daß nur so wenige gerettet werden sollen, ist bezeichnend, aber er weiß nicht so hoffnungsvoll zu antworten wie Paulus.

5 *der kommende Äon*, s. Z. 16, wo die beiden Zeitalter gegenübergestellt werden.

7 *das böse Herz*, das heißt die böse Neigung. S. *175* mit Anm.

15 *eben deshalb hat der Höchste nicht einen Äon geschaffen, sondern zwei*, nämlich um Übel und Verderben des herrschenden Zeitalters zu beseitigen. Bösen Menschen kann es nicht erlaubt sein, für immer über die Guten zu herrschen; für die Frommen gibt es die gerechte Belohnung.

32 *so wird es auch in dem Gerichte sein.* Der kommende Äon beginnt mit dem Gericht, der Trennung von Gut und Böse. Man beachte, daß, obwohl es von Gott heißt, er werde die wenigen Gerechten erretten, er sie von ihrem Unglück, nicht von ihren Sünden erretten wird. Die Apokalyptiker haben im allgemeinen die etwas naive Ansicht, daß es Gerechte und Böse schlechthin *gibt*; wir hören nichts von der Besserung, der Bekehrung der Bösen.

41 *sie haben gebrannt, geglüht, sind erloschen.* Es scheint eine Periode der Qualen und darauffolgender Vernichtung gemeint zu sein.

**291** *Syrischer Baruch 83, 4–9.*

Deshalb soll nicht eins von diesen jetzt bestehenden Dingen euch beschäftigen, sondern wir wollen vielmehr ruhig harren, weil das, was uns verheißen ist, herbeikommt. Und wir wollen jetzt nicht schauen auf die Genüsse der Völker, sondern wir sollen an das denken, was uns
5 für die Endzeit verheißen ist, weil ja die Endpunkte der Zeiten und der Perioden dahinschwinden und alles, was sich in ihnen vollzieht, zugleich damit. Das Ende des Äons wird aber alsdann die große Macht des Weltleiters kundtun, indem alles zum Gerichte kommen wird. So richtet ihr nun eure Herzen zurecht, auf das hin, was ihr schon früher
10 geglaubt habt, damit ihr nicht von den beiden Äonen ergriffen werdet, indem ihr hier gefangen weggeführt worden seid und dort Pein erleiden werdet. Denn was jetzt besteht oder vergangen ist oder herbeikommt, in alledem ist weder das Böse völlig böse, noch ist auch wiederum das Gute völlig gut.

2 *wir wollen vielmehr ruhig harren.* Baruch (natürlich ein weiteres Pseudonym) spricht über die religiöse Haltung derjenigen, die sich auf ein baldiges Weltende freuen. Sie sollen sich nicht mit Dingen beschäftigen, die zur

bestehenden Welt gehören, sondern „auf das Reich Gottes warten" (vgl. Mk 15, 43; Lk 2, 25; Kol 3, 1 f).

7 *das Ende des Äons*, d. h. des gegenwärtigen Äons, das Ende der bestehenden Ordnung und der Anfang einer neuen. Wie häufig, steht zwischen den beiden Äonen das Gericht.

10 *von den beiden Äonen ergriffen*. Jetzt Knechtschaft zu erdulden, würde ein würdiger Preis sein für den Segen in der zukünftigen Welt. Aber jetzt abzufallen, würde die schlimmsten Folgen in beiden Welten haben.

13 *weder das Böse völlig böse, noch ist auch wiederum das Gute völlig gut*. Im Gegensatz zum kommenden Äon, in dem Glück nicht mehr mit Qual vermischt ist. Baruch bezieht sich offenbar auf die Lehre, daß die Guten schon hier volle Strafe für ihre wenigen Sünden empfangen, so daß ihr Glück in der neuen Welt vollkommen sein wird, und daß die Bösen, aus ähnlichen Gründen, für ihre wenigen Tugenden Belohnung erhalten.

## Das Gericht und die Königsherrschaft Gottes

In vielen bisher angeführten Texten wurde ein jüngstes Gericht erwähnt; es ist das beständige Thema der Apokalyptik und ein notwendiges Ereignis, das stattfinden muß, bevor das bestehende Unrecht unter Gottes Herrschaft wiedergutgemacht werden kann.

**292** *Himmelfahrt Moses 10.*

Dieses Buch wurde wahrscheinlich zu Lebzeiten Jesu geschrieben.

Und dann wird seine Königsherrschaft über all' seine Kreatur erscheinen;
dann wird der Teufel ein Ende haben
und die Traurigkeit mit ihm hinweggenommen werden.
5 Dann werden die Hände des Engels gefüllt werden,
der an höchster Stelle steht,
und sofort wird er sie rächen an ihren Feinden.
Denn der Himmlische wird von seinem Herrschersitz (aufstehen)
und heraustreten aus seiner heiligen Wohnung
10 in Empörung und Zorn wegen seiner Kinder.
Da wird die Erde erbeben, bis zu ihren Enden erschüttert werden,
und hohe Berge werden erniedrigt und erschüttert werden,
und Täler werden einsinken.
Die Sonne wird kein Licht mehr geben und sich in Finsternis (verwan-
15 deln);
die Hörner des Mondes werden zerbrechen, und er verwandelt sich ganz in Blut,
und der Kreis der Sterne wird in Verwirrung geraten.
Das Meer wird bis zum Abgrund zurückweichen,
20 (und) die Wasserquellen werden ausbleiben
und die Flüsse erstarren.
Denn der höchste Gott wird sich erheben, der allein ewig ist,

und wird offen hervortreten, um die Heiden zu strafen,
und alle ihre Götzenbilder vernichten.
25 Dann wirst du glücklich sein, Israel,
und auf Nacken und Flügel des Adlers hinaufsteigen,
und (die Tage des Adlers) werden sich erfüllen.
Und Gott wird dich erhöhen
und am Sternenhimmel schweben lassen,
30 am Ort ihrer Wohnung.
Dann wirst du von oben herabschauen und deine Feinde auf Erden
sehen
und sie erkennen und dich freuen
und Dank sagen und dich zu deinem Schöpfer bekennen.
35 Du aber, Josua, (Sohn) Nuns, bewahre diese Worte und dies Buch;
denn von meinem Tode, meiner Himmelfahrt, bis zu seiner Erscheinung werden 250 Zeiten sein, die erst vergehen müssen, und das wird
ihr Lauf sein, den sie zurücklegen werden, bis sie sich vollenden. Ich
aber will zur Ruhe meiner Väter gehen; daher sei stark, Josua, (Sohn)
40 Nuns; dich hat Gott erwählt, mein Nachfolger in diesem Bunde zu
sein.

1 *dann wird seine Königsherrschaft ... erscheinen.* Im Text dieser Apokalypse
haben wahrscheinlich einige Umstellungen stattgefunden; aber soviel ist
deutlich, daß Mose meint, daß der kommenden Königsherrschaft eine Periode besonderen Leids und Kummers für das Volk Israel vorausgehen wird.
Diese Periode wurde oft „die messianischen Wehen" genannt; man beachte
jedoch, daß in der Himmelfahrt Moses kein Messias auftritt.

3 *wird der Teufel ein Ende haben.* Die Errichtung von Gottes Herrschaft
bedeutet notwendigerweise die Beseitigung des Teufels, der Gottes Macht
usurpiert hat.

8 *der Himmlische wird von seinem Herrschersitz aufstehen.* Es ist ganz deutlich, daß das „Kommen der Königsherrschaft" ein Ausdruck dafür ist, daß
Gottes königliche Macht jetzt endlich zur Wirkung kommt.

11 *wird die Erde erbeben.* Naturereignisse sind besonders charakteristisch für
die Apokalyptik im Gegensatz zur Prophetie, s. o. S. 356.

22 *der höchste Gott ... allein.* Die Betonung der Tatsache, daß Gott allein wirkt,
schließt die Erwähnung eines Messias aus, und gerade das mag hier beabsichtigt sein.

23 *um die Heiden zu strafen.* „Mose" zeigt eine nationalistische Ansicht vom
Reich Gottes. Zu einer anderen Auffassung vom Schicksal der Heiden s. den
nächsten Auszug 293.

27 *(die Tage des Adlers).* So die den Text korrigierende Übersetzung von C.
Clemen; Charles emendiert: „Du wirst hinaufsteigen gegen den Adler, und
sein Nacken und seine Flügel werden zerstört werden."

30 *am Ort ihrer Wohnung.* Charles: „Und er wird deine Wohnung unter ihnen
einrichten."

35 *Josua, Sohn Nuns.* Dieser Teil der Apokalypse hat die Form einer Anrede
Moses an Josua. Über diesen Gebrauch der Pseudonymität s. o. S. 357–360.

37 *werden 250 Zeiten sein.* Mit „Zeiten" sind Jahrwochen gemeint, im ganzen

1750 Jahre. Das ist der Zeitabschnitt zwischen Moses Tod und dem Kommen des Reiches Gottes. Wir wissen nicht, wie der Verfasser den Tod Moses datiert haben würde, aber es besteht kaum ein Zweifel, daß nach seiner Ansicht die 250 Zeiten beinahe vergangen waren. Apokalypsen wurden in der Überzeugung geschrieben, daß das Ende nahe sei.

### 293 Sibyllinische Orakel III 767–807.

Im Altertum legte man den Äußerungen der verschiedenen Sibyllen erhebliche Bedeutung bei. Ihre Orakel vermittelten denen, die sie verstehen konnten, göttliches Urteil über menschliche Dinge. Die Abfassung solcher Orakel war einfach für jeden, der griechische Hexameter – ihre traditionelle Form – schreiben konnte; und jüdische, später auch christliche Schriftsteller waren nicht müßig, dieses wertvolle Propagandamittel zu erlernen. Die Sibyllinischen Bücher sind nicht einheitlich auf uns gekommen, aber es kann kein Zweifel bestehen, daß die folgenden Verse jüdischen Ursprungs sind.

Und dann wird er ein Königreich errichten für alle Zeiten über alle Menschen, er, der das heilige Gesetz einst den Frommen gab, denen er verhieß, die ganze Erde zu erschließen und die Welt und die Tore der Seligen und alle Freuden und unsterblichen, ewigen Geist und frohes
5 Herz. Von der ganzen Erde werden sie Weihrauch und Gaben zu dem Hause des großen Gottes bringen, und es wird kein anderes Haus bei den Menschen sein auch der Nachwelt zur Kunde als das, welches Gott den gläubigen Männern zu verehren gegeben hat. Denn den Tempel des großen Gottes werden es die Sterblichen nennen. Und alle
10 Pfade des Gefildes und die rauhen Hügel und die hohen Berge und die wilden Wellen des Meeres werden gangbar und schiffbar sein in jenen Tagen. Denn aller Friede der Guten wird auf Erden kommen. Das Schwert aber werden wegnehmen die Propheten des großen Gottes; denn sie selbst sind Richter der Sterblichen und gerechte Könige. Es
15 wird auch gerechter Reichtum unter den Menschen sein; denn das ist das Gericht und die Herrschaft des großen Gottes.

Freue dich, Jungfrau, und gebärde dich froh; denn dir hat gegeben Freude in Ewigkeit der Schöpfer Himmels und der Erde. In deiner Mitte wird er wohnen; du wirst unsterbliches Licht haben. Und Wölfe
20 und Lämmer werden auf den Bergen zusammen Gras essen, und Panther werden mit Böcklein weiden. Bären werden mit umherschweifenden Kälbern lagern, und der fleischfressende Löwe wird Stroh an der Krippe fressen wie ein Ochse, und ganz kleine Knaben werden ihn in Banden führen; denn (Gott) wird das wilde Tier auf
25 Erden gelähmt machen. Mit Säuglingen werden Drachen und Nattern schlafen und ihnen kein Leid antun; denn die Hand Gottes wird über ihnen sein.

Ich werde dir aber ein deutliches Zeichen sagen, daß du erkennen kannst, wann das Ende aller Dinge auf Erden kommt: wenn Schwer-
30 ter am gestirnten Himmel nächtlicherweile erscheinen gegen Abend und auch gegen Morgen; alsbald wird auch Staubwirbel vom Himmel herfahren gegen die ganze Erde, und der Glanz der Sonne wird vom

Himmel mitten (am Tage) verschwinden und des Mondes Strahlen
sichtbar werden und zurück auf die Erde kommen. Mit blutigen Trop-
35 fen aus den Felsen wird ein Zeichen geschehen; in der Wolke werdet
ihr sehen einen Kampf von Fußvolk und Reitern, gleichsam eine Jagd
auf wilde Tiere, Nebeln ähnlich. Damit wird das Ende (aller Dinge)
erfüllen Gott, der den Himmel bewohnt. Darum mögen alle dem großen Könige opfern.

2 *der das heilige Gesetz einst den Frommen gab.* Der jüdische Propagandist ist
zu vorsichtig, um sich zu erklären; doch ist die Bedeutung ja dem Eingeweihten klar.

5f *von der ganzen Erde ... des großen Gottes.* „Die Sibylle" ist ein jüdischer
Universalist, der nicht an die Vernichtung, sondern an die Bekehrung der
Heiden glaubt. Der Tempel in Jerusalem wird zum Mittelpunkt eines welt-
umfassenden Glaubens und Kultes werden.

17 *Jungfrau.* Wahrscheinlich Jerusalem. Die a.t.liche Sprache (z.B. 2 Kön 19,
21) war verständlich für Juden, geheimnisvoll für andere.

19 *Wölfe und Lämmer ...* bezieht sich wahrscheinlich auf Jes 11, 6.

28 *ein deutliches Zeichen.* Dies Interesse an Zeichen versetzt den Verfasser
dieses Textes in den Bereich der Apokalyptik.

37 *das Ende aller Dinge*, so wohl statt „das Ende des Krieges", wie die Hss
lesen.

## Die messianischen Wehen und der Messias

Die Auffassung, daß dem guten Äon eine Periode des Leidens und
der Versuchung vorangehen werde, hat ihre Wurzeln in der alttestamentlichen Prophetie und anderen religiösen Bewegungen
des alten Orients. Sie erscheint in vielen apokalyptischen Dokumenten und im NT, jedoch in verschiedenen Formen. Manchmal
ist das Unglück politisch und militärisch, manchmal kommt es
durch übernatürliche Geschehnisse; oft ist beides vereint. Ebenso
denkt man auch über den Messias nicht einheitlich.

**294** *Syrischer Baruch 25–30.*

Da antwortete er und sprach zu mir: „Auch du wirst aufbewahrt
werden bis zu jener Zeit, zu jenem Zeichen, das der Höchste für die
Bewohner der Erde zum Ende der Tage bewirken wird. Dies also wird
das Zeichen sein: Wenn starrer Schrecken die Bewohner der Erde
5 ergreifen wird, da werden sie fallen in viele Drangsale; auch werden
sie fallen in gewaltige Peinigungen. Und wenn sie dann in ihren
Gedanken infolge ihrer großen Drangsal sagen werden: ‚Nicht gedenkt mehr der Allmächtige der Erde', und wenn sie dann die Hoffnung aufgeben werden, alsdann wird die (neue) Zeit sich regen."
10 Da antwortete ich und sprach: „So wird wohl jene Drangsal, die
(dann) eintritt, lange Zeit währen? Jene Notzeit viele Jahre anhal-
ten?"

Und er antwortete und sprach zu mir: „In zwölf Abschnitte ist jene Zeit eingeteilt, und ein jeder von ihnen wird vorbehalten für das, was

15 für ihn vorgesehen ist: Im ersten Abschnitt wird der Anfang der Unruhen eintreten; und im zweiten Abschnitt Hinmordung der Großen (der Welt). Und im dritten Abschnitt Hinsinken vieler in den Tod; und im vierten Abschnitt Aussendung des Schwerts. Und im fünften Abschnitt Hunger und Regenmangel; und im sechsten Abschnitt Un-

20 ruhen und Schrecknisse. Und im siebenten Abschnitt ...; und im achten Abschnitt viele Erscheinungen und Dämonenbegegnungen. Und im neunten Abschnitt Herabfallen von Feuer; und im zehnten Abschnitt viel Beraubung und Bedrückung. Und im elften Abschnitt Missetat und Üppigkeit; und im zwölften Abschnitt Mischung und

25 Durcheinandermengung alles des vorher Genannten. Diese Abschnitte jener Zeit sind aber (zunächst) vorbehalten, und dann erst werden sie miteinander gemischt sein und einander aushelfen. Denn einige werden von dem Ihrigen übrig lassen und (dafür) von anderen hernehmen, und andere werden das Ihrige und das anderer vervollständigen,

30 so daß die, die in jenen Tagen auf der Erde sind, es nicht merken werden, daß es das Ende der Zeiten ist. Wohl aber wird jeder, der es merkt, alsdann weise werden. Was aber das Maß und die Zahl jener Zeit anbetrifft, so werden es zwei Abschnitte sein, die aus Wochen von je sieben Wochen bestehen."

35 Da antwortete ich und sprach: „Gut ist's, wenn jemand es erlebt und schaut; besser aber als dies ist es, wenn er's nicht erreicht, damit er nicht falle. Doch will ich auch dies sagen: Wird der Unvergängliche gering achten das, was vergänglich ist, und das, was sich ereignet mit dem, was vergänglich ist, dergestalt, daß er allein auf das, was unver-

40 gänglich ist, ausschaut? Wenn aber, mein Herr, wirklich das herbeikommen wird, was du mir vorhergesagt hast, so tue mir, falls ich Gnade gefunden habe in deinen Augen, auch dies kund: ob sich dies in einem Land oder in einem Erdteil ereignen wird, oder ob es die ganze Erde wahrnehmen wird?"

45 Und er antwortete und sprach zu mir: „Die ganze Erde (wird das treffen), was sich alsdann ereignet; darum werden es alle die wahrnehmen, die (dann) am Leben sind. Zu jener Zeit aber beschirme ich nur die, die sich in jenen Tagen in diesem Lande befinden. Und nachdem das, was sich in jenen Abschnitten ereignen wird, vollendet

50 ist, alsdann wird der Messias anfangen, sich zu offenbaren. Und offenbaren wird sich der Behemot aus seinem Ort, und der Leviathan wird emporsteigen aus dem Meere, die beiden gewaltigen Seeungeheuer, die ich am fünften Tage des Schöpfungswerkes geschaffen habe und bis auf jene Zeit aufbehalten habe; sie werden alsdann zur Speise für

55 alle die sein, welche übrig sind. Auch wird die Erde ihre Frucht zehntausendfältig geben; und an einem Weinstocke werden tausend Ranken sein, und eine Ranke wird tausend Trauben tragen, und eine Traube wird tausend Beeren tragen, und eine Beere wird ein Kor Wein bringen. Und die, die gehungert haben, sollen reichlich genießen;

60 weiter aber sollen sie auch an jenem Tage Wunder schauen. Denn
Winde werden von mir ausgehen, um Morgen für Morgen den Duft der
aromatischen Früchte mit sich zu führen, und am Ende des Tages
Wolken, die heilungbringenden Tau herabträufeln. Und zu jener Zeit
werden wieder die Mannavorräte von oben herabfallen; und sie wer-
65 den davon in jenen Jahren essen, weil sie das Ende der Zeiten erlebt
haben.

Und darnach, wenn die Zeit der Ankunft des Messias sich vollendet,
wird er in Herrlichkeit zurückkehren. Alsdann werden alle die, die in
der Hoffnung auf ihn entschlafen sind, auferstehen. Und es wird zu
70 jener Zeit geschehen: Auftun werden sich die Vorratskammern, in
denen die (bestimmte) Zahl der Seelen der Gerechten aufbewahrt
worden ist, und sie werden herausgehen; und die vielen Seelen werden
alle auf einmal, als eine Schar eines Sinnes, zum Vorschein kommen.
Und die ersten werden sich freuen, und die letzten sich nicht betrüben.
75 Denn es weiß ein jeder, daß die Zeit herbeigekommen ist, von der es
heißt, daß sie das Ende der Zeiten ist. Die Seelen der Gottlosen aber
werden, wenn sie dies alles sehen, alsdann ganz (vor Angst) vergehen;
denn sie wissen, daß ihre Peinigung sie (nun) erreicht hat und ihr
Untergang herbeigekommen ist."

1 *auch du.* Gemeint ist Baruch, der der Empfänger der Apokalypse sein soll.

13 *in zwölf Abschnitte ist jene Zeit eingeteilt.* Diese Art von verborgener Chronologie war bei denen, die über die Endzeit spekulierten, beliebt. S. z.B.
Himmelfahrt Moses 10 (*292*).

20 *Schrecknisse.* Die Ausführungen über den siebenten Abschnitt der Zeit sind
im Text ausgefallen.

30–32 *so daß die ... alsdann weise werden.* Der Verfasser unterscheidet zwischen sich und seinen Freunden, die die Zeichen der Zeiten erkennen können, und jenen, die entweder überhaupt keine Berechnungen anstellen oder
zu anderen Ergebnissen gelangen als er. Wenn es solche gibt, die eine
andere, seiner Meinung nach unrichtige Anschauung haben, so deshalb,
weil ihr Mißverständnis von Gott gewollt ist.

33 *zwei Abschnitte ... Wochen bestehen.* Dies ist kaum verständlich. Möglicherweise ist der Text verderbt. Wenn man emendieren will, ist der einfachste
Vorschlag, daß Baruch nicht „zwei", sondern „zwölf" Abschnitte schrieb und
sagen wollte, daß die ganze Zeit der endzeitlichen Drangsale eine Woche von
sieben Wochen (das wären vielleicht 49 Jahre) dauern würde. Aber dies ist
nicht mehr als eine Vermutung.

36–40 *Doch will ich auch dies sagen ... ausschaut?* Dieser Satz scheint den
Gedanken zu unterbrechen und hier nicht hinzuzugehören. Er könnte von
einer späteren Stelle des Buches hier eingedrungen sein (s. 43, 2).

48 *in diesem Land.* Palästina wird eine Insel der Sicherheit sein. Der Gedanke
ist nicht ungewöhnlich.

50 *alsdann wird der Messias anfangen sich zu offenbaren,* das heißt nach der
Drangsal. In dieser Apokalypse offenbart sich der Messias, aber es wird
nicht gesagt, daß er etwas tut. Er ist wirklich eine unnötige Figur.

51 *Behemot ... Leviathan.* Diese beiden Ungeheuer erscheinen im AT z. B. Hiob
40, 15. 25; wie der Zusammenhang zeigt, gehören sie zum Schöpfungsmy-

thus. Es gibt noch andere Zeugnisse für den Glauben, daß sie als Speise für das messianische Mahl dienen werden.

56 *zehntausendfältig*. Für diese Meinung gibt es gleichfalls noch andere Zeugnisse. Diese Weissagung wurde offenbar von Papias dem Jesus zugeschrieben (nach Irenäus, *Adversus haereses* V 33, 3 f).

64 *die Mannavorräte*. Auch dieser Glaube wird in jüdischen Quellen weithin bezeugt und erscheint im NT (Apk 2, 17).

67 *in Herrlichkeit zurückkehren*. Dies hat man so verstanden: Er wird nach dem Aufenthalt auf der Erde in den Himmel zurückkehren (so auch V. Ryssel in der zitierten Übersetzung); das ist jedoch unwahrscheinlich. Die Wiederauferstehung wurde wahrscheinlich eher durch das Kommen des Messias verkündet als durch sein Weggehen. Der Satz kann einfach eine Parallele zu „alsdann wird der Messias anfangen, sich zu offenbaren" (Z. 50) sein. Jedoch führt das Wort „zurückkehren" zu der Annahme, daß wir es mit einer christlichen Interpolation zu tun haben.

**295** *Psalmen Salomos 17, 21–46.*

In dem früheren Teil des Psalms, der kurz hinter die Einnahme Jerusalems durch Pompeius (63 v. Chr.) zu datieren ist (s. *143*), beklagt der Schreiber das Unglück, das durch fremde Eindringlinge und sündige Juden über sein Volk gekommen ist.

Sieh darein, o Herr, und laß ihnen erstehen ihren König, den Sohn Davids,
zu der Zeit, die du erkoren, Gott, daß er über deinen Knecht Israel regiere.
5 Und gürte ihn mit Kraft, daß er ungerechte Herrscher zerschmettere,
Jerusalem reinige von den Heiden, die es kläglich zertreten!
Weise (und) gerecht treibe er die Sünder weg vom Erbe,
zerschlage des Sünders Übermut wie Töpfergefäße.
Mit eisernem Stabe zerschmettere er all ihr Wesen,
10 vernichte die gottlosen Heiden mit dem Worte seines Mundes,
daß bei seinem Drohen die Heiden vor ihm fliehen
und er die Sünder zurechtweise ob ihres Herzens Gedanken.
Dann wird er ein heiliges Volk zusammenbringen, das er mit Gerechtigkeit regiert,
15 und wird richten die Stämme des vom Herrn, seinem Gotte, geheiligten Volks.
Er läßt nicht zu, daß ferner Unrecht in ihrer Mitte weile,
und niemand darf bei ihnen wohnen, der um Böses weiß;
denn er kennt sie, daß sie alle Söhne ihres Gottes sind.
20 Und er verteilt sie nach ihren Stämmen über das Land,
und weder Beisasse noch Fremder darf künftig unter ihnen wohnen.
Er richtet die Völker und Stämme nach seiner gerechten Weisheit.
Und er hält die Heidenvölker unter seinem Joche, daß sie ihm dienen,
und den Herrn wird er verherrlichen offenkundig vor der ganzen Welt
25 und wird Jerusalem rein und heilig machen, wie es zu Anfang war,
so daß Völker vom Ende der Erde kommen, seine Herrlichkeit zu sehen,

bringend als Geschenk seine (Jerusalems) erschöpften Söhne,
und um zu schauen des Herrn Herrlichkeit, mit der Gott sie verherr-
30 licht hat.
Er aber (herrscht als) gerechter König, von Gott unterwiesen, über sie,
und in seinen Tagen geschieht kein Unrecht unter ihnen,
weil sie alle heilig sind und ihr König der Gesalbte des Herrn ist.
Denn er verläßt sich nicht auf Roß und Reiter und Bogen;
35 auch sammelt er sich nicht Gold und Silber zum Kriege,
und auf die Menge setzt er nicht seine Hoffnung für den Tag der
Schlacht.
Der Herr selbst ist sein König, die Hoffnung des Starken (besteht) in
Hoffnung auf Gott,
40 und alle Heiden wird er bebend vor ihn stellen.
Denn er zerschlägt die Erde mit dem Worte seines Mundes für immer,
segnet das Volk des Herrn mit Weisheit in Freuden.
Und er ist rein von Sünde, daß er herrschen kann über ein großes Volk,
in Zucht halten die Obersten und wegschaffen die Sünder mit mächti-
45 gem Wort.
Auch wird er nie in seinem Leben straucheln gegen seinen Gott;
denn Gott hat ihn stark gemacht an heiligem Geist
und weise an verständigem Rat mit Tatkraft und Gerechtigkeit.
So ist des Herrn Segen mit ihm voll Kraft,
50 und er wird nicht straucheln.
Seine Hoffnung (steht) auf den Herrn:
Wer vermag da (etwas) gegen ihn?
Mächtig von Tat und stark in der Furcht Gottes
hütet er des Herrn Herde treu und recht
55 und läßt nicht zu, daß (eines) von ihnen auf ihrer Weide strauchle.
Ohne Unterschied leitet er sie alle,
und unter ihnen ist kein Übermut, daß Gewalttat unter ihnen verübt
würde.
Das ist der Stolz des Königs Israels, den Gott erkoren,
60 ihn über das Haus Israel zu setzen, daß er es zurechtweise.
Seine Worte sind lauterer als das feinste, kostbare Gold.
In Volksversammlungen wird er des geheiligten Volkes Stämme richten;
seine Worte sind gleich Worten der Heiligung inmitten geheiligter
65 Völker.
Selig, wer in jenen Tagen leben wird
und schauen darf das Heil Israels in der Vereinigung der Stämme, wie
es Gott bewirkt!
Gott lasse bald seine Gnade über Israel kommen;
70 er rette uns vor der Befleckung durch unheilige Feinde!
Der Herr selbst ist unser König immer und ewig.

1 *den Sohn Davids*. In 17, 4 wird an das der Familie Davids gegebene Versprechen erinnert. Der Messias dieses Psalms ist ein Krieger, der über Israels
Feinde triumphieren wird.

21 *weder Beisasse noch Fremder* ... Palästina wird von allen nichtjüdischen Einwohnern geräumt werden. Die Heiden werden geschont, aber vom Messias regiert werden.

33 *ihr König der Gesalbte des Herrn.* Die Hss haben: der Herr Messias (χριστὸς κύριος; χριστός = Gesalbter = Messias). Es ist jedoch sehr wahrscheinlich, daß die Psalmen ursprünglich hebräisch geschrieben waren, obwohl sie uns in dieser Sprache nicht überliefert sind, und ein hebräisches „Herr Messias" könnte unvokalisiert ebensogut „des Herrn Gesalbter" heißen. Wahrscheinlich hat sich der griechische Übersetzer hier geirrt, da eine ähnliche Stelle (18, 5) lautet „sein (des Herrn) Gesalbter". „Des Herrn Gesalbter" ist eine gebräuchliche Wendung, und obwohl „König Messias" in der rabbinischen Literatur ebenfalls häufig ist, besitzen wir damit kaum einen Präzedenzfall für „Herr Messias". Vielleicht war der irrende Übersetzer ein Christ (vgl. Lk 2, 11).

36 *setzt er nicht seine Hoffnung* ... Vgl. Dtn 17, 16 f. Der neue König wird nicht in die Irrtümer Salomos verfallen.

38 *Der Herr selbst ist sein König,* und so stellt der Messias für sein Volk das Königtum Gottes dar.

47 *heiligem Geist.* Besser „Geist der Heiligkeit". Der Ausdruck hat nichts mit dem christlichen Heiligen Geist zu tun. Vgl. Jes 11, 1.

54 *hütet er des Herrn Herde.* Vgl. Mi 5, 3; Ez 34, 23.

61, 64 *seine Worte.* Der König wird einige Eigenschaften eines pharisäischen Schriftgelehrten haben; er wird sowohl Lehrer als auch Herrscher sein.

## Der Menschensohn

Es ist hier nicht der Ort, die Probleme, die durch den Gebrauch dieses Titels in den Evangelien auftauchen, zu erörtern, geschweige denn, sie zu beantworten. Es gibt in der Tat wenige neutestamentliche Probleme, die gründlichere Kenntnisse der jüdischen und verwandten Literatur erfordern; wenn man sie freilich durchforstet hat, dann wird es äußerst zweifelhaft, ob der Ausdruck „Menschensohn" jemals ein jüdischer *Titel* für den Messias oder eine andere Figur war. In den Evangelien ist der *titulare* Gebrauch der Bezeichnung wohl offenkundig; aber ob Jesus sie als *Titel* für sich selbst in Anspruch nahm, ist ebenso umstritten wie die Herkunft des Ausdrucks. In den folgenden Texten, die im Zusammenhang dieser Problematik häufig zitiert werden, ist explizit und implizit von einem „Menschensohn", „dem Menschensohn" oder „jenem Menschensohn" die Rede. Man muß dabei im Auge behalten, daß „(der) Menschensohn" ein semitischer Ausdruck für „(den) Menschen" ist.

**296** *Daniel, 7, 1–14.*

Über Datum und Ursprung des Buches Daniel s. *282* mit Anm.

Im ersten Jahre des Belsazar, des Königs von Babel, hatte Daniel
einen Traum, und die Gesichte seines Hauptes auf seinem Lager
(ängstigten ihn). Da schrieb er den Traum nieder: Anfang der Worte.
Er sagte. Daniel hob an und sagte: Ich schaute des Nachts in meinem
5 Traumgesicht: Auf einmal wühlten die vier Winde des Himmels das
große Meer auf, und vier gewaltige Tiere stiegen aus dem Meer herauf,
das eine verschieden vom andern. Das erste glich einem Löwen und
hatte Adlerflügel. Ich schaute: Da wurden ihm die Flügel ausgerauft,
und es wurde vom Boden erhoben und gleich einem Menschen auf zwei
10 Füße gestellt und ein Menschenherz ihm gegeben. Darauf erschien ein
anderes, zweites Tier, das glich einem Bären; nach der einen Seite war
es aufgerichtet, und drei Rippen hielt es im Maule zwischen seinen
Zähnen, und also wurde ihm befohlen: Auf! Friß viel Fleisch! Darnach
schaute ich, und es erschien ein anderes (Tier), es glich einem Panther
15 und hatte vier Vogelflügel auf seinem Rücken; auch vier Köpfe hatte
das Tier, und Macht war ihm verliehen. Darnach schaute ich in meinen Nachtgesichten, und es erschien ein viertes Tier, ein schreckliches
und furchtbares und überaus starkes. Es hatte gewaltige Zähne von
Eisen (und Klauen von Erz). Es fraß und zermalmte, und den Rest
20 zertrat es mit seinen Füßen. Es war von allen vorherigen Tieren
verschieden und hatte zehn Hörner. Ich gab auf die Hörner genau
acht, und siehe, ein anderes kleines Horn schoß zwischen ihnen auf,
und drei von den ersten Hörnern wurden vor ihm ausgerissen; und
siehe, Augen wie Menschenaugen waren an diesem Horn und ein
25 Mund, der große Dinge redete. Ich schaute: Auf einmal wurden Throne hingestellt, und ein Hochbetagter nahm Platz; sein Gewand war
weiß wie Schnee und sein Haupthaar rein wie Wolle, sein Thron war
Feuerflamme und dessen Räder loderndes Feuer. Ein Feuerstrom
ergoß sich und ging von ihm aus; tausendmal Tausende dienten ihm,
30 und zehntausendmal Zehntausende standen vor ihm. Der Gerichtshof
nahm Platz, und die Bücher wurden aufgetan. Ich schaute da ob des
Lärms der großen Worte, die das Horn führte, ich schaute, mit einem-
mal wurde das Tier getötet und sein Leib vernichtet und dem Feuer-
brande überliefert. Auch den übrigen Tieren wurde die Macht entzo-
35 gen und ihnen ihre Lebensdauer auf Zeit und Stunde bestimmt. Ich
schaute in den Nachtgesichten und siehe, mit den Wolken des Himmels kam einer, der einem Menschen glich, und gelangte bis zu dem
Hochbetagten und wurde vor ihn gebracht. Und es wurde ihm gegeben
Macht und Ehre und Reich, und alle Völker, Nationen und Zungen,
40 ihm dienen sie, seine Macht ist eine ewige Macht, die nicht vergeht,
und sein Reich (ein ewiges Reich), das unzerstörbar ist.

3 f *Anfang ... und sagte:* überflüssige Zusätze im masoretischen Text.

6 *das große Meer.* Vgl. die Anspielung auf das Meer in 4. Esra 13, 3, aus dem
der Mensch aufsteigt. Das ist ein deutlicher Hinweis darauf, daß wir es bei
dieser menschlichen Figur mit einem antiken, wahrscheinlich kosmologischen Mythus zu tun haben. Vielleicht wurde der Menschensohn schließlich
einfach ein Bestandteil der jüdischen Hoffnung auf den Messias, doch sein

Ursprung kann durchaus woanders liegen, nämlich in Spekulationen über einen ersten oder himmlischen Menschen.

*vier gewaltige Tiere.* Diese Tiere werden im zweiten Teil des Kapitels als „vier Könige" erklärt; „vier Königreiche" hätte es einfacher heißen können. Offenbar stellt das erste Tier das Babylonische Reich, das zweite das Mederreich, das dritte das Perserreich und das vierte das Griechische Reich unter Alexander und seinen Nachfolgern dar. Das kleine Horn ist Antiochus IV. Epiphanes, dessen Angriffe auf das Judentum die Abfassung des Daniel-Buches veranlaßt haben.

26 *Throne hingestellt.* Wenn damit gemeint ist, daß der Menschensohn auf einem Thron zur Seite Gottes sitzen soll, paßt dazu schlecht die Auffassung (s. nächste Anm.), daß er nichts als eine Personifikation Israels ist.

37 *einer der einem Menschen glich,* wörtlich: einer wie eines Menschen Sohn, d. h. ein einzelner Mensch, eine menschliche Figur. Wie die vier Tiere wird die menschliche Figur im zweiten Teil des Kapitels erklärt: Das Reich und die Macht und die Größe der Reiche unter dem ganzen Himmel wird dem Volk der Heiligen des Höchsten verliehen (7, 27). So stellt der „Mensch" Israel dar; sein Ruhm ist der Ruhm des Volkes. Es darf daraus nicht geschlossen werden, daß er eine bloße Personifikation sei; s. die vorherige Anm. und die Tatsache, daß an anderen Stellen bei Daniel die Völker durch Engel dargestellt sind, durch wirkliche, persönliche himmlische Wesen. Wahrscheinlich ist der „Mensch", ursprünglich eine Figur in einem antiken Mythus, von dem Verfasser des Danielbuches für den Zweck dieser Schrift übernommen worden und hat aufgrund seiner Funktion als Repräsentant des Volkes Gottes schließlich messianische Eigenschaften angenommen.

**297** *Äthiopischer Henoch (a)  48; (b)  69, 26–29; (c)  71, 14–17.*

Der Hauptteil (37–71) des ÄthHen, im allgemeinen als die Bilderreden bezeichnet, enthält zahlreiche Hinweise auf eine Person, die als der (oder dieser) Menschensohn beschrieben wird. Die Datierung der Bilderreden ist umstritten, aber möglicherweise entstanden sie zur Zeit des NT.

(a) An jenem Orte sah ich einen Brunnen der Gerechtigkeit, der unerschöpflich war. Rings umgaben ihn viele Brunnen der Weisheit; alle Durstigen tranken daraus und wurden voll von Weisheit, und sie hatten ihre Wohnungen bei den Gerechten, Heiligen und Auserwähl-
5 ten. Zu jener Stunde wurde jener Menschensohn bei dem Herrn der Geister und sein Name vor dem Betagten genannt. Bevor die Sonne und die (Tierkreis-)Zeichen geschaffen (und) bevor die Sterne des Himmels gemacht wurden, wurde sein Name vor dem Herrn der Geister genannt. Er wird ein Stab für die Gerechten und Heiligen sein,
10 damit sie sich auf ihn stützen und nicht fallen; er wird das Licht der Völker und die Hoffnung derer sein, die in ihrem Herzen betrübt sind. Alle, die auf dem Festlande wohnen, werden vor ihm niederfallen und anbeten und preisen, loben und lobsingen dem Namen des Herrn der Geister. Zu diesem Zwecke war er auserwählt und verborgen vor ihm
15 (Gott), bevor die Welt geschaffen wurde, und (er wird) bis in Ewigkeit vor ihm (sein). Die Weisheit des Herrn der Geister hat ihn den Heiligen und Gerechten geoffenbart; denn er bewahrt das Los der Gerechten, weil sie diese Welt der Ungerechtigkeit gehaßt und verachtet und

alle ihre Taten und Wege im Namen des Herrn der Geister gehaßt
20 haben; denn in seinem Namen werden sie gerettet, und er ist der
Rächer ihres Lebens. In jenen Tagen werden die Könige der Erde und
die Starken, die das Festland besitzen, wegen der Taten ihrer Hände
niedergeschlagenen Antlitzes sein; denn am Tage ihrer Angst und Not
werden sie ihre Seele nicht retten. Ich werde sie in die Hände meiner
25 Auserwählten übergeben; wie Stroh im Feuer und wie Blei im Wasser,
so werden sie vor dem Angesicht der Gerechten brennen und vor dem
Angesichte der Heiligen untersinken, so daß keine Spur von ihnen
gefunden werden wird. Am Tage ihrer Not wird Ruhe auf Erden
werden; sie werden vor ihm niederfallen und nicht mehr aufstehen.
30 Niemand wird da sein, der sie in seine Hände nähme und aufrichtete,
weil sie den Herrn der Geister und seinen Gesalbten verleugnet haben. Der Name des Herrn der Geister sei gepriesen!

(b) Große Freude herrschte unter ihnen, und sie segneten, lobten,
priesen und erhoben, weil ihnen der Name jenes Menschensohns
35 geoffenbart wurde. Er (der Menschensohn) setzte sich auf den Thron
seiner Herrlichkeit, und die Summe des Gerichts wurde ihm, dem
Menschensohn, übergeben, und er läßt die Sünder und die, welche die
Welt verführt haben, von der Oberfläche der Erde verschwinden und
vertilgen. Mit Ketten werden sie gebunden und an dem Sammelort
40 ihrer Vernichtung eingeschlossen; alle ihre Werke verschwinden von
der Erdoberfläche. Von jetzt an aber wird nichts Verderbliches (mehr)
da sein. Denn jener Mannessohn ist erschienen und hat sich auf den
Thron seiner Herrlichkeit gesetzt, und alles Böse wird vor seinem
Angesichte verschwinden und vergehen; aber das Wort jenes Men-
45 schensohnes wird kräftig sein vor dem Herrn der Geister. Dies ist die
dritte Bilderrede Henochs.

(c) Er kam zu mir, grüßte mich mit seiner Stimme und sprach zu
mir: „Du bist der Menschensohn, der zur Gerechtigkeit geboren wird;
Gerechtigkeit wohnt über dir, und die Gerechtigkeit des betagten
50 Hauptes verläßt dich nicht." Dann sagte er zu mir: „Er ruft dir Frieden
zu im Namen der zukünftigen Welt; denn von dort geht hervor der
Friede seit der Schöpfung der Welt, und also wird dir geschehen in
Ewigkeit und von Ewigkeit zu Ewigkeit. Alle, die auf deinem Wege
wandeln werden – du, den die Gerechtigkeit nimmer verläßt –, deren
55 Wohnungen und Erbteil werden bei dir sein, und sie werden sich bis in
alle Ewigkeit nicht von dir trennen." So wird die Länge der Tage bei
jenem Menschensohne sein, und die Gerechten werden Frieden haben
und seinen geraden Weg (wandeln) im Namen des Herrn der Geister
von Ewigkeit zu Ewigkeit.

1 *an jenem Orte.* Henoch sieht den Himmel und sogar Gott selbst (beschrieben
als der „Herr der Geister" und „der Betagte"). Man erinnere sich, daß die in
den Apokalypsen geoffenbarten Geheimnisse nicht ausschließlich Zu-
kunftsgeheimnisse sind.

6–8 *Bevor die Sonne und die Tierkreiszeichen geschaffen ... wurde sein Name genannt.* Vgl. Z. 14 f. Der Menschensohn wird dargestellt als Wesen, das bereits eine Existenz im Himmel hatte.

14 *auserwählt und verborgen vor ihm.* Der Menschensohn hat sein Amt in Abhängigkeit von dem Willen Gottes; aber seine Existenz war zu der Zeit, als das Buch niedergeschrieben wurde, ein apokalyptisches Geheimnis – nur dem Apokalyptiker und dem Kreis, dem er seine Gesichte offenbart, bekannt.

16 *Die Weisheit ... geoffenbart,* d. h. durch Henoch und seine Gesichte. Gegenüber einem solchen Ausspruch wie diesem ist es schwierig zu glauben, daß (im ÄthHen) der Menschensohn mit den Gerechten als einer Gruppe identisch sein könnte.

20 *in seinem Namen werden sie gerettet.* Die Gerechten werden durch den Menschensohn aus ihrer Not gerettet. Es steht nirgends im Buch Henoch, daß der Menschensohn gekommen ist, zu suchen und selig zu machen, was verloren ist (Lk 19, 10), oder die Menschen von ihren Sünden zu erretten.

27 *keine Spur von ihnen gefunden werden wird.* Die Bösen werden ausgelöscht.

31 *seinen Gesalbten,* oder, wenn wir das Wort als technischen Terminus nehmen, seinen Messias. Die Frage, ob der Menschensohn bei Henoch als Messias gedacht ist, ist schwierig und umstritten.

34 *ihnen der Name jenes Menschensohnes geoffenbart wurde.* Der Name des Menschensohnes wird vor dem jüngsten Gericht allgemein bekannt gemacht.

36f *die Summe des Gerichts ... übergeben.* Der Menschensohn handelt als Richter der Sünder. Die „Summe des Gerichts" bedeutet „das ganze Gericht"; vgl. Joh 5, 22. 27.

48 *du bist der Menschensohn, der zur Gerechtigkeit geboren wird.* Beer übersetzt: Mannessohn (so auch in Z. 44). Die Übersetzung der zweiten Person in Z. 48–50 und Z. 53–56 entspricht den Hss. Charles übersetzt diese Stellen in der dritten Person. Die Szene stellt die Enderhebung Henochs zum Himmel dar; es handelt sich um die letzten Verse der gesamten Bilderrede. Nach Charles' Übersetzung wird dem Henoch der Menschensohn gezeigt, über den er schon vorher Offenbarungen empfangen hatte; nach den Hss, denen Beers Übersetzung folgt, wird dem Henoch als letztes aller Geheimnisse dies offenbart, daß er selbst der Menschensohn ist. Charles verwarf den Text der Hss, weil er ihm unverständlich schien, und in der Tat bietet er Schwierigkeiten. Nach den Bilderreden hat der Menschensohn von Ewigkeit her im Himmel existiert. Der Mensch Henoch lebte auf der Erde und wurde nach einem langen Leben zum Himmel erhoben. Wir erfahren nun, daß die eine dieser beiden Personen gleich der anderen ist. Diese Identifikation kann rational nicht begriffen werden; aber Rationalität ist wohl das letzte, was wir in einer Apokalypse erwarten dürfen, und es wird am besten sein anzunehmen, daß es Kreise im Judentum gab, welche diesen seltsamen Glauben vertraten. Es gibt andere Zeugnisse, die den Glauben belegen, daß Henoch zum Himmel erhoben wurde, um ein himmlisches Wesen zu werden. Wenn es im 1. Jahrhundert n. Chr. Juden gab, welche es für möglich hielten, daß ein Mensch in der Weise zum Himmel erhöht werden konnte, daß er mit einem „Menschensohn" genannten übernatürlichen Wesen identisch würde und als Richter und Retter wiederkommen könnte, dann ist ihr Glaube bedeutsam für das Studium der Evangelien.

## C. Mystik

Mystik ist ein Leben in Verbindung mit den himmlischen Geheimnissen. Wie wir oben bereits festgestellt haben, hat Mystik immer etwas mit Apokalyptik zu tun, in der die Geheimnisse der oberen Welt – und damit zugleich die Geheimnisse der Zukunft – offenbart werden (griech. ἀποκαλύπτειν). Bei diesem Umgang mit der himmlischen Welt handelte es sich bis zu einem gewissen Grade, aber nicht ausschließlich, um literarische Konvention. Vieles aus der Apokalyptik beruht auf echter, wenn auch mitunter fehlgeleiteter religiöser Erfahrung.

**298** *Äthiopischer Henoch 14.*

Vgl. *297.* Dieser Teil des äthiopischen Henochbuches könnte bis ins 3. Jh. v. Chr. hinaufreichen. Vgl. dazu T. F. Glasson, *The Son of Man Imagery: Enoch XIV and Daniel VII,* NTS 23, 1977, S. 82–90.

„Das (ist das) Buch der Worte der Wahrheit und des Tadels der Wächter, die von Ewigkeit sind, wie (es) der Heilige und Große befohlen hat in jener Vision. Ich sah in meinem Schlaf, was ich jetzt mit meiner Fleischeszunge verkündige und mit meinem Odem, den der Große den
5 Menschen in den Mund gegeben hat, daß sie damit reden und (es) mit dem Herzen verstehen. Wie er die Menschen geschaffen und ihnen verliehen hat, das Wort der Erkenntnis zu verstehen, so hat er auch mich geschaffen und (mir) verliehen, daß ich die Wächter, die Söhne des Himmels, tadle. Ich habe eure Bitte aufgeschrieben, aber in mei-
10 ner Vision erschien mir dies: Eure Bitte wird nicht erfüllt in alle Ewigkeit, und das Gericht über euch wird vollendet und euch nichts gewährt. Und von nun an werdet ihr nicht (mehr) in den Himmel hinaufsteigen bis in alle Ewigkeit, und es ist geboten worden, euch auf Erden zu binden für alle Ewigkeit. Zuvor aber sollt ihr die Vertilgung
15 eurer geliebten Söhne gesehen haben, ohne daß sie euer Eigentum gewesen sind: Sie werden vor euch durch das Schwert fallen. Und eure Bitte für sie wird nicht erfüllt werden, ebenso (wenig) die für euch, wie ihr auch dabei weint und fleht, und ihr werdet nicht ein Wort aus der Schrift sprechen, die ich geschrieben habe." Und die Vision erschien
20 mir folgendermaßen: Siehe, Wolken riefen mich in der Vision, und Nebel rief mich, und die Bahn der Sterne und die Blitze drängten mich zur Eile und trieben mich, und die Winde in der Vision gaben mir Flügel und bewegten mich und hoben mich empor in den Himmel. Und ich ging hinein, bis ich nahe an einer Mauer war, die aus Hagelsteinen
25 erbaut war, und Feuerzungen umgaben sie, und sie begann, mir Furcht einzujagen. Und ich trat hinein in die Feuerzunge und näherte mich einem großen Haus, das aus Hagelsteinen erbaut war, und die Wand jenes Hauses (war) wie eine Mosaikfläche aus Hagelsteinen, und sein Boden (war von) Hagel, seine Decke wie die Bahn der Sterne

30 und (wie) Blitze, und dazwischen (waren) feurige Kerubim, und sein
Himmel (war von) Wasser, und flammendes Feuer umgab die Wand,
und seine Tür flammte von Feuer. Und ich trat ein in jenes Haus, und
es war heiß wie Feuer und kalt wie Schnee, und keine Lebensfreude
war darin. Furcht bedeckte mich, und Zittern ergriff mich. Und ich
35 war erschüttert und zitterte, und ich fiel nieder auf mein Angesicht;
und ich sah in der Vision: Und sieh, (da war) ein anderes Haus, größer
als jenes, und die Tür war völlig offen vor mir, und es war aus Feuerzungen erbaut. Und in allem war es so außergewöhnlich an Herrlichkeit, Pracht und Größe, daß ich nicht in der Lage bin, euch seine
40 Herrlichkeit und seine Größe zu beschreiben. Und sein Boden (war)
von Feuer, und oberhalb von ihm (waren) Blitze und die Laufbahn der
Sterne, und seine Decke flammendes Feuer. Und ich blickte hin und
sah darin einen hohen Thron, und sein Aussehen (war) wie Reif, und
sein Umkreis (war) wie die Sonne, die leuchtet, und (wie) die Stimme
45 der Kerubim. Und unterhalb des Thrones kamen Ströme flammenden
Feuers hervor, und man vermochte ihn nicht anzusehen. Und die
große Herrlichkeit saß darauf, und ihr Gewand war strahlender als
die Sonne und weißer als aller Schnee. Und keiner von den Engeln
konnte eintreten noch sein Angesicht den Erhabenen und Herrlichen
50 sehen, und keiner, der zum Fleisch gehört, vermag ihn zu sehen.
Flammendes Feuer (war) rings um ihn, und großes Feuer stand vor
ihm, und niemand von denen, die um ihn waren, nahte sich ihm;
zehntausendmal zehntausend (waren) vor ihm, aber er brauchte keinen Rat. Und die Heiligen der Heiligen, die in seiner Nähe waren,
55 entfernten sich nicht bei Nacht und verließen ihn nicht. Und ich hatte
bis dahin einen Schleier auf meinem Angesicht, während ich zitterte;
und der Herr rief mich mit seinem Mund und sprach zu mir: „Komm
hierher, Henoch, und zu meinem heiligen Wort!" Und er weckte mich
auf und brachte mich bis zu der Tür, ich aber senkte mein Angesicht.

1 *Wächter:* Bei ihnen scheint es sich um gefallene Engel zu handeln.

44 *und sein Umkreis (war) wie die Sonne, die leuchtet.* Die griechische Version
spricht vom Rad (des Thrones). Das erinnert an die Thronwagen-Vision des
Ezechiel (1, 15–21).

Das apokalyptische Judentum beruhte, wie jede andere Form
des Judentums auch, auf der Auslegung heiliger Texte. Dessen
mystischer Zweig machte hauptsächlich von der Schöpfungser-
zählung (Gen 1f) und den Kapiteln über den Thronwagen (Ez 1.
10) Gebrauch. Insbesondere letztere führten zu mystischer Erfahrung und theologischer Spekulation; die Gefahr wurde dabei deutlich gesehen.

**299** *Mischna Ḥagiga 2. 1.*

Man darf über Inzest nicht lehren vor dreien, über das Schöpfungs-

werk nicht vor zweien, über den Thronwagen auch nicht vor einem, es
sei denn, es handelt sich um einen Weisen, der aus eigenem Nachden-
ken Einsicht gewonnen hat. Wer auch immer über vier Dinge speku-
5 liert, für den wäre es eine Gnade gewesen, wenn er gar nicht erst zur
Welt gekommen wäre: Was ist oben? Was ist unten? Was war vorher?
Was wird nachher sein? Und wer auch immer sich nicht um die Ehre
seines Herrn schert, für den wäre es eine Gnade gewesen, wenn er gar
nicht erst zur Welt gekommen wäre.

2 *vor einem*. Wenn der Hörer nicht fähig war, dem Vortrag kritisch zu folgen,
drohte das Entstehen einer esoterischen Tradition.

6 *oben ... unten ... vorher ... nachher*. Die ersten beiden Worte beziehen sich
auf mystische Spekulationen, die letzten beiden auf apokalyptische Ge-
schichtsdeutung.

**300** *Mischna Megilla 4, 10.*

Die Geschichte von Ruben (Gen 35, 22) wird vorgelesen, aber nicht
übersetzt; Tamars Geschichte (Gen 38) wird vorgelesen und übersetzt.
Die erste Erzählung vom Kalb (Ex 32, 1–20) wird vorgelesen und
übersetzt, die zweite (Ex 32, 21–25. 35) wird vorgelesen, aber nicht
5 übersetzt. Der Priestersegen (Num 6, 24–26), Davids Geschichte ( 2
Sam 11, 2–17) und die von Amnon (2 Sam 13, 1–20) werden vorgelesen, aber nicht übersetzt. Man soll nicht mit der Lesung über den
Thronwagen (Ez 1, 4 ff) enden; aber R. Yehuda erlaubt es. R. Eliezer
sagt: „Man soll die Lesung nicht mit (dem Abschnitt) „Tue Jerusalem
10 kund" (Ez 16, 2 ff) beenden."

1 *vorgelesen, aber nicht übersetzt*. In einigen palästinischen Targumim wurde
diese Regel so befolgt, daß die entsprechenden Abschnitte nicht ins Aramäische übersetzt wurden, sondern der hebräische Wortlaut kopiert wurde.
Vgl. M. L. Klein, *Not to be Translated in Public ...*, JJS 39, 1988, S. 80–91.

Insbesondere von vier Rabbis heißt es, sie seien „ins Paradies
eingegangen", d. h., sie hätten die Geheimnisse der himmlischen
Welt gesehen. Nur einer von ihnen, R. 'Aqiva, hat dieses Erlebnis
unbeschadet überstanden. Der folgende Bericht stammt aus der
Tosefta; Parallelen dazu finden sich im babylonischen (bḤag 14b)
und im jerusalemischen Talmud (yḤag 77b), ferner im Midrasch
Rabba zum Hohelied (ShirR 1, 4) und in der Hekhalot-Literatur
(Hekhalot Zuṭarti § 344 f mit Parallelen; dt. Ausgabe s. bei *302*).

**301** *Tosefta Ḥagiga 2, 3–4.*

Vier betraten den (Paradies-)Garten: ben 'Azzai, ben Zoma, 'Aher und
R. 'Aqiva. Einer blickte hin und starb, einer blickte hin und wurde
geschlagen, einer blickte hin und schnitt die neuen Triebe ab, und
einer ging unbeschadet hinauf und kam unbeschadet herab.

5    Ben 'Azzai blickte hin und starb. Über ihn sagt die Schrift: „Kostbar ist in den Augen des Herrn der Tod seiner Frommen." (Ps 116, 15)

   Ben Zoma blickte hin und wurde geschlagen. Über ihn sagt die Schrift: „Findest du Honig, so iß nur, soviel du bedarfst, damit du dich nicht übersättigst und ihn ausspuckst." (Prov 25, 16).

10    'Elisha' blickte hin und schnitt die neuen Triebe ab. Über ihn sagt die Schrift: „Laß nicht zu, daß dein Mund dich in Schuld bringe." (Qoh 5, 5)

   R. 'Aqiva ging unbeschadet hinauf und kam unbeschadet herab. Über ihn sagt die Schrift: „Ziehe mich hinter dir her, laß uns eilen."
15 (Cant 1, 4)

> 1 *'Aḥer*, wörtlich „ein anderer". Gemeint ist 'Elisha' ben 'Avuya. Sein Name wurde manchmal unterdrückt; er fiel der *damnatio memoriae* zum Opfer, weil er häretisch wurde. Die Parallelen im Jerusalemer Talmud und im Midrasch Rabba zum Hohelied erklären *und schnitt die neuen Triebe ab* dahingehend, daß 'Elisha' Kinder beim Studium der Tora gestört habe. Tatsächlich drohte durch seine Spekulation über zwei himmlische Mächte das Ende des Judentums; vgl. *303*.
>
> *Ben 'Azzai* war als Gelehrter hoch geachtet: ‚Mit dem Tod ben 'Azzais hörten die wachsamen Forscher auf zu existieren.' (*m Soṭa* 9, 15)
>
> *Ben Zoma* war ein bedeutender Exeget (*m Soṭa* 9, 15), wurde aber später verrückt.
>
> 4 *Ging hinauf . . . kam herab*. Es geht um den Aufstieg in die himmlische Welt.

### 302  *Die Wasserepisode nach Hekhalot Zuṭarti §§ 408–410.*

> Übers. in: *Übersetzung der Hekhalot-Literatur,* Bd. III: §§ 335–597, hg. v. P. Schäfer, Tübingen 1989, S. 146–150. In den Hekhalot Zuṭarti (§§ 407–424) wird von einer mystischen Himmelsreise erzählt, die sich in manchen Einzelheiten mit der oben zitierten sog. Mithrasliturgie (s. *31*) berührt. Ziel der Reise ist die Schau Gottes, dessen Thron im 7. Palast (hebr. *hekhal,* daher der Name Hekhalot) steht. Bevor er dort eintreten kann, muß der Adept freilich noch eine Prüfung im 6. Palast bestehen; davon berichtet die folgende Wasserepisode (vgl. dazu R. Reichman, *Die „Wasser-Episode" in der Hekhalot-Literatur,* FJB 17, 1989, S. 67–100).

Der sechste Palast hat den Anschein, (als) strömten in ihm Hunderttausende über Tausende und Myriaden über Myriaden Meereswellen. Aber in ihm ist nicht einmal ein einziger Tropfen Wasser, sondern (es kommt) vom Luft(flimmern) des Glanzes der Steine reinen Marmors,
5 die im Palast emporragen; denn der Glanz ist furchtbarer als Wasser. Stehen nicht die Diener ihm gegenüber? Wenn er sagt: Was hat es mit jenen Wassern auf sich?, laufen sie sogleich hinter ihm her, um (ihn) zu steinigen, und sagen zu ihm: Nichtsnutz, von nun an schaust du nicht(s) (mehr) mit deinen Augen. Bist du vielleicht ein Abkömmling
10 derer, die (das) Kalb küßten? Du bist nicht würdig, den König in seiner Schönheit zu sehen. Wenn es so ist, (geht) eine Himmelsstimme (aus) vom siebenten Palast, und der Herold geht vor dir aus, bläst, lärmt, bläst (noch einmal) und sagt zu ihnen: Gut habt ihr gesprochen! Gewiß

ist er ein Abkömmling derer, die (das) Kalb küßten, und er ist nicht
15 würdig, den König in seiner Schönheit zu sehen. Er (kann) nicht von
dort entweichen, bis sie sein Haupt mit Eisenstücken zermalmen.
Dies sei ein Zeichen für Generationen, damit sich kein Mensch irre
am Eingang zum sechsten Palast und, den Glanz des Luft(flimmerns)
der Steine sehend, frage und sage: Ist es Wasser?, damit er sich
20 (dadurch) nicht in Gefahr bringe. Denn selbst wenn er nicht würdig
wäre, den König in seiner Schönheit zu sehen, (fragte er) sie nicht
(mehr) nach dem Luft(flimmern) des Glanzes der Steine reinen Marmors, die im Palast emporragen. Sie vernichten ihn nicht, sondern
entscheiden über ihn zu seinen Gunsten: (Wenn) er nicht würdig wäre,
25 den König in seiner Schönheit in den sechs Palästen zu sehen, wie
(könnte) er (dann) hineingehen?
R. ʿAqiva sagte: N. N. war verdient und stand am Eingang zum
sechsten Palast. Als er den Glanz des Luft(flimmerns) der Steine sah,
öffnete er zweimal seinen Mund und sprach: Wasser, Wasser! (Im
30 selben Augenblick) zerstörten sie sein Haupt, und es kamen 11000
Eisenstücke auf ihn. Dies sei ein Zeichen für Generationen, damit sich
kein Mensch irre am Eingang zum sechsten Palast usf. *Der Herr war
König, der Herr ist König* usf.

10 *die (das) Kalb küßten.* Vgl. Hos 13, 2.

20 *selbst wenn er nicht würdig wäre.* „Gemeint ist folgendes: Da die Wasserpro-
be durch das „Zeichen", d.h. die Warnung, allgemein bekannt ist, kann sie
kein Kriterium mehr dafür sein, ob der Merkava-Mystiker der Schau würdig
ist oder nicht. Die Engel müssen nunmehr im Vertrauen darauf entscheiden, daß der „Unwürdige" erst gar nicht soweit gekommen wäre." (P. Schäfer z. St.)

27 *N. N.* Eine andere Handschrift schreibt hier: „ben ʿAzzai" (vgl. *301*).

Mystische Theologen warfen die Frage auf, ob Gott wirklich ein
einziger war oder ob es noch jemand anderen gab, der seinen
Thron teilte. In solchen Spekulationen spielte ein Wesen namens
Meṭaṭron eine wichtige Rolle. In den beiden folgenden Passagen
aus dem hebräischen Henochbuch, das ein relativ spätes Stadium
der Hekhalot-Traditionen widerspiegelt, scheinen positive und
negative Gesichtspunkte zum Ausdruck zu kommen.

**303**  *3 Henoch 11–12. 16.*

Text bei H. Odeberg, *3 Enoch or The Hebrew Book of Enoch*, Cambridge 1928.

R. Yishmaʿel sagte: „Meṭaṭron, (der) Engel, der Fürst des Angesichts,
sagte zu mir: ‚Von da an offenbarte mir der Heilige, gepriesen sei er,
alles Verborgene der Tora und alle Geheimnisse der Weisheit [und alle
Tiefen der] vollkommenen [Tora] und alle Herzensgedanken der Men-
5 schen und alle Geheimnisse der Welt; und alle Geheimnisse der
Schöpfung sind vor mir offenbar, wie sie offenbar sind vor dem Schöp-

fer der Schöpfung. Und ich sah genau hin, um die Geheimnisse der
Tiefe und das wunderbare Mysterium zu schauen. Bevor der Mensch
im Verborgenen denkt, sehe ich (es), und bevor ein Mensch etwas tut,
10 sehe ich (es). Und es gibt keine Sache in der Höhe und in der Tiefe der
Welt, die für mich verborgen wäre."

R. Yishma"el sagte: „Meṭaṭron, der Fürst des Angesichts, sagte zu
mir: ,Aus der Liebe heraus, mit der mich der Heilige, gepriesen sei er,
mehr liebte als alle Söhne der Höhen, machte er mir ein Gewand der
15 Hoheit, auf dem alle Arten von Lichtern waren, und bekleidete mich
[damit]. Und er machte mir ein Übergewand der Herrlichkeit, auf dem
alle Arten von Schönheit und Glanz, Strahlen (und) Pracht befestigt
waren. Und er machte mir eine Krone der Königsherrschaft, an der 49
Steine von der Schönheit wie das Licht der Sonnenscheibe befestigt
20 waren; ihr Glanz ging aus in die vier Windrichtungen des Firmaments
'Aravot und in die sieben Firmamente und die vier Windrichtungen
der Welt; und er band sie auf meinen Kopf. Und er nannte mich den
„kleineren Jahwe" in Gegenwart seiner ganzen Dienerschaft, die in
der Höhe ist, weil gesagt ist: „Denn mein Name ist in ihm" (Ex 23, 21).
25 ...

R. Yishma"el sagte: „Meṭaṭron, (der) Engel, Fürst des Angesichts,
die Pracht der ganzen Höhe, sagte zu mir: ,Zuerst saß ich auf einem
großen Thron an der Tür des siebten Palastes und richtete alle Söhne
der Höhen, (die) Dienerschaften der Höhe, durch die Bevollmächti-
30 gung des Heiligen, gepriesen sei er. Und ich teilte Größe und Königsherrschaft, Würde und Herrschaft, Pracht und Lobpreis und Kranz
und Krone der Herrlichkeit zu allen Fürsten der Königreiche, während ich auf dem (Richt)stuhl der Höhe saß und die Fürsten der
Königreiche bei mir standen, zu meiner Rechten und zu meiner Lin-
35 ken, durch die Bevollmächtigung des Heiligen, gepriesen sei er. Und
sofort, als 'Aḥer kam, um die Vision des Thronwagens zu schauen, und
seine Augen auf mich richtete, da fürchtete er sich und erzitterte vor
mir, und seine Seele erschrak (so sehr, daß sie fast) aus ihm herausging vor Furcht, Schrecken und Ehrfurcht vor mir, als er mich auf
40 (dem) Thron sitzen sah wie ein König. Und die Dienstengel standen bei
mir wie Knechte, und alle Fürsten der Königreiche umgaben mich, mit
Kronen umbunden. In dieser Stunde öffnete er seinen Mund und
sagte: Gewiß, (es gibt) zwei Herrschaften in den Himmeln. Sofort
erging die Gottesstimme aus den Himmeln, vor der Shekhina her, und
45 sagte: „Kehrt zurück, ihr abtrünnigen Söhne (Jer 3, 22), außer 'Aḥer!"
In dieser Stunde kam 'Aniel, der Fürst, der geehrte, prächtige, liebens-
werte, wunderbare, gefürchtete, furchtbare, im Auftrag des Heiligen,
gepriesen sei er, und schlug mich mit 60 Schlägen von Feuer und
stellte mich auf meine Füße.

---

10 *Und es gibt keine Sache ... die für mich verborgen wäre.* Damit wird eine
Allwissenheit zum Ausdruck gebracht, die kaum etwas anderes als ein
Gottesattribut sein kann.

21 'Aravot, der 7. Himmel.

23 *Kleinerer Jahwe*. Dies ist der bedeutendste Name Meṭaṭrons. Er scheint zu beinhalten, daß Meṭaṭron, obwohl er unter dem höchsten Gott steht, dennoch zu derselben Seinsart gehört.

36 *'Aḥer*, dt. „ein Anderer". Vgl. *301* Z. 1 mit Anm.

45 Daß 'Aḥer das fundamentale Prinzip der Einheit Gottes geleugnet hatte, konnte ihm nicht vergeben werden.

46 *'Aniel*, ein Engel.

# Übersetzungsnachweis

Die teilweise leicht überarbeiteten Übersetzungen in diesem Band
wurden mit freundlicher Genehmigung der genannten Verlage
den folgenden Büchern entnommen:

| | |
|---|---|
| *1* | F. Gottanka, Augustus. Meine Taten, Heimeran Verlag, München ³1944 |
| *2, 5, 9, 12, 14, 16, 17* | M. Heinemann, Sueton. Cäsarenleben, Alfred Kröner Verlag, Stuttgart ⁴1951 |
| *3* | R. Helm, Horaz. Gedichte, Alfred Kröner Verlag, Stuttgart 1954 |
| *4* | R. A. Schröder, Gesammelte Werke, Bd. V, Suhrkamp, Frankfurt 1952 |
| *6, 7, 11* | C. Hoffmann, Tacitus. Annalen, Heimeran Verlag, München 1954 |
| *18* | K. Büchner, Publius Cornelius Tacitus. Agricola. Germania. Dialogus de Oratoribus. Die historischen Versuche, Alfred Kröner Verlag, Stuttgart 1955 (³1985 bearb. von R. Häussler) |
| *19* | O. Veh, Cassius Dio. Römische Geschichte, Bd. V, BAW, Artemis Verlag, Zürich/München 1987 |
| *20* | K. Dziatzko, Untersuchungen über ausgewählte Kapitel des antiken Buchwesens, Teubner, Leipzig 1900 |
| *21* | U. Wilcken, Urkunden der Ptolemäerzeit (ältere Funde), Bd. I: Papyri aus Unterägypten, Walter de Gruyter, Berlin/Leipzig 1927 |
| *30, 36, 57* | A. Deißmann, Licht vom Osten, J. C. B. Mohr (Paul Siebeck), Tübingen ⁴1923 |
| *49, 50, 165* | K. Beyer, Die aramäischen Texte vom Toten Meer, Vandenhoeck & Ruprecht, Göttingen 1984 |
| *65* | H. Engelmann/D. Knibbe, Das Zollgesetz der Provinz Asia, Epigraphica Anatolica 14, Dr. Rudolf Habelt GmbH, Bonn 1989 |
| *71, 72* | Platon, Sämtliche Werke, 3 Bde., Lambert Schneider Verlag, Heidelberg o. J. (*71* von F. Schleiermacher, *72* von W. Wiegand) |
| *73* | F. Dirlmeier, Aristoteles. Nikomachische Ethik, Philipp Reclam Jun., Stuttgart 1969 |
| *83* | E. Glaser-Gerhard, L. Annaeus Seneca. Briefe an Lucilius, Bd. II, Rowohlts Klassiker der Literatur und der Wissenschaft, Lateinische Literatur 11, Hamburg 1965 |
| *84–86, 101* | J. G. Schultheß/R. Mücke, Epiktet, C. Winter, Heidelberg o. J. (1926) |
| *87–92* | W. Capelle, Marc Aurel. Selbstbetrachtungen, Alfred Kröner Verlag, Stuttgart ⁸1953 |
| *77, 79, 93, 94* | W. Nestle, Die Nachsokratiker, 2 Bde., Diederichs, Jena 1923 |
| *99* | H. Rahn, Quintilian. Ausbildung des Redners, Bd. 2, TzF 3, WBG, Darmstadt ²1988 |
| *102–104* | E. Baltzer, Philostrat. Apollonius von Tyana, Rudolstadt in Th. 1883 (Nachdr. Scientia Verlag, Aalen 1970) |
| *107* | Aristophanes, Sämtliche Komödien. Übertragen von L. Seeger, BAW, Artemis-Verlag Zürich, Zürich 1952 |
| *108* | E. Buschor, Griechische Tragödien 1: Aischylos I, Artemis Verlag, Zürich/München 1979 |

*109* E. Buschor, Griechische Tragödien 3: Sophokles I, Artemis Verlag, Zürich/München 1979

*110* D. Ebener, Euripides, Tragödien. 5. Teil. Die Troerinnen, die Phoinikerinnen, Orestes.?Griech.-dt. von D. Ebener, SQAW 30/5, Akademie-Verlag, Berlin 1979

*111* E. Vogt, Tragiker Ezechiel, in: JSHRZ IV.3, Gütersloher Verlagshaus Gerd Mohn, Gütersloh 1983

*119, 120, 122, 123* M. Krause (*119, 120*) und K. Rudolph (*122, 123*) in: Die Gnosis, Zweiter Band. Koptische und mandäische Quellen, eingeleitet, übersetzt und erläutert von M. Krause und K. Rudolph, hg. v. W. Foerster, BAW, Artemis Verlag, Zürich/Stuttgart 1971

*121* B. Blatz, in: Neutestamentliche Apokryphen in deutscher Übersetzung, hg. v. W. Schneemelcher, Bd. I: Evangelien, J. C. B. Mohr (Paul Siebeck), Tübingen [6]1990

*124* Th. Hopfner, Plutarch. Über Isis und Osiris, Monographien des Archiv Orientální IX, 2 Bde., Prag 1940–1941

*128* R. Helm, Apuleius. Metamorphosen oder der Goldene Esel, SQAW 1, Akademie-Verlag, Berlin [6]1970

*133–141, 275, 276, 278, 283–286, 288–295, 297* aus: E. Kautzsch, Die Apokryphen und Pseudepigraphen des Alten Testaments, 2 Bde., J. C. B. Mohr (Paul Siebeck), Tübingen 1900

*142, 143, 271–273* H. Clementz, Des Flavius Josephus Jüdische Altertümer, 2 Bde., Halle/Berlin o. J. (1899), Nachdr. Fourier Verlag, Wiesbaden 1979

*8, 144–148, 150–152, 155–161, 262* H. Clementz, Flavius Josephus. Geschichte des Jüdischen Krieges, Halle/Berlin o. J. (1900), Nachdr. Fourier Verlag, Wiesbaden 1977

*149* J. Borst, P. Cornelius Tacitus. Historien, ST, Artemis Verlag, München [5]1984

*162* L. Tafel, Cassius Dio. Römische Geschichte, Bd. 13, Stuttgart 1839

*163, 164* Haeuser, Des Eusebius Pamphili Bischofs von Cäsarea Kirchengeschichte, BdK II/1, Kösel-Verlag, München 1932

*166, 264–266* F. Kaulen, Flavius Josephus. Jüdische Alterthümer, Bachem, Köln [3]1892

*168–170* H. C. Schnur, Juvenal. Satiren, Philipp Reclam Jun., Stuttgart 1969

*179, 190* K. G. Kuhn, Der tannaitische Midrasch Sifre zu Numeri, RT II/3, W. Kohlhammer, Stuttgart 1959

*177, 184, 197, 199, 213, 214* aus: Die Mischna (früher A. Töpelmann, erst Gießen, dann Berlin, seit 1971: Walter de Gruyter, Berlin/New York): I 3 (W. Bauer, 1931: *213*); II 6 (H. Bornhäuser, 1935: *184, 199*); VI 1 (W. Bunte, 1972: *214*); VI 2 (W. Bunte, 1988: *197*); VI 11 (G. Lisowsky, 1956: *177*)

*185, 191, 198, 216* L. Goldschmidt, Der Babylonische Talmud, 12 Bde., Jüdischer Verlag, Berlin 1929–1936

*188, 205–211, 218* aus: H. Strack/P. Billerbeck, Kommentar zum Neuen Testament aus Talmud und Midrasch, Verlag C. H. Beck, 4 Bde., München 1922–1928 (unveränderte Neuauflagen)

*189, 215* A. Wünsche, Midrasch Rabba, 12 Bde., Leipzig 1880–1885

*200–202, 204, 225–227* aus: Die Schriften des Institutum Judaicum in Berlin, Nr. 3 (H. L. Strack, Joma, Leipzig [3]1912: *200–202, 204*); Nr. 38 (H. L. Strack, Sanhedrin-Makkot, Leipzig 1910: *225–227*)

*228–232, 234–239, 241, 243–245* E. Lohse, Die Texte aus Qumran. Hebräisch und deutsch, Wissenschaftliche Buchgesellschaft, Darmstadt [4]1986

Übersetzungsnachweis

*153, 154, 246–254, 256–259, 274*  L. Cohn u. a., Die Werke Philos von Alexandrien, Bd. I-VI, Breslau 1909–1938 (Nachdruck: Walter de Gruyter, Berlin 1962); Bd. VII, Walter de Gruyter, Berlin 1964

*255*  F. Siegert, Philon von Alexandrien. Über die Gottesbezeichnung „wohltätig verzehrendes Feuer" *(De Deo)*, WUNT 46, Tübingen 1988

*260, 261, 263*  L. Haefeli, Flavius Josephus. Lebensbeschreibung, Neutestamentliche Abhandlungen XI,4, Aschendorff, Münster 1925

*269, 270*  H. Clementz, Des Flavius Josephus kleinere Schriften, O. Hendel, Halle/Berlin o. J. (1900), Nachdr. Joseph Melzer Verlag, Köln 1960

*282, 296*  E. Kautzsch/A. Bertholet, Die Heilige Schrift des Alten Testaments, Bd. II, J. C. B. Mohr (Paul Siebeck), Tübingen [4]1923

*298*  S. Uhlig, Das äthiopische Henochbuch, JSHRZ V.6, Gütersloher Verlagshaus Gerd Mohn, Gütersloh 1984

*302*  P. Schäfer, Übersetzung der Hekhalot-Literatur, Bd. III, TSAJ 22, J. C. B. Mohr (Paul Siebeck), Tübingen 1989

*Aus der 1. Auflage wurden die folgenden Übersetzungen von Carsten Colpe übernommen:* 13, 15, 22–23, 26–29, 32–35, 37–48, 52, 56, 58–59, 74–76, 78, 80–82, 105, 112–116, 126, 127, 129, 167, 171–176, 180–183, 186–187, 193, 219–224, 267–268, 277

*Neu übertragen wurden:* 10, 24, 25, 31, 51, 53–55, 61–64, 66–70, 95–98, 100, 106, 117, 118 (Jens Holzhausen), 125, 130–132, 178, 192, 203, 212, 217, 233, 240 (Anna Maria Schwemer), 242, 279–281, 287, 299–301, 303

# Register

## I. Stellen

Die Stellen, die z.T. den laufenden Text des Buches ausmachen und im Inhaltsverzeichnis stehen, werden hier nicht noch einmal aufgeführt.

### 1. Altes Testament

# Register

398

## 2. Neues Testament

# 3. Apokryphen und Pseudepigraphen

# 4. Josephus

## 5. Philo

## 6. Qumran

## 7. Rabbinische Literatur

# 9. Patristische Schriften

# 10. Papyri

# 11. Inschriften

# II. Namen und Sachen